DIE GESCHICHTE
VOM AUFSTIEG DAVIDS

ACTA THEOLOGICA DANICA

VOL. X

DIE GESCHICHTE VOM AUFSTIEG DAVIDS

(1. SAM. 15 – 2. SAM. 5)

Tradition und Komposition

VON

JAKOB H. GRØNBÆK

PROSTANT APUD MUNKSGAARD
COPENHAGEN 1971

DIE GESCHICHTE VOM AUFSTIEG DAVIDS

(1. SAM. 15 – 2. SAM. 5)

Tradition und Komposition

JAKOB H. GRØNBÆK

PROSTANT APUD MUNKSGAARD
COPENHAGEN 1971

Nach dem dänischen Manuskript übersetzt von Hanns Leisterer.

Denne afhandling er af Det teologiske Fakultet ved Københavns Universitet antaget til offentlig at forsvares for den teologiske doktorgrad.

København, den 19. marts 1970.

Børge Diderichsen,
h. a. dec.

ISBN 87 16 00580 5

PRINTED IN DENMARK BY
AARHUUS STIFTSBOGTRYKKERIE A/S 9499.71

Tilegnet mindet om
min far

Vorwort

Die Vorarbeiten für diese Abhandlung wurden während der Jahre 1962–64 geleistet, während ich Universitetsadjunkt an der Kopenhagener Universität war. Nachdem ich eine Anstellung als Bibliothekar an der Königlichen Bibliothek 1964 erhalten hatte, setzte ich die Ausarbeitung fort; im Vorsommer 1969 wurde sie abgeschlossen. Ich bin diesen beiden Institutionen für gute Arbeitsbedingungen zu Dank verpflichtet.

Den Herausgebern der Acta Theologica Danica danke ich verbindlichst für die Aufnahme meiner Schrift in ihre Serie. Editions-Societetet, Kopenhagen, sage ich für Hilfe bei der Korrektur meiner Arbeit verbindlichen Dank.

Meinem Freunde, Pastor Hanns Leisterer, danke ich herzlich für die deutsche Übersetzung.

Meine Arbeit widme ich dem Andenken an meinen Vater, Domprobst Villiam Grønbæk, der vor 35 Jahren seine Habilitationsschrift verteidigte.

Osted (Seeland/Dänemark), im März 1971

JHG

Inhalt

Einleitung

Bei dem Teil des deuteronomistischen Geschichtswerkes [1], der in der vorliegenden Abhandlung in bezug auf seine Komposition und Überlieferung einer kritischen Analyse unterzogen werden soll, handelt es sich um die Geschichte vom Aufstieg Davids zur Königsherrschaft, beginnend mit der Zeit, da er als Hirtenjunge die Schafe seines Vaters in Bethlehem hütete, bis zu seiner Thronbesteigung als König von Israel. Dieser Traditionskomplex [2], der eine geschlossene Darstellung der Vorgeschichte Davids (im folgenden: Vorgeschichte) bietet, hat merkwürdigerweise in der alttestamentlichen Fachwelt erstaunlich wenig Interesse gefunden. Jedenfalls existieren – soweit mir bekannt – bis heute nur drei Monographien, die sich ausschließlich mit diesem Stoff befassen, und zwar *Hans-Ulrich Nübel*'s »Davids Aufstieg in der Frühe israelitischer Geschichtsschreibung« von 1959 [3], *Friedrich Mildenberger*'s »Die vordeuteronomistische Saul–Davidüberlieferung« von 1962 [4] und *Roger Lemuel Ward*'s »The Story of David's Rise: A Traditio-historical Study of I Samuel xvi 14 – II Samuel v« von 1967 [5]. Außer diesen drei Monographien muß auch der wichtige Aufsatz von *Artur Weiser* »Die Legitima-

1. Zum deuteronomistischen Geschichtswerk, dieser großangelegten Darstellung der Geschichte Israels von 5. Mos. bis 2. Kg., siehe vor allem *Noth,* Überlieferungsgeschichtliche Studien, 1943 (Neudruck 1957); dieses Geschichtswerk ist nach *Noth* in der Mitte des 6. Jahrhunderts von einem Verfasser (= Deuteronomisten, Dtr.) unter einem bestimmten Gesichtspunkt auf der Grundlage von Überlieferungsmaterial zusammengestellt worden, das an Umfang und Charakter verschiedenartig war. In Skandinavien, wo *Noth*'s Auffassung grundsätzlich bei *Engnell* (Gamla Testamentet, I, 1945, S. 231 ff.) Anklang fand, haben sich indessen Forscher der sog. traditionsgeschichtlichen Schule dafür ausgesprochen, daß hinter dem dtr. Geschichtswerk nicht eine Einzelperson stehe, sondern ein Kreis von Tradenten (= Deuteronomisten), vgl. *Engnell,* a. a. O., S. 209, Anm. 2, sowie besonders den Artikel »Deuteronomisk« in SBU, I, 1962, Sp. 413–418 (*R. A. Carlson*), dazu *Carlson,* David the Chosen King, 1964, wo die traditionsgeschichtliche Methode auf 2. Sam. angewendet ist (siehe auch unter Anm. 25).
2. Das Wort Traditionskomplex hat hier ganz einfach die Bedeutung = eine Sammlung von allen möglichen Traditionen, mündlichen oder auch schriftlichen. Siehe im übrigen auch unten Anm. 27.
3. Inaugural-Dissertation, Bonn.
4. Inaugural-Dissertation, Tübingen.
5. Dissertation, Nashville, Tennessee.

tion des Königs David. Zur Eigenart und Entstehung der sogen. Geschichte von Davids Aufstieg« aus dem Jahre 1966 erwähnt werden [6]. Von *Mildenberger*'s und *Ward*'s Untersuchungen erfuhr ich leider erst, als die im folgenden [7] vorgenommene Einzelanalyse im Manuskript bereits fertig vorlag [8]. Dasselbe gilt auch für den Aufsatz von *Weiser,* bei dem sich herausstellte, daß die in ihm thesenartig vorgetragenen Gesichtspunkte – eine in Einzelheiten gehende Analyse wird nicht geboten – in vielen mit meinen eigenen übereinstimmen [9].

Allerdings gehen diese vier soeben genannten Forscher an die Vorgeschichte und deren Problematik, d. h. deren Aufbau und Abgrenzung sowie Traditionsstoff und Zielsetzung, nicht von derselben methodischen Voraussetzung aus heran. So gehen *Nübel* und *Mildenberger* in ihren Abhandlungen ausgesprochen literarkritisch vor, während *Ward* und *Weiser* die Vorgeschichte unter dem überlieferungsgeschichtlichen Aspekt betrachten. Es darf deshalb auch nicht verwundern, daß ihre Untersuchungen im Ergebnis oft stark voneinander abweichen. Eine erneute – und intensive – Beschäftigung mit der Vorgeschichte ist also dringend geboten. Vor der Einzelanalyse des betreffenden Abschnitts der Samuelbücher, in dem die Vorgeschichte Davids behandelt wird, ist es natürlich notwendig, zunächst einmal auf die sich unwillkürlich ergebenden grundsätzlichen Probleme einzugehen. Dies soll darum als erstes in dem Folgenden geschehen, und zwar unter Bezugnahme auf die Untersuchungen der vier eben genannten Forscher.

Die erste Monographie über die Vorgeschichte, *Nübel*'s Dissertation über »Davids Aufstieg« erschien also erst 1959 [10]. Die These über eine »Geschichte vom Aufstieg Davids« als eines selbständigen, unabhängigen Geschichtswerkes war andererseits nicht neu. Der erste, der nachdrücklich für die Existenz einer Geschichte vom Aufstieg Davids zur Königsherrschaft eintrat, war *Leonhard Rost* mit seiner bahnbrechenden Arbeit: »Die Überlieferung von der Thronnachfolge Davids« aus dem Jahre 1926 [11]. *Rost* setzte

6. VT, 16, S. 325–54.
7. S. 37–278.
8. *Mildenberger*'s Diss. liegt nur in Maschinenschrift vor; *Ward*'s ist herausgegeben von University Microfilms, Inc., Ann Arbor, Michigan.
9. *Weiser's* Abhandlung hat also auf *meine* in DTT, 28, 1965, S. 65 ff. bereits angedeutete Auffassung der Vorgeschichte keinen Einfluß gehabt. Andererseits hat *Weiser*'s Abhandlung in mancherlei Hinsicht die Richtigkeit der in dieser Arbeit dargelegten Grundauffassung sowie auch verschiedener Einzelbeobachtungen bestätigt.
10. *Nübel* beginnt seine Untersuchung mit einem Hinweis auf *E. Meyer,* der hinter der »Vorgeschichte Davids« einen echten Kern wahrnimmt (1. Sam. 16,14 ff.; 18,10–28,2; 29,1–2. Sam. 4), der älter sei als »J« (Die Israeliten und ihre Nachbarstämme, 1906, S. 84).
11. BWANT, III, 6 (in Das kleine Credo, 1965, s. 119–253). *G. von Rad* erwähnt in seiner Abhandlung: Der Anfang der Geschichtsschreibung im Alten Testa-

sich in ihr auseinander mit der seinerzeit unter den Alttestamentlern vorherrschenden Tendenz, auch in den Samuelbüchern die einzelnen Berichte von vornherein auf durchlaufende Quellen zu verteilen, ganz gleich ob man sie mit den in der Forschung als gesichert geltenden Pentateuchquellen in Verbindung brachte oder nicht. Eine derartige Auffassung wird nach *Rost* in gar keiner Weise der eigenartigen Familien- oder Thronnachfolgegeschichte gerecht, deren Kern er in 2. Sam. 9–20 und 1. Kg. 1–2 [12] annimmt, wie überhaupt dem anderen Stoff in den Samuelbüchern. *Rost* schält nämlich nicht nur eine besondere »Thronfolgequelle« heraus, sondern rechnet z.B. auch mit der Existenz einer ursprünglich selbständigen Ladeerzählung (1. Sam. 4–6 und 2. Sam. 6), die er eingehend untersucht, und – was für unseren Zusammenhang wichtig ist – mit einer »Erzählung vom Aufstieg Davids«, deren Schluß er in 2. Sam. 5 (oder vielleicht in Teilen von Kap. 8) zu finden glaubt [13]. Allerdings macht *Rost* über diese »Erzählung vom Aufstieg Davids«, ihren Umfang und Charakter, keine genaueren Angaben [14]. Dennoch gab *Rost*'s Abhandlung unverkennbar Anstoß für eine neue Auffassung über die Entstehung der Samuelbücher, nach der diese ihre Entstehung nicht einer Verflechtung paralleler Quellen verdankten [15], sondern durch eine Addition mehrerer selbständiger Quellen oder Überlieferungseinheiten entstanden seien. Diese Auffas-

ment (Archiv f. Kulturgeschichte, 32, 1944, S. 1 ff.), wo er die Thronfolgegeschichte eingehend analysiert, die Geschichte von Davids »Aufstieg« überhaupt nicht. In der Theologie des Alten Testaments, I, 1957, S. 57, Anm. 20, vermutet *v. Rad,* daß das Erzählungswerk »von dem Aufstieg Davids« älter sei als die Thronfolgegeschichte sowie »J«.

12. Als Vorläufer für *Rost*'s Auffassung von 2. Sam. 9–20 (und 1. Kg. 1–2) als einer ursprünglich selbständigen, von durchlaufenden Quellen unabhängigen Einheit ist *C. Steuernagel* (Lehrbuch der Einleitung in das AT, 1912, S. 325 f.) zu nennen.
13. Außer der Ladeerzählung rechnet *Rost* mit weiteren zwei »Unterquellen« der Thronfolgegeschichte, der Nathansweissagung (S. 47 ff., in: Das kleine Credo, S. 159 ff.) und dem Ammoniterkriegsbericht Kap. 10,6–11,1; 12,26–31 (S. 74 ff., in: Das kleine Credo, S. 184 ff.).
14. Laut *Rost* gehören vor allem dazu 1. Sam. 23,1–13; 27,1–28,2; 29,1–30,26; 2. Sam. 1,1; 2,4 a; 3,20–29; 3,31–37; 4,1 a; 4,5–12; 5,3; 5,17–25 (Kap. 8?). Diese Stücke bildeten eine »lückenlos zusammenhängende Darstellung von Davids Ergehen auf seiner Flucht vor Saul und von den Vorgängen, die zu seiner Herrschaft über Juda und Israel und zur Eroberung von Jerusalem geführt haben.« (S. 133, in: Das kleine Credo, S. 238). Siehe ferner die folgenden Seiten, auf denen *Rost* in bezug auf Stil, Aufbau und Kultauffassung die Vorgeschichte mit der Thronfolgegeschichte vergleicht; dieser Vergleich führt unweigerlich zu der Annahme, daß diese beiden »Quellen« verschiedenen Ursprungs sind.
15. Eine prägnante Argumentation für den quellenmäßigen Zusammenhang zwischen den Samuelbüchern und Mosebüchern ist von *Eissfeldt* geführt worden in: Die Komposition der Samuelisbücher, 1931; vgl. auch seine Einleitung in das AT, 3. Auf., 1964, S. 362–74.

sung macht sich auch *Noth* in seinen epochemachenden »Überlieferungsgeschichtlichen Studien« aus dem Jahre 1943 zu eigen. Hier operiert *Noth* unter dem vielgestaltigen Stoff, aus dem sich das deuteronomistische Geschichtswerk zusammensetzt, u. a. mit einer »Geschichte vom Aufstieg Davids« [16].

Wie schon oben angedeutet, geht *Nübel* ausschließlich nach der literarkritischen Methode vor. »Diese Arbeit wagt es, noch einmal literarkritisch vorzugehen, noch einmal nach einem durchlaufenden Textzusammenhang zu forschen, der von den Unebenheiten und offenkundigen Widersprüchen des gegenwärtigen nicht entstellt ist.« [17] In seiner Analyse möchte er nachweisen, daß – was die Vorgeschichte Davids angeht – in Wirklichkeit ursprünglich »nur zwei übereinanderliegende Schichten« vorgelegen haben, beide in schriftlicher Fixierung, einer Grundschrift (abgekürzt: Gr.) und einer Bearbeitung derselben (abgekürzt: B.). Die Annahme zweier solcher »Ausgaben« ist nach *Nübel* die einzig mögliche Erklärung für die vielen von ihm nachgewiesenen »Doppelheiten« und nicht zu übersehenden Umstellungen des ursprünglichen Textes. Diese beiden Schichten oder Ausgaben der Vorgeschichte aus der Regierungszeit Davids und ungefähr dem 8. Jahrhundert lassen sich nach *Nübel* aufgrund ihrer spezifischen gedanklichen Ausprägung, ihres Wortschatzes und Stils voneinander abheben [18]. Über die Beziehung dieser »Ausgaben« zu den Pentateuchquellen äußert er sich nicht, »denn auch oder vielleicht gerade ohne diese Orientierung müsste sich der Text bei genauem Zusehen selbst in seine Schichten zerlegen, wenn er aus solchen entstanden ist.« [19] Von grundlegender Bedeutung – und auffällig – ist freilich, daß *Nübel* ganz bewußt darauf verzichtet, einzelnen Überlieferungsstücken in der Vorgeschichte nachzugehen, »wobei man nicht viel mehr als ihre verschiedene lokale Bindung erkennt.« [20] Bei diesem Standpunkt kann man natürlich im Text auch keine Anhaltspunkte finden, um eine überlieferungsgeschichtliche Betrachtungsweise auf die Einzelüberlieferungen überhaupt anwenden zu können.

16. Vgl. auch *Alt,* Die Staatenbildung der Israeliten in Palästina, 1930 (Kleine Schriften, II, S. 1–65, siehe S. 15).
17. S. 10 f.
18. S. 100 ff.
19. S. 11.
20. *Nübel* verwahrt sich hier gegen *Hertzberg's* Methode in dessen Kommentar zu den Samuelbüchern, wo gerade auf Grund des verschiedenartigen Stoffes der Samuelbücher die Unzulänglichkeit der literarkritischen Methode betont wird. »Es gibt Erzählungen, denen man den lokalgebundenen Ursprung deutlich ansieht, Stücke, die aus Archiven zu stammen scheinen, poetische Stücke, die zunächst ein Einzeldasein geführt haben, dann auch grössere Einheiten, die bereits in einem Vorstadium der Samuelbücher ein literarisches Eigenleben besassen.« (Die Samuelbücher, 1960, S. 10). *Hertzberg* erkennt allerdings das Vorhandensein eines ursprünglich selbständigen »Berichtes vom Aufstieg Davids« nicht an (ebd.).

Nübel's Methode hat in mancherlei Hinsicht Ähnlichkeit mit der Methode, der sich *Rost* in seiner Untersuchung der Thronfolgegeschichte im 2. Samuelbuch bedient hat. Wie *Rost* die Thronfolgegeschichte aus sich heraus zu verstehen sucht – also unabhängig von einem eventuellem Zusammenhang mit (anderen) Quellen in den Samuelbüchern im allgemeinen –, tut dies auch *Nübel* in bezug auf die Vorgeschichte. Zwar will *Rost* in Verbindung mit der Thronfolgegeschichte von mehreren Schichten, »Ausgaben«, nichts wissen. Andererseits sei die Thronfolgegeschichte »keine ganz einheitliche Grösse, insofern sie verschiedene ältere Quellen in sich aufgenommen hat, bzw. mit ihnen verbunden ist.« [21]

Diese »Unterquellen« (die Ladeerzählung, die Nathansweissagung, der Ammoniterkriegsbericht) seien »in die umspannende Erzählung der Thronfolgegeschichte aneinandergefügt oder eingebettet« worden [22]. Nun zeigt sich allerdings, daß *Rost* bei seinem Arbeiten mit »Unterquellen« sich freilich im Gegensatz zu der klassischen Literarkritik bewegt, die einseitig den Nachdruck auf große durchlaufende, parallele Quellenschriften legt, doch werden diese »Unterquellen« – von ihrem Charakter als »Sonderquellen« einmal abgesehen – von ihm grundsätzlich genauso aufgefaßt und unterscheiden sich darum nicht wesentlich von den in der klassischen Literarkritik angenommenen großen Quellenverbindungen; sie haben ausschließlich den Charakter schriftlichen Quellenmaterials, das in einem größeren Zusammenhang, nämlich der Thronfolgegeschichte, benutzt worden ist. Weder die Ladeerzählung noch die Nathansweissagung in 2. Sam. 6 und 7 versucht *Rost* von ihren eventuell ursprünglich mündlich überlieferten Bestandteilen her zu erfassen. Das versäumt er auch im Blick auf die »Thronfolgequelle« – die eigentliche Thronfolgegeschichte. Er untersucht also nur, welche »Unterquellen« der Verfasser der Thronfolgegeshichte zusammengekettet oder in seinen Bericht eingeflochten hat, nicht aber, was in der »Thronfolgequelle« [23], geschweige denn in der Ladeerzählung oder der Nathansweissagung, möglicherweise für Überlieferungsstoff aufgegangen ist.

Methodisch liegt *Nübel* also grundsätzlich mit *Rost* auf einer Linie. Er

21. A. a. O., S. 2 (Das kleine Credo, S. 119). *Rost* nimmt hier gegen *Budde*'s Kommentar zu den Samuelbüchern Stellung, wo dieser schreibt, daß die älteste Redaktion nur zwei Quellenschriften miteinander verbunden habe, und daß »diese beiden Quellenschriften den Inbegriff aller vorexilischen Überlieferung bildeten, die uns in den Samuelbüchern erhalten ist. Die Quellen dieser Quellen zu ermitteln und deren Herkunft zu bestimmen fehlen uns, soweit ich sehe, die Handhaben.« (Die Bücher Samuel, 1902, S. XVII).
22. A. a. O., S. 2 f. (Das kleine Credo, S. 121).
23. Ein klassisches Beispiel für eine Analyse der Traditionsgrundlage in der Thronfolgegeschichte – wie in den historischen Büchern überhaupt – findet sich in *Gressmann,* Die älteste Geschichtsschreibung und Prophetie Israels, 2. Auf., 1921 (1. Aufl. 1910).

untersucht die Vorgeschichte in gleicher Weise, wie *Rost* die Thronfolgegeschichte, d. h. als ein literarisches Werk, das in bezug auf Tendenz, Form und Stoff überall die Kennzeichen ein und derselben Persönlichkeit trage. Um kein Mißverständnis aufkommen zu lassen, muß in diesem Zusammenhang aber besonders darauf hingewiesen werden, daß zwischen der Vorgeschichte und der Thronfolgegeschichte ein Unterschied besteht. Die Vorgeschichte hat – trotz ihrer erkennbaren Tendenz und ihres klaren Aufbaues – ausgesprochenen Bruchstückcharakter, weshalb eine Untersuchung der Vorgeschichte unmöglich den Traditionsstoff, aus dem sie sich zusammensetzt, ihre Grundbestandteile, außeracht lassen darf [24]. Dagegen läßt sich darüber streiten, ob die einzelnen Teile der Thronfolgegeschichte unabhängig von dieser eine selbständige Existenz gehabt haben [25]. Die Thronfolgegeschichte macht auf alle Fälle einen weit geschlosseneren Eindruck.

In unserer Abhandlung betrachten wir die Vorgeschichte – die Geschichte vom Aufstieg Davids zur Königsherrschaft, 1. Sam. 15 – 2. Sam. 5 – als ein Ganzes, als einen selbständigen, unabhängigen und von einer bestimmten Tendenz geprägten *Traditionskomplex.* – Erst im Zuge der Komposition des deuteronomistischen Geschichtswerkes darf man wohl mit der Eingliederung der Vorgeschichte in einen größeren literarischen Zusammenhang rechnen [26]. – Die Vorgeschichte gibt Überlieferungsgut weiter. Deshalb kann die Aufgabe auch nicht allein darin bestehen, diesem Bericht als Ganzem, seiner Abgrenzung nach vorne und hinten, seinem Aufbau und seiner Zielsetzung, Aufmerksamkeit zu schenken; gleichermaßen erforderlich ist eine gewissenhafte Ermittlung seiner Grundbestandteile, des Stoffes, aus dem er sich zusammensetzt. Unserer Abhandlung liegt die Arbeitshypothese zugrunde, daß wir es in der

24. Vgl. *Weiser,* VT, 16, 1966, S. 330 f.
25. *Carlson* hält die Annahme der These *Rost*'s von einer usprünglich selbständigen Thronfolgegeschichte für unmöglich (a. a. O., S. 131 ff.). *Carlson* nimmt nicht – wie *Noth* – an, daß der Dtr. (= Deuteronomist) hinsichtlich der Saul- und Davidüberlieferung größere und bereits erarbeitete Komplexe übernommen und mit geringfügigen Eingriffen wiedergegeben hat, sondern legt das Schwergewicht auf die aktive redaktionsgeschichtliche Gestaltung des Dtr. (= der D-Gruppe), siehe *Carlson,* David the Chosen King, S. 23 f. Die D-Gruppe habe *Carlson* zufolge die Davidüberlieferungen derart stark geprägt, daß es nur in verschwindend wenig Fällen möglich sei, der vor-dtr. Fassung auf die Spur zu kommen. Diese Auffassung vom dtr. Geschichtswerk (vgl. darüber hinaus oben Anm. 1) verbietet *Carlson,* die Existenz einer ursprünglich selbständigen Throngeschichte und auch einer ursprünglich selbständligen Geschichte über »David's rise to power«, 1. Sam. 16,14–2. Sam. 5,25 (a. a. O., S. 43) zuzugestehen; bezeichnend ist auch die folgende Passage: »The task of reconstructing a pre-Deuteronomic cycle of tradition in 1–2 Sam. is so complicated as to be impossible.« (ebd.).
26. Gegen *Noth,* a. a. O., S. 61 f. Siehe auch unten.

Vorgeschichte mit einem Komplex zu tun haben, der viele und vielgestaltige Traditionen unterschiedlicher Herkunft in sich vereinigt. Wer auch immer hinter der Vorgeschichte stehen mag, sie setzt sich aus vorgegebenem Traditionsstoff zusammen, und vor allem daraus erklärt sich ihr oft etwas uneinheitlicher Charakter. Vornehmlich diese Tatsache weist in die Richtung, daß die Vorgeschichte ihre Entstehung einer Person oder – wenn man will – einem Verfasser verdankt. Ihre Entstehung hat man sich nicht so vorzustellen, daß einzelne Überlieferungen im mündlichen Überlieferungsprozeß allmählich zu einem großangelegten Komplex zusammengefügt worden sind. Im Gegenteil handelt es sich um einen zu einem bestimmten Zeitpunkt entstandenen, von einer bewußten Intention geformten und mit Hilfe von überwiegend mündlichem Traditionsstoff gestalteten Komplex [27]. Infolgedessen kann auf die Vorgeschichte als solche nur eine überlieferungs*kritische* Analyse angewendet werden, während man in bezug auf ihre Überlieferungselemente – unter besonderer Berücksichtigung der Gestalt, die diese gleich vor ihrer Aufnahme in den größeren Zusammenhang gehabt haben – eine überlieferungs*geschichtliche* Analyse vorzunehmen hat [28]. Die Gestalt, die das Traditionsmaterial vor seiner Eingliederung in die Vorgeschichte hatte, ist – wie bereits erwähnt – grundsätzlich der mündlichen Überlieferung zuzuschreiben. Eine wichtige Frage ist also, welche Veränderungen das Material im Zuge seiner Aufnahme in die Vorgeschichte durchgemacht hat und was für Motivverschiebungen stattgefunden haben können [29].

27. Von der Richtigkeit dieser Auffassung über die Entstehung der Vorgeschichte zu überzeugen, hat sich die nachstehende Analyse zur Aufgabe gestellt. Wenn also die Vorgeschichte als ein Traditionskomplex (vgl. oben Anm. 2) bezeichnet wird, steht diese Bezeichnung nicht in derselben Bedeutung wie bei *H. Birkeland* in: Zum hebräischen Traditionswesen aus dem Jahre 1938. Hier bezeichnet »Traditionskomplex« – im Hinblick auf die prophetische Literatur – eine größere oder kleinere Sammlung von Prophetenworten oder Prophetenberichten, die im mündlichen Überlieferungsprozeß in einem Kreis von Tradenten entstanden sind (S. 14 ff.). – Was die mündliche und schriftliche Tradition und die hierüber geführte Diskussion anbetrifft, siehe vor allem *E. Nielsen,* Oral Tradition, 1959, und *A. H. J. Gunneweg,* Mündliche und schriftliche Tradition, 1959. Siehe ferner oben Anm. 1.
28. Betreffs dieser Unterscheidung zwischen Traditionsanalyse und Traditionsgeschichte siehe auch *B. Otzen,* Studien über Deuterosacharja, 1964, S. 225.
29. In *Hylander*'s traditionsgeschichtlicher Untersuchung von 1. Sam. 1–15 spielt die Motivanalyse eine sehr wesentliche Rolle (Der literarische Samuel-Saul-Komplex, 1932). So meint *Hylander* auf Grund einer Analyse der einzelnen Traditionen außerordentlich viel Fälle von »Motivverflechtungen«, »Motivverarbeitungen« u. dergl. feststellen zu können (a. a. O., S. 3 f., 10 f. et passim). Es muß jedoch davor gewarnt werden – wie es *Hylander* scheint – überall Motivverschiebungen zu sehen; andererseits ist es von Wichtigkeit, wenn man sich stets vor Augen hält, daß das Hauptmotiv, die Grundintention, der »Skopus« einer bestimmten Tradition infolge der Aufnahme in einen neuen Zusammen-

Bei der Analyse ist es also außerordentlich wichtig, sich sowohl die Einheitlichkeit als auch die Mannigfaltigkeit vor Augen zu halten, d. h. die Vorgeschichte als Ganzes – ihre Zusammensetzung und Intention – sowie ihre Einzelbestandteile [30]. Wenn also *Ward* in seiner oben genannten Abhandlung von vornherein annimmt, der Verfasser der Geschichte von »David's Rise« habe keine separaten Überlieferungsstücke vorzuliegen gehabt, sondern nur größere »collections or complexes of tradition« [31], geht er damit der Untersuchung der Vielfältigkeit der einzelnen Bestandteile, aus denen die Vorgeschichte aufgebaut ist, aus dem Wege und tut damit zugleich der Einheitlichkeit Abbruch. Einesteils hält er eine nähere Analyse dieser mutmaßlichen »collections« nicht für erforderlich – im Grunde stellt er lediglich fest, daß solche existieren –, zum anderen ist nur schwer zu erkennen, was denn eigentlich diese Komplexe miteinander zu einer Einheit verbunden haben soll. Eine genauere Analyse der Bestandteile dieser Komplexe, die nach *Ward*'s Annahme der Verfasser der Vorgeschichte benutzt und zusammengefügt hat, könnte ja zu dem Ergebnis führen, daß die Bestandteile eben nicht schon vor ihrer Einbeziehung in die Vorgeschichte zusammengefügt waren, sondern daß dies erst bei ihrer Aufnahme in die Vorgeschichte geschah! Im übrigen macht *Ward*'s Abhandlung in erstaunlich geringem Maße den Eindruck einer überlieferungsgeschichtlichen Studie, wie es an sich der Untertitel der Arbeit erwarten ließ. Immerhin kann *Ward*'s Untersuchung wenigstens insofern in begrenztem Umfang den Anspruch auf eine überlieferungsgeschichtliche Untersuchung erheben, als sie die Traditionsgrundlage für die Geschichte von »David's Rise« zu ermitteln sucht. Von einer gründlichen Untersuchung dieser Traditionsgrundlage – geschweige denn des dahinterliegenden Überlieferungsprozesses – kann überhaupt keine Rede sein.

Die Vorgeschichte in 1. Sam. 15 – 2. Sam. 5 ist die einzige zusammenhängende Quelle über eine bestimmte Periode der Geschichte Israels (und Judas), deren maßgebliche Bedeutung niemand bestreiten wird. Sie gibt nicht nur eine einigermaßen zuverlässige Kenntnis über die Lebensumstände Davids vor dessen Königtum in Israel, sondern vermittelt darüber hinaus einen Einblick in die Verhältnisse des alten Israel vor der Staatenbildung. Und mit Staatenbildung meinen wir in diesem Zusammenhang die Periode, die mit der Salbung Davids zum König in Hebron, zunächst – wie es heißt – über das Haus Juda (2. Sam. 2,1–4) und später über Israel (2. Sam. 5,1–3), einsetzte. In historischer Beziehung äußerst bedeutsam ist die Frage, wie man sich das

hang, in casu in die Vorgeschichte, eine Veränderung oder Verdrängung erfahren kann.

30. Diese doppelte Aufgabe wird auch von *Weiser,* VT, 16, 1966, besonders eingeschärft.
31. The Story of David's Rise, S. 4.

Verhältnis zwischen den Südstämmen (Juda) und den Nord- oder richtiger Zentralstämmen (und unter diesen in Sonderheit Benjamin) in der Zeit von David vorzustellen hat. Allein schon die Tatsache, daß sich die Königssalbung in diesen zwei Etappen vollzieht, läßt nicht nur eine Zweiteilung des davidischen Reiches erkennen, sondern natürlich auch eine ebensolche Spaltung zwischen Süd und Nord, Juda und Israel, vor David.

Die Vorgeschichte umfaßt also in der Geschichte Israels die historische Periode kurz vor der Staatenbildung duch König David. An den Bericht kann man natürlich nicht mit den Augen moderner Geschichtsschreibung herangehen. Das will besagen, daß wir – auch hinsichtlich des Problems Israel–Juda – nicht bei einer Betrachtung dieses Traditionskomplexes in seiner »present form« [32] stehenbleiben dürfen, wenn wir uns auch nur die geringste Hoffnung machen wollen, einigermaßen hinter die vielen Rätsel dieses Komplexes zu kommen [33]. Der aufgenommene Stoff – und die Möglichkeit darf man von vornherein nicht ausschließen – hat vielmehr von einer bestimmten Gesamtkonzeption und Tendenz her eine Bearbeitung erfahren. Von einer kritischen Geschichtsschreibung kann allein aus diesem Grund nicht die Rede sein. Erst nach einer Analyse der Bestandteile der Vorgeschichte, der in ihr zusammengefaßten Einzelüberlieferungen, sowie nach Ermittlung der Grundintention wird es hoffentlich möglich sein, hinsichtlich des Verhältnisses der Vorgeschichte zur Historie gewisse Schlußfolgerungen ziehen zu können. Bei der Analyse historische Fragestellungen einzubeziehen, halten wir methodisch für unangebracht [34].

Worin besteht eigentlich das Grundanliegen der Vorgeschichte? Unter was für einem umfassenden Leitgedanken mag das verschiedene Traditionsgut zusammengefügt worden sein? In der Analyse wird der Nachweis geführt, daß die Grundintention der Vorgeschichte darauf abzielt, den Ablauf der Ereignisse so darzustellen, daß David nicht als Usurpator auf den Königsthron zu sitzen kam, sondern im Gegenteil als der legitime und einzig dafür in Frage kommende Nachfolger König Sauls [35]. Unter diesem Grundgedanken

32. Gegen *G. A. Danell,* Studies in the Name Israel in the Old Testament, 1946, S. 13 f.
33. In diesem Zusammenhang sei verweisen auf *Engnell*'s kritische Würdigung der Methode *Danell*'s, Israel and the Law, 1954, S. 17 f.
34. Gegen die Methode z.B. in *E. Auerbach,* Wüste und gelobtes Land, I, 1936, und *J. A.Soggin,* Das Königtum in Israel, 1967.
35. So auch *Weiser,* VT 16, 1966, vgl. z. B. S. 340: Zweck der Vorgeschichte sei es, »den David als den rechtmässigen Nachfolger Sauls im Königtum über Israel zu legitimieren.« Vgl. schon *Vriezen,* De compositie van de Samuël-boeken, 1948, S. 187. – *Ward,* der ebenfalls die Absicht der Legitimation unterstreicht, nimmt dafür allerdings nur einen Teil der Vorgeschichte (2. Sam. 2–4) und nicht die ganze Vorgeschichte in Anspruch (a. a. O., S. 141). *Hertzberg* begrenzt diese Absicht auf 1. Sam. 16–2. Sam. 1 (a. a. O., S. 197 ff., vgl. S. 117).

sind die Bestandteile, aus denen sich der Bericht zusammensetzt, zu einem Ganzen zusammengefügt worden.

Zieht man dies alles in Betracht, so ist selbstverständlich von vornherein nicht auszuschließen, daß in der Berichterstattung eine Verzeichnung der tatsächlichen Gegebenheiten stattgefunden haben könnte. Andeutungsweise einige Konsequenzen, die sich aus diesem Verständnis des Komplexes ergeben können.

David wird als der legitime und einzig in Frage kommende Nachfolger König Sauls dargestellt! Es besteht also im voraus die Möglichkeit, daß eine Vermengung von David- und Saultraditionen stattgefunden hat, und zwar in dem Sinne, daß man das, was ursprünglich David zugeschrieben wurde, auf Saul übertrug, und – was noch näher liegt –, daß man das ursprünglich Saul Zugesprochene später auf David bezog. Dies kann eine Verzeichnung, eine geschichtliche »Verfälschung« sowohl der tatsächlichen Stellung Sauls als auch Davids in dieser wichtigen Epoche zur Folge gehabt haben.

Eine solche Entstellung der tatsächlichen historischen Verhältnisse kommt vor allem in Betracht, wenn man die Aufmerksamkeit auf die Beziehung zwischen Juda und Israel kurz vor der Staatenbildung richtet. Selbst ein Gelehrter wie *E. Auerbach* [36], der annimmt, Juda hätte sich bei der Einwanderung in engem Bündnis mit den Nordstämmen befunden, betont: Bis in die Zeit König Sauls hinein »standen die Südstämme Israels nicht nur ausserhalb der Geschichte der Nordstämme . . ., sondern ausserhalb der Geschichte überhaupt.« [37] Daß folglich die Verbindung Saul–Juda ein zentrales Problem darstellt, bedarf wohl keiner Erwähnung. Eigentümlicherweise scheint man jedoch in der Forschung allgemein nicht dieser Meinung zu sein. In sozusagen allen Darstellungen der Geschichte Israels wird einer intensiven Erörterung der Beziehung Judas zu dem Israel Sauls kein Platz eingeräumt. Die Zugehörigkeit Judas zum Reiche Sauls hält man sehr oft für eine ausgemachte Sache [38]. Der Umstand, daß von gelegentlichen Kriegszügen König Sauls im Süden die Rede ist, liefert im allgemeinen das Hauptargument – oder wenigstens eins der Hauptargumente – für die Zugehörigkeit Judas zum Israel Sauls. Jedoch ist es höchst zweifelhaft, ob daraus geschlossen werden darf, daß Juda wirklich zum Reiche Sauls gehört hat [39]. Zu dieser von vornherein verbreiteten Annahme der Zugehörigkeit Judas zum Reiche Sauls (Israel) hat fraglos in hohem Maße die Auffassung mit beigetragen, die vor allem *Noth* zu erhärten suchte [40], daß Juda von Anfang an mit zum alten Stämme-

36. A. a. O., S. 208 et passim.
37. S. 207.
38. So gibt *Danell* (a. a. O., S. 74) die in der Forschung übliche Auffassung wieder, wenn er schreibt: »That Judah belonged to the kingdom of Saul is indubitable.«
39. Vgl. *Johs. Pedersen,* Israel III, S. 44 f.
40. Vgl. besonders sein klassisches Werk: Das System der zwölf Stämme Israels, 1930, S. 110.

bund Israel und folglich auch zum Reiche Sauls gleichen Namens gehört habe[41].

Anstatt also bei einer Erörterung des Verhältnisses zwischen Juda und Israel von einem (mutmaßlichen) alten Zwölfstämmebund auszugehen [42], der – einschließlich Juda – vor Saul bestanden haben soll, erscheint es weitaus zweckmäßiger, auf Traditionen zurückzugreifen, die in diesem Zusammenhang nicht unberücksichtigt bleiben dürfen. Und solche liegen unserer Meinung nach in der Vorgeschichte ganz offensichtlich vor! Es ist deshalb wichtig, sich klar vor Augen zu halten, daß die alten Saul-Überlieferungen vor 1. Sam. 15 Juda nur im Kap. 11,8 erwähnen, an einer Stelle, die zudem – auch in historischer Hinsicht – stark anzuzweifeln ist [43]. Das dürfte wohl kaum ein Zufall sein! Die Behauptung, der Grund dafür läge darin, daß Juda stillschweigend als Bestandteil Israels vorausgesetzt würde, ist in der Tat eine voreilige Schlußfolgerung.

Daß Saul König über Israel war, geht mit aller Deutlichkeit aus den alten Saul-Überlieferungen hervor. Seinem »Titel« nach scheint er also schlechthin König von Israel gewesen zu sein מלך ישראל vgl. z. B. 1. Sam. 24,15; 26,20; 29,3. Doch welchen Umfang hat dieses Königreich Israel gehabt (ממלכת ישראל, 1. Sam. 24,21)? Dies ist ja gerade die entscheidende Frage, die fürs erste keineswegs zufriedenstellend beantwortet ist. Darüber hinaus drängt sich diese Frage um so mehr auf, als uns Juda in der Vorgeschichte besonders eindrücklich und handgreiflich entgegentritt. Wie hat man z. B. das Wortpaar

41. Vgl. auch *Noth,* Geschichte Israels, 1956, S. 162 et passim.
42. *Weiser* interpretiert das Königtum Davids nicht vom Israel Sauls, sondern ausschließlich vom sakralen Stämmebund Israel her, vgl. unten S. 34 f.
43. Vgl. z. B. *A. Weiser,* Samuel, 1962, S. 71. – Ein begrüßenswerter Versuch, das Ausmaß des Reiches Sauls zu bestimmen, ist von *C. E. Hauer,* Does I Samuel 9,1–11,15 Reflect the Extension of Saul's Dominions? (JBL, 86, 1967, S. 306 ff.) unternommen worden. Kap. 9,1–10,16; 10,17–27 und 11,1–15, die nach Meinung *Hauer*'s, der im wesentlichen *Hertzberg*'s Samuelkommentar heranzieht, in Gibea, Mizpa bzw. Gilgal überliefert worden seien, ließen die allmähliche Ausweitung des Reiches erkennen und seien erhalten geblieben, »to justify Saul's accession over the region in which the center conserving it was located.« (S. 308) Als Parallele weist *Hauer* auf Davids sukzessiv erfolgten Krönungen hin, die auch eine Ausweitung seines Reiches bedeuten (2. Sam. 2,1 ff.; 5,1 ff.). Das Verdienst der Abhandlung *Hauer's* liegt nicht so sehr in seinen Einzelergebnissen, die hier nicht erörtert werden sollen, als vielmehr in seinem konkreten Versuch, anhand der maßgeblichen Quellen das Ausmaß des Reiches Sauls zu bestimmen. Bemerkenswert ist auch, daß er nicht von vornherein Juda miteinbezieht, sondern erst im Zusammenhang mit Kap. 11,8 aus dem hervorgeht, daß Juda 10 % des Aufgebots Sauls ausmacht, schreibt: »That this powerful and populous tribe was pictured in such a proportion is probably evidence of the tenuous ties between »Israel« and »Judah«.« (S. 307, Anm. 11). Bezüglich der Ausdehnung des Reiches Sauls siehe unten S. 226 f.

Israel – Juda in 1. Sam. 17,52; 18,16; 2. Sam. 3,10 und 5,5 zu verstehen [44]?

Unbestreitbar sind in der Vorgeschichte David und Saul, oder – in ihrer chronologischen Reihenfolge gesehen – Saul und David die Hauptgestalten. Mit dieser Feststellung bietet sich vielleicht die Möglichkeit einer vorsichtigen Beurteilung der in der Vorgeschichte enthaltenen Traditionen an. Die Saul-Überlieferungen könnte man nämlich sogleich als benjaminitisch, die David-Überlieferungen als judäisch charakterisieren. Doch ist eine solche Kennzeichnung auf die Dauer zu einfach und allgemein gehalten, ja, mißverständlich. Denn schließlich können ja Saul und David gleichermaßen in judäischen wie in benjaminitischen Überlieferungen auftreten. Angesichts dessen könnte man die Frage erheben, ob nicht das Kriterium pro-saulisch und pro-davidisch angebrachter wäre; judäische Traditionen müßten – so würde man denken – zwangsläufig anti-saulisch, benjaminitische anti-davidisch ausgerichtet sein. Hierzu ist jedoch zu sagen: Es ist nicht völlig ausgeschlossen – und im folgenden wollen wir versuchen, dieses näher zu begründen –, daß judäische Tradenten aus irgendeinem Grund zu Saul ein positives Verhältnis haben können (vgl. z. B. 1. Sam. 15?), während sie auf der anderen Seite sogar eine gewisse Animosität gegenüber David (vgl. Davids Fluchtgeschichte [45]) erkennen lassen. Wie dem auch sei, als gesichert darf angesehen werden, daß in der Vorgeschichte – wie man sie auch immer kennzeichnen mag – judäische [46] und benjaminitische [47] Traditionen vorliegen. Das geht schon aus der Tatsache hervor, daß die wesentlichen Ereignisse im Zusammenhang mit Juda (David) und Benjamin (Saul) stehen. Darüber sprechen u. a. auch die Ortsangaben in der Vorgeschichte eine deutliche Sprache. Zudem bieten die in dem Bericht enthaltenen Orte oft eine gute Möglichkeit für die Erforschung des Ursprungs der entsprechenden Einzelabschnitte und geben Aufschluß darüber, ob es sich dabei um judäische bzw. benjaminitische Überlieferungen handelt.

Während bei den Einzelüberlieferungen in manchen Fällen über Ursprung und Charakter eine gewisse Unsicherheit herrscht, läßt sich mit Sicherheit sagen, daß der Komplex als solcher ausgesprochen pro-davidisch ausgerichtet

44. Das Verständnis der Beziehung zwischen Israel und Juda, zu dem *Danell* (a. a. O., S. 72 ff.) gelangt, kann wenig befriedigen, da er lediglich die Bedeutung der beiden Größen aus dem jeweilig bestehenden Kontext ermittelt.
45. Vgl. unten S. 152 ff., siehe vor allem S. 161 und 171 f.
46. Hier ist Juda im weiteren Sinn gemeint, also nicht nur als Stamm, sondern mit dem Gebiet im Süden und dessen Einwohnern, das den Kern des judäischen Königreiches Davids bilden sollte.
47. Nach *Hylander* besteht die erste Überlieferungsschicht (er rekonstruiert in minutiöser Weise fünf solcher Überlieferungsschichten) im Komplex 1. Sam. 1–15 aus benjaminitischer Stammestradition, vgl. a. a. O., S. 209, Anm. 2, sowie das Schema S. 309 ff. Mit judäischem Traditionsstoff rechnet *Hylander* in diesem Komplex nicht.

ist. Indes würde man es sich hier mit der vorschnellen Behauptung zu leicht machen, der Verfasser müßte unbedingt ein Judäer gewesen sein. Denn es ist – wie bereits erwähnt – nicht ausgeschlossen, daß immerhin unter einigen Judäern ein gewisser Unmut gegenüber David bestanden haben mag. Dagegen darf man mit Sicherheit annehmen, daß in einer bestimmten Stadt, und zwar Jerusalem, der Hauptstadt der Daviddynastie, die Haltung gegenüber David, dem Begründer der Dynastie, positiv gewesen sein muß. Daß es zwischen Jerusalemern und Judäern gewisse Spannungen gegeben hat, darauf scheinen verschiedene Stellen in der sogenannten historischen Literatur des Alten Testaments hinzudeuten [48].

Gehen wir also vorläufig davon aus, daß der Verfasser der Geschichte vom Aufstieg Davids zur Königsherrschaft in Jerusalem zu suchen ist [49], was wiederum bedeutet, daß die einzelnen Überlieferungen, aus denen sich der Komplex zusammensetzt, hier gesammelt wurden. Diese Überlieferungen sind also u. a. judäischen und benjaminitischen Ursprungs. Praktisch alle Forscher sind der Meinung, das Reich Sauls, Israel, hätte auch Juda umfaßt. Doch wäre die Vermutung völlig abwegig, daß der Verfasser der Vorgeschichte gerade dies ausdrücklich zu belegen bemüht ist? David gilt als der legitime Erbe König Sauls, und so könnte es gerade im Interesse des Verfassers gelegen haben, die Dinge so hinzustellen, als hätte sich das Reich Sauls sowohl auf Israel als auch auf Juda (oder Israel einschließlich Juda) erstreckt, wie ja auch das Reich Davids in der Tat beide Gebiete in sich vereinigte [50]. Wenn diese Beobachtung richtig ist, dann hätten wir hierin einen Fingerzeig, wieso in der Vorgeschichte eine Verzeichnung der tatsächlichen Gegebenheiten vorgenommen worden ist.

Hat man nun aber nur mit judäischen und benjaminitischen Überlieferungen zu rechnen? In diesem Zusammenhang muß daran erinnert werden, daß neben Saul und David als den Hauptfiguren in der Vorgeschichte auch noch eine dritte Person auftritt, deren Funktion außerordentlich bedeutungsvoll ist. Dabei handelt es sich um Samuel, der sozusagen das negative Bindeglied zwischen Saul und David darstellt. Negativ ist er insofern beteiligt, als er Saul verwirft (1. Sam. 15 und 28), positiv in der Weise, daß er David erwählt (1. Sam. 16,1 ff.; 19,18 ff.). Nun fällt aber auf, daß ausgerechnet dann, wenn Samuel auf der Bildfläche erscheint, die anti-saulische Haltung besonders deut-

48. Vgl. hierzu *Bentzen,* Studier over det zadokidiske Præsteskabs Historie, 1931, S. 11 und *Ahlström,* Profeten Nathan och tempelbygget, SEÅ, XXV, 1960, S. 15 ff.
49. Vgl. auch *Ward,* a. a. O., S. 187 ff., und *Weiser,* VT, 16, 1966, S. 346 ff.
50. Vgl. hierzu *S. A. Cook,* Critical Notes on Old Testament History, 1907, S. 130: »– what ever view may be taken of David's steps to the throne the real character of the bond between Judah and Israel must necessarily be judged in the light of later events.«

lich zutage tritt. Schon aus diesem Grund ist es fraglich, ob man Samuel für einen Benjaminiten halten darf [51]. Wahrscheinlich gehört er einem der anderen Stämme an. Daß Juda dafür nicht in Frage kommt, wie *S. A. Cook* vermutet [52], dürfte auf der Hand liegen; *Cook* läßt überdies erkennen, Samuel sei »indisputable Ephraimite, as the narratives stand.« [53] Das ist auch die Auffassung der meisten Alttestamentler [54]. Zugestanden, hinsichtlich der Stammeszugehörigkeit Samuels weisen die Überlieferungen sowohl in benjaminitische als auch ephraimitische Richtung [55]; doch wenn dem so ist, dürfte es durchaus vertretbar sein, wenn man der Überlieferung den Vorrang einräumt, die sich am besten in den historischen Rahmen einfügen läßt, und das hieße in diesem Zusammenhang: Läßt sich der Konflikt zwischen König Saul und Samuel am besten als ein interner benjaminitischer Konflikt begreifen, oder spiegelt sich in diesem Konflikt ein Revalisieren zwischen Benjamin und Ephraim wider [56]? Daß zwischen diesen beiden Stämmen zuweilen ein gespanntes Verhältnis bestand, wird u. a. in Ri. 19 f. angedeutet [57]. Auch ist es nicht unwahrscheinlich, daß die Tatsache der Unterwerfung König Sauls durch die Philister letztlich seinen Grund darin gehabt haben könnte, daß von Ephraim die Unterstützung ausgeblieben oder zumindest zurückgegangen war [58].

War also Samuel Ephraimit, so hat man – neben judäischem und benjaminitischem – von vornherein auch mit ephraimitischem Überlieferungsstoff zu rechnen. Und nicht zuletzt liegt die Vermutung nahe, daß die anti-sauli-

51. Vgl. z. B. *E. Nielsen,* Shechem, 1955, S. 317.
52. A. a. O., S. 52 und 98.
53. A. a. O., S. 98.
54. Vgl. z. B. *Budde,* Die Bücher Samuel, S. 3; *Kirkpatrick,* The First and Second Books of Samuel, S. 2; *Danell,* a. a. O., S. 60; *Meyer,* Die Israeliten und ihre Nachbarstämme, S. 432. 521; *Hylander,* a. a. O., S. 249; *Pedersen,* Israel, III, S. 156; *A. Jirku,* Geschichte des Volkes Israel, 1931, S. 116; *E. Sellin,* Geschichte des israelitisch-jüdischen Volkes, 1924, S. 146. 150; *H. P. Smith,* The Books of Samuel, S. 5.
55. Vgl. *Hertzberg,* Die Samuelbücher, S. 14 f. Siehe ferner unten S. 65 ff.
56. Oder ein Versuch von benjaminitischer Seite, die ephraimitische Vorherrschaft zu brechen. Über Benjamin als einen ursprünglich selbständigen Stamm oder einer von Ephraim abgespaltenen Gruppe, siehe *K.-D. Schunck,* Benjamin, 1963, S. 4 ff.
57. Das südephraimitische Heiligtum Bethel war wahrscheinlich während des amphiktyonischen Ausrottungskrieg gegen die Benjaminiten das Zentralheiligtum, siehe unten S. 66 f. Was den ursprünglichen Hintergrund von Ri. 19–21 im 12-Stämmebund angeht, siehe *Noth,* Das System der zwölf Stämme Israels, S. 100 ff. Während *Schunck,* a. a. O., S. 64 f., in diesem Zusammenhang lediglich von einem 10-Stämmebund reden will, läßt *Eissfeldt* das Amphiktyonische außer acht (Der geschichtliche Hintergrund der Erzählung von Gibeas Schandtat, 1935, in: Kleine Schriften, II, S. 64 ff., siehe S. 68 ff.).
58. Vgl. *Morgenstern,* HUCA, XVII, 1942–43, S. 237.

schen Tendenzen aus den ephraimitischen Traditionen stammen; immerhin aber haben möglicherweise die ephraimitischen Traditionen die Animosität gegenüber Saul geschürt.

Die meisten Alttestamentler, die für das Vorhandensein eines zusammenhängenden Berichts eintreten, der den Aufstieg Davids zur Königsherrschaft in Israel zum Thema hat, plädieren für den Beginn des Berichts in 1. Sam. 16,14 ff., wo erzählt wird, wie David an den Hof König Sauls gelangt [59]. Das hieße folglich, daß 1. Sam. 15 und 16,1–13, die eine Schilderung der (endgültigen) Verwerfung Sauls bzw. die Erwählung Davids enthalten, nach Meinung dieser Forscher ursprünglich nichts mit der nachfolgenden Geschichte von Davids Aufstieg zur Macht zu tun gehabt hätten. Übrigens geht diese Auffassung durchweg auf *J. Wellhausen* zurück [60].

Was das Verhältnis von Kap. 15 und 16,1 ff. anbetrifft, so besteht zwischen diesen beiden Perikopen in ihrer jetzigen Gestalt ein innerer Zusammenhang und eine klare zeitliche Aufeinanderfolge [61]. Damit ist keineswegs gesagt, daß diese beiden Perikopen ursprünglich auch zusammengehört haben. Diese Frage ist hier auch nicht von Bedeutung. Entscheidend ist, ob die beiden Perikopen Abschlußcharakter haben – so die überwiegende Meinung der Forscher –, oder ob sie in Wirklichkeit nicht eher auf den Inhalt der Vorgeschichte vorausweisen.

Die handelnden Hauptpersonen in 1. Sam. 15 sind Saul und Samuel, was vor allem *A. Weiser* zu der Schlußfolgerung veranlaßte, daß man dieses Kapitel nicht »als literarische Einleitung der Davidgeschichte ansehen kann, sondern mit Recht fast allgemein der Geschichte von Saul und Samuel zu-

59. In diesem Zusammenhang wären zu nennen: *Alt,* Die Staatenbildung der Israeliten in Palästina, 1930, in: Kleine Schriften, II, S. 15, Anm. 3; *Noth,* Überlieferungsgeschichtliche Studien, S. 62, Anm. 1; *Vriezen,* De compositie van de Samuël-boeken, S. 172 ff., 187 (vgl. auch unten Anm. 73); *Weiser,* Einleitung in das AT, 1957, S. 135; *Ward,* a. a. O., S. 14; *Sellin,* Einleitung in das AT, 1965, S. 238 f.; *Schunck,* a. a. O., S. 197, vgl. S. 80.
60. Die Composition des Hexateuch und der historischen Bücher des AT, 1899, S. 247 ff. Siehe übrigens die Analyse von Kap. 15 unten S. 37 ff.
61. Vgl. *Ward,* der aus diesem Grund Kap. 16,1–13 ansieht für »more appropriate as a sequel to the previous pericope . . . than as an introduction to the »story of David's Rise«, (a. a. O., S. 14). *Schunck,* a. a. O., S. 82 f., betrachtet auch Kap. 16,1 ff. in engem Zusammenhang mit Kap. 15, hält aber andererseits beide Perikopen für dtr. Diese Auffassung ergibt sich indes aus den Ergebnissen von *Schunck's* Analyse der Saulüberlieferungen in 1. Sam. schlechthin. In der vorliegenden Abhandlung dagegen wird Kap. 15 unter dem Aspekt des auf Kap. 15 folgenden Komplexes gesehen, der den Aufstieg Davids zur Königsherrschaft zum Thema hat; dieser Aspekt führt zu einem ganz neuen Verständnis des Charakters von Kap. 15.

rechnet.« [62] Nun möchte *Weiser* allerdings Kap. 15 auch nicht als das Ende der Saul–Samuel-Geschichten ansehen, jedenfalls nicht als den ursprünglichen Abschluß, als er nämlich mit Recht die selbständige Stellung dieses Kapitels in bezug auf das Voraufgegangene hervorhebt. Ganz richtig erkennt er in Kap. 15 eine völlig andere Einstellung zum Königtum als in Kap. 7.8.10, 17 ff. und Kap. 12. In Kap. 15 finden wir keine grundsätzliche Ablehnung des Köningstums als solches, sondern eine ernste Verwerfung Sauls. *Weiser* untersucht deshalb die in diesem Kapitel enthaltene Erzählung in ihrer ursprünglichen Eigenständigkeit. Das ist ein vielversprechendes und ungemein nützliches Unternehmen. Wenn er jedoch den Auffassung ist, die V. 25–29 hätten nicht zum ursprünglichen Textbestand gehört, so muß man als nächstes fragen, ob nicht gerade diese Verse – und vor allem V. 28 – einen konkreten Hinweis geben, was für eine Funktion die in Kap. 15 enthaltene, ursprünglich selbständige Tradition in dem vorliegenden größeren Zusammenhang ausübt. Hier in V. 28 – in der Erwähnung Samuels, das Reich König Sauls solle durch einen wieder aufgerichtet werden, der besser sei als Saul – ist der Blick natürlich in die Zukunft – und nicht auf das Vorhergehende – gerichtet! Hinzu kommt übrigens noch, daß, was auf Kap. 15 folge, mit der Bezeichnung »Davidgeschichte« – so *Weiser* in seinem Aufsatz – keineswegs ausreichend charakterisiert sei. Die Überschrift »Die Geschichte vom Aufstieg Davids zur Königsherrschaft über Israel« (und zwar als Erbe König Sauls) ist weiteraus präziser. In dieser Geschichte (Vorgeschichte) spielt nicht David allein eine Rolle, sondern David in seinem Verhältnis zu König Saul; und darüber hinaus tritt die Bedeutung Samuels ja außerordenlich stark in den Vordergrund, vgl. ausser Kap. 16,1 ff. auch Kap. 19,18 ff.; 25,1; 28,3 ff.

Es ist also von vornherein problematisch, wenn man Kap. 15,1–16,13 aus der Vorgeschichte ausschließt. Im Gegenteil geben die beiden Episoden, als Ganzes gesehen, eine ausgezeichnete Einleitung zu der ganzen Vorgeschichte ab: mit einem negativen Vorzeichen (der Verwerfung Sauls, des alten Königs), sowie einem positiven (der Erwählung Davids, Sauls Nachfolger). Zur Erhärtung dieser Auffassung ließe sich Verschiedenes anführen. An dieser Stelle wollen wir nur auf Folgendes aufmerksam machen: *1.* Die Überlieferungen, die sich mit Saul als dem König Israels befassen, d. h. die vorhergehenden Berichte, in denen König Saul eindeutig im Mittelpunkt steht, finden offen-

62. I Samuel 15, ZAW, NF, 13, 1936, S. 1. – Ein Versuch, Kap. 15 ausschließlich von den vorhergehenden Saulüberlieferungen in Kap. 9,1–10,16; 11,1–15 und – in erster Linie – Kap. 13–14 oder richtiger diese Saulüberlieferungen von Kap. 15 her zu verstehen, ist von *H. Seebass* in ZAW, 78, 1966, S. 148 ff. unternommen worden. Von vornherein wird man *Seebass*' redaktionsgeschichtlicher – nach ihm selbst traditionsgeschichtlicher – Untersuchung mit Skepsis begegnen müssen, da er nicht im geringsten die Davidüberlieferungen Kap. 16 ff. in seine Überlegungen miteinbezieht.

sichtlich in Kap. 14,52 ihren Abschluß [63]. *2.* Im 1. Samuelbuch hören wir erstmalig in Kap. 15 etwas über Sauls Wirksamkeit im Süden – abgesehen von der Zusammenfassung in Kap. 14,47 ff. Im Vorhergehenden fand Juda lediglich Erwähnung in Kap. 11,8 [64]. Richtig gesehen macht also die Erwähnung der Wirksamkeit Sauls im Süden das Folgende erst verständlich, nämlich Davids Auftauchen am Hofe König Sauls, die positive Haltung der Judäer Saul gegenüber während der Flucht Davids u. s. w. *3.* Die Hauptfeinde in Kap. 15 sind die Amalekiter, was auch später für das Kap. 30 zutrifft [65]. Für die Behauptung, daß 1. Sam. 15,1–16,13 ursprünglich mit zur Vorgeschichte gehört haben müssen, ließe sich freilich noch manches anführen, doch mag das oben kurz Dargelegte vorläufig genügen.

Die Feststellung, daß die beiden Perikopen in Kap. 15,1–16,13 – wohlgemerkt im größeren Zusammenhang – nicht zu ihrem Recht kommen, wenn sie nicht zueinander in Beziehung gesetzt werden, ist also durchaus nicht unbegründet. Darum ist es auch abzulehnen, wenn *Nübel* [66] und später *Weiser* [67] die Vorgeschichte mit Kap. 16,1–13 einsetzen lassen [68]. Und da diese beiden zugleich richtig betonen, daß die Vorgeschichte der Legitimation Davids als Sauls Nachfolger auf dem Thron Israels diene, hätte es ihnen schon aus diesem Grund heraus bedenklich erscheinen müssen, von Kap. 15 abzusehen [69]!

Nun greift allerdings *Mildenberger* [70] bei der Frage nach dem Beginn der Vorgeschichte im 1. Samuelbuch noch weiter als bis auf Kap. 15 zurück, und ist der Ansicht, daß auch die Kap. 13–14 mit dazugehören [71]. Anlaß gegeben haben zu dieser Festsetzung des Anfanges der Vorgeschichte sowohl die von *Noth* [72] vertretene Auffassung, die Geschichte von »Davids Aufstieg« sei schon vor dem Dtr. mit den alten Saul-Überlieferungen (sowie der nachstehenden Thronfolgegeschichte) »zusammengewachsen« gewesen [73], als

63. Vgl. u. a. *E. Jacob,* La tradition historique en Israël, 1946, S. 73, Anm. 15.
64. Vgl. oben S. 21.
65. Vgl. unten S. 201 ff.
66. A. a. O., S. 91 ff.
67. VT, 16, 1966, S. 325 f.
68. Vgl. auch *M. Smith,* Harvard Theol. Review, 44, 1951, S. 167 ff. – Sowohl für *Weiser* (a. a. O., S. 345ff.) als auch für *Nübel* (a. a. O., S. 82 ff.) spielt 2. Sam. 7 als Argument dafür, daß die Vorgeschichte mit. Kap. 16,1 ff. beginne, eine entscheidende Rolle; mehr darüber später.
69. *Weiser* steht offenbar unter dem Einfluß seiner 1936 vorgetragenen Auffassung von Kap. 15 (siehe oben Anm. 62); in der folgenden Analyse von Kap. 15 werden wir auf *Weiser*'s Auffassung dieses Kapitels zurückkommen, siehe S. 58 f.
70. Die vordeuteronomische Saul-Davidüberlieferung, 1962.
71. A. a. O., S. 121 ff.
72. Überlieferungsgeschichtliche Studien, S. 61 f.
73. *Mildenberger,* S. VI ff. – *Vriezen* kommt in seiner Analyse der Komposition der Samuelbücher (De compositie . . ., S. 167 ff.) grundsätzlich zu dem gleichen

auch *Rost*'s Analyse der Thronfolgegeschichte, insbesondere der Nathansweissagung in 2. Sam. 7. Wie *Rost* nach Meinung *Mildenberger*'s im Zusammenhang mit der Thronfolgegeschichte gezeigt habe, daß es möglich sei, »eine einheitliche Gestaltung von ihrer Thematik her zu fassen«, will *Mildenberger* das gleiche im Zusammenhang mit den sich von 1. Sam. 9 bis 2. Sam. 7 erstreckhenden Saul-David-Berichten demonstrieren [74]. Als Ausgangspunkt wählt er *Rost*'s Analyse von 2. Sam. 7 [75], deren Richtigkeit er nahezu für unantastbar hält [76]. *Mildenberger* identifiziert also nicht nur den von *Rost* vermuteten Bearbeiter von Kap. 7 [77] mit dem, der die Saul-David-Überlieferung von 1. Sam. 9 (bis 2. Sam. 7) bearbeitet hat, vielmehr spiele bei diesem Bearbeiter die Vorstellung von David als dem designierten König (nagid) über sein Volk Israel eine entscheidende Rolle, so daß *Mildenberger* überall, wo sich diese Vorstellung findet (1. Sam. 25,30; 2. Sam. 5,2 und 6,21), einen Eingriff des Bearbeiters sieht [78]. *Mildenberger* nimmt aber

Ergebnis, daß nämlich 1. Sam. 11–1. Kg. 2 – mit Ausnahme späterer Zusätze – ein selbständiges Geschichtswerk, die Saul–David–Salomogeschichte, bildeten (vgl. S. 174). Eigenartigerweise zieht *Vriezen* nirgends in seiner Abhandlung *Noth*'s Überlieferungsgeschichtlichen Studien mit heran.

74. S. X.
75. Die Überlieferung von der Thronnachfolge Davids, S. 47–74.
76. S. 1.
77. Nach *Rost* gehen V. 8–11 a. 12. 14. 15. 17 auf diesen Bearbeiter zurück.
78. Bei dem Bearbeiter handelt es sich nach Meinung *Mildenberger's* um einen Nordisraeliten, der nach der Katastrophe 721 nach Jerusalem geflüchtet sei. (*Mildenberger* nennt ihn N., weil er aus »nebeistischen« Kreisen hervorgegangen sei.) Die Vorstellung, daß der rechtmäßige israelitische König von einem Propheten designiert worden sei, müsse nämlich relativ spät entstanden sein. Das Königtum in Israel sei *Mildenberger* zufolge als eine Fortsetzung des charismatischen Führertums in vorstaatlicher Zeit schwer einzusehen. Den Ursprung dieser Vorstellung sieht er in den Elia–Elisa–Prophetengeschichten und dem Bericht über die Revolution Jehus (2. Kg. 9). Die Ernennung Jehus zum König hatte – im Gegensatz zum alten charismatischen Führertum – ihren Grund nicht in den außenpolitischen Verhältnissen, sondern war gegen den Götzendienst im Lande gerichtet; das machen die Prophetengeschichte 1. Kg. 17 bis 2. Kg. 10, vgl. auch 1. Kg. 14,15, deutlich. Das Schema Designation–Akklamation sei von N. auf den ersten König (Saul) in 1. Sam. 9,1–10,16, wo sich diese nordisraelitische, »nebeitische« Auffassung des rechtmäßigen Königtums widerspiegele, übertragen worden. Zu dieser Auffassung sei es erst in der Blütezeit des Nordreiches unter Jerobeam II. gekommen, und nach der Katastrophe habe sie der Bearbeiter der Vorgeschichte (N.) mit der jerusalemischen Königsideologie kombiniert. – *Mildenberger*'s Auffassung leuchtet nicht unmittelbar ein. Nur einige grundsätzliche Einwände sollen hier erhoben werden. Es mutet eigentümlich an, daß eine so lange Zeit vergangen sein sollte, bis der Jahweglaube sich mit dem institutionellen Königtum verbunden hatte. *Alt*'s Ansicht dürfte plausibler sein. Darüber hinaus wirkt es sehr merkwürdig, daß es sich im Blick auf die Vorgeschichte – wie z. B. auch auf den Ahiageschichten-Zyklus (a. a. O., S. 69 f.) – um einen nordisraelitischen Bearbeiter einer jerusalemischen

auch an, daß die Abschnitte der Nathansweissagung, die *Rost* zum ältesten Grundbestand dieses Berichtes rechnet [79], ursprünglich in einem größeren Zusammenhang, der »Geschichtsschreibung von Saul und David« (= Vorgeschichte) eingegliedert gewesen wären und deren Abschluß gebildet hätten. *Mildenberg*'s Auffassung steht und fällt mit der Richtigkeit der *Rost*'schen Analyse der Nathansweissagung in 2. Sam. 7. Darüber hinaus hat er, da er von feststehenden Ergebnissen einer Analyse von Kap. 7 ausgegangen ist, in Wirklichkeit nicht den ernsthaften Versuch unternommen, die Vorgeschichte aus ihrem inneren Zusammenhang heraus zu verstehen. Hätte er nämlich damit begonnen, die Vorgeschichte »von innen heraus« zu analysieren und zu begreifen, anstatt sich von vornherein auf eine bestimmte These über einen Bearbeiter der Saul-David-Berichte schon vor dem Dtr. festlegen zu lassen, wäre ihm jedenfalls nicht entgangen, daß die Abschnitte, die er dem Bearbeiter zuschreibt, mit der Vorgeschichte selbst ihren Sinnzusammenhang haben. Dann hätte er möglicherweise auch gesehen, daß 1. Sam. 13–14 schwerlich zur Vorgeschichte gehört haben können [80], da der Übergang zwischen Kap. 14 und Kap. 15 sehr schroff wirkt. Mit Kap. 14,47–52 schließt der Komplex von Überlieferungen, in denen König Saul absolut die Hauptfigur darstellt, ab. In Kap. 14,47 ff. wird im Rückblick auf das Vorherliegende Bilanz gezogen, man erwartet auch danach nichts Derartiges mehr. Von Kap. 15 an tritt König Saul ausnahmslos in Verbindung mit David als dessen negatives Gegenüber auf. Er ist nicht mehr die bestimmende Figur der Ereignisse. Sogleich wird mit ihm das Thema berührt, das negativ in der Verwerfung Sauls (Kap. 15) und positiv in der Erwählung Davids (Kap. 16,1 ff.) liegt.

Nach *Mildenberger* umfaßt also die Vorgeschichte 1. Sam. 13 bis 2. Sam. 7. Mit seiner Auffassung über den Beginn der Vorgeschichte steht er völlig allein da, hingegen hat er mit seiner Meinung, daß 2. Sam. 7 den Abschluß der Vorgeschichte darstelle, einen Vorgänger in *Nübel* [81]. *Nübel* geht bei seiner Argumentation grundsätzlich von dem Aufriß der Vorgeschichte aus. Mit Recht führt er an, daß David erst die Philister vernichten mußte, »ehe er seinen »Aufstieg« überhaupt vollenden kann«. Doch findet er trotzdem in 2. Sam. 5,17–25 keinen geeigneten Schluß, da er »Davids Aufstieg bis auf die Höhe seines Königtums« erwartet. Dies schließt er – ohne größere Be-

Tradition gehandelt haben soll – und nicht umgekehrt! (Vgl. vor allem *E. Nielsen,* Shechem, S. 175; vgl. auch *Grønbæk,* VT, 15, 1965, S. 426 f.).

79. 2. Sam. 7,1–7*. 11 b. 16. 18–21. 25. 27–29.
80. *Mildenberger* weist selbst auf den besonderen Charakter von Kap. 13–14 im Vergleich zur Vorgeschichte hin und meint, in diesen beiden Kapiteln handele es sich um etwas, was nicht auf den Verfasser selbst zurückgehe, sondern eine selbständige Existenz (ein »Eigendasein«) unabhängig von ihm und vor ihm gehabt habe (a. a. O., S. 146 f.).
81. A. a. O., S. 76 f.

denken – aus 1. Sam. 18,7 f.; 20,31; 26,25; 2. Sam. 3,10; 5,2 a. Weiter forderten 1. Sam. 20,15.42 (Davids Versprechen gegenüber Jonathan) eine Fortsetzung, die denn auch in 2. Sam. 9 erfolge [82]. Auch die Erwähnung von König Sauls Tochter Michal in 2. Sam. 3,13–16 (vgl. ebenfalls 1. Sam. 18,17–28; 25,44) verlange eine Fortsetzung, die denn auch 2. Sam. 6,16.20 ff. erscheine [83]. 1. Sam. 25,43 verrate ein Interesse für Davids »Haus«, das nur befriedigt werden könne durch die Annahme, daß Kap. 7 mit zur Geschichte von »Davids Aufstieg« gehört habe (vgl. V.11 f., 19 und 29). Nachdem *Nübel* in der Weise auf Züge in der Vorgeschichte aufmerksam gemacht hat, die auf 2. Sam. 8.9.6.7. hinstrebten, dehnt er seine Analyse auch auf diese Kapitel aus und findet in ihnen bestätigt, daß sie in der Tat – wie vorher 1. Sam. 16–2. Sam. 5 – die Grundschrift der Geschichte von »Davids Aufstieg« (Gr.) und Spuren des Bearbeiters dieser Grundschrift (B.) enthielten [84].

Mildenberger's wie auch *Nübel*'s analytische Behandlung der Vorgeschichte verfährt streng literarkritisch. Beide gehen davon aus, daß die Vorgeschichte – um *Mildenberger* zu zitieren [85] – ein »einheitliches Werk« sei und nicht eine »thematisch lose verbundene Sammlung von Einzelerzählungen«. Daher müssen sie auch ein Höchstmaß an messerscharfer Logik aufbringen und auf strikte Einheitlichkeit achten. Dies bringt mit sich, daß *Nübel* von vornherein zwischen Kap. 20,15.42 und 2. Sam. 9 oder 2. Sam. 3,13 ff. und Kap. 6,20 ff. einen literarischen Zusammenhang voraussetzt. Es ist für ihn undenkbar, daß der Zusammenhang überlieferungsgeschichtlicher Art sein könnte und wir hier Überlieferungen verwandten Inhalts vor uns hätten, die nur in verschiedenen Erzählingszusammenhängen aufgenommen worden sind.

Auch *Weiser* kommt zu dem Ergebnis, 2. Sam. 7 habe den Schluß der Vorgeschichte gebildet. Allerdings geht er bei seiner Argumentation nicht von der Voraussetzung aus, daß es sich bei der Vorgeschichte um ein »einheitliches Werk« handele, vielmehr betrachtet er die Vorgeschichte als eine Komposition einzelner, nach Gestalt und Umfang verschiedener Überlieferungselemente. Das Grundanliegen der Vorgeschichte [86] veranlaßt *Weiser,* dem der seinerzeit von ihm selbst festgelegte Abschluß in 2. Sam. 5, 10.12 [87] auf einmal zu »mager« erscheint, den Abschluß noch weiter nach vorne zu verlagern, und

82. Wie *Mildenberger* meint auch *Nübel,* Kap. 9 hätte ursprünglich vor Kap. 6–7 gestanden.
83. Sowohl *Nübel* als auch *Mildenberger* nehmen im Anfang von *Rost*'s Thronfolgegeschichte Eingriffe vor.
84. Der B. geht nach *Nübel* bis 2. Sam. 12 zu Werke – also weit in *Rost*'s Thronfolgegeschichte hinein.
85. A. a. O., S. 71.
86. Siehe oben Anm. 35.
87. Vgl. seine Einleitung in das AT, 1957, S. 135: »Die Erzählung endet deutlich mit II 5,10.12 wo das erreichte Ziel, das Königtum Davids über Gesamtisrael ... als göttliche Bestätigung seiner Macht rückblickend gewürdigt wird.«

aufgrund seiner Überlegungen möchte er den Schlußteil in 2. Sam. 6 [88] – 7 [89] erkennen.

Nun vermag sich *Weiser* allerdings nicht der Auffassung *Rost*'s hinsichtlich Kap. 7 anzuschließen. Er versteht die Nathansweissagung als eine literarische Einheit [90], die seiner Meinung nach aus der Regierungszeit König Salomos stamme [91]. Deshalb sei es, zeitlich gesehen, durchaus denkbar, daß die Nathansweissagung dem Verfasser bekannt war und somit in die Geschichte von »Davids Aufstieg« aufgenommen worden ist.

Wenn *Weiser* freilich näher auf das Verhältnis von 2. Sam. 7 und der Vorgeschichte zu sprechen kommt, beschränkt er sich auf die V. 8–11 [92]. Hierbei handele es sich um einen Abschnitt, der nach dem Vorbild der ägyptischen Königsnovelle [93] David als König von Israel durch einen Rückblick auf seine Vergangenheit legitimiere. Diese Verse enthielten ferner – so stellt *Weiser* fest – bemerkenswerterweise Motive, die sich auch in der Vorgeschichte fänden. So betont *Weiser,* rufe V. 8 nämlich 1. Sam. 16,1 ff. in Erinnerung [94],

88. Obwohl dieser Kapitel nach *Rost,* a. a. O., S. 35 f., zu den Ladeerzählungen 1. Sam. 4–6 gehört hat, spricht nach *Weiser*'s Meinung (VT, 16, S. 344) nichts dagegen, daß der Verfasser in seinem Werk dennoch 2. Sam. 6 benutzt habe.
89. *Weiser* schließt sich *Rost* an, der 2. Sam. 9 für den die Thronfolgegeschichte einleitenden Abschnitt hält (VT, 16, S. 343 f.). In bezug auf 2. Sam. 8 sieht er die von *Alt* (ZAW, 1936, S. 149 ff.) angeführten Beweggründe, dieses Kapitel habe ursprünglich zur Vorgeschichte gehört, als nicht überzeugend an (a. a. O., S. 349, Anm. 2). Vgl. unten Kap. VI: Anm. 104.
90. *Weiser* erweist auf seine Abhandlung Die Tempelbaukrise unter David, ZAW, 77, 1965, S. 153 ff. Vgl. vordem *Mowinckel,* Natanforjettelsen 2. Sam. kap. 7, SEÅ, XII, 1947, S. 206. Nach *Mowinckel* sei Kap. 7 »in den wesentlichen Dingen völlig einheitlich«, wobei er nur V. 22–24 als eine »deuteronomische Erweiterung der Quelle« ansieht (S. 210).
91. Kap. 7 habe die Aufgabe, den Thron Salomos durch den Hinweis auf die göttliche Legitimation seines Vaters David als König von Israel zu festigen, vgl. VT, 16, S. 348, und ZAW, 77, 1965, S. 166 et passim.
92. VT, 16, S. 347 f.
93. Vgl. *S. Herrmann,* Die Königsnovelle in Ägypten und Israel, Wissenschaftliche Zeitschrift der Karl Marx Universität Leipzig, 1953/54, S. 51–62. Vgl. auch *Noth,* David und Israel in 2. Samuel 7, 1957 (in: Gesammelte Studien zum AT 2. Aufl., 1960, S. 342 f.).
94. *H. Gottlieb* (Traditionen om David som hyrde, DTT, 29, 1966, S. 11–26) versucht nachzuweisen, daß die Überlieferung von David als dem Hirten aus dem jerusalemischen Neujahrsritual stamme; der Aspekt des Hirten habe zu dem »kultischen Leiden« des Königs in besonderem Zusammenhang gestanden (S. 20 f.). In 2. Sam. 7,8 deutet er אני לקחתי nicht aus dem Kontext heraus, sondern sieht darin ein Fragment aus dem Königsritual: Ich (d. h. Jahwe) habe dich (d. h. den König) aus deiner Stellung als Hirte entfernt. – Selbst wenn *Gottlieb*'s Deutung richtig sein sollte, stellt sie den sachlichen Bezug von V. 8 und 1. Sam. 16,1 ff. nicht in Frage. Alles in allem dürfte es sicher allzu gewagt erscheinen, aus der Anwendung des Hirtentitels auf die Funktion des Königs

zudem tauche in diesem Vers vor allem die Wendung »nagid über Jahwes Volk Israel« auf, die ja auch in der Vorgeschichte benutzt werde (vgl. 1. Sam. 25,30; 2. Sam. 5,2 und 6,21). In V. 9 werde Jahwe als der geschildert, der »mit David« war, ein Ausdruck, der auch in der Vorgeschichte eine Rolle spiele [95]. In demselben Vers habe der aus der Königsnovelle stammende Wunsch, daß der König einen »Namen« erhalten solle, auch in der Vorgeschichte Parallelen. Schließlich verweist *Weiser* in V. 9 und V. 11 auf die Verstellung, daß Jahwe die Feinde Davids aus dem Wege geschafft und seinem Volk Ruhe gegeben have, vgl. 1. Sam. 20,15 und 25,26.

Da der in Kap. 7,8–11 gegebene Überblick in formgeschichtlicher Beziehung sein Vorbild in der ägyptischen Königsnovelle habe, und da Samuel nicht – wie in 1. Sam. 16,1 ff. – als der genannt werde, der David gesalbt hat, müsse – so argumentiert *Weiser* – Kap. 7 unabhängig von der Geschichte von »Davids Aufstieg« entstanden sein [96]; dagegen habe anscheinend die Vorgeschichte – weil sowohl die Dynastie- als auch die nagid-Verheißung in 1. Sam. 25,30 Abigail in den Mund gelegt wird – Kap. 7 als Vorlage gehabt, da in ihm eben diese beiden Aspekte enthalten sind. *Weiser* kann deshalb nicht umhin, die Schlußfolgerung zu ziehen, daß »der Verfasser der Aufstiegsgeschichte Davids 2. Sam. vii als Schlußstein seiner Komposition verwendet hat. Die göttliche Legitimation und Sicherung des Königstums Davids über »Israel« als sakralen Verband ist in diesen offiziellen, wahrscheinlich am Jerusalemer beheimateten Dokumenten [97], in einer Weise feierlich zum Ausdruck gebracht, dass sie dem Verfasser der Aufstiegsgeschichte Davids nicht nur als letzte Steigerung und volltönender Abschluß seines Werkes mit dem göttlichen Sigillum der unmittelbaren Zusage an David dienen konnte, sondern darüber hinaus das Leitbild lieferte, nach dem er die Auswahl, Anordnung und zielstrebige Ausrichtung der ihm zu Gebote stehenden Überlieferung getroffen hat.« [98]

Weiser's Auffsassung hat etwas Bestechendes. Sein Verständnis der Vorgeschichte als einer Komposition verschiedener Überlieferungsstücke schließt ja nicht von vornherein aus, daß Kap. 7 – als eine ursprünglich selbständige Einheit – als Abschluß der Geschichte von »Davids Aufstieg« aufgenommen worden war. Und dennoch vermag uns *Weiser*'s Argumentation nicht ganz zu

im Kultus – und zumal von 2. Sam. 7,8 her – den Schluß zu ziehen, daß die Überlieferungen von Davids »ursprünglichem Beruf« als Hirte durch eine Rückstrahlung des dem König beigelegten Hirtentitels entstanden sein soll.

95. Vgl. unten S. 79 f.; vgl. DTT, 28, 1965, S. 76.
96. *Nübel* (a. a. O., S. 8) dagegen nimmt an, daß der Verfasser der Vorgeschichte (= Gr.) in Kap. 7,8–11 »seine Geschichte von Davids Aufstieg« zusammenfaßt.
97. *Weiser* verweist hier in einer Fußnote auf seine Abhandlung in ZAW, 77, 1965, S. 153 ff.
98. VT, 16, 1966, S. 348 f.

überzeugen, geschweige denn daß wir sie für unwiderlegbar hielten. In seinen Augen spielt die Entsprechung von Kap. 7,8–11 und der Vorgeschichte eine entscheidende Rolle. Sieht man vorläufig von der Frage ab, ob die Vorgeschichte ihrem Inhalt und ihrer Intention nach wirklich – über das in 2. Sam. 5 Berichtete hinaus – auf eine »letzte Steigerung« und einen »volltönenden Abschluß« abziele, so muß doch mit Nachdruck darauf hingewiesen werden, daß Kap. 7,8–11 viel zu breit und allgemein abgefaßt ist, als daß der »Rückblick« den Hintergrund für die Disposition der Vorgeschichte und damit auch für die Auswahl der benutzten Überlieferungen hätte abgeben können. Das ist noch nicht alles. Die Perspektive in Kap. 7 ist viel umfassender als in der Vorgeschichte. In Kap. 7 stehen die Dynastieverheißung und der Tempelbau im Mittelpunkt, während die Daviddynastie als solche keine übermäßige Rolle spielt und der Tempel völlig aus dem Rahmen der Vorgeschichte fällt. Es findet sich nichts in der Vorgeschichte, was auf diesen letzten Aspekt hin zustrebte [99]. Der Hauptakzent in der Vorgeschichte liegt auf der »historischen« Beziehung zwischen König Saul und David, dem Verworfenen und dem Auserwählten, und auf dem Zeitraum, bevor David König von Israel wird. Daher setzt die Vorgeschichte ein mit der Verwerfung Sauls als der notwendigen Voraussetzung für Davids Erwählung. Das »Resumé« in Kap. 7,8–11 berichtet als Erstes die Erwählung Davids, Davids Verhältnis zu König Saul liegt (abgesehen von der Andeutung in V. 15 [100]) nicht unmittelbar im Interessenbereich. Zudem findet sich der nagid-Titel in der Vorgeschichte nur zwei Mal, in 1. Sam. 25,30 und 2. Sam. 5,2 (von 2. Sam. 6,21 – und 7,8 sehen wir ab!); an der ersten Stelle steht er als Vorbereitung für die Erwähnung in 2. Sam. 5,2, wo das konkrete Ziel des Strebens Davids erreicht ist: Nun ist er endlich König (= nagid [101]) über Israel geworden. Be-

99. *Weiser*'s Datierung der Vorgeschichte in die Zeit Salomos, die sich im wesentlichen auf Kap. 7 stützt, ist auch unwahrscheinlich, vgl. unten S. 30 ff.
100. In der Parallelstelle 1. Chron. 17,13 wird der Name Sauls nicht genannt, was vielleicht ursprünglich in V. 15 auch nicht der Fall war, vgl. *Driver*, Notes on the Hebrew Text and the Topography of the Books of Samuel, 1913, S. 276, und *W. Rudolph*, Chronikbücher, 1955, S. 131. Dies ließe sich durch die Tatsache belegen, daß V. 15 unmißverständlich 1. Sam. 16,14; 18,12; 28,15–16 in Erinnerung rufen (vgl. die Wurzel סור!), was durchaus einen Abschreiber dazu veranlaßt haben könnte, Saul direkt mit Namen zu nennen. Von entschiedender Bedeutung ist freilich, daß in Kap. 7 die Person Sauls nicht unmittelbar von Interesse ist; er wird in V. 15 nur beiläufig – direkt oder indirekt – erwähnt; das wiederum bekräftigt nicht die Auffassung, 2. Sam. 7 hätte mit zur Vorgeschichte gehört, wo vor allem das Verhältnis zwischen David und Saul das Hauptthema darstellt. Hinzu kommt, daß Saul in V. 15 in Verbindung mit Davids »Samen« (זרע, V. 12) erwähnt wird – und nicht David selbst –, und daß סור in 1. Sam. 16,14; 18,12; 28,15 f. Jahwe oder seinen Geist als Subjekt hat.
101. Über nagid siehe unten S. 175 ff.

zeichnend ist auch, daß in 1. Sam. 16,1 nicht – wie man auf Grund von Kap. 7,8 erwartet hätte – nagid steht, weder in Verbindung mit Saul, noch mit David, sondern melek! Nagid – als Titel – habe, wie *Weiser* meint, für den Verfasser der Vorgeschichte keine besondere Rolle gespielt. – Gegen die mutmaßliche Übereinstimmung von Kap. 7,8 ff. und der Vorgeschichte ließe sich schließlich auch ins Feld führen, daß V. 9 eher die Gedanken auf Davids kriegerische Wirksamkeit lenken, nachdem er König über Israel und Juda geworden war, als vor diesem Geschehen. Hinzuweisen wäre auch darauf, da V. 10 Spuren aufweist, die dtr. Herkunft sein könnten [102].

Es leuchtet also nicht unmittelbar ein, daß die Nathansweissagung für den Verfasser der Vorgeschichte die von *Weiser* vorausgesetzte Rolle gespielt hat. Auch wird durch nichts überzeugend nahegelegt, daß Kap. 7 überhaupt zur Vorgeschichte gehört haben soll. Wenn *Weiser* davon ausgeht, die Konzeption der Vorgeschichte, die in ihr deutlich werdende Grundtendenz, wiesen über 2. Sam. 5 hinaus, dann beruht dies nicht zuletzt auch auf seinem Verständnis des Begriffs »Israel« in der Vorgeschichte. Er versteht das Königtum Davids über »Israel« als ein »Königsherrschaft im Rahmen des sakralen Stämmeverbandes«[103]. Doch erhebt sich die Frage, ob das wirklich zutrifft. Wie viele »amphiktyonische« Elemente man in der Vorgeschichte auch vorfinden mag, wer weiß denn, ob diese nicht auf den vom Verfasser benutzten Überlieferungsstoff zurückgehen und somit nicht primär auf den Verfasser selbst. Das soll natürlich nicht heißen, daß das Amphiktyonische völlig außer Betracht käme. Im Gegenteil – das Entscheidende ist jedoch, daß David – nach vielen Hindernissen – König über das Reich wird, dessen König einst Saul war, und nicht in erster Linie über den alten Stämmeverband Israel [104]. Folglich hat man das amphiktyonische Moment in der Vorgeschichte in Verbindung mit *König Saul* und dessen Reich zu sehen, das sich auf das (schwache) Fundament des Stämmeverbandes gründete. Deshalb bezeichnet »Israel« in der Vorgeschichte primär und unmittelbar das unter der Herrschaft Sauls stehende Königreich Israel, in zweiter Linie und indirekt erst den alten Stämmeverband. Wenn als ausdrücklich Samuel David zum König salbt, so wird das berichtet – und das is sehr wesentlich – um *auch* der (späteren) Thronbesteigung Davids die Legitimation durch einen Repräsentanten der alten Israel-Amphiktyonie zuteil werden zu lassen; dessenungeachtet besteht die wesentliche Funktion Samuels konkret darin, den Zusammenhang zwischen König Saul und seinen (legitimen) Erben David herzustellen. Da also das amphiktyonische Element in der Vorgeschichte nicht im Vordergrund steht, vielmehr nur einen – wenngleich gewichtigen – Untergrund schafft,

102. Vgl. *Carlson,* a. a. O., S. 114 ff.
103. VT, 16, 1966, S. 340.
104. Vgl. oben S. 21.

dürfte es aus diesem Grund auch nicht notwendig sein – mit *Weiser* [105] – 2. Sam. 6–7, wo David mit den Tradition des alten Stämmebundes in Verbindung gebracht wird, in die Geschichte von »Davids Aufstieg« einzubeziehen.

Aus den oben gemachten Ausführungen müßte klar hervorgegangen sein, daß sich für einen Abschluß der Vorgeschichte über 2. Sam. 5 hinaus keine stichhaltigen Gründe beibringen lassen. Mit der Schilderung der konkreten und »öffentlichen« Einsetzung Davids als König über Israel im 2. Sam. 5 hat die Vorgeschichte ihren Endpunkt erreicht. Mit der Salbung Davids durch die Ältesten zum König über Israel in Hebron ist David (endgültig) der rechtmäßig eingesetzte und von Gott auserwählte Erbe König Sauls geworden. Die Vorgeschichte mit ihrem Beginn in 1. Sam. 15 (vgl. oben) har damit von ihrer Disposition her ihren Abschluß gefunden. Der Verfasser schließt mit der Eroberung Jerusalems [106]. Hier wurden die Überlieferungen gesammelt und in einer Geschichte über Davids nicht gerade steil nach oben verlaufenden Aufstieg zur Königsherrschaft über Israel als König Sauls Nachfolger zusammengefaßt. Der Verfasser hat nur das mit aufgenommen, was der Grundintention seines Berichtes zustatten kam. Wahrscheinlich waren ihm noch andere Überlieferungen über David bekannt [107], doch schienen sie ihm in diesem Zusammenhang wohl nicht von Bedeutung zu sein.

Was die Datierung der Vorgeschichte 1. Sam. 15–2. Sam. 5 anbetrifft, so möchten wir auf den letzten Abschnitt unserer Abhandlung verweisen. Eine endgültige Beantwortung dieser Frage hängt natürlich von der Analyse des entsprechenden Überlieferungskomplexes ab. Andererseits kann jetzt schon angedeutet werden, daß die Abfassung der Vorgeschichte aus vorwiegend judäischen und benjaminitischen Überlieferungen [108] eine Entstehung bereits zur Zeit Davids auszuschließen scheint [109]. Juda und Israel (einschließ-

105. A. a. O., S. 345: »Da, historisch gesehen, Davids Aufstieg zur Macht gerade ohne Rücksicht auf die Tradition des sakralen Stämmeverbandes sich vollzogen hat, wäre es sicher befremdlich, wenn der Verfasser der Aufstiegsgeschichte auf die einzige Überlieferung verzichtet hätte, die Davids unmittelbare Beziehung zu dieser sakralen Tradition zum Gegenstand hat.«
106. Hinsichtlich des genauen Abschlusses siehe die Analyse von Kap. 5 unten S. 256 ff.
107. Z. B. die Überlieferungen in 2. Sam. 6 und 7 – oder vielleicht besser die hinter diesen beiden Kapiteln liegenden jerusalemischen Kulttexte. Über die Verbindung der Ladeerzählung mit dem Neujahrsritual (vgl. Ps. 132) siehe *Bentzen,* The cultic use of the story of the ark in Samuel, JBL, 67, 1948, S. 42 ff.), sowie über die Abhängigkeit der Nathansweissagung vom jerusalemischen Krönungsritual (vgl. Ps. 89) siehe *Ahlström,* Psalm 89, 1959, S. 182 ff.
108. Vgl. oben S. 22.
109. *Nübel* spricht davon, daß die Grundschrift der »Geschichte vom Aufstieg Davids« niedergeschrieben wurde, »ehe der Schwung, in dem David sein Grossreich aufrichtete, zu verebben begann.« (A. a. O., S. 124).

KAPITEL I

Die Verwerfung König Sauls und Davids Salbung zum König

(1. Sam. 15–16,13)

A. Sauls Verwerfung (Kap. 15)

Unter Hinweis auf die Verbrechen der Amalekiter an den Israeliten in der Wüstenzeit gibt Samuel den Befehl, alle Amalekiter zu vernichten und alles mit dem Bann zu belegen (V. 1–3). Nach einer Musterung des Heeres in Telaim legt sich Saul in einen Hinterhalt im Tal (בנחל), und nachdem die Keniter sich auf Sauls Aufforderung hin von den Amalekitern zurückgezogen hatten, versetzt er diesen einen vernichtenden Schlag. Doch er und das Heer verschonen den Amalekiterkönig Agag und das Beste des Viehs (V. 4–9). Im nächsten Abschnitt (V. 10–26) folgt Jahwes Verurteilung der Handlungsweise Sauls. Jahwe offenbart Samuel seine Reue, Saul zum König gemacht zu haben; Samuel reagiert darauf mit Klagen zu Jahwe die ganze Nacht hindurch (V. 10 f.). Früh am Morgen des nächsten Tages sucht Samuel eine Begegnung mit Saul, nachdem dieser in Karmel zur Erinnerung an den Sieg eine Säule (יד) [1] errichtet hatte (V. 12 f.). Saul erstattet Bericht und erzählt, von Samuel dazu provoziert, daß das Heer das Beste des Viehs verschont habe, um es Jahwe zu opfern (V. 14 f.). Samuel teilt darauf Saul mit, was Jahwe ihm offenbart hat (V. 16–19). Saul beteuert seine Unschuld: Er habe (lediglich) Agag mit sich geführt, während er an allen (anderen) Amalekitern den Bann vollstreckt hätte; vielmehr sei es das Heer gewesen, das sich über die Beute hergemacht hätte, um sie in Gilgal zu opfern (V. 20 f.). Samuel antwortet darauf, Jahwe habe mehr Gefallen am Gehorsam als an allerlei Opfer (V. 22 f.). Schließlich bekennt Saul seine Sünde mit der Begründung, er habe sich vor dem Heer gefürchtet. Er bittet um Vergebung, doch Samuel teilt ihm mit, daß Jahwe ihn als König über Israel verworfen habe (V. 24–26). Als sich Samuel umwendet, um wegzugehen, reißt er – zum Zeichen, daß Jahwe Saul das Reich Israels entrissen habe – sein Gewand entzwei (V. 27–29). Saul bekennt erneut seine Sünde und bittet Samuel, in Gegenwart der Israeliten ein Opferfest für Jahwe halten zu dürfen; Samuel willigt ein (V. 30 f.). In Gilgal haut Samuel König Agag in Stücke, danach kehrt er nach Rama und Saul

1. Über יד siehe unten Anm. 42. – Was יד in der Ableitung von jdd II, lieben (vgl. ידיד, Geliebter, Jes. 5,1; Ps. 127,2) anbetrifft, so daß יד = Phallos ist, siehe *M. Delcor,* Two Special Meanings of the Word יד in Biblical Hebrew, Journal of Semitic Studies, 12, 1967, S. 230 ff.

nach Gibea zurück. Sie sehen sich nun zu Sauls Lebzeiten nicht mehr wieder [2]; Samuel ist traurig [3] über Saul (V. 32–35 a).

Der erste Abschnitt, V. 1 [4]–9, hat die Funktion einer Einleitung des ganzen Kapitels, insofern er die Handlung in Gang setzt und man die unausbleiblichen Folgen bereits zu ahnen beginnt. Bemerkenswert ist schon die Feststellung im ersten Satz, daß *Samuel* es war, der Saul zum König gesalbt hat [5]. Der folgende Abschnitt, V. 10–26, steht im Zeichen der V. 11 und 26. Samuels Haltung gegenüber Saul ist gekennzeichnet durch Mitleid und Enttäuschung (V. 11 b, vgl. V. 35 a). Sauls Selbsterkenntnis vollzieht sich, jeweils durch Worte Samuels veranlaßt, stufenweise: Am Anfang ist er der Überzeugung, den Befehl Jahwes richtig ausgeführt zu haben (V. 13); dann führt er ins Feld (V. 15), das Heer [6] habe das Beste des Viehs verschont – nicht etwa aus Gier nach Beute, sondern um es zu opfern [7]. Darauf wird endlich Agag erwähnt (V. 20 b), den Saul mit sich geführt hat [8], doch steht das nach Sauls Meinung nicht im Widerspruch zu Jahwes Befehl (V. 20 a). Erneut wiederholt er, das Heer habe das Beste des Viehs verschont; jedoch ist die Formulierung an dieser Stelle interessant, denn hier tritt das Wort »Beute« (שלל, V. 21 vgl. V. 19 b) und das »Beste vom Gebannten« (ראשית החרם) auf. Erst in V. 24 bekennt sich Saul schuldig, entschuldigt aber damit, er hätte Furcht vor dem Heer gehabt; hier geht es nicht mehr um König Agag, sondern um das Beste des Viehs. Wie dem auch sei, der Abschnitt will sicher Bewegung in den Ablauf des Geschehens bringen, das darin kulminiert, daß Saul von Samuel die Mitteilung über seine Verwerfung als König von Israel gemacht wird.

Den Skopus des Berichts hat man im letzten Abschnitt, V. 27–35 a, zu suchen. Dafür kommt der auf David hinweisende V. 28 in Frage [9]. Nachträglich angehängt wirkt die anschließend berichtete Tötung König Agags durch die Hand Samuels. Sehr beachtenswert erscheint in diesem Zusammenhang, daß Samuel in Wirklichkeit Agag *opfert,* also den Bannbefehl nicht ausführt, was schon vor der Ankunft in Gilgal hätte geschehen können!

2. Was nicht so ganz mit Kap. 19,18 ff. übereinstimmt, vgl. unten S. 119 f.
3. Aus dem Verb אבל geht inhaltlich hervor, daß Samuel über König Saul wie über einen Toten *Trauer* empfand.
4. Hinsichtlich des konsekutiven Impf. ויאמר vgl. unten Anm. 35.
5. אתי שלח יהוה, *mich* sandte Jahwe.
6. העם ist die »eigentliche Benennung des Heerbannes«, vgl. *Rost,* Die Bezeichnungen für Land und Volk im AT (1934), in: Das kleine Credo, S. 91.
7. Vgl. V. 9, in dem Saul neben dem Volk (Heer) genannt wird, während hier gleichzeitig Agag erwähnt ist.
8. Der Grund für Agags Mitnahme wird nicht genannt, doch daß dies geschah, um ihn zu opfern, geht indirekt aus V. 15 und unmittelbar aus V. 32 f. hervor.
9. Vgl. unten S. 40 ff.

Budde, der für eine Fortsetzung der Pentateuchquellen in den Samuelbüchern eintritt, schreibt Kap. 15 der Quelle E zu [10]. Kap. 15 gehört nach *Budde* zur selbem Quelle wie Kap. 12, das das Kapitel unmittelbar fortsetze; in Kap. 12 werden nämlich auch König und Volk zu unbedingtem Gehorsam gegenüber Jahwe ermahnt (V. 24 f., 14 f.), und Samuel verspricht hier, Fürbitte für das Volk zu halten und es auf seinem Wege zu begleiten (V. 23). Schließlich stellt *Budde* die Ähnlichkeit von Kap. 15 mit den Prophtengeschichten in den Königsbüchern heraus; darüber hinaus entdeckt er eine Abhängigkeit von Hosea. Spuren deuteronomistischer Redaktion ließen sich dagegen nicht nachweisen.

Wie *Budde* rechnet *Mowinckel* Kap. 15 auch zu E – oder besser zum ursprünglichen Grundstock von E, dessen Milieu er in Tempel- und Prophetenkreisen Jerusalems sucht [11]. *Eissfeldt* schält in den Samuelbüchern drei zusammenhängende und durchlaufende Quellenschriften, »Erzählungsfäden«, heraus [12]. Nach *Eissfeldt* gehört Kap. 15 zur Schicht III (E), der auch Kap. 12 zugerechnet wird, das in Kap. 15 seine unmittelbare Fortsetzung erfährt (vgl. *Budde*). Kap. 14,47–51 gehörten dagegen zu Schicht I (J).

Freilich erhebt sich die Frage, ob sich nicht noch mehrere Quellen nachweisen ließen. Dieser Meinung ist z. B. *A. R. Kennedy,* der für fünf – wohlgemerkt nicht durchgängige – Hauptquellen plädiert [13]. Kap. 15 gehört nach *Kennedy* zu einer Samuelbiographie [14], übrigens auch Kap. 16,1–13. Damit ist man jedoch nicht allzu weit entfernt von der von *Gressmann* vertretenen Fragmentenhypothese [15]. *Gressmann* will von duchlaufenden Quellen oder Quellenschriften nichts wissen [16]. So möchte er die Erwähnung des Amalekiterfeldzuges Sauls in Kap. 14,48 nicht in der Weise mit dem Inhalt

10. Kommentar, S. 107. »E« ist laut *Budde* nordisraelitischen Ursprungs. »Ganz erklärlich ist es auch, dass sich im israelitischen Norden (E) die Erinnerung an den ungewohnt fernen Kriegszug zur Hilfe für Juda erhalten hat, während sie im judäischen Süden von der größeren Folgezeit verdunkelt wurde.« Vgl. jedoch unten S. 47.
11. GTMMM II, S. 188 f. Übrigens ist *Mowinckel* – im Gegensatz zu *Budde* – der Meinung, »E« sei von »J« abhängig.
12. Die Komposition der Samuelisbücher, S. 3. In seiner Einleitung in das AT, 1964, S. 362 ff., geht *Eissfeldt* aufs Ganze und identifiziert diese Erzählungsfäden mit den von ihm im Pentateuch angenommenen Quellen L, J und E.
13. The Century Bible, 1905, vgl. *G. W. Anderson,* A Critical Introduction to the OT, 1959, S. 74 ff.
14. Gegen diese Auffassung läßt sich jedoch ein berechtigter Einwand erheben, daß nämlich diese »Biographien« so stark ineinandergreifen (z. B. die Davids mit der von Saul, die Sauls mit der von Samuel), daß es schwerfällt anzunehmen, daß es solche gibt.
15. Die älteste Geschichtsschreibung, 1921.
16. A. a. O., S. XVIII: »Abgesehen von I. Sam. 17,1–18,5; 20,1–21,1; II 1. . . . sind nirgendwo »Quellen« zu entdecken.«

von Kap. 15 in Zusammenhang bringen, daß man sagen könnte, es handele sich hier um dieselbe Quelle; im Gegenteil gibt er mit Nachdruch zu verstehen, Kap. 14,48 sei von Kap. 15 unabhängig, was allerdings den Schluß zuließe, daß die kurze Notiz in 14,48 nicht nur historisch den Inhalt von Kap. 15 bestätigen, sondern auch als Ergänzung dazu dienen könnte. Später kommen wir darauf wieder zurück.

Außerordentlich bedenklich ist der Versuch der Literarkritiker, auf Grund von Wiederholungen und Parallelberichten verschiedene Quellen festzustellen. Denn bei dieser Verfahrensweise richten sich die Bemühungen einseitig darauf, die Zugehörigkeit eines bestimmten Textes zu einer bestimmten Quelle nachzuweisen. Infolgedessen versäumt man in Wirklichkeit die Nachprüfung der Beziehungen, die zwischen dem entsprechenden Text und dem, bzw. den Texten bestehen, die als dessen Paralleltext oder -texte anzusehen sind. Das wurde auch in dem oben vermittelten kurzen Überblick an der Art und Weise deutlich, wie sich namhafte Forscher zu der quellenmäßigen Ansetzung des Kap. 15 stellen. Das Problem bestand nämlich darin, ob Kap. 15 die Fortsetzung von Kap. 12 [17] oder Kap. 14,47–51 (*Mowinckel*) darstellt, nicht hingegen in erster Linie, welche Beziehungen zwischen Kap. 15 und anderen Saul-Überlieferungen bestehen.

Die Frage nach dem Skopus in dem bestehenden Zusammenhang des Kap. 15 ist bereits im vorhergehenden gestellt worden; man hat ihn in V. 28 zu sehen. Dieser Vers mit der verborgenen, aber doch deutlichen Anspielung auf David muß natürlich unter Einbeziehung von V. 27 in Augenschein genommen werden. Das Verständnis dieses Verses ist allerdings umstritten. Wer ist das Subjekt zu ויחזק, und auf wen bezieht sich das Suffix מעילו? Strenggenommen gibt es vier Möglichkeiten. *1.* Subjekt ist Saul und zugleich der, auf den sich das Suffix bezieht. *2.* Subjekt ist Saul, während das Suffix auf Samuel geht. *3.* Samuel ist Subjekt, und das Suffix geht auf ihn selbst. *4.* Samuel ist Subjekt, während sich das Suffix auf Saul bezieht. Entschiede man sich für die erste Möglichkeit, so wäre der Sinn folgender: Saul zerreißt aus Kummer über die Wendung der Dinge sein Obergewand. Dabei ist freilich hinzuzufügen. daß diese Formulierung vielleicht etwas umständlich wirkt, vgl. z. B. Hiob 1,20, wo es ganz einfach heißt ..... ויקרע את! Die zweite Möglichkeit wird praktisch von allen Auslegern für richtig befunden [18]. Eigentümlicherweise hält man diese Lösung für absolut folgerichtig – doch ist sie

17. *Budde, Eissfeldt*, vgl. auch *Kirkpatrick*, Kommentar, S. xvii; *Smith*, Komm., S. 129. Mit Recht wendet *Hertzberg* (Komm., S. 98. 103) gegen diese Verkoppellung ein, daß die Haltung zum Königtum und Saul von ganz anderer Art sei als in Kap. 8 und 12.
18. Vgl. z. B. *Budde*, S. 112; *Gressmann*, S. 60; *Nowack*, HAT, I, 4, 1902, S. 77; *Mowinckel*, S. 191; *Smith*, S. 140; *Kirkpatrick*, S. 128; *Hertzberg*, S. 102; *de Vaux*, Les livres de Samuel, 1953, S. 77 (La Sainte Bible, 8).

das wirklich? Zunächst setzt diese Auffassung einen Wechsel des Subjekts voraus, da Samuel ja Subjekt zum vorhergehenden Verbum ויסב ist. Sollte in der Tat ein solcher Subjektwechsel stattgefunden haben, hätte man erwarten können, daß dies ausdrücklich im MT vermerkt worden wäre (vgl. LXX). Im Grunde sprechen gegen die beiden ersteren Möglichkeiten syntaktische Erwägungen. Bleiben also 3 und 4 übrig. *Hylander* bevorzugt die vierte Möglichkeit und nimmt, an, Samuel habe das Zeichen der Königswürde Sauls, dessen »Königsmantel«, zerrissen, womit wir eine Episode vor uns hätten, die eine »vollständige, an sich sehr altertümliche Parallele zu der feierlichen Salbungsszene darstellt.« [19] Das würde an sich vorzüglich zu der Szene in Kap. 24,5 f. passen, wo sich David in der Höhle einen Zipfel von Sauls Gewand abschneidet. In Kap. 24 findet sich in Verbindung mit Saul auch כנף־מעיל, und Davids Handlungsweise in Kap. 24 erinnert durchaus an die Samuels an dieser Stelle [20]. מעיל kann – wofür Stellen, wie 1. Sam. 24,5.12; 18,4; Hes. 26,16, sprächen – für ein besonders fürstliches Gewand verwendet werden [21]. Nicht unbedeutend ist ferner, daß anscheinend מעיל auf Grund Ex. 28,4.31.34; 39,22–26; Lev. 8,7 in einer besonderen Beziehung zum Hohenpriester gestanden hat. Dies darf als das wichtigste Argument [22] dafür gelten, daß der König in vorexilischer Zeit einen »Mantel« mit der Bezeichnung מעיל getragen hat, vgl. 1. Sam. 24,5.12 [23]. Wenn Saul – und Jonathan in Kap. 18,4 [24] – mit einem solchen »Mantel« geschildert wird, handelt es sich dabei wahrscheinlich um ein von der Königskleidung in Jerusalem übernommenes Attribut. Gleichviel, der Umstand, daß מעיל (vielleicht) in besonderer Weise mit der Kleidung des Königs (und anderer königlicher Kleidung) verbunden war, darf man natürlich nicht als einen Beweis dafür ansehen, daß das Suffix מעילו hier in Kap. 15,27 b unbedingt auf Saul bezogen werden müsse. Es sei daran erinnert, daß auch Samuel in Kap. 28,14 ein solches Gewand trägt, vlg. auch 1. Sam. 2,19. Im Grunde wirkt es etwas grotesk, daß Samuel das Gewand des Königs (»Mantel«) zerreißt. Eine derart gröbliche Handlung entspricht nicht der Ehrfurcht, die sonst Saul erwiesen wird; denn selbst als Verworfener wird er zu Lebzeiten immer noch als »Jahwes Gesalbter« angesehen oder behandelt, vgl. Kap. 24,6 und 26,9. Hinzu kommet wiederum der syntaktische Einwand, daß man, sollte dieser מעיל

19. A. a. O., S. 200.
20. Auch in Kap. 24,5 f. muß es sich um eine symbolische Handlung handeln, vgl. z. St. unten S. 164 f.
21. Vgl. *Gesenius-Buhl; Koehler-Baumgartner* heben diese besondere Bedeutung von מעיל nicht hervor.
22. Weder *Gesenius-Buhl* noch *Hylander* stützen sich auf diese Tatsache.
23. Nach dem Exil übernahm der Hohepriester die Rolle des vorexilischen Königs, vgl. *Engnell,* SBU, II, Sp. 1691 ff.
24. Vgl. unten S. 84 und 92.

wirklich der Sauls gewesen sein, anstelle des Suffixes einen Genitiv erwartet hätte [25].

Bleibt also die dritte Möglichkeit übrig (3.), die vom Zusammenhang her auch die größte Wahrscheinlichkeit für sich hat; Samuel reißt sein (eigenes) Gewand entzwei. Der Sinn wäre dann folgender: Samuel wendet sich – auf Grund des Beschlusses Jahwes, Saul zu verwerfen (V. 26 b) – von Saul ab, um sich auf den Heimweg nach Rama zu begeben (vgl. V. 34 a), doch vorher faßt er so derb den Zipfel seines Gewandes an, daß es kaputt reißt. Auf diese Weise bestätigt er symbolisch den Beschluß Jahwes: Jahwe hat bereits Sauls Königtum zerrissen – er hat es von ihm gerissen und es einem anderen gegeben. Die in V. 27 b vorgenommene Handlung geschieht also ganz bewußt und ist weder durch Traurigkeit veranlaßt (vgl. zu 1), noch stellt sie eine Affekthandlung dar (vgl. zu 2 und 4). Ein entscheidender Einwand gegen diese Deutung könnte insofern erhoben werden, als sie nicht recht zur Handlung paßt, denn in der Handlung kommt doch anscheinend nur unmittelbar der Gedanke zum Ausdruck, daß das Reich Sauls zugrundegehen werde, nicht aber, daß es von Saul gerissen [26] und schon gar nicht einem anderen in die Hand gelegt werden solle. Nun begegnet uns die Wendung in V. 28 noch an einer anderen Stelle der Vorgeschichte, und zwar in Kap. 28,17 (also in derselben Erzählung, in der Samuel mit einem מעיל geschildert wird, V. 14). In Kap. 28,17 ist ein direkter Hinweis auf David enthalten, und auch hier aus dem Munde Samuels [27]. Diese Wendung bringt vortrefflich die Tendenz der Vorgeschichte zum Ausdruck: David wird dargestellt als Sauls legitimer Nachfolger auf dem Thron Israels.

Wie ist es zu der Verknüpfung von Handlung und Deutung, so wie sie – etwas unpassend – in Kap. 15,27 f. vorliegt, gekommen? *Gressmann* verweist auf 1. Kg. 11,29 ff., ohne jedoch einen unmittelbaren Zusammenhang gelten zu lassen [28]. Demgegenüber rechnet *Weiser* damit [29], daß das Motiv direkt aus 1. Kg. 11,29 ff. entnommen und »künstlich und gewaltsam« der Erzählung hier eingefügt worden sei. Viel spricht für die grundsätzliche Richtigkeit dieser Annahme. In 1. Kg. 11,29 ff. ist die Symbolik, d. h. die Entsprechung von Handlung und Deutung wohl klar: Der Prophet Ahia von

25. So herrscht unter den Forschern fast einhellig die Auffassung vor, daß sich in jedem Fall das Suffix in מעילו auf Samuel beziehe (vgl. oben Anm. 18).
26. Am nächsten kommt dem in der Hinsicht die oben S. 40 genannte 4. Möglichkeit; so auch *H. Tiktin,* Kritische Untersuchungen zu den Büchern Samuelis, 1922, S. 21.
27. Bezüglich Kap. 28,17, siehe unten S. 196.
28. A. a. O., S. 60. Auch *Tiktin,* a. a. O., S. 21, verweist auf 1. Kg. 11,29 ff. und ist dabei der Meinung, diese Verse sprächen nicht dagegen, daß man bei der Handlung in V. 28 a Samuel als Subjekt annimmt und das Suffix in מעילו auf König Saul bezieht.
29. ZAW, 54, 1936, S. 1.

Silo faßt seinen neuen Mantel an (ויתפש · · · בשלמה החדשה) und reißt ihn (ויקרעה) in Gegenwart Jerobeams in 12 Stücke (V. 30) und gibt Jerobeam 10 Stücke, »denn so spricht Jahwe: Ich habe das Reich aus der Hand Solomos gerissen (קרע) und dir 10 Stämme gegeben (V. 31 f.), doch ein Stamm soll ihm gehören um meines Knechtes Davids willen ...« [30]. Kap. 15,27 f. ist wahrscheinlich von 1. Kg. 11,29 ff. abhängig, wo die Ausdrucksweise »Ich habe das Reich aus der Hand Salomos gerissen und dir 10 Stämme gegeben« einen weitaus einsichtigeren Zusammenhang mit der im vorhergehenden Vers enthaltenen Handlung ergibt als die Wendung in 1. Sam. 15,28 »Ich habe Israels Reich von dir gerissen und einem anderen gegeben, der besser ist als du« in bezug auf die Handlung Samuels in V. 27. Nun darf man die Abhängigkeit nicht so verstehen, als sei 1. Sam. 15,27 f. von 1. Kg. 11,29 ff. literarisch abhängig. Dagegen spricht die unterschiedliche Redeweise. Darüber hinaus haben die symbolische Handlung und ihre Deutung in 1. Sam. 15 für den Angeredeten negative Bedeutung, während für ihn in 1. Kg. 11 Handlung und Deutung positiv ausfallen. Nein, der Berichterstatter der Verwerfung Sauls hat das erwähnte Motiv dem Zyklus der Ahiageschichten entnommen, der ihm von der mündlichen Überlieferung her vertraut war. Die Annahme, daß das Motiv in 1. Kg. 11,29 ff. von hier entlehnt sei, leuchtet um so mehr ein, als der *eine* Stamm, der nach der Teilung des Reiches an der Daviddynastie festhielt, eben *Benjamin* war. Das Festhalten Benjamins an der Daviddynastie ist durchaus nicht verwunderlich, da ja der Begründer der Dynastie nach dem durch den (Propheten) Samuel ausgesprochenen Willen Jahwes Nachfolger des ersten Königs von Israel, des *Benjaminiten* Saul, wurde! In Wirklichkeit ist nicht Jerobeam Sauls Nachfolger als König von Israel, sondern der *David*nachkomme Rehabeam!

Wie erklärt es sich, daß dem Verfasser der Ahiageschichten-Zyklus zu Gebote stand [31]? Nun steht allerdings der nordisraelitische Ursprung dieses

30. Hinsichtlich des Verständnisses des »einen Stammes«, der der Daviddynastie treu bleiben wird, nämlich Benjamin, siehe *Noth,* Überlieferungsgschichtliche Studien, S. 72, Anm. 7; ders., Geschichte Israels, S. 214, Anm. 1; ders., Jerusalem und die israelitische Tradition, OTS, 1950 (in: Gesammelte Studien, 1957, S. 178 f.). *Noth* hat jedoch später diese Auffassung aufgegeben, vgl. Könige (Biblischer Kommentar. AT., IX, 1968), S. 259 f. – Was das Verhältnis zwischen Juda und Benjamin infolge der Reichspaltung anbetrifft, siehe *Schunck,* Benjamin, 1963, S. 140 ff.; *Grønbæk,* VT, 15, 1965, S. 431 ff.; *Seebass,* Zur Königserhebung Jerobeams I, VT, 17, 1967, S. 327 ff.
31. Zum Traditionskomplex über den Propheten Ahia von Silo vgl. *Noth,* Überlieferungsgeschichtliche Studien, S. 79 ff. *Von Rad* (Studies in Deuteronomy, 1953, S. 81, Anm. 1) zieht die Existenz eines Berichtes über den Propheten Ahia von Silo als einer »wohlabgerundeten Ganzheit« in Zweifel – nach *Noth:* Kap. 11,29 aβb–31. 36 abα. 37; 12,1–20; 14,1–18 (mit Ausnahme von V. 14–16, die dtr. seien). Demgegenüber folgt *E. Nielsen* grundsätzlich *Noth*, vgl. *Shechem,* S. 174. 182 ff. et passim.

Geschichtenzyklus fest, woraus sich folgendes Problem ergibt: Wie ist er nach Jerusalem gekommen, wo wir [32] die Heimat des Verfassers vermutet haben? Aus 1. Kg. 14 geht mit aller Deutlichkeit hervor, daß Ahia mit der Zeit in einen Gegensatz zu dem König geriet, dem er am Anfang auf den Thron verholfen hatte. Bei der Gelegenheit, als Jerobeams Frau aus Anlaß der Krankheit ihres Sohnes Abia verkleidet zu ihm kommt, verwirft er das Haus Jerobeams. Bemerkenswert sind in diesem Kapitel die V. 7 ff.: Ahia bekommt von Jahwe den Auftrag, durch die Königin Jerobeam mitteilen zu lassen: Obwohl Jahwe ihn zum Fürsten (נגיד) über sein Volk Israel erhöhte und das Königreich vom Hause *Davids* riß (קרע), um es ihm zu geben, habe er nicht, wie David, Jahwes Gebote gehalten, sondern noch übler als seine Vorgänger gehandelt. Auf dem Hintergrund dieser heftigen Worte an Jerobeam, dieses Umschwungs in Ahias Haltung gegenüber Jerobeam [33], wird einem klar, daß der Zyklus der Ahiageschichten jerusalemischen Tradenten in die Hände gekommen ist.

Die oben gemachten Ausführungen sind in überlieferungsgeschichtlicher Hinsicht außerordentlich von Bedeutung. Wenn nämlich unsere Überlegungen richtig sind, geben sie auch einen Hinweis auf die annähernde Entstehungszeit der Vorgeschichte. Danach wäre der terminus ante quo das Schisma nach dem Tode Salomos. Doch darüber später.

Zusammenfassend läßt sich über Kap. 15,27 f. Folgendes sagen: Zur Illustration der Verwerfung Sauls griff man auf ein Fragment des Überlieferungskomplexes über den Propheten Ahia von Silo zurück. Aus ihm wurde in erster Linie die Wendung in Kap. 11,31: חנני קרע את־הממלכה מיד שלמה ונתתי vgl. 14,8, übernommen und eingepaßt. Jedoch auch die Erwähnung der symbolischen Handlung Ahias in 11,30 wurde ausgewertet und umgeformt, was dazu geführt hat, daß die Übereinstimmung zwischen der symbolischen Handlung in V. 27 und deren Deutung im folgenden Vers nicht ganz glücklich erscheint. Und was hat man mit dieser Motiventlehnung erreicht? Zur Genugtuung der Judäer und Benjaminiten wird der historische Zusammenhang dieser beiden Stämme bekräftigt [34], indem sich der Verfasser sozusagen der Waffen aus dem Arsenal des »Feindes« bediente! Der Feind ist – bei und nach der Spaltung des Reiches – Ephraim, vgl. den Ephraimiten Jerobeam. Nicht dieser erwählte Jerobeam ist der wahre König von Israel, mitnichten – seine Situation gestaltete sich in Wirklichkeit grundsätzlich nicht anders als die

32. Vgl. oben S. 23.
33. Dieser Umschwung von seiten der Priesterschaft in Silo hat nach *E. Nielsen,* a. a. O., S. 322, darin seine Ursache, daß das Heiligtum in Silo, nachdem das politische – und damit auch das religiöse – Zentrum in Israel nach Bethel verlegt worden war, seine Bedeutung verlor. Siehe unten Anm. 113.
34. In der bestehenden Situation ist übrigens nicht so sehr der Stamm Juda gemeint, sondern das Königreich Juda.

Sauls; demgegenüber ist David (vgl. 15,28) und sein Haus (vgl. 1. Kg. 14,8) Sauls legitimer Erbe. So etwas – darf man annehmen – sollte wohl nicht zuletzt auf Sauls Stammesverwandte, die Benjaminiten, Eindruck machen.

Der Akzent in V. 27 f. liegt eindeutig auf V. 28 b, also der Anspielung auf David. Es wird angedeutet, daß David, der Saul ablösen soll, der »Bessere« sei. Doch worin besteht Davids Vorzug? Halten wir uns die Überlieferung, wie sie in Kap. 15 erhalten ist, in ihrer Gesamtheit von Augen, dürfte wohl seine Bevorzugung konkret darin bestehen, daß man von ihm die Einhaltung der strengen Bannregeln erwartete; doch hat sich das bei weitem nicht bewahrheitet, vgl. Kap. 30, das sonst noch in mancherlei Hinsicht Merkmale aufweist, die an Kap. 15 erinnern. Der Verfasser hat außer acht gelassen, daß Saul gerade aufgrund eines Vergehens verworfen wird, dessen sich sein Held David in gleicher Weise schuldig macht. Mit anderen Worten: Die Überlieferung, aus der er schöpfte, nämlich der Überlieferung von Sauls Verwerfung, paßt nicht gut zu seiner ansonsten in dem Bericht in Kap. 15 zugrundeliegenden Tendenz.

In V. 1 [35]–3 wird berichtet, daß Samuel Saul den Befehl Jahwes mitteilt, gegen die Amalekiter einen totalen Vernichtungskrieg zu führen. Bemerkenswert ist die Motivierung: Die Amalekiter sollen dafür bestraft werden, weil sie den Israeliten während ihres Auszuges aus Ägypten als Feinde entgegentraten. Wie eigentümlich daß man die Motivierung in der Frühgeschichte Israels zu suchen hat. Sollte der in Kap. 15 berichtete Feldzug gegen die Amalekiter irgendwie historisch echt sein, dann hat er sicher einen höchst aktuellen Anlaß gehabt, also denselben wie in Kap. 30, vgl. auch. Kap. 14,48 b. Die Amalekiter unternahmen zu dieser Zeit im südlichen Juda sehr unangenehme Streifzüge. Doch setzt V. 2 nicht nur solche Streifzüge voraus, wenngleich sie nicht ausdrücklich genannt werden, sondern auch – ja, in noch größeren Maße – Erinnerungen daran daß diese Beduinenhorden schon seit der Wüstenzeit die Feinde Nr. 1 gewesen sind. Aus der Wüstenzeit sind uns denn auch Überlieferungen über diese Feindschaft erhalten. Besonders zu nennen wäre Ex. 17,8 ff., die Schilderung einer vernichtenden Schlacht zwischen »Israeliten« und Amalekitern, wahrscheinlich im Gebiet von Kadesch. Ex. 17,8 ff. ist als Bestandteil der sog. Kadesch-Geschichten südlichen, judäischen Ursprungs [36]. So weisen auch die meisten Ausleger in Verbindung mit Kap. 15,2 auf Ex. 17,8 ff. hin. Doch die Frage ist, ob Ex. 17,8 ff. wirk-

35. Daß V. 1 – und somit die ganze Geschichte vom Aufstieg Davids zur Köningsherrschaft – mit einem ויאמר, also einem konsekutiven Impf. beginnt, ist an und für sich nichts Absonderliches. Z. B. beginnen Numeri (Num. 1,1), Leviticus (Lev. 1,1) und verschiedene andere Einzelberichte mit einem kons. Impf., vgl. *H. S. Nyberg,* Hebreisk Grammatik, 1952, S. 276.

36. Vgl. dazu *Grønbæk,* Juda und Amalek, ST, 18, 1964, S. 29 ff.

lich in unmittelbarem Zusammenhang mit 1. Sam. 15,2 steht. In Ex. 17,8 ff. handelt es sich um eine entscheidende Niederlage für die Amalekiter, hier in Kap. 15 wird dagegen nicht auf eine derartige Niederlage angespielt – im Gegenteil. Kap. 15,2 könnte man eher mit Dt. 25,17 ff. in Verbindung bringen, wo es heißt: Denke daran, was Amalek dir angetan hat auf dem Wege, als ihr aus Ägypten zogt. In V. 18 wird weiter berichtet, daß diese ohne Gottesfurcht die ermattenen Israeliten niedermetzelten. Deshalb soll Israel, wenn das Volk im Lande, das Jahwe ihm als Erbe geben will, Ruhe gefunden hat, jede Erinnerung an Amalek austilgen (V. 19). Nicht nur inhaltlich paßt Dt. 25,17 ff. besser zu 1. Sam. 15,2 als Ex. 17,8 ff., sondern es liegen auch stilistische Gemeinsamkeiten vor. אשר עשה עמלק findet sich sowohl in Kap. 15,2 als auch in Dt. 25,17; dasselbe gilt für בדרך בעלתו (בצאתכם) ממצרים [37]. Man kann sich also nur schwer der Schlußfolgerung entziehen, daß Kap. 15,2 von dem Dtr. geprägt ist [38]. Bezeichnend ist auch, daß das Thema »Herausführung aus Ägypten« nicht nur im Dt., sondern auch beim Dtr. eine wesentliche Rolle spielt [39], während sich das Thema nicht ohne weiteres mit der Amalekiterschlacht in Ex. 17,8 ff. in Verbindung bringen läßt [40].

Somit läßt sich Kap. 15,2 mit der Motivierung des Amalekiterfeldzuges Sauls kaum auf den Verfasser zurückführen, sondern wird bestimmt eine nachträglich eingefügte Motivierung sein, die in letzter Instanz, was Stoff und Hintergrund anbetrifft, judäischen Ursprungs ist. Die Amalekiter gehörten zu

37. Samuels Wort an Saul erscheint in V. 2 als ein Orakelwort von Jahwe Zebaoth. יהוה צבאות findet sich in der Vorgeschichte nur drei Mal, außer an dieser Stelle in 1. Sam. 17,45 und 2. Sam. 5,10 (über 5,10 siehe unten S. 247). Dieses Gottesepitheton, das im Pentateuch und auch später im deuteronomistischen Geschichtswerk (Dt. bis Ri.) vorkommt, ist sicherlich ursprünglich an das Heiligtum in Silo gebunden gewesen (vgl. 1. Sam. 1,3. 11; 4,4), von wo es mit der Lade nach Jerusalem gelangt ist (vgl. 2. Sam. 6,2; 7,8. 26 f.). Siehe darüber hinaus *Eissfeldt,* Jahwe Zebaoth, 1950, in: Kleine Schriften, III, S. 103 ff., und schließlich *J. P. Ross,* Jahwe S[e]ba'ot in Samuel an Psalms, VT, 17, 1967, S. 76 ff. Da nun V. 2 allem Anschein nach dtr. ist, hat wahrscheinlich der Dtr. diese Gottesbezeichnung hier verwendet (vgl. auch *Carlson,* David the Chosen King, S. 114). Andererseits ist nicht ganz ausgeschlossen, daß lediglich V. 2 b – mit der ausführlichen Begründung der Aktion gegen die Amalekiter – auf den Dtr. zurückzuführen ist, während V. 2 a – mit der Orakelform und Anwendung von יהוה צבאות – auf den Verfasser der Vorgeschichte zurückgehen könnte.
38. Vgl. *Smith,* Komm., S. 131; hiergegen *Budde* (S. 108), der für eine Zugehörigkeit von Kap. 15,2 zur Quellenschrift »E« plädiert, da sich die Wendung בדרך nicht nur in Dt. 25,17 finde, sondern auch in Ex. 18,8 (unter Hinweis auf 17,8 ff.); Gen. 45,24; Num. 21,4, Stellen, die *Budde* »E« zurechnet.
39. Vgl. *Noth,* Überlieferungsgeschichtliche Studien, S. 50.
40. Es ist möglich, daß in der Wendung קול דברי in Kap. 15,1 ein dtr. Eingriff vorliegt, vgl. Dt. 4,12; 5,25.

den schlimmsten Gegnern der »Israeliten« [41] in der Wüstenzeit, und sie blieben eine ernsthafte Bedrohung bis in die Zeit Davids hinein, vgl. Kap. 30. Auch Saul bekämpfte sie laut Kap. 15, wobei er offensichtlich den Judäern in ihrer akuten Gefahr zu Hilfe kam. Darin bestand die Motivierung des Krieges, den Saul gegen die Amalekiter führte, und der Verfasser hätte kaum eine andere geben können.

Nun kann man immerhin fragen, ob nicht die Erinnerung an den Feldzug im Süden als solchen judäischen Ursprungs ist. Hier sei auf V. 12 b aufmerksam gemacht: Sauls Errichtung eines »Siegesmonuments«, einer Säule יד [42] in Karmel nach seinem Sieg. Mit Recht schreibt *Hertzberg* in diesem Zusammenhang: »Diese wird gewiss noch länger als Sauls Säule gezeigt worden sein, und ihr Vorhandensein wird der Grund ihrer Erwähnung gewesen sein.« [43] Man kann sogar noch weiter gehen: Das Vorhandensein dieser »Siegessäule« in Karmel, an die sich eine lokale Überlieferung über Sauls Befreiungskrieg im Süden haftete, ist nicht der einzige Grund für ihre Erwährung, sondern wird überhaupt der Anlaß dafür gewesen sein, daß diese Überlieferung mit dem Bericht über Sauls Verwerfung verflochten worden ist. Die Absicht, ausgerechnet den Amalekiterfeldzug, dessen Überlieferung ursprünglich in Juda in Anlehnung an das Erinnerungszeichen in Karmel [44] im Umlauf war, mit der Überlieferung von der Verwerfung Sauls zu kombinieren, läßt sich vielleicht in V. 12 b erkennen: Samuel wurde Folgendes gemeldet: Saul ist nach Karmel gekommen und hat sich dort eine Erinnerungsstätte errichtet, er kehrte um und zog weiter nach Gilgal!« Aus welchem Grunde ist die Überlieferung von der Verwerfung Sauls gerade mit Sauls Amalekiterfeldzug in Verbindung gebracht worden? Hier sind wir vielleicht in der Lage, die Intention des Verfassers zu durchschauen, denn – und darin vor allem liegt die Pointe – wie Saul mit Erfolg die Amalekiter, die Erbfeinde Judas, bekämpfte, dafür aber seine Verwerfung hinnehmen mußte, so kämpfte auch David gegen die gleichen Horden, doch mit dem Unterschied, daß sein Kampf ausgesprochen positive Auswirkungen hatte!

Trifft das eben Ausgeführte zu, so haben die Überlieferung von Sauls Amalekiterkrieg und die Überlieferung von seiner Verwerfung ursprünglich nichts miteinander zu tun gehabt [45]. Nun ergibt sich allerdings folgender Tatbe-

41. In Wirklichkeit der Judäer, vgl. *Grønbæk,* ST, 18, 1964, S. 30 f.
42. *E. Jacob* (a. a. O., S. 50 f.) sieht die Errichtung dieser Stele im Zusammenhang mit der altorientalischen Gepflogenheit, Säulen mit Inschriften über Taten von Königen zu versehen. Es ist jedoch ganz unwahrscheinlich, daß auf Sauls Stele etwas gestanden hat, vgl. oben Anm. 1.
43. Kommentar, S. 100. – Vgl. auch 2. Sam. 18,18.
44. Karmel lag auf kenitischem Gebiet, vgl. unten S.
45. Auch *Hylander* kommt – freilich von anderen Prämissen her – zu dem Ergebnis, daß das Verwerfungs-Motiv ursprünglich nichts mit dem Amalekiterfeldzug zu tun gehabt habe (a. a. O., S. 194 f.). Wenn er hingegen – gegen

stand: Während die Überlieferung von Sauls Amalekiterfeldzug (abgesehen von der Notiz in Kap. 14,48!) keine Parallele aufweist, liegt uns in bezug auf die Verwerfung Sauls noch eine andere Tradition vor, und zwar in Kap. 13,7 b–15. Daß die Überlieferung von der Verwerfung in Kap. 15 grundsätzlich als eine Gilgal-Tradition anzusehen ist, die nicht nur darüber Auskunft gibt, daß die Verwerfung in oder im Zusammenhang mit Gilgal stattgefunden habe (vgl. V. 12 ff.), sondern auch dort gepflegt wurde, ist wohl über jeden Zweifel erhaben. Ebenso hat man auch Kap. 13,7 b ff., vgl. 10,8, zu charakterisieren. Was das Verhältnis von Kap. 10,8 und 13,7 b ff. angeht, läge wohl von vornherein die Vermutung am nächsten, 10,8 sei als Vorberetitung auf 13,7 b ff. eingeschoben worden [46]. Indes tritt *Hylander* [47] für eine Abhängigkeit der Stelle 13,7 b ff. von 10,8 ein, insofern in 13,7 b ff. auf Grund älterer Überlieferung eine Aufnahme der von 10,8 her bekannten Siebentagefrist erfolgt sei [48]. *Hylander* hat nämlich die richtige Beobachtung gemacht, daß Saul nach 13,7 b–15 scheinbar nur bestraft wird, weil er die zeitliche Frist nicht eingehalten habe. »Wegen der für die Komposition notwendigen Zeitbestimmung hat die Sache den Anschein einer Glaubensprobe bekommen, aus der Episode selbst dagegen ist zu schliessen, dass er kurzweg als Opfernder Schuld und Strafe auf sich geladen hat.« [49]

So wie *Hylander* Kap. 13,7 b ff. auffaßt, bestehen in der Situation der Verwerfung in Kap. 13,7 b ff. und Kap. 15 wesentliche Übereinstimmungen. An beiden Stellen steht die Verwerfung im Zusammenhang mit Gilgal, wo Saul laut 11,14 f. vom Volk als König Israels gehuldigt worden war. An beiden Stellen geschieht die Verwerfung auf Grund eines kultischen Vergehens von seiten Sauls. Daß es sich in Kap. 13 um eine Opferhandlung handelt, ist – wenn man *Hylander*'s [50] Auffassung zugrunde legen will – offensichtlich; jedoch kommt das andeutungsweise in Kap. 15 (vgl. V. 15 aβ. 21. 22) auch

Noth – die Historizität des Amalekiterfeldzugs in Zweifel zieht (vgl. auch *Mowinckel,* GTMMM, II, S. 189), ist das wohl unbegründet. Auch *Mildenberger* ist nicht der Ansicht, daß das Verwerfungs-Motiv mit zur ursprünglichen Tradition über Sauls Amalekiterkrieg gehört habe. Die Überlieferung der Verwerfung habe nach *Mildenberger* ursprünglich überhaupt mit der Saultradition in keinem Zusammenhang gestanden, sondern stamme – ebensowie Kap. 13,7 b–15 – von dem »nebeistischen« Bearbeiter (siehe übrigens oben S. 27 ff. über *Mildenberg*'s Auffassung).

46. Vgl. *Wellhausen,* Die Composition, 1899, S. 245 f.; *Kirkpatrick,* Komm., S. 99.
47. A. a. O., S. 161 f.
48. A. a. O., S. 195 f.
49. A. a. O., S. 196.
50. Wir sehen hier davon ab, daß *Hylander* für die Rekonstruktion der ursprünglich – zur 1. Traditionsschicht gehörenden – Tradition über den Bruch zwischen Samuel und Saul Elemente aus Kap. 13,7 b–15 benutzt (siehe unten Anm. 53); den Abschnitt in seiner jetzigen Gestalt rechnet er der 4. Traditionsschicht zu (a. a. O., S. 239 f. und das Schema S. 311).

durch. Im Gegensatz zu Kap. 13, wo Samuel während der Opferhandlung nicht zugegen war, willigt er in Kap. 15 nach längerem Zögern doch noch in eine Teilnahme ein, vgl. V. 31 ff. (Daß es sich hier nicht um eine Gigal-Tradition handelt, wird später noch erörtert.) Endlich kommt es in beiden Überlieferungen zu einer Begegnung zwischen Samuel und Saul; während in Kap. 13,10 Saul, von Gilgal kommend, Samuel entgegen geht, geschieht es in 15,12 umgekehrt, Samuel geht Saul entgegen [51]. Bei beiden Begegnungen macht Samuel Saul schwere Vorhaltungen. In Kap. 15 allerdings ist es, da nicht ausdrücklich darauf Bezug genommen wird, unklar, woher Samuel bei der Begegnung mit Saul kommt, auch wo Samuel Saul den Befehl zum Amalekiterfeldzug erteilt. Indirekt können wir vielleicht V. 12 f. die Andeutung entnehmen, daß Samuel von Gilgal gekommen war. Ferner wäre als Übereinstimmung festzuhalten, daß in beiden Perikopen nicht nur die Verwerfung Sauls berichtet wird, sondern in ihnen auch die Ankündigung eines anderen, eines Nachfolgers, enthalten ist, wobei Kap. 13,14 b jedoch dtr. Herkunft verrät. Wenn wir nun die zweifellos ins Auge fallenden Gleichheiten in den Verwerfungsepisoden in Kap. 13,7 b–15 a [52] und Kap. 15,10–34 in Betracht ziehen, stellt sich die Frage, ob nicht eine Perikope von der anderen abhängig ist, oder ob beide auf eine gemeinsame Urtradition zurückgehen [53].

51. Nach der LXX Kap. 15,12 zog Samuel zu Saul, als dieser in Gilgal gerade damit beschäftigt war, das Beste der Beute Jahwe zu opfern (τα πρῶτα τῶν σκύλων, ראשית השלל, vgl. ראשיח החרם in V. 21!). Daß es sich hier um eine Erweiterung des etwas unklaren MT handelt, ist wohl deutlich; diese Erweiterung ist unter dem Einfluß von Kap. 13,10 erfolgt.
52. Also ausschließlich des Fristmotivs, siehe oben.
53. *Hylander* (a. a. O., S. 200 ff.) versucht mit Hilfe von Elementen aus Kap. 13 sowie Kap. 15, wobei noch Kap. 11 hinzu kommt, eine »Urtradition« zu rekonstruieren. Doch einschränkend – mit vollem Recht! – betont er, daß diese Rekonstruktion »nicht über die Ebene der Hypothesen hinauskommen kann.« – In diesem Zusammenhang sei auch auf *Seebass*' Analyse der beiden Fassungen der Verwerfungsgeschichte in Kap. 13 und 15 hingewiesen (I Sam 15 als Schlüssel für das Verständnis der sogenannten königsfreundlichen Reihe . . ., ZAW, 78, 1966, S. 148 ff.). Wie *Hylander* zieht *Seebass* nach sorgsamen Vermerken von allerhand Dubletten und Widersprüchen sein Fazit. Entscheidend für seine Analyse des Kap. 15 ist die Überlieferung von der Tötung Agags in Gilgal, die seiner Meinung zufolge alt sei und auf einer echten Erinnerung beruhe (V. 32 f.). Da sich V. 24–28 nach *Seebass* in einem ziemlichen Gegensatz zu V. 31.32 f. befinden und V. 16–19 von Dubletten umgebend sind (V. 13bβ 14. 15 // V. 20 f.), handele es sich bei diesen beiden Abschnitten wohl um spätere Erweiterungen. Bereits die alte Tradition barg indessen nach Meinung von *Seebass* ein »Verwerfungsthema« in sich (vgl. V. 29), doch in einem frühen Stadium sei dieses Thema zu einer Verwerfungstradition erweitert worden. V. 16–19 und V. 23–28 seien erst später hinzugefügt worden und stellten eine Verwerfungstradition dar, die nach *Seebass* ursprünglich mit zu Kap. 14,32–35 gehört habe (V. 19 stehe nämlich im Widerspruch zu dem in Kap. 15 Berichteten, passe aber großartig zu Kap. 14,32!) – In bezug auf die Verwerfungstradition in Kap. 13 konzentriert sich *Seebass* auf V. 13–14 – ohne jedoch andere Berührungs-

Im voraus könnte man geneigt sein, Kap. 15 seines in vorhergehenden angedeuteten uneinheitlichen Charakters wegen mit Mißtrauen zu begegnen. Vorläufig mag man es mit den festgestellten Gleichheiten in Kap. 15 und 13 bewenden lassen; bezüglich Kap. 13,7 b ff. verweisen wir auf die oben dargelegte Auffassung *Hylander*'s. Statt dessen nehmen wir den Faden bei dem Vorhergehenden wieder auf, wo wir nachzuweisen versuchten, daß in Kap. 15 eine Kombination vorliegt zwischen einer Erinnerung an einen mit dem Monument in Karmel im Zusammenhang stehenden Amalekiterkrieg Sauls und einer Gilgal-Tradition von der Verwerfung Sauls. Wenn es sich hier um die Erinnerung an einen Krieg handelt, den Saul im Süden gegen die Amalekiter führte, ergibt sich als nächste Frage, in was für einem Rahmen diese Erinnerung festgehalten worden ist.

Die Schilderung des Krieges in Kap. 15,4–9 selbst macht keinen besonders konkreten Eindruck. Es wird berichtet, daß Saul das Heer in טלאים musterte. Fast alle Ausleger identifizieren טלאים mit טֶלֶם (טָלֶם) in Jos. 15,24, das sich nicht genau lokalisieren läßt, vom Zusammenhang her in Josias 1. Distrikt im Süden gelegen haben muß [54]. Wahrscheinlich ist in 1. Sam. 27,8 die Lesart מטילם anstatt מעולם (ט ist falsch gelesenes עו) eine Korrektur, die auf vielen LXX-MSS basiert [55]. Die LXX hat in Kap. 15,4 Telaim i Gilgal verbessert. U. a. Orten wird הנחל genannt, doch um welches Tal es sich hier handelt, ist keineswegs ersichtlich. Schließlich wird erwähnt, daß die Amalekiter geschlagen werden »von Hewila bis Schur, das östlich von Ägypten liegt«. Diese Wendung findet sich auch an anderen Stellen des AT [56] und ist nicht

punkte zwischen Kap. 13,7 b–15 und Kap. 15,10–28 heranzuziehen. Er nimmt an, daß 13,7 b–15 erst vom Dtr. zu einer Verwerfungstradition ausgestaltet worden sei, da V. 14 – von den dtr. Zügen natürlich abgesehen – ursprünglich hinter Kap. 15,29 »in der erweiterten Fassung der Amalekiter-Erzählung« gestanden habe (a. a. O., S. 155).

In unserem Zusammenhang lassen wir es damit genug sein, der Auffassung grundsätzlich zu widersprechen. (Was Einzelheiten anbetrifft, so sei darauf verwiesen, wo diese in der vorliegenden Arbeit behandelt werden, und zwar in der Agagperikope unten S. 54 ff.). Abgesehen davon, daß *Seebass* ausschließlich literarkritisch zu Werke geht, wobei er mit dem Aufspüren von Widersprüchen und Dubletten von vornherein die Art der Berichterstattung der alten Erzähler verkennt, hat er es gänzlich unterlassen, den Inhalt der Überlieferung von Kap. 15 im Zusammenhang mit den folgenden Saul-Davidüberlieferungen zu sehen, sondern statt dessen Kap. 15 lediglich unter dem Aspekt von Kap. 13–14 beurteilt.

54. Vgl. *Noth,* Das Buch Josua, 1953, S. 93.
55. Vgl. *J. Simons,* The Geographical and Topographical Text of the OT, 1959, S. 317.
56. Gen. 25,18 (Gebiet der Ismaeliter), 1. Sam. 27,8 (ohne Hewila); שור findet sich in Gen. 16,7 in Verbindung mit Ismael und in Gen. 20,1 in Verbindung mit Kadesch, in Ex. 15,22 in einer Kadesch-Überlieferung. Da Kadesch und

besonders markant. Überdies heißt es von Saul in V. 5: Er zog gegen die »Stadt Amaleks«, ein Ausdruck, der nicht übermäßig gut zu dem Status der Amalekiter als Beduinen paßt [57]. Andererseits geben die genannten Orte durchaus Anlaß zu ernst zu nehmenden Überlegungen. Erstens kommt Telaim (Telam) – allem Anschein nach – auch in Kap. 27,8 vor, also im Zusammenhang mit Davids von Ziklag ausgehenden Unternehmungen u. a. vor allem gegen die Amalekiter [58]. Zweitens findet sich – was für die Korrektur in Kap. 27,8 spräche – die Wendung »Von Hewila bis Schur ... Ägypten«, wenngleich in etwas abgewandelter Form, auch in Kap. 27,8. Und wo die Wendung – oder Teile von ihr – an anderen Stellen des AT auftauchen, zeigen diese deutlich judäische Herkunft. Drittens ist es möglich, daß das bestimmte in Kap. 15,5 erwähnte Tal Beziehung hat zu dem in Kap. 30,9 und 21 bezeichneten Bach-Besor. Die genannten Orte weisen also nicht unbedingt auf eine Tradition von einem von *Saul* geführten Amalekiterkrieg hin, vielmehr auf David-Überlieferungen von dessen Krieg gegen die wilden Horden im Süden, wie sie in Kap. 27 und 30 erhalten sind. Demnach haben wir hier noch ein Zeugnis für den Zusammenhang von Kap. 15 und Kap. 30 (und 27), was wiederum die Kontinuität in dem Bericht über Davids Aufstieg zur Königsherrschaft in Israel andeutet.

Das in V. 4–9 über den Krieg gegen die Amalekiter Berichtete hat also nicht ohne Grund dermaßen zweifelhafte und undeutliche Umrisse [59]. Der Erzähler hat offentbar nichts anderes über diesen Amalekiterkrieg gewußt, als daß er stattgefunden hat! Ein Zeugnis für Sauls Krieg gegen die Amalekiter im Süden war ja vor allem in der Überlieferung von dem Siegesmonument in Karmel enthalten. Aber noch mehrere andere Elemente im Verlauf des Feldzuges selbst lassen sich heranziehen. Beachtenswert ist V. 6 mit der Aufforderung Sauls an die Keniter, sich von den Amalekitern abzusetzen, damit sie nicht mit diesen zusammen vernichtet würden, denn es heißt: Die Keniter erwiesen den Israeliten auf deren Auszug aus Ägypten Bundestreue (חסד). V. 6 a mit der Erwähnung des Exodus hat man im Zusammenhang mit der Motivierung des Feldzuges in V. 2 zu sehen: Wie die Amalekiter für ihren Widerstand gegen die Israeliten nach dem Exodus bestraft werden sollen, so werden die Keniter durch Sauls Aufforderung belohnt, weil sie den Israeliten

die Amalekiter, überlieferungsgeschichtlich betrachtet, eng miteinander verbunden sind (vgl. *Grønbæk,* ST., 18, 1964, S. 26 ff.), ist es nicht verwunderlich, wenn der Ort in 1. Sam. 27,8 mit den Amalekitern in Zusammenhang gebracht wird.

57. *Weiser* muß man also recht geben, wenn er von Kap. 15 allgemein sagt, daß das Wichtigste nicht in der äußeren Handlung liege, vgl. ZAW, 54, 1936, S. 5.
58. Vgl. Jos. 15,24, wo Telam in derselben Liste wie Ziklag (vgl. V. 31) genannt wird.
59. Vgl. hierzu auch *von Rad,* Der heilige Krieg, 1952, S. 51.

damals Beistand geleistet hatten. Wie in V. 2 wird bestimmt auch in V. 6 eine dtr. Formulierung vorliegen (vgl. auch 1. Sam. 10,18; 12,6.8, wo der dtr. Geschichtsschreiber das Exodusmotiv herausstreicht). Hinter dem eigentlichen Inhalt von V. 6 steht zweifellos judäische Tradition. Die Keniter waren, was auch aus Ri. 1,16 [60] hervorgeht, Nachbarn der Amalekiter. Eine Zeitlang waren sie von den Amalekitern unterjocht worden, ja, dennoch mit ihnen verbündet, vgl. Ri. 1.16 [61]. Gleichviel, Kap. 15,6 setzt ein enges Verhältnis zwischen Kenitern und Israeliten (d. h. Judäern) voraus, und dies stimmt auch mit Kap. 30,29, vgl. 27,10, überein [62].

Am Schluß von V. 4 stoßen wir im Blick auf das Verhältnis Israel und Juda in den Saul- und Davidüberlieferungen auf ein ernsthaftes Problem. Saul musterte 200.000 Mann Fußvolk und 10.000 zusammen mit (?) Männer aus Juda (את־איש יהודה). V. 4 b bereitet Schwierigkeiten. Problematisch ist את־איש יהודה nach der letzten Zahlenangabe, bei der man eine zusätzliche Bezeichnung wie רגלי erwartet hätte. So hat man hier ein פרשים [63] einschieben oder – völlig willkürlich und ohne Berufung auf Textzeugen – את־איש יהודז durch פרשים ersetzen wollen [64]. Wahrscheinlich beziehen sich die 10.000 auch auf das Fußvolk [65]. Was aber soll man mit dem hinterherhinkenden יהודה את־איש anfangen? Mithilfe der Textkritik läßt sich das Problem nicht lösen. Vielmehr wird es sich um eine sehr alte Einfügung handeln, die auf den Verfasser zurückgeht, denn sie würde zu seiner Intention passen, die Aufmerksamkeit darauf zu lenken, daß Juda bereits unter König Saul zu dessen Reich gehört habe; und nicht zuletzt würde ein solcher Zusatz zugleich Davids Erscheinen auf der Bildfläche vorbereiten. Möglicherweise stammt der ganze V. 4 in irgendeiner Art vom Verfasser selbst, jedenfalls die genauere Abfassung des Verses. Der Verfasser setzt als selbstverständlich voraus, daß ursprünglich das Israels Sauls in einer Gesamtheit den

60. Hier wird die Wüste Arad, ca. 25 Km östlich von Beerseba, am Rande der Wüste Juda, als Gebiet der Keniter bezeichnet.
61. Über die Keniter vgl. *Rowley,* From Joseph to Josua, 1950, S. 153 ff. Siehe übrigens unten S. 207 f.
62. Es sei zudem darauf hingewiesen, daß die Städte Siph, Maon und Karmel, die in den Überlieferungen von Davids Aufenthalt in der Wüste Juda auftauchen, vielleicht kenitisch waren, vgl. unten S. 182. Man hat sich also vorzustellen, daß die Keniter sich dem Kulturland immer mehr näherten. In dem Fall hätte Saul seine Siegessäule in der Tat auf dem Gebiet der Keniter südlich von Hebron errichtet. Dieser Sachverhalt spricht ferner dafür, daß die Erwähnung der Keniter in Kap. 15 zur ursprünglichen Tradition gehört haben könnte.
63. Vgl. *Mowinckel,* GTMMM, II, S. 189. פרשים, die erst später in der Kriegsführung in Israel Verwendung fanden, bezeichnen in der Königszeit nicht Reiter in unserem Sinne, sondern »les attelages ou les équipages des chars.« (*R. de Vaux,* Les Institutions de l'Ancien Testament, II, 1960, S. 25).
64. Vgl. Biblia Hebraica, ed. *R. Kittel.*
65. Vgl. *Ehrlich,* Randglossen zur hebräischen Bibel, III, 1910, S. 217 f.

Krieg gegen die Amalekiter geführt habe, und unter den Stämmen Israels hebt er unter den an diesem Krieg gegen den judäischen Erbfeind auf judäischem Gebiet beteiligten die Judäer hervor [66].

Eine konkrete und bedeutende Rolle spielt König Agag. Es geht hier um V. 8 f.: Saul fing Agag lebend, belegte aber das ganze Volk mit dem Bann und ließ es darum niedermetzeln. In V. 9 hören wir, daß Saul *und* das Heer Agag und das Beste des Viehs verschonten (יחמל); am Ende des Verses wird vor allem dem Volk [67] die Schuld gegeben. Jedenfalls wird zwischen Saul und seinem Heer in V. 20 f. unverkennbar ein Zwiespalt deutlich: Saul verschonte im Gegensatz zu dem Rest der Amalekiter König Agag, während dem Heer die Beute vorbehalten bleibt. Daß dies in V. 9 nicht klar sichtbar wird, kann ganz einfach seinen Grund darin haben, daß V. 1–9 vorbereitenden Charakter haben.

Die beiden Elemente: einerseits Saul und Agag, andererseits das Volk und die Beute – sind also, was man deutlich spürt, nicht sonderlich organisch miteinander verbunden. Deshalb liegt die Vermutung nahe, daß sie ursprünglich im Überlieferungsprozeß eigenständig gewesen sind. Es wäre interessant zu erfahren, welches der beiden Elemente ursprünglich zur Überlieferung von Sauls Amalekiterkrieg gehört hat. Da die bisherige Beweisführung ergeben hat, daß die Überlieferungen von Sauls Amalekiterkrieg und seiner Verwerfung ursprünglich nichts miteinander zu tun gehabt haben, und da die beiden erwähnten Elemente (also Saul–Agag und Volk–Beute) unbedingt mit dem Abschnitt des Kap. 15 im Zusammenhang stehen, der die Verwerfung Sauls behandelt, liegt der Schluß nahe, daß die beiden Elemente von Anfang an zu dem Kriegsbericht in keinerlei Beziehung gestanden haben. Anders ausgedrückt, einiges spräche dafür, daß die Überlieferung von der Verwerfung Sauls, die auf Grund des Vorhergehenden in Gilgal zu lokalisieren ist, indirekt der Beschreibung des Amalekiterfeldzuges ihren Stempel aufgedrückt hat.

Nun möchte *Hylander* allerdings in der Erzählungsreihe, die in Gefangennahme und Hinrichtung König Agags gipfelt, nicht nur die »originale, sondern auch die ganz konkrete Form des heræm-Bruches« erblicken. Wenn man nämlich – wie *Hylander* fortfährt – die Verse 1–8, 10–13, 16–19 a, 20 (23 b) und 32–35 zusammennähme, bekäme man eine »lückenlose und an sich vollständige Relation über den verhängnisvollen Bruch, ohne dass die Opferepisode mit einem einzigen Wort gestreift wird ...« [68]. Es leuchtet einem jedoch nicht »ohne weiteres« ein, daß wir in den sich um Agag gruppierenden

66. *Hylander* (a. a. O., S. 188 f.) kommt nach erheblichen Eingriffen in der Text zu dem Ergebnis, daß es sich in Wirklichkeit in V. 4 nur um Judäer, nicht dagegen um Israeliten gehandelt haben könne.
67. Vgl. das Verb עבו, das sich wahrscheinlich allein auf das Volk, und nicht auf Saul *und* das Volk bezieht, siehe den Anfang des Verses.
68. A. a. O., S. 190.

Ereignissen nicht nur die »originale, sondern auch die ganz konkrete Form des heræm-Bruches« hätten. Hiergegen ließe sich einwenden, daß das Motiv »Volk–Beute« (vgl. V. 9.14 b.19 b und 21) unbedingt ebenso gut als »original« bezeichnet werden könnte. Zum anderen hat man den Eindruck, daß *Hylander* die seiner Meinung nach nicht zur Agagrezension gehörigen Textstücke allzu unüberlegt herauslöst [69].

Mit welcher Begründung hat *Hylander* in der Agagepisode die »ganz konkrete Form des heræm-Bruches« erkennen wollen? Natürlich weil er in der Tatsache der Verschonung Agags in erster Linie die offensichtliche Übertretung des Banngebots sieht. Wenn wir aber V. 3 betrachten, galt der Bannbefehl allem, was zu Amalek gehört, d. h. sowohl dem Volk als auch dem Vieh. Unter Berücksichtigung dieses Verses hat man sicherlich auch V. 18 zu verstehen, den *Hylander* ebenfalls der Agagrezension zurechnet: Die Verhängung des Banns über die Amalekiter beinhaltet also, daß sich der Bann auf alles erstreckt, was zu ihnen gehört. Der Umstand, daß Agag verschont wird, hat den Charakter der konkreten Bannübertretung bekommen; das erklärt sich vermutlich daraus, daß der König von Amalek schlechthin Amalek verkörpert! Im übrigens darf man wohl die Tatsache, daß Agag sozusagen das Bannmotiv in negativer Form, d. h. der Bannübertretung, auf sich gezogen hat, als ein Anzeichen dafür werten, daß das Saul–Agag-Motiv im Vergleich zu dem Volk–Beute-Motiv sekundär ist.

Halten wir fest: In die Darstellung des Feldzuges Sauls gegen die Amalekiter sind u. a. Elemente aus der Gilgal-Überlieferung von der Verwerfung Sauls und eines Berichtes über Agag eingegangen, der übrigens nichts – jedenfalls nicht ursprünglich – mit Gilgal zu tun gehabt zu haben scheint [70]. Ist diese Beobachtung richtig, so kann der Grund für die Verwerfung Sauls nicht ursprünglich in seinem Verhalten gegenüber Agag gesehen werden. Im Gegenteil scheint Samuel in V. 32 ff. gerade das zu tun, was Saul nach dem Feldzug zu tun vorhatte, und zwar König Agag Jahwe zu opfern. Wären nämlich diese Verse ursprünglich so zu verstehen, daß Samuel bei dieser Gelegenheit den Bannbefehl ausgeführt hätte, dürfte ein Opferfest in Gilgal nicht die beste Möglichkeit dafür abgegeben haben – im Gegenteil; die Vollstrekkung des Banns hätte gleich bei der Begegnung zwischen Samuel und Saul stattfinden müssen. Nun fällt auf, daß in den Versen, die diese Begegnung

69. Übrigens erscheint König Agag ja auch in V. 9, und in diesem Vers steht der Begriff des Bannens auch in Verbindung mit der Beute, vgl. auch den Ausdruck ראשית החרם in V. 21. In V. 3 wird das Banngebot auch mit dem Volk in Beziehung gebracht.

70. Daß Agag von Samuel getötet wird, und zwar in Gilgal, V. 33, dürfte nicht auf echter Überlieferung beruhen, vielmehr eher der Tatbestand, daß Gilgal aus den Gilgal-Überlieferungen sekundär mit der Hinrichtung Agags kombiniert worden ist.

wiedergeben, V. 13 f., Agag überhaupt nicht erwähnt wird, sondern lediglich die Beute [71].

Agag taucht – außer in diesem Kapitel in den Versen 8.9.20.32 und 33 – nur noch an einer anderen Stelle des AT auf, und zwar Num. 24,7, wo vorausgesetzt wird, daß er ein mächtiger König ist. Freilich heißt es in Num. 24,7 nicht ausdrücklich, daß Agag König der Amalekiter gewesen ist. Jedoch findet sich auch in Kap. 24 eine Erwähnung der Amalekiter – in V. 20: Das größte unter den Völkern ist Amalek, doch wird es zuletzt umkommen. V. 7 und 20 scheinen einander vorzüglich zu ergänzen, König Agag ist sehr mächtig und Amalek das größte unter den Völkern. Ferner sei darauf hingewiesen, daß in Num. 24 auch die Keniter, und zwar, wie in 1. Sam. 15,6 [72], in positiver Weise erwähnt werden, vgl. V. 21. Besteht – überlieferungsgeschichtlich gesehen – zwischen dem Bileam-Überlieferungskomplex und der Tradition in Kap. 15 irgendein Zusammenhang? Anstatt an einen unmittelbaren Zusammenhang zu denken, wonach Kap. 15 von Num. 24 abhängig wäre oder umgekehrt, liegt wohl die Vermutung näher, daß beide Überlieferungskomplexe aus demselben (mündlichen) Stoff geschöpft haben, vgl. das Vorkommen von Agag, Amalek und den Kenitern in beiden Komplexen. Daß dieser Stoff seinem Charakter nach südlichen Ursprung ist, darüber besteht kein Zweifel. Da Num. 22–24 – und wir halten uns hier an die Lieder 24,3–9 und 15–24 – gleichermaßen nördliche und südliche Elemente enthalten, darf man gewiß annehmen, daß es sich um ein Erzeugnis aus der Zeit des geeinten Königreiches handelt [73].

Hätte man darüber zu befinden, wer die Agag-Gestalt in den jetzigen Kontext hineingebracht hat, so spricht alles für den Verfasser. Er hat hier eine alte judäische Überlieferung über einen berühmten oder berüchtigten Amalekiterhäuptling aufgegriffen, der einmal gefangengenommen und bei einem Opferfest hingerichtet worden war [74]. Diese sicher alte Tradition über den

71. Das gilt auch für V. 19 (Worte Samuels), während Saul in V. 20 Agag auf den Weg bringt.
72. In Verbindung mit Num. 23,7–10; 18–24; 24,3–9 äußert *Gressmann* (Die älteste Geschichtsschreibung, 1910, S. 67): »Da Saul den Agag, den König der Amalekiter, besiegt hat (I. Sam. 15), so müssen diese drei Lieder aus seiner Zeit stammen.« Hierzu ist zu sagen, daß es nach dem oben Dargelegten unmöglich ist, den Agag-Bericht als historisch zuverlässige Ausgangsbasis für Datierungszwecke zu verwenden.
73. So *Mowinckel,* GTMMM, I, 304 f. *Mowinckel* nimmt an, daß die beiden Lieder Num. 24,3–9 und 15–18 aus der Zeit Davids oder Salomos stammen, vgl. auch Der Ursprung der Bile'amsage, ZAW, 48, 1930, S. 245 ff.
74. Daß Agag – als König der *Moabiter* – von *David* geschlagen und nach echt altorientalischer Weise in einem Triumphzug mitgeführt und danach von ihm geopfert worden sei (vgl. *Hylander,* a. a. O., S. 193 Anm.), ist reine Hypothese. Wenn *Hylander* (S. 192) diese Annahme u. a. durch die Vermutung zu ver-

mächtigen Amalekiterhäuptling, dessen Niederlage und Hinrichtung, war für den Verfasser ein willkommenes Mittel zur Konkretisierung der ohnehin wenig konkreten Überlieferung von Sauls Amalekiterfeldzug, doch anstatt Saul eigenhändig Agag opfern zu lassen, schiebt er diese Rolle Samuel zu. Auf den ersten Blick findet sich für dieses letzte Moment schwerlich eine Erklärung. Lenkt man jedoch sein Augenmerk auf das, was V. 32 ff. vorausgeht, so läßt sich das Problem leichter lösen. Gleich unmittelbar vor V. 32 ff. wird nämlich berichtet, daß Samuel – obschon er eben sein kategorisches Urteil über König Saul gefällt hatte – trotzdem mit ihm nach Gilgal zurückkehrt. Letzteres ist insofern bedeutsam, als dies nur auf eine spürbare Abschwächung des Grundes, der zur Verwerfung Sauls geführt hat, hinauslaufen kann, denn dadurch, daß der Verfasser Samuels Nachgiebigkeit gegenüber Saul erwähnt, schwächt er in Wirklichkeit die Gilgal-Überlieferung über die Verwerfung Sauls ab. Doch auf diese Weise hat er sich (und später wird der Erweis gebracht werden, daß es sich dabei um den Verfasser der Vorgeschichte handelt) gerade den Weg für V. 32 ff. freigelegt. Und wenn es ihm so wichtig erschien, Samuel an diesem Opferfest, das zugleich ein Siegesfest war, an dem – nota bene – überhaupt nicht auf die Beute, die das Volk nach V. 15 und 21 zum Opfer für Jahwe verschont hatte, Bezug genommen wird, was wäre mehr zu erwarten gewesen, als daß der Verfasser Samuel persönlich die Opferhandlung vornehmen läßt [75].

Was bleibt eigentlich von der Kriegsschilderung übrig, wenn V. (2). 4–7 sowie die Gestalt des Agag in V. 8 f. herausgetrennt werden? Nimmt man die Einleitung (V. 2–3) hinzu, bleiben lediglich V. 3 und V. 8 b–9 übrig. In V. 3 war es schwierig, die Gestalt des Agag unterzubringen – vielleicht aber hat der Verfasser dies bewußt unterlassen, weil er Agag erst in seiner Darstellung des Krieges selbst auftreten lassen wollte; jedenfalls ist oben versucht worden, den Beweis zu erbringen, daß Agag ursprünglich nichts mit dem Banngebot zu schaffen gehabt hat; so darf es also auch nicht wundernehmen, daß er in V. 3 noch nicht erwähnt wird. Sehen wir einmal von dem sekun-

stärken sucht, daß der ohnehin nicht untadelige große König durch die Übertragung dieser Tat auf König Saul auf diese Weise entlastet werde, so legt er völlig abwegige moralische Maßstäbe an. Ein solches moralisches Werturteil ist nicht weit von dem entfernt, das *A. Jirku* (Geschichte des Volkes Israel, 1931, S. 128) in Anbetracht der Tatsache, daß Saul König Agag verschonte, fällt; *Jirku* spricht hier nämlich »von edlen und menschlichen Regungen seiner Seele, für die eine so einseitige Natur wie Samuel natürlich kein Verständnis haben konnte.« Eher könnte man sich vorstellen, daß *wenn* eine solche konkrete Geschichte über David erhalten geblieben wäre, man sie nicht unter Tisch hätte fallen lassen und noch weniger auf König Saul übertragen hätte!

75. Man kann auch auf das folgende Kap. 16,5 hinweisen, wo Samuel ausdrücklich als Opfernder, Opferpriester, geschildert wird.

dären Saul–Agag-Motiv in V. 8 b–9 ab (vgl. auch V. 8 a), dann kommen wir allmählich zu einer Abgrenzung dessen, was uns noch genauer zu untersuchen obliegt, nämlich das Banngebot und die Aneignung der Beute.

Zunächst zum Banngebot. Bereits in V. 3 wird es in seiner unverminderten Schärfe deutlich: Es gilt allem, was zu Amalek »gehört«: Männern, Frauen, Kindern und Säuglingen, Groß- und Kleinvieh, Kamelen und Eseln. Schlechthin nichts darf verschont werden! Im Zuge der Berichterstattung heißt es dann, daß dieses Gebot übertreten worden ist, zwar wird das ganze Volk mit dem Schwert niedergemetzelt, also mit dem Bann belegt, das Beste des Viehs aber wird von Sauls Heer verschont (V. 8 b–9). Hier klingt das Beute-Motiv an, wenngleich das Wort שלל noch nicht gebraucht wird. In V. 15 läßt der Verfasser Saul vor Samuel Rechenschaft über die bereits erwähnte Bannübertretung ablegen, jedoch mit dem Zusatz, daß das Beste des Viehs verschont geblieben sei, weil das Heer es Jahwe zu opfern (זבח) beabsichtigte. In V. 18 f. wiederholt Samuel gegenüber Saul den von Jahwe erteilten Befehl, den Saul nicht ausgeführt hatte; daß bei Amalek auch alles gemeint ist, was zu Amalek gehört, nicht bloß Menschen, sondern auch das Vieh, geht aus V. 19 hervor: Anstatt dem Befehl Jahwes zu gehorchen, stürzte [76] sich Saul auf die Beute, שלל. In V. 20 erscheint erneut das Bann-Motiv in Verbindung mit Amalek.

Die Beute wird also in V. 9 angedeutet und in V. 19 und 21 tatsächlich erwähnt (an den beiden Stellen in Kap. 15, wo wir שלל haben). Fassen wir nun die oben genannten Stellen in Kap. 15, in denen das Bann- und Beute-Motiv auftreten, zusammen, so wird völlig deutlich, daß diese beiden Motive eine organische Einheit eingegangen sind: Die Aneignung der Beute ist identisch mit der Übertretung des Banngebotes. Hier kommen wir endlich zu der wichtigen Frage, aus welchem Grunde Saul durch den Mund Samuels verworfen wird. Vergegenwärtigt man sich den tatsächllichen Hergang des Geschehens in Kap. 15, das in V. 3 (vgl. V. 18) mit dem Befehl einsetzt, Amalek und alles, was zu Amalek gehört, mit dem Bann zu belegen, und dann in V. 19 seinen Höhepunkt in der Feststellung Samuels findet, Saul habe sich gegen den ausdrücklichen Befehl Jahwes über die Beute hergemacht (vgl. V. 14) und damit etwas getan, was in den Augen Jahwes böse ist, wird unmittelbar einsichtig, daß die Verwerfung ihre Ursache eben in diesem Tatbestand hatte. Freilich versucht Saul der Beschuldigung durch Samuel mit dem Hinweis die Spitze abzubrechen, das Volk hätte das Beste des Viehs nicht aus Gier nach Beute verschont, sondern um es Jahwe zu opfern, V. 15. V. 21 b spricht von der »Beute, dem Besten vom Gebannten« (ראשית החרם). In Wirklichkeit

76. ותעט von der Wurzel עיט, sich schreiend auf etwas stürzen. Diese Wurzel hat man sicher auch in Kap. 14,32 zu lesen, also ויעט anstelle des im Kontext unverständlichen ויעש, da ש eine Lesefehler ist, es muß ט heißen; vgl. *Driver*, S. 115, 126.

beabsichtigte das Heer, den Bann anläßlich einer Opferhandlung zu vollstrekken! Das Verbrechen des Volkes – und damit auch Sauls – würde demnach darin bestanden haben, daß man das Banngebot hinsichtlich seiner Durchführung falsch verstanden hätte! Die Verwerfung Sauls würde somit auf einem technischen Mißverständnis beruht haben! Eine solche Annahme ist völlig abwegig. Aus dem Gesamtzusammenhang geht hervor, daß das Volk trotz des Banngebotes begierig Kriegsbeute machte [77], und Saul, der dies nicht zu verhindern vermochte (oder durfte) hinterher vorzugaukeln versuchte, die Motive seien doch sehr edel gewesen! Es ist also auch ziemlich klar, die V. 22–23 a bringen etwas völlig Neues und für den übrigen Bericht Belangloses. Die Alternative besteht nicht in Gehorsam oder Opfer, sondern in der Durchführung des Banngebotes oder seiner Übertretung. Für den Bericht würde das unmißverständlich heißen: Vernichtung alles dessen, was dem Feinde gehört, oder unverfrorene Aneignung der Beute, also dessen, was – durch den Bann – Jahwe zum Eigentum gegeben worden ist.

In V. 22–23 a zeichnet sich sozusagen im Blick auf den Grund der Verwerfung Sauls eine deutliche Akzentverschiebung ab. Die konkrete und vom Zusammenhang her unmittelbar einleuchtende Alternative: Bann oder Beute, hat durch die Einbeziehung von V. 22–23 a eine fast subtile Umbiegung erfahren: »unbedingter Gehorsam im Bannvollzug oder Opferung des Bannguts.« So heißt es bei *A. Weiser* [78], der wohlgemerkt der Auffassung ist, V. 22–23 a ließen sich organisch in den Gesamtzusammenhang eingliedern. Die vorliegende Analyse dürfte indessen vom Gegenteil überzeugt haben. V. 22–23 a weisen deutliche Merkmale auf, daß sie vor und unabhängig vom jetzigen Zusammenhang existiert haben [79]. Der Ausspruch hat unverkennbar Ähnlichkeit mit Prophetenstellen, wie Am. 5,21 ff.; Hos. 6,6; Jes. 1,10 ff. [80], was nicht heißen soll, der Ausspruch sei folglich von den »Schriftpropheten« des 8. Jahrhunderts beeinflußt, Eher hat man V. 22–23 a im Zusammenhang mit dem Hang zur Opferpolemik zu sehen, wie sie sich schon in der Tempellyrik findet, vgl. z. B. Ps. 51,18 [81].

Das Entscheidende ist, daß für V. 22–23 a der Verfasser der Vorgeschichte nicht in Frage kommt. Überhaupt empfiehlt es sich kaum, wie *Weiser* [82] und *von Rad* [83] das »Prophetische« in Kap. 15 herauszustreichen. Gewiß ist

77. Wenn das Opfer-Motiv in V. 15 a und V. 21 b wirklich auf den Verfasser zurückgehen sollte, so spielte das bestenfalls eine Rolle für den Verlauf der Handlung, hingegen keine so hervorragende Rolle, daß in V. 22 unbedingt eine Höhepunkt vorausgesetzt wäre.
78. ZAW, 54, 1936, S. 10.
79. Vgl. auch *v.Rad,* Der heilige Krieg, S. 51.
80. Vgl. *Budde,* Komm. S. 111.
81. Vgl. *Weiser,* Die Psalmen, 1955, S. 276 (= ATD, 14).
82. ZAW, 54, 1936, S. 25.
83. Der heilige Krieg, S. 51.

der Konflikt zwischen Saul und Samuel – wie im Zyklus der Ahiageschichten zwischen Jerobeam und Ahia – in der Form einer Auseinandersetzung zwischen König und Prophet dargestellt. Es finden sich auch einzelne prophetische Stilformen, so שלח יהוה אתי in V. 1 (vgl. 1. Kg. 14,6: Ahiageschichten-Zyklus), ויהי דבר יהוה אל ... in V. 10 (vgl. 1. Kg. 12,15; 14,11.18: Ahiageschichten-Zyklus). Alles dies muß aber keineswegs bedeuten, daß hinter Kap. 15 – wie das beim Zyklus der Ahiageschichten der Fall ist – prophetische Kreise stehen [84].

Die Alternative: Bann oder Opfer ist also eine spätere Konstruktion; V. 22–23 a enthalten im übrigen, für sich genommen, diese Alternative auf gar keinen Fall; lediglich aus dem gegenwärtigen Zusammenhang des Redestückes (vgl. vor allem V. 15 a und 21 b) läßt sich auf eine solche Alternative schließen. Dt. 13,13 ff., ein zweifelsohne altes Gesetz, enthält Regeln über die Behandlung einer abgefallenen Stadt auf israelitischem Gebiet. In einem solchen Fall sollen die Einwohner mit dem Bann belegt, d. h. mit dem Schwert umgebracht werden, und die ganze Beute soll auf dem Markt der Stadt zusammengesammelt werden, danach die Stadt mitsamt der gesammelten Beute als ein Ganzopfer (כליל) für Jahwe verbrannt werden. Diese dem absolutem Banngebot in Kap. 15 wohl am nächsten stehende Stelle läßt die Vollstreckung des Banns durch ein Opfer vollziehen! Daß andererseits keine eindeutigen Anweisungen über das Schicksal der Beute mit einem Banngebot bestehen, geht aus folgenden Stellen hervor, die Vorschriften des heiligen Krieges durchblikken lassen: In Num. 21,2 f., vgl. Ri. 1,17, wird nichts über das Schicksal der Beute ausgesagt; hingegen geht aus Stellen, wie Dt. 2,34 f.; 3,6 ff.; Jos. 8,23 ff., klar hervor, daß sich die Bannvollstreckung durchaus mit der Aneignung von Beute (Vieh) vereinbaren läßt. Im Fall Jericho (Jos. 6) bezog sich der Bannvollzug allerdings auf alles, sowohl Menschen als auch Vieh (vgl. z. B. V. 21). Gleichviel, keines der Beispiele, die als kennzeichnend für die Praxis der heiligen Kriges gelten können, enthält die Alternative: Bann – Opfer, vielmehr die Vorstellung, daß der Bann mit oder ohne Beuteaneignung möglich ist.

Wenn also V. 22–23 a zu einem späteren Zeitpunkt in den Bericht über die Verwerfung Sauls [85] hineingenommen worden sind, um dieser letztgültige Begründung zu geben, scheint nichts dagegen zu sprechen, wenn man in V. 23 b die unmittelbare Fortzetzung von V. 21 erblickt: Die Ursache der Verwerfung liegt darin, daß sich das Volk, und das will Saul letztlich sagen

84. Was die Rolle Samuels in seinem Verhältnis zu König Saul anbetrifft, vgl. unten S. 67 f.

85. So ist *Hylander* – allerdings von anderen Voraussetzungen her – zu demselben Ergebnis gelangt, insofern er über V. 22 f. schreibt: »Das Wort des Propheten ist gleichsam ein nachgestelltes Motto der Erzählung.« (a. a. O., S. 204 f.).

(vgl. V. 19), ungeachtet des Befehls Jahwes, einen absoluten Bann zu vollziehen (vgl. V. 3), unverfroren die Beute angeeignet hat.

Wir versuchten die ursprünglich in Kap. 15 enthaltene Überlieferung von der Verwerfung Sauls und deren Veranlassung zu rekonstruieren. Ob diese Überlieferung sich mit den historischen Tatsachen deckt, steht auf einem ganz anderen Papier. Manches könnte übrigens dagegen sprechen. Da nämlich offensichtlich die Darstellung des Verhältnisses zwischen Saul und Samuel nach dem Schema König–Prophet erfolgt ist, stellen sich in dieser Hinsicht ohne weiteres Zweifel an der Historizität von Kap. 15 ein. Es erhebt sich die Frage, ob Samuel wirklich ein Prophet von der Art eines Ahia von Silo gewesen ist. Hier soll vorläufig nur die Frage anklingen, ohne daß sie sogleich beantwortet wird. Eine Antwort darauf hängt eng zusammen mit der Gestalt des Samuel und seines Verhältnisses zu König Saul [86].

In der anderen Gestaltung der aus Gilgal stammenden Überlieferung der Verwerfung Sauls in Kap. 13,7 ff. war der Hintergrund der Verwerfung ein anderer. Freilich haben wir oben [87] zwischen der Umständen bei der in Kap. 13 und 15 überlieferten Verwerfung Sauls auffällige Übereinstimmungen festgestellt, die erkennen ließen, daß diese beiden Rezensionen direkt oder indirekt etwas miteinander zu tun haben – doch bestehen auch deutliche Unterschiede! Der Grund für die Verwerfung Sauls in Kap. 13 hängt unverkennbar mit einem anläßlich eines Opfers – von Saul – begangenem Vergehen zusammen, während sich dies eben ursprünglich in Kap. 15 nicht als zutreffend erwies [88]. Das Kap. 15 durchweg beherrschende Beute-Motiv findet sich in Kap. 13 jedenfalls nicht. Wenn schon nicht in der Überlieferung der Verwerfung in Kap. 13, so ist es doch in einer anderen Saul-Überlieferung anzutreffen, und zwar in Kap. 14,30.32, wo die Aneignung

86. Vgl. unten S. 67 f.
87. Vgl. oben S. 48 ff.
88. Übrigens läge es nicht außerhalb der Möglichkeiten, daß V. 22 – von V. 15 aβ und V. 21 b anvisiert – vornehmlich unter dem Einfluß der Situation in Kap. 13 in Kap. 15 aufgenommen worden ist. In diesem Zusammenhang sei auf Kap. 13,9 hingewiesen, wo berichtet wird, daß Saul – eigenmächtig – Brandopfer (העלה) und »Speiseopfer« (שלמים) darbringt; hierzu steht Kap. 15,22 in Entsprechung, daß Jahwe mehr Gefallen habe am Gehorsam als an Brandopfern (עלות) und Schlachtopfern (זבחים), die man ja ebenfalls als »Speiseopfer« bezeichnen könnte. – *J. A. Soggin* (Das Königtum in Israel, 1967, S. 56 ff.), der die Verwerfungstradition in Kap. 15 in ihrer jetzigen Form auch spät ansetzt, ist der Meinung, daß die Verwerfung Sauls ausdrücklich mit seiner Vornahme der Opferhandlung (vgl. Kap. 13,5 b–15) in Beziehung stand. Als Begründung dafür verweist er auf eine »äusserst wichtige Variante« in der LXX Kap. 15,12–13 καὶ ἰδοὺ αὐτὸς ἀνέφερεν ὁλοκαύτωσιν τῷ κυρίῳ τὰ πρῶτα τῶν σκύλων ὧν ἤνεγκεν ἐξ Αμαλήκ (S. 56). Zweifelsohne handelt es sich hier jedoch um einen Einschub (vgl. *Ehrlich,* Randglossen, S. 218), vielleicht sogar unter dem Einfluß der Situation in Kap. 13,5 b ff.

der Beute allerdings nicht als Übertretung des Banngebotes gewertet wird [89]. Schon allein aus diesem Grund ist es wohl unwahrscheinlich, daß die Überlieferung von der Verwerfung Sauls insgesamt, wie sie also in Kap. 15 – und Kap. 13 – vorliegt, aus Kap. 14 hergeleitet worden sei [90]. Zwar findet sich das Beute-Motiv auch in einer David-Überlieferung, in Kap. 30, vgl. V. 16.19.20.22. und 26. Jedoch wird hier die Aneignung der Beute als etwas ganz Normales angesehen und bedeutet keineswegs die Übertretung eines Bann- oder Tabugebotes. Diese Stellen tragen also für die Frage nach der originellen Fassung der Überlieferung von der Verwerfung Sauls in Kap. 15 auch nichts aus. Es läßt sich wohl kaum mehr feststellen, als daß wir in Kap. 15, was die Begründung der Verwerfung Sauls als König von Israel anbetrifft, eine alte Überlieferung vor uns haben, die von der in Kap. 13 wesentlich abweicht. Es soll auch hier nicht entschieden werden, welche Tradition das glaubwürdigste Bild vom Bruch zwischen Samuel und Saul entwirft [91]. Die Überlieferung von der Verwerfung Sauls hat doch sicher – nach dem Bericht in Kap. 13 – ursprünglich mit dem Kampf gegen die Philister im Zusammenhang gestanden. Weshalb ist sie dann in Kap. 15 mit dem Amalekiterstreit in Verbindung gebracht worden? Der Verfasser hat offenbar damit eine bestimmte Absicht verfolgt. Obwohl Sauls Krieg gegen die Amalekiter einen positiven Verlauf nahm, hatte dieser Krieg – im Gegensatz zu Davids Krieg mit demselben Volk nach Kap. 30 – für ihnen dennoch folgenschwere Auswirkungen. In Kap. 30 können wir vielleicht einen Grund dafür erkennen, warum die Verwerfungstradition mit ihrem Beute-Motiv mit der Amalekiterepisode verknüpft worden ist; dieses Motiv spielt auch in Kap. 30 – wenngleich in abgewandelter Form – eine vorherrschende Rolle. Erneut ein Beweis dafür, wie sich durch die Vorgeschichte ein roter Faden zieht.

Im vorhergehenden ist Kap. 15 mit Ausnahme der V. 10–11. 24–26. 29–31. 34–35 untersucht worden. Zunächst zu V. 24–31, dem Abschnitt, welcher der Hinrichtung Agags vorausgeht und eine Brücke schlägt zwischen der

89. In Kap. 14 ist die Rede von der Übertretung eines von König Saul ausgesprochenen Speiseverbotes (V. 24), das Jonathan – in Unkenntnis – übertritt (V. 27 f.), während das Volk es tut, weil es mit seinen Kräften am Ende ist (V. 32).
90. Gegen *Eissfeldt,* Die Komposition, S. 9, der Kap. 13,7–15 der Quelle II und Kap. 15 Quelle III zurechnet; in diesen beiden parallelen Quellen sieht er eine Weiterentwicklung von Kap. 14, das er der Quelle I zuschreibt.
91. *Engnell* fällt ein eilfertiges Urteil: »Über die Ursache, die mit ihm (d. h. Samuel) zum Bruch führte, gibt es zwei Versionen. Nach der einen, 1. Sam. 10 : 8, 13 : 8 ff., ist der Anlaß eine eigenmächtige Aufforderung zum Opfer von seiten Sauls – ein mit Bestimmtheit sekundäre Gesichtspunkt. Nach der anderen und allem Anschein nach ursprünglichen Version, 1. Sam. 15: 9 ff., verweigert S. Jahwe und Samuel den Gehorsam, indem er nicht schonungslos den »Bann« vollstreckt, der gegen die Amalekiter in der kriegerischen Auseinandersetzung mit ihnen ausgesprochen ist.« (SBU, II, Sp. 1069).

Verwerfungstradition und der Überlieferung von der Hinrichtung Agags. Gerade von diesen Versen möchte *Weiser* [92] die seiner Meinung nach die »Einheit und Geschlossenheit« des Berichts störenden V. 25–29 heraustrennen [93]. *Stade* [94] geht noch weiter, indem er in dem ganzen Abschnitt V. 24–31 im Gegensatz zum Rest des Berichts einen Fremdkörper sehen möchte; dabei stützt er sich auf die »prosaische« Wiederholung des Verwerfungsurteils von V. 23 in V. 28. In Wirklichkeit ergäbe nach *Stade* V. 32 ohne weiteres eine gute Fortsetzung von V. 23. Schließlich findet er es auffällig und unfaßbar, daß Samuel Saul nachgegeben hat. Es ist schwer, sich der Überzeugungskraft dieser Argumentation völlig zu verschließen; besonders merkwürdig ist in besagtem Abschnitt – wie wir bereits feststellten – die merkliche Abschwächung des Verwerfungsurteils über Saul, wohlgemerkt eine Abschwächung, denn das Verwerfungsurteil bleibt ja weiter in Kraft, vgl. V. 29 und 34 f. Und noch etwas: Wenn aufs Ganze gesehen die Haltung gegenüber Saul in Kap. 15 ausgesprochen positiv ist, so bekommt man diesen Eindruck vornehmlich – wenn auch nicht ausschließlich – auf Grund der V. 24–31. Nicht nur Samuels Haltung gegenüber dem Königtum in Kap. 15 ist positiv, sondern auch seine persönliche Einstellung zu Saul, dem für ihn zuständigen Vertreter des Königstums, ist durch Sympathie gekennzeichnet; sein Befehl von Jahwe, Saul zu verwerfen, ist sichtlich von mitfühlender Trauer begleitet, vgl. V. 11 b und 35 a, also eine Haltung, die grundsätzlich ebenso positiv ausfällt wie in V. 24–31 [95]. Dieser Haltung entspricht die negative Einstellung zu Saul, die in der Gilgal-Überlieferung sichtbar wird. Schon früher sind wir auf die Haltung gegenüber Saul in der Vorgeschichte eingegangen [96], wobei angedeutet wurde, daß judäische Kreise Saul gegenüber durchaus freundlich gesinnt sein konnten. Die Lokalisierung einer solchen Saul-freundlichen Überlieferung judäischer Herkunft in Karmel dürfte auf Grund der voraufgegangenen Analyse als wahrscheinlich gelten. Möglicherweise hat gerade diese judäische Überlieferung zu den pro-saulischen Haltung in V. 24–31 und V. 11 Anregung gegeben? Doch ist dies ausgesprochen unsicher. Daß man sich die pro-saulische Haltung in V. 24–31 einzig dadurch zu erklären hätte, daß diese Verse das Verbindungsglied zwischen der Gilgal-Überlieferung von der Verwerfung Sauls und V. 32 ff. darstellen, ist auch nicht anzunehmen. Eine solche Verbindung hätte durchaus nicht unbedingt

92. ZAW, 54, 1936, S. 4 f. Vgl. ferner *Seebass,* siehe oben Anm. 53.
93. Vgl. auch *de Vaux,* Les livres de Samuel, S. 76 f., der – ebensowie *Seebass* – V. 24–28 für einen Zusatz hält.
94. Geschichte des Volkes Israel, 1889, S. 258.
95. Der Umstand, daß Saul in V. 24 letztlich dem Volk die Schuld zuschiebt, ist schwerlich als Zeichen seiner Machtlosigkeit gegenüber dem Volksaufgebot auszulegen (vgl. so *Weiser,* ZAW, 54, 1936, S. 14), sondern eher als eine vom Verfasser »erfundene« regelrechte Entschuldigung des Königs.
96. Vgl. oben S. 22, 27.

durch einen so ausgesprochen pro-saulischen Abschnitt hergestellt werden müssen. Vielmehr hat man die sich in Kap. 15 ausdrückende pro-saulische Haltung in einem weitergespannten Rahmen zu sehen, und zwar im Blick auf die Intention der Vorgeschichte allgemein. Wie der Verfasser um eine Schilderung Davids als des legitimen Erben Sauls bemüht ist und sich also z. B. befleißigt, das Reich Sauls – wie das Davids – in dem Ausmaß von Süd- und Nordreich darzustellen, so muß es auch im durchaus verständlichen Interesse des Verfassers gelegen haben, daß David nicht als Nachfolger eine allzu unsympathischen Königs erscheint! Das Zurückgehen der V. 24–31 auf den Verfasser läßt sich vielleicht noch durch etwas anderes begründen [97]. Diese Verse bewegen sich anscheinend zu einem Teil in der Sphäre der Königsideologie [98]. In bezug auf Sauls Sündenbekenttnis in V. 24 und 30 wäre auf Ps. 51,6 hinzuweisen: An dir, an dir allein habe ich mich versündigt und Übles in deinen Augen getan ... [99]. Der Verfasser hat das so bekannte, aus dem Ritual des Neujahrskults stammende Sündenbekenntnis des Königs auf die Situation Sauls übertragen. Bezeichnend ist jedoch, daß der Verfasser, obwohl er die Verwerfung Sauls abmildert, nicht an der Tatsache zu rütteln vermag, daß Saul der alten Gilgal-Überlieferung zufolge verworfen und – um eine Wendung aus Ps. 51,13 aufzunehmen – wirklich von Jahwes Angesicht verworfen und durch die Fortnahme des Geistes Jahwes gestraft worden ist, vgl. Kap. 16,14.

Verlockend ist zudem auch die Herleitung des Inhalts von V. 29 aus dem Kultus. In Ps. 110 – einem Inthronisationspsalm des Königs – heißt es nämlich in V. 4: Jahwe hat geschworen [100] und es reute ihn nicht. In Ps. 110,4 hat die Tatsache, daß es Jahwe nicht gereut, als ein Wort an den König anläßlich seiner Inthronisation eine positive Bedeutung. In Kap. 15,29 ergibt sich aus dem Kontext etwas Negatives, daß nämlich Jahwe fest zu seinem Beschluß der Verwerfung Sauls steht. Gewöhnlich wird שקר in V.

97. Hinsichtlich V. 27–28 ist oben S. 40 ff. Klarheit erzielt worden.
98. Es darf gewiß als sicher gelten, daß die Zeitgenossen Sauls ihn nicht in der gleichen Weise als König angesehen haben, wie es bei David und dessen Nachfolgern der Fall gewesen ist, vgl. *Johs. Pedersen,* Israel, III, S. 41 ff. Demgegenüber *Engnell,* der (vgl. SBU, II, Sp. 1068) behauptet, Sauls Königstum sei »von sakraler Natur mit allem, was dazugehört« gewesen.
99. *Bentzen* (Fortolkning til de gl. test.lige Salmer, S. 289 f.) legt den Psalm als einen individuellen Bußpsalm aus, vgl. auch seine Vorlesungen über die Einleitung in die altt. Psalmen (Indledning til de gl. test.lige Salmer), S. 168 f. Diese Auslegung steht indes im Widerspruch zu V. 20 f., die »kollektive« Züge tragen und nach *Bentzen* als sekundär zu betrachten sind. Weitaus sinnvoller erscheint es jedoch mit Bezug auf V. 20f. den Psalm als einen kollektiven, später freilich individualisierten Psalm zu verstehen. Das Ich ist ursprünglich der König, der im Neujahrkult für das Kollektiv, das Volk, auftritt und dessen Schuld sühnt, vgl. hierzu *Grønbæk,* Kongens kultiske funktion, DTT, 1957, S. 17.
100. Diese Verb findet sich auch in 2. Sam. 3,9, vgl. unten Anm. 59 zu Kap. VI.

29 mit »lügen« übersetzt [101], doch ist die Richtigkeit dieser Übersetzung fraglich. Die Wurzel שקר im Piel ist im AT selten und findet sich nur an fünf Stellen, außer hier in V. 29 noch in Jes. 63,8; Lev. 19,11; Ps. 44,18; 89,34, und keiner der genannten Stellen paßt die Bedeutung »lügen«. Besser ist die Bedeutung »täuschen, hintergehen« [102]. Überdies bezieht sich שקר an allen Stellen auf etwas Positives, mit Ausnahme unseres V. 29, wo es entschieden negativ gemeint ist. Die Vermutung liegt deshalb nahe, daß dies ursprünglich auch bei Kap. 15,29 der Fall war, bevor der Inhalt dieses Verses seinen jetzigen Zusammenhang erhielt. Liest man den Vers ohne Beziehung zu den anderen, so drängt sich beim ersten Zusehen auch das positive Verständnis auf: Auf Jahwe kann man sich verlassen, er täuscht nicht, seine Verheißungen gereuen ihn nicht. Hierbei können wir wieder auf einen Königspsalm zurückgreifen, den soeben genannten Ps. 89, wo es in V. 34 b f. heißt: Nicht täusche ich in meiner Treue, nicht breche ich meinen Bund und ändere nicht, was über meine Lippen gekommen ist. Daß dies im Blick auf David, d. h. den König aus dem Geschlecht Davids, gesprochen ist, geht aus dem folgenden V. 36 hervor, der übrigens an Ps. 110,4 erinnert. Hier in Kap. 15,29 hat der Verfasser diese Zusagen an David (den König) also eindrucksvoll in eine Bekräftigung der Verwerfung Sauls umgewandelt! Also in völliger Übereinstimmung mit der Intention in Kap. 15, vgl. V. 28 [103].

Endlich nähern wir uns dem Ende der Analyse von Kap. 15. Vielleicht ist man der Meinung, die Analyse sei viel zu minutiös. Dazu ist Folgendes zu sagen: Was wir bisher zu beweisen versuchten, befindet sich in offenkundigem Gegensatz zu den in der bisherigen Forschung vertreteten Auffassungen, so daß sich eine ausführlichere Darlegung als notwendig erwies. In Kap. 15 sahen wir einen Teil einer größeren Einheit – und zwar einen außerordentlich wichtigen Bestandteil in dem Überlieferungskomplex, der Davids Aufstieg zur Königsherrschaft behandelt. In Kap. 15 haben wir das negative Thema der ganzen Vorgeschichte vor uns. In ihm wird uns eine tragische Königsgestalt vor Augen geführt, und zwar Saul, für dessen weiteres Schicksal unser – mitfühlendes – Interesse geweckt wird. Was auch immer Saul zum König über Israel qualifizierte, ist dem Verfasser uninteressant; *daß* er es wurde (V. 17), und wen Jahwe als Werkzeug für seine Salbung benutzte (V. 1),

101. Vgl. die Dänische Übersetzung, die Lutherbibel, Zürcher Bibel, Holy Bible.
102. Vgl. *Koehler-Baumgartner*.
103. Ein Vergleich von V. 29 und V. 11. 35 läßt erkennen, daß V. 29 von seiner Aufnahme in Kap. 15 eine eigenständige Existenz gehabt hat. Von der Sache her handelt es sich in V. 29 (Jahwe reut es nicht) und V. 11. 35 (Jahwe reut es) um etwas Gegensätzliches, was u. a. der Grund dafür ist, daß *Weiser* (ZAW, 54, 1936, S. 4 ff.) V. 25–29 heraustrennt. Andererseits besteht inhaltlich nur ein kleiner Unterschied: Was Jahwe gereut, ist, daß er Saul zum König gemacht hat, nicht daß er ihn verworfen hat!

bedeutet ihm ungemein viel. Kap. 15 hat demnach nicht abschließenden, sondern einleitenden Charakter. In Kap. 15 werden wir mit Sauls Verwerfung konfrontiert, um später von Davids Thronerhebung zu hören. Wir werden bekannt gemacht mit Sauls Krieg gegen die Amalekiter, um hernach von Davids Amalekiterkrieg zu hören, der den Anstoß zu seiner Erhöhung gab. Wir lernen Samuel kennen als den Ausleger des unüberhörbaren Willens Jahwes bei der Verwerfung Sauls, um dereinst in ihm den wiederzusehen, der im Namen Jahwes David annimmt. In Kap. 15 werden wir erstmalig [104] in den Samuelbüchern mit Juda konfrontiert, um später über diesen Stamm (oder diesen Stämmebund) als einen unentbehrlichen Faktor für David auf dessen Weg zur Königsherrschaft über Israel zu erfahren (vgl. Kap. 30,26 ff.; 2. Sam. 2,1 ff.). Das hier Dargelegte dürfte ausreichen, um die Bedeutung von Kap. 15 unmißverständlich klarzumachen.

Somit ist Kap. 15 nicht isoliert zu betrachten, sondern in einem weiteren Rahmen zu sehen. Wie dieses Kapitel, so muß auch der gesamte Überlieferungskomplex, dem es als Einleitung dient, von ein und demselben Verfasser herrühen. Daß er den Stoff nicht aus der Luft gegriffen hat, sollte anhand der Analyse deutlich geworden sein. Was den Stoff anbetrifft, so handelt es sich – abgesehen von der Verwerfungstradition selbst – vorwiegend um Stoff judäischen Ursprungs; das trifft auch für das zu, was wir im Zusammenhang mit dem von Saul geführten Amalekiterkrieg ausführten, dessen Überlieferung sich in Karmel lokalisieren ließ. Die Erinnerung an Saul als einen Helden blieb also nicht nur in Benjamin haften, sondern auch in Juda. Diese Beobachtung ist um so überraschender, als man in der Forschung für gewöhnlich »judäisch« mit anti-saulisch gleichsetzt. Übrigens hat der Verfasser diese sichtliche judäische Sympathie für Saul in gar keiner Weise angetastet. Das trifft für Kap. 15 zu und bleibt – wie wir später noch sehen werden – keineswegs allein auf Kap. 15 beschränkt.

Woher stammt letzten Endes die ausgesprochen negative Einstellung zu Saul? Um diese Frage beantworten zu können, müssen wir die Gilgal-Überlieferung, wie sie in Kap. 15 enthalten ist, sowie die Gestalt des Samuel näher betrachten.

Die Lage Gilgals auf dem Gebiet Benjamins (vgl. Jos. 4,19) spricht dafür, daß das Heiligtum ursprünglich ein benjaminitisches Lokalheiligtum war. Somit haben wir es in Jos. 1–12 allem Anschein nach auch mit ursprünglich an Gilgal geknüpften und dort gepflegten benjaminitischen Landnahme-Überlieferungen zu tun [105]. In Kap. 3–4 im Josuabuch will *H.-J. Kraus* die Kultlegende eines in Gilgal gefeierten Festes sehen, das den Auszug aus Ägypten

104. – abgesehen von Kap. 11,8, vgl. oben S. 21.
105. Vgl. *Noth,* Das Buch Josua, 1953, S. 11 ff.

und die Einwanderung in Kanaan vergegenwärtigte [106]. Daß jedoch diese Landnahme-Überlieferungen – und nach *Kraus* dieses Kultfest – nicht ausschließlich benjaminitisch blieben, geht aus dem Bericht selbst hervor. Die Überlieferungen sind israelitischer Besitzt geworden, ganz gleich ob man Israel als 12- oder 10-Stämmebund ansieht. Davon zeugt auch die in diesem Zusammenhang beachtliche Tatsache, daß der Ephraimit Josua in diesen Überlieferungen auftaucht, vgl. 1,1.10.12.16; 2,1.13 usw. (Josua wird mehr als hundertmal in diesem Überlieferungskomplex erwähnt!). Die von der Überlieferungsgeschichte her einzig mögliche Schlußfolgerung ist die, daß die ursprünglich benjaminitischen Überlieferungen in das Eigentum des Stämmebundes Israel übergegangen sind, wohlgemerkt eines Stämmebundes unter ephraimitischer Führung.

Die Frage, zu welchem Zeitpunkt dieser ephraimitische Führungsanspruch in Israel eingesetzt hat, ist weniger von Interesse; dagegen erscheint der Hinweis wichtig, daß die Quellen auf ein Vorherrschen Ephraims unmittelbar vor oder während der Wirksamkeit Sauls als König von Israel hindeuten. Für die Zeit davor bedenke man die Rolle, die das ephraimitische Silo am Anfang des Samuelbuchs spielt. Schließlich sei auf die Kapitel Ri. 19–20 hingewiesen, die übrigens insofern interessant sind, als die in ihnen enthaltenen Überlieferungen eine ernsthafte Kontroverse zwischen dem ephraimitisch beherrschten Stämmebund und den Benjaminiten widerzuspiegeln scheinen, die offensichtlich weniger streng in ihren Berührungen mit den Kanaanäern verfahren sind [107]. Und was die eigene Zeit Sauls angeht, hat man sich dessen Auseinandersetzungen mit Samuel zu vergegenwärtigen [108].

Unter den Alttestamentlern ist oft verhandelt worden, wo man das Rama

106. Gilgal. Ein Beitrag zur Kultusgeschichte Israels, VT, 1, S. 181–199.
107. *J. Dus,* Gibeon – eine Kultstätte des Šmš und die Stadt des benjaminitischen Schicksals, VT, 10, S. 370 ff., ist der Meinung, einen Grund für diese weniger strenge Haltung der Benjaminiten gegenüber den Kanaanäern habe man dem Umstand zuzuschreiben, daß Gibeon – neben Kephira, Beeroth und Kirjath-Jearim (Jos. 9,17) – nicht allzu lange Zeit vor Saul in den benjaminitischen Verband aufgenommen worden war. Eine Widerspiegelung der Folgen dieser Aufnahme in den Verband möchte *Dus* in Ri. 19–21 sehen, also dem Sexualkult, der typisch kanaanäischen Sünde. Hinter den Pogromen Sauls in Gibeon (vgl. 2. Sam. 21,1 ff.) stehe nach *Dus* in erster Linie der Ephraimit Samuel, der Saul die Auflage machte, diese Gibeoniter zu vernichten – wie er ja auch Saul zu gleichem Vorgehen gegen die Amalekiter in 1. Sam. 15 aufforderte. Äußerst bemerkenswert ist *Dus*' – vielleicht nicht unbedingt stichhaltig begründete – Vermutung, der Grund dafür, daß Benjamin nach der Teilung des Reiches sein Schicksal der Daviddynastie anvertraute, habe man in dem Umstand zu sehen, daß Benjamin ungeachtet des Protestes des ephraimitischen Nachbars diese oben genannten kanaanäischen Städte sich einverleibte. Dies habe die Feindschaft zwischen Benjamin und Ephraim verursacht – eine Feindschaft, der auch Saul nicht ein Ende zu bereiten vermochte –, wodurch letzten

Samuels zu suchen hätte. Einige Forscher plädieren für er-ram, 10 Km nördlich von Jerusalem, mitten im Gebiet Benjamins [109], während andere für Ramataim eintreten [110], das ca. 20 Km nordwestlich von Bethel, also in Ephraim [111] liegt. Von diesen beiden Vorschlägen ist dem letzteren der Vorzug zu geben, nicht weil hier noch weitere Argumente topographischer oder exegetischer Art für Ramataim gegen Rama in Benjamin ins Feld geführt werden könnten [112], sondern weil Ramataim besser zu der Darstellung paßt, die wir im vorhergehenden von dem Konflikt zwischen Samuel und Saul gegeben haben. Ebensowie nämlich Gilgal zur Zeit Sauls nicht nur als ein benjaminitsches Heiligtum anzusehen ist [113], darf man die Auseinandersetzung zwischen Samuel und Saul – die vor allem in der Verwerfungstradition von Gilgal wiedergegeben wird – für eine interne benjaminitische Angelegenheit halten. Im Gegenteil handelt es sich wahrscheinlich um Auseinandersetzungen innerhalb des Stämmebundes Israel, um einen Konflikt zwischen dem Benjaminiten König Saul, der es – nach den Gewohnheiten seines Stammes – mit der Einhaltung der Anweisungen der Bundesautorität nicht immer so genau nimmt, und dem Ephraimiten Samuel, der vielmehr die Richtlinien dieser Autorität (das totale Banngebot!) auslegt. Mit Recht kann man hier fragen,

Endes der größte Teil der Benjaminiten den Davididen in die Arme getrieben wurde.

Sowohl *Eissfeldt* (Der geschichtliche Hintergrund der Erzählung von Gibeas Schandtat, Kleine Schriften, II, S. 72 ff.) als auch *Schunck* (Benjamin, S. 57 ff.) wollen hinter Ri. 19–21 Anzeichen für eine alte Feindschaft zwischen Ephraim und Benjamin sehen, die vor allem mit dazubeigetragen habe, daß sich Benjamin nach der Teilung des Reiches Juda anschloß (vgl. *Schunck,* S. 141; hiergegen *Debus,* Die Sünde Jerobeams, 1967, S. 16). Weder *Eissfeldt* noch *Schunck* haben sich jedoch den kultischen Aspekt des benjaminitisch-ephraimitischen Konfliktsstoffes vor Augen gehalten.

108. Über Samuel als Ephraimit vgl. oben S. 23 f.
109. Einzelne schlagen Ramalla auf der Grenze zwischen Ephraim und Benjamin vor, vgl. *Bruno,* Gibeon, 1923, S. 50 f., dem sich *Sellin,* Geschichte des Volkes Israel, I, S. 150, anschließt.
110. Ramataim, 1. Sam. 1,1.
111. Vgl. *Engnell,* SBU, II, Sp. 859; *Noth,* Samuel und Silo, VT, 13, 1963, S. 396, Anm. 3; *Grollenberg,* Atlas to the Bible, 1957, S. 160, siehe die Karte S. 66.
112. Was die in dem Traditionskomplex enthaltene zweifache Lokalisation der Heimatstadt Samuels anbetrifft, siehe *Hertzberg,* Die Samuelbücher, S. 61. Siehe ferner unten S. 116 f.
113. Gilgal hat anscheinend Silo als amphiktyonisches Kultzentrum abgelöst, vgl. *Alt,* Die Staatenbildung der Israeliten, in: Kleine Schriften, II, S. 21; daß ausgerechnet Gilgal Silo abgelöst hat, könnte seinen Grund darin haben, daß diese Stadt außerhalb der Reichweite der Philister lag, vgl. *J. Mauchlin,* Gilead and Gilgal, VT, 6, 1956, S. 32. Weder 1. Sam. 4 noch die Ausgrabungen in Tell Sailûn können die Auffassung bestätigen, Silo sei von den Philistern etwa 1050 zerstört worden, siehe *Buhl/Holm-Nielsen,* Shiloh, S. 58 f.

was denn Samuel als Ausleger der amphiktyonischen Rechts qualifiziert. Mit dieser Frage wird das Problem deutlich, wie wir Samuels Auftreten gegenüber Saul *historisch* zu beurteilen haben. Eine außerordentlich eindeutliche Lösung dieses Problems bietet *Wildberger* in einem – auch methodisch intruktiven – Aufsatz in der Theologischen Zeitschrift an [114]. Nach Meinung *Wildenberger*'s ist Samuel weder Prophet, Seher, Gottesmann noch Priester, sondern einer der sogenannten »Kleinen Richter« (vgl. Ri. 10,1–5; 12,8–15), und eben als solch einer fungierte er »als Amtsträger im Zwölfstämmebund«, wo er – nach Vorschrift des »Gottesrechts« des Stämmebundes – einzugreifen hatte, wenn Saul eigene Wege ging (1. Sam. 15!). Gegen *Wildenberger* muß man jedoch den Einwand erheben, daß sein Verständnis Samuels sicher zu undifferenziert ist. Obgleich seine Hauptfunktion offensichtlich die des »Kleinen Richters« gewesen ist, hat die nationale und religiöse Notsituation, in der Israel stand, fraglos eine Erweiterung seiner Befugnisse zur Folge gehabt [115].

Die Gilgal-Überlieferung hat man also – obwohl sich das Heiligtum auf benjaminitischem Gebiet befand – als eine ephraimitische Überlieferung anzusehen, insoweit sie innerhalb der Amphiktyonie gepflegt wurde, in der Ephraim eine dominierende Rolle spielte. In diesem Verständnis der Gilgal-Tradition von der Verwerfung Sauls und zugleich der in ihr zum Ausdruck kommenden Rolle der Ephraimiten Samuel darf man demnach eine Bestätigung der in der Einleitung aufgestellten Hypothese sehen, daß in der Vorgeschichte (1. Sam. 15–2. Sam 5) Überlieferungen ephraimitischer Herkunft vorlägen, und daß vor allem in diesen die anti-saulische Haltung sichtbar würde.

B. Davids Salbung zum König von Israel (Kap. 16,1-13)

Der angesichts der Verwerfung Sauls betrübte Samuel erhält von Jahwe den Auftrag, sich nach Bethlehem in Juda zu begeben, um einen von den Söhnen Isais, den Jahwe ausersehen hat, zu salben. Bei seiner Ankunft lädt Samuel die Ältesten der Stadt, die ihm mit Ängstlichkeit begegnen, sowie Isai und

114. Samuel und die Entstehung des israelitischen Königtums, ThZ, 13, 1957, S. 442–462. Vgl. schon *Hertzberg,* Die kleinen Richter, Theologische Literaturzeitung, 79, 1954, S. 285 ff.

115. Vgl. *Weiser,* Samuel, S. 11 ff. Ganz besonders deutlich geben die Überlieferungen der Priesterfunktion Samuels Ausdruck, vgl. *Otzen,* Saul og præsteskabet. »Regnum og sacerdotium« i Det gamle Testamente, Festskrift til N. H. Søe, 1965, S. 151–166. Dagegen scheint seine Funktion als Prophet – lediglich an einer Stelle wird Samuel unmittelbar als Prophet angesprochen (1. Sam. 3,20, vgl. 9,9), und 1. Sam. 19,18 ff. wird er nach der Überlieferung als Leiter einer Prophetenschule bezeichnet – auf ein später von ihm gezeichneten Bild zurückgehen.

seine Söhne, zum Opfer ein (V. 1–5). Keiner der anwesenden Söhne Isais ist indes von Jahwe auserwählt; auf Samuels Aufforderung hin läßt Isai seinen jüngsten Sohn, der das Kleinvieh hütet, herbeiholen. Dieser hübsche, rotbäckige Bursche [116] wird in Anwesenheit seiner Brüder gesalbt, danach kehrt Samuel wieder in seine Heimatstadt zurück (V. 6–13).

Diese Erzählung, die mit Kap. 15 durch 15,35 b (vgl. 15,11) verbunden ist, ist in sich ein geschlossenes Ganzes. In V. 1 erhält Samuel den Auftrag, sein Horn mit Öl zu füllen [117], und in V. 13 salbt er David [118]. In diesem Bericht bestehen, besonders im Blick auf die Rolle der Ältesten, gewisse Unklarheiten. Wir erfahren – neben Isai und seinen Söhnen – auch von ihrer Einladung zur Opferhandlung, doch über ihre Anwesenheit beim Opfer hören wir im zweiten Teil des Berichtes nichts, vgl. V. 6 ff.

In dem Bericht liegt unverkennbar der Akzent auf der Salbung, wie aber verhält es sich mit der angekündigten Opferhandlung? Sie nimmt im ersten Teil einen hervorragenden Platz ein, V. 1–5, während ihre Bedeutung im zweiten Teil unklar ist. In diesem Zusammenhang könnte sich נגד יהוה in V. 6 auf die Opferstätte beziehen; eventuell käme auch das Verb נסב in V. 11 b in Frage, in dem nämlich nach Ansicht der meisten Forscher ein Hinweis auf das Opfermahl enthalten sei. Jedoch ist die Bedeutung des Verbs umstritten. Einige übersetzen: sich rund um den Tisch setzen [119], diese Bedeutung wäre

116. אדמוני, V. 12, vgl. Kap. 17,42. Nur noch an einer Stelle des AT kommt dieses Wort vor, und zwar in Gen. 25,25 in malam partem.

117. Vgl. dazu die Salbung Salomos mit einem Ölhorn, 1. Kg. 1,39. Die Vermutung *Smith*'s (Komm., S. 144), der »Verfasser« in Kap. 16,1 b sei vom Krönungsritual in Jerusalem beeinflußt, ist einleuchtend.

118. Bezüglich der Salbung vgl. *Noth,* Amt und Berufung im AT, Bonner Akad. Reden, 19, 1958, S. 14 ff. *Noth* nimmt an, daß die Königssalbung, die anhand der verfügbaren Quellen aller Wahrscheinlichkeit in Ägypten und Mesopotamien bekannt war, schon seit der Entstehung des Königstums mit Saul (vgl. 1. Sam. 9,1–10,16) praktiziert worden sein kann, indem er auf ein Zeugnis aus den Amarnabriefen hinweist, das das Vorhandensein der Königssalbung in Syrien–Palästina im Spätbronzezeitalter nahelegt. In seiner Abhandlung Salbung und Rechtsakt (BZAW, 87, 1963, S. 36–66) hat *E. Kutsch* die Salbung im AT und Alten Orient untersucht und (vgl. *Noth*) sie lediglich im Hethiterreich und Israel bezeugt gefunden. – *Gottlieb* (DTT, 29, 1966, S. 11 ff.) geht davon aus, daß die Salbung erst bei der offiziellen Krönung des Königs als Rechtsakt eingeführt wurde, und hält die Überlieferungen über die Salbung nicht nur in Kap. 16, sondern auch Kap. 9,1–10,16 für unhistorisch.

119. Vgl. *Budde,* Komm., S. 117; *Kirkpatrich,* Komm., S. 133; *Mowinckel,* GTMMM, II, S. 193; alle drei behalten die Form נָסֹב bei, *Budde* fügt hinzu, daß diese Verwendung von סבב spät sei, was darauf schließen lasse, daß auch das Stuck als solches späten Ursprungs sei. *Driver,* Notes, S. 134, gibt dem Hiphil נָסֵב den Vorzug, indem er darauf hinweist, daß סבב im Hiphil im nachbiblischen Hebräisch die Bedeutung »sich zu Tisch setzen« habe, vgl. auch *Gesenius*-

einmalig im AT. Besser ist die Bedeutung: umringen, sich rundum aufstellen, den »Kreis schließen« [120], die sich also nicht auf das Opfer, sondern auf den Salbungsakt bezieht, der ja gemäß V. 13 im Kreise der Brüder stattfand [121]. Außerordentlich nahe liegt der Vergleich zu Josephs Traum in Gen. 37, wo die Garben der Brüder Josephs seine Garbe umringten [122] und ihr huldigten. Eine ausgezeichnete Illustraion zu der Szene in 1. Sam. 16,11 ff. [123]! Trifft das zu, so findet sich also im zweiten Abschnitt des Berichtes, V. 6–13, keine ausdrückliche Erwähnung des Opfers oder der Opfermahlzeit, die man angesichts des ersten Abschnitts, V. 1–5, hätte erwarten müssen. Auch נגד braucht strenggenommen kein Opfermotiv vorauszusetzen, sondern kann einfach mit »in Jahwes Augen« übersetzt werden, was gut in den Zusammenhang paßte, vgl. V. 7 b, würde man nicht [124] – mit Hinweis auf Kap. 9,16 und 10,1 – נגיד lesen; diese Korrektur ist so behutsam, wie nur irgend möglich.

Was für eine Erklärung gibt es dafür, daß also das Opfermotiv im zweiten Abschnitt, V. 6–13, völlig verschwunden ist? Vielleicht liegt das an der Grundintention der ganzen Erzählung; in seinem Eifer, ja das ihm Wesentliche, nämlich Davids Salbung, zu erzählen, hat der Erzähler völlig vergessen, daß diese Handlung während oder im Anschluß an ein Opfermahl stattfand – oder ursprünglich so beabsichtig war [125].

Offenbar hat der Verfasser in Kap. 16,1–13 zwei Erzählungsmotive benutzt, von denen das eine mit dem Salbungsthema, welches ihm in erster Linie

Buhl; Koehler-Baumgartner (vgl. auch *Caspari,* Die Samuelbücher, 1926, S. 190) übersetzen: »den (kultischen) Umgang machen«, und verweisen auf Stellen, wie Gen. 37,7; Jos. 6,3 f.; 7. 14 f.; die Übersetzung »sich zu Tisch setzen« wird aber nicht ausgeschlossen. Die syrische Übersetzung hat:»ich will nicht zurückkehren«, während LXX, Vulg. und Targ. auch übersetzen: »sich zu Tisch setzten«; doch ist die Möglichkeit nicht von der Hand zu weisen, daß diesen Übersetzungen nicht die Form נָסֹב, sondern נֵשֵׁב von ישב zugrunde liegt; im Gegensatz dazu jedoch *Smith,* Komm., S. 146.

120. *Hertzberg,* Komm., S. 109 f.
121. *Hertzberg's* Deutung von בקרב אחיו als »mitten aus« hat ihren Grund darin, daß er versucht, die Unklarheit zu beseitigen, als hätte es sich um einen öffentlichen Vorgang gehandelt, was im Widerspruch zum Anfang des Berichtes stünde (a. a. O., S. 110).
122. תסבינה, V. 7.
123. Was die Gemeinsamkeiten zwischen David und seinen Brüdern einerseits, und Joseph und seinen Brüder andererseits, angeht, siehe unten S. 96 f.
124. Vgl. *Nowack,* Komm., S. 80 f.; *Gressmann,* Die älteste Geschichtsschreibung, 1910, S. 70. Vgl. auch *Kittel.*
125. Daß das in V. 6 ff. Berichtete während eines Reinigungsaktes stattgefunden haben soll, vgl. die Aufforderung, sich zu heiligen, in V. 5 (siehe *Smith,* Komm., S. 144 f.; *Kirkpatrick,* Komm., S. 132), findet in V. 6 ff. in gar keiner Weise Anhaltspunkte.

am Herzen lag, das andere in den Hintergrund treten ließ, ja es in Wirklichkeit tilgte. Aus allerdem erklärt sich die fehlende Erwähning der Ältesten im zweiten Teil, V. 6 ff., die doch gerade im ersten Teil so eng mit dem Opferthema verbunden waren, vgl. V. 5 [126].

Warum ist überhaupt das Salbungsthema mit dem Opferthema verbunden worden? Der formelle Anschluß an das Voraufgegangene ergibt sich durch V. 2: Samuel bekommt von Jahwe den Auftrag – bevor er nach Bethlehem geht – eine Färse mitzunehmen [127] und bei der Ankunft zu sagen, daß er gekommen sei, um Jahwe zu opfern (לזבח ליהוה), vgl. Kap. 15,15 und 21, wo sich die Wendung (לזבח) למען זבח findet. Wir haben oben [128] nicht ausgeschlossen, daß die Wendung in Kap. 15,15 und 21 vom Verfasser stammen könnte, in der Tat lagen entscheidende Gründe dafür vor. Also ist die Möglichkeit nicht auszuschließen, daß auch Kap. 16,2 – wo die Wendung vorkommt – dem Verfasser zuzuschreiben wäre. Insgesamt kommt jedenfalls Kap. 16,2 in dem Zusammenhang eine grundlegende Bedeutung zu. Der Grund dafür, daß Samuel – bei seiner Ankunft in Bethlehem – sagen soll, er käme, um Jahwe zu opfern, besteht natürlich darin, dadurch die Aufmerksamkeit des Königs von Samuels eigentlichem Vorhaben abzulenken. Gleichzeitig geht aus V. 4 hervor, daß Samuel durch seine Worte auch die verängstigten Ältesten zu beruhigen scheint [129]. Der Verfasser setzt nämlich voraus, daß die Ältesten schon Wind von der Verwerfung Sauls bekommen hatten und bei der Ankunft Samuels auf Unannehmlichkeiten von seiten Sauls gefaßt sein mußten. Es spricht also viel dafür, daß die besonderen Umstände bei Samuels Ankunft in Bethlehem vom Verfasser konstruiert worden sind, um vor allem den Zusammenhang mit dem vorhergehenden Kap. 15 herzustellen [130].

Auf der anderen Seite geht die Kombination eines Opferfestes, bei dem Samuel als Opferpriester fungiert, mit einer Köningssalbung nicht auf den Verfasser selbst zurück. Diese Annahme wird von 1. Sam. 9,1–10,16 her nahegelegt, wo von Sauls Jagd nach den entlaufenen Eselinnen und Samuels Salbung des jungen Saul berichtet ist. Hier begegnen uns gleichfalls die beiden

126. Die Ältesten, die zufolge 2. Sam. 5,3 den Salbungsakt vornehmen, sind also in den Hintergrund gedrängt.
127. Eigenartig ist übrigens, daß Samuel selbst das Opfertier mitbringt, vgl. *Budde*, Komm., S. 115.
128. Vgl. oben Anm. 77.
129. Offenbar gilt es als Tatsache, daß Bethlehem der Jurisdiktion Sauls unterstellt war, zu seinem Reich gehörte, was mit der Auffassung der Verhältnisses zwischen Juda und Israel in der gesamten Vorgeschichte konform geht.
130. Das Motiv mit den Ältesten, die Samuel ängstlich entgegengehen, kehrt wieder im Nob-Bericht in Kap. 21,1 ff., in dem David und die Nob-Priester die Beteiligten sind.

Motive, das Opfermahl in K. 9,11 ff., 18 ff., und die Salbung in 10,1, vgl. 9,16. Das Opfermahl findet vor der Salbung, die heimlich vollzogen wird, ohne Anwesenheit von Zeugen statt. In Kap. 16 wird allem Anschein nach darauf Wert gelegt, daß die Salbung während oder im Anschluß an das Opfermahl vonstatten gehen soll: zugleich wird – im Gegensatz dazu? – ein geheimnisvoller Schleier über den Salbungsakt gehängt [131]. Gemäß Kap. 9,12 ist Samuel – wie in Kap. 16 – in eine Stadt gekommen, die nicht seine Heimatstadt ist, um an einer Opferhandlung teilzunehmen. In Kap. 9,13.22 ist – wie in Kap. 16 – auch von einer besonderen Einladung die Rede. Ebenfalls ist in Kap. 9 der von Jahwe Auserwählte zu Beginn des Opfers nicht zugegen. Wichtiger jedoch als diese Gleichheiten ist das in mehrer Hinsicht Gegensätzliche zwischen Kap. 16 und Kap. 9 f. Am auffälligsten ist die Charakteristik Sauls, er sei einen Kopf größer als das ganze Volk, also von der Statur her ein würdiger Königsanwärter (Kap. 9,2; vgl. 10,23). Im Gegensatz hierzu steht die Beschreibung Davids in Kap. 16,11 ff., ja, in Kap. 16 wird sogar eine Polemik gegenüber König Saul spürbar, vgl. V. 7: Samuel soll nichts auf das Äußere und das hohe Wachstum geben, denn Jahwes Maßstab sei ein anderer als der der Menschen. In Isais ältestem Sohn Eliab erblicken wir gleichsam einen »neuen Saul«; Samuel hätte sich beinahe eines furchbaren Fehlgriffs schuldig gemacht [132]. Dem Eindruck, daß also in V. 6 ff. eine ganz bewußte Anspielung auf Saul enthalten ist, kann man sich schwerlich entziehen. Zwischen dem Bericht über die Salbung Sauls und die Davids in Kap. 16 muß ein Zusammenhang bestehen. Und da es ja unverkennbar in der Absicht des Verfassers liegt, David als Sauls legitimen Nachfolger darzustellen, hat er Züge aus Kap. 9,1–10,16 übernommen, um angesichts der negativen Einleitung in Kap. 15 die entsprechend notwendige positive Einleitung zur ganzen Geschichte von Davids Aufstieg zur Königsherrschaft in Israel als Sauls Nachfolger zu schaffen.

Auch *H. J. Stoebe* hat auf die unübersehbaren Übereinstimmungen zwi-

131. In Kap. 16 wird also allem Anschein nach in Aussicht genommen, daß die Salbung während eines Opfermahls vorzunehmen ist; *Gressmann* (Die älteste Geschichtsschreibung, 1921, S. 64) meint, Samuels zum Ausdruck gebrachte Absicht, zu opfern, wäre nur als ein »Vorwand« anzusehen, da Samuel nicht gekommen sei, um zu opfern, sondern in Wirklichkeit anstelle Sauls einen anderen zu salben. Vgl. auch *E. Böklen,* der allerdings annimmt, daß das Opfer ursprünglich nicht als ein »Vorwand« gemeint sei, aber doch einen »Selbstzweck« im Sinne eines »Zeichen, das den künftigen Herscher bezeichnen soll« gehabt habe, vgl. Gen. 15,11; 1. Kg. 18,1 (Die Salbung Davids zum König, ZAW, NF, 16, 1929, S. 326 ff.). – Das Wesentliche in unserem Zusammenhang ist jedoch, daß nicht nur das Motiv der Salbung, sondern auch das des Opfers – und zwar in ihrer Kombination miteinander – in dem benutzten Traditionsmaterial bereits vorhanden sind, vgl. oben.

132. מאסתיהו in V. 7 spielen also zweifelsohne auf die Verwerfungsgeschichte in Kap. 15 an.

schen der Salbung Sauls und Kap. 16 aufmerksam gemacht [133]. Wie allerdings *Stoebe* die tatsächliche Beziehung zwischen den beiden Salbungsberichten sieht, ist nicht ganz leicht zu ermitteln. *Stoebe* meint, die Erzählung in Kap. 9,1–10,16 habe ursprünglich nicht mit der Salbung Sauls im Zusammenhang gestanden. Dieser Bezugspunkt sei erst im Zuge der Weiterüberlieferung als neuer Skopus hinzugekommen. Erst in diesem Stadium rückten Kap. 16 und die in ihm bestehenden Übereinstimmungen mit Kap. 9 f. ins Blickfeld. Denn eben in Kap. 16,1–13 fänden wir »dieselben Züge, die in dem vorliegen, was wir in Kap. ix für die Erweiterung des anfänglichen Erzählungsgutes halten.« [134] Man sollte also meinen, diese Verlagerung des Skopus in Kap. 9 f. sei unter dem Einfluß von Kap. 16 zustande gekommen; doch will *Stoebe* trotzdem nicht von einer direkten »Beziehung« sprechen, vornehmlich aus dem – wie es scheint – etwas fadenscheinigen Grund, daß Kap. 9,16 und 10,1 die Bezeichnung nagid (נגיד) aufweisen, während in Kap. 16,4 vom melek, König, die Rede ist [135]. In bezug auf das Verhältnis von Kap. 16,1 ff. und Kap. 9,1–10,16 richtet er im wesentlichen sein Augenmerk nur auf die bestehenden Übereinstimmungen und zieht das Gegensätzliche der beiden Perikopen nicht in Betracht. Gerade das Gegensätzliche wird doch deutlich, daß nämlich das in Kap. 16 entworfene Bild von dem von Jahwe ausersehenen Gesalbten zu der Gestalt Sauls, wie sie in Kap. 9,2 charakterisiert wird, im Gegensatz steht [136]. Im vorhergehenden ist übrigens ausdrücklich hervor-

133. Noch einmal die Eselinnen des Kisch, VT, 7, 1957, S. 365. *Stoebe*'s Ausgangspunkt in dieser Abhandlung ist *Bić,* Saul sucht die Eselinnen, im selben Jahrg. von VT, S. 92–97. *Bić* legt 1. Sam. 9 kultisch-mytologisch aus, insofern hier Züge sichtbar würden, die ursprünglich zum kanaanäischen Fruchtbarkeitskult gehört hätten. Der vorliegende Bericht sei das Ergebnis einer »Entmythologisierung«. Es würde zu weit führen, auf die oft etwas phantasievolle Abhandlung *Bić*'s einzugehen, deren Grundzüge übrigens auch von *Stoebe* nicht geteilt weren. *Schunck*'s Analyse von 1. Sam. 9,1–10,16 (vgl. Benjamin, S. 85 ff.) fällt im wesentlichen mit der von *Stoebe* zusammen.
134. VT, 7, 1957, S. 365.
135. Hinsichtlich des nagid-Problems vgl. unten S. 175 ff.
136. Vgl. Kap. 10,23, das wohl von Kap. 9,2 abhängig ist, siehe *Noth,* Überlieferungsgeschichtliche Studien, S. 57. In diesem sicherlich dtr. Abschnitt, Kap. 10,17 ff., besteht im übrigen in der Darstellung der Situation eine auffallende Ähnlichkeit zu Kap. 16,6 ff. In beiden Berichten muß der Auserwählte erst herbeigeholt werden, er ist nicht sogleich zur Stelle; in beiden Fällen ist Samuel derjenige, der die Handlung vornimmt; in beiden Fällen erfolgt die Erwählung in mehreren Etappen. Das Gegensätzliche in Kap. 16 im Verhältnis zu Kap. 10,17 ff. in bezug auf den Maßstab der Erwählung tritt ganz deutlich hervor. Daß Kap. 16 von diesem Abschnitt abhängig sein soll, ist, wenn man der Überzeugung ist, daß der Verfasser der Vorgeschichte hinter dem Bericht der Salbung Davids durch Samuel steht, unmöglich. Die Dinge liegen sicherlich so, daß Kap. 10,17 ff. Kap. 9,1–10,16 voraussetzt, gleichwie Kap. 16,1 ff. nach dem vorhin Ausgeführten Merkmale aus diesem Traditionskomplex entnommen

gehoben worden, daß Kap. 16,1 ff. die Kenntnis des Überlieferungskomplexes Kap. 9,1–10,16 voraussetzt. Ob dieser Komplex dem Verfasser schon als solcher vorgelegen hat, darüber ist es jetzt noch verfrüht, ein abschließendes Urteil zu fällen [137].

In Kap. 16,1–13 haben wir es also kaum mit einer »echten« Überlieferung zu tun, vielmehr mit einem vom Verfasser selbst abgefaßten Bericht [138]. Er tat dies, um auf überzeugende Weise Davids Anspruch auf den Thron Israels zu legitimieren. Und eine bessere Legitimation hätte David kaum zuteil werden können! In frühester Jugend wurde er von der repräsentativen Persönlichkeit Samuel [139], der Saul verwarf, zum König gesalbt. Dadurch ist die Kontinuität von der Richterzeit, der klassischen Zeit der Israel–Amphiktyonie, deren letzte große Gestalt wahrscheinlich Samuel war, bis in die Königszeit hinein gewahrt. David und seine Dynastie haben in Wirklichkeit die Sanktion durch die Israel–Amphiktyonie! Als positive Einleitung zur gesamten Vorgeschichte ist Kap. 16,1–13 außerordentlich bedeutsam. David war seit langem zum König von Israel von Jahwe ausersehen und von Samuel gesalbt; er hatte bei seiner Salbung längst den Geist Jahwes empfangen, vgl. Kap. 16,13, welcher ihm Kraft und Stärke verlieh. Wenn David alles gelang und er alles überstand, so ist das nicht seinen eigenen Kräften zuzuschreiben, sondern einzig und allein Jahwe.

Kap. 16,1–13 darf man sicherlich nicht nur auf dem Hintergrund des Königtums Sauls und der Zeit vor David sehen. Für ein richtiges Verständnis der Ereignisse in der Vorgeschichte reicht es nicht aus, wenn man sein Augenmerk lediglich auf das Voraufgegangene richtet; ebenso unerläßlich ist

hat. Vielleicht ist der Dtr. in der Abfassung von Kap. 10,17 ff. auch von Kap. 16,1 ff. abhängig gewesen.

137. Unten S. 115 ff. werden wir auf diese Frage zurückkommen.

138. Vgl. *Budde* (Komm., S. 114), der schreibt, daß wir es »hier nicht mit Überlieferung, sondern mit Erfindung aus zweiter Hand, d. i. mit Midrasch zu thun haben.« Auch *Mildenberger* (a. a. O., S. 20 ff.) sieht in Kap. 16,1 ff. eine »Konstruktion«. Dagegen spricht *Hertzberg* (Komm., S. 108) von einer konkreten Überlieferung und behauptet, hier läge eine ursprüngliche Bethlehemtradition vor, also eine Lokaltradition, die freilich später – und das schließt *Hertzberg* aus dem Zusammenhang der Überlieferung mit Kap. 15 – in den Gilgal-Überlieferungen Aufnahme fand. Ein Fünkchen Wahrheit steckt in der Tat in *Herzberg*'s Auffassung, da sich wirklich in Kap. 16,1–13 Elemente finden, die aus Bethlehem stammen, und zwar die Erwähning der sieben Brüder Davids und die Namen der drei ältesten, und da der Verfasser der Vorgeschichte – wie bereits erwähnt – bei der Abfassung von Kap. 16,1 ff. von der Gilgal-Überlieferung über die Salbung Sauls abhängig ist.

139. Für die Möglichkeit, daß die Verbindung zwischen David und Samuel unhistorisch ist, spricht einiges. Nur in Kap. 16,1 ff., das also eine theologische Konstruktion ist, und in Kap. 19,18 ff. wird David zusammen mit Samuel erwähnt.

die Blickrichtung auf das, was danach erfolgte. Mit anderen Worten: Die Vorgeschichte muß allen Ernstes im Licht ihres Höhepunktes betrachtet werden, d. h. daß David König von Israel wurde.

Der politische Aspekt hat – nota bene – nicht allein den Charakter der Vorgeschichte bestimmt; nicht vergessen werden darf der andere, nicht weniger wichtige Gesichtspunkt – der kultisch-religiöse: die kultische Grundlage Davids und damit der davidischen Dynastie. So hat *von Rad* nur bedingt recht, wenn er schreibt: »Das davidische Königtum ist im hellen Licht der Geschichte entstanden. Es ist also nicht wie das babylonische »am Anfang vom Himmel herabgestiegen«.« [140] Diesen Eindruck könnte man vielleicht bekommen, wenn man nur die Einleitung der Vorgeschichte in Kap. 16,1–13 in Augenschein nahm. Den gleichen Eindruck würde man übrigens auch von jeder babylonischen oder ägyptischen Königsdynastie bekommen, hätte man lediglich »historische« Nachrichten über deren Entstehung zur Verfügung [141]. Nun ist uns aber Kultlyrik erhalten geblieben, die sich auf David und seine Dynastie bezieht, und das sollte wohl ernsthaft in Betracht gezogen werden.

Unter den Königspsalmen befindet sich ein Psalm, unter dessen Einfluß möglicherweise die Salbung Davids in seine früheste Jugend datiert worden ist – Ps. 89. Es handelt sich um die Verse 20–21, die irgendwie, direkt oder – was wahrscheinlicher ist – indirekt mit 1. Sam. 16,1–13 im Zusammenhang stehen. *G. W. Ahlström* [142] vermutet einen Zusammenhang, indem er u. a. auf das Verb מצאתי in Ps. 89,21 hinweist. Im Gegensatz zu *Bentzen* [143] meint *Ahlström,* 1. Sam. 16,1 ff. sei von Ps. 89,20 f. hergeleitet. Selbst wenn das zwar grundsätzlich seine Richtigkeit hat, wäre es sicher eine gewagte Behauptung, der Bericht in 1. Sam. 16,1 ff. als solcher stelle eine Historifizierung des Kulttextes in Ps. 89,20 f. dar. Der Salbungsakt ließe sich doch vortrefflich von 1. Sam. 10 her begreifen. Eher liegt der Sachverhalt so, daß der Königskult im Tempel zu Jerusalem – wie er sich in Ps. 89,20 f. ausdrückt – mit dazu beigetragen hat, daß der Verfasser den vorliegenden Bericht über die Salbung Davids durch Samuel »erfinden« konnte [144].

140. Theologie des Alten Testaments, I, S. 306.
141. So schreibt *J. Bright* in A History of Israel, 1960, S. 28: »In spite of the tradition that kingship had come down from heaven at the beginning of time, there is evidence that government had originally been by a city assembly and that kingship had developed out of this . . .«.
142. Psalm 89, S. 102 f.
143. *Bentzen* (Fortolkning til Salmerne, S. 483) nimmt an, daß Ps. 89 von 1. Sam. 16,1 ff. abhängig ist.
144. Übrigens allein aus diesem Grunde wäre die Herleitung von 1. Sam. 16,1 ff. aus Ps. 89 problematisch, da wir schlechthin nichts über das Alter dieses Psalms wissen. Und dann ist David in Kap. 16 ganz jung, wahrscheinlich auch nicht alt genug, um an der Kulthandlung teilnehmen zu dürfen (vgl. *Hertzberg,* Komm., S. 109), während er in Ps. 89 als ein »Held« (גבור) erscheint, also kriegstauglich ist, vgl. ferner Kap. 16,12 und 17,34 ff.

Im Grunde kann im Hinblick auf David und seine Erwählung festgestellt werden, daß sein Königtum – vom Kultischen her gesehen – wirklich »am Anfang vom Himmel herabgestiegen«, zugleich aber – aus der Sicht des historischen Verlaufs – eine durchaus menschliche Größe ist. An diesen beiden Aspekten hat der Verfasser festzuhalten versucht, indem er in der Einleitung zu der Geschichte, die eine historische Darstellung des Weges Davids bis zu seiner Erhebung zum König von Israel zu geben beabsichtigt, Davids göttliche Legitimation hervorhebt; und was das Interessante ist, zugleich wird diese göttliche Legitimation insofern auch durch die Geschichte gerechtfertigt, als eben David von dem berühmten Samuel gesalbt und damit durch die alte Israel-Amphiktyonie legitimiert wurde.

KAPITEL II

David im Dienste König Sauls

(1. Sam. 16,14–19,17)

A. Einleitung (Kap. 16,14–23)

Saul, der von einem bösen Geist geplagt wird, wird angeraten, jemand zu sich zu nehmen, der ihm durch Vorspielen auf der Harfe Erleichterung verschaffen könne. Die Wahl fällt auf den jungen Hirten David, der sich nicht nur auf das Harfespielen verstand, sondern auch ein erprobter Krieger war. Saul gewinnt große Zuneigung zu David und macht ihn zu seinem Waffenträger. Der böse Geist weicht vom König durch Davids Harfenspiel.

Dieser kleine Abschnitt bildet eine geschlossene Einheit. Saul wird von einem bösen Geist geplagt und findet Erleichterung, ja, – wie es in V. 23 heißt – der böse Geist weicht infolge Davids Harfenspiel. Problematisch ist die Charakteristik Davids in V. 18 f. David ist *1.* ein (ganz) junger Hirte (V. 19, vgl. V. 11 ff.) und wird außerdem *2.* als ein tüchtiger Harfenspieler sowie *3.* als erfahrener Krieger gekennzeichnet. Das erste und zweite Charakteristikum passen nicht sonderlich gut zu dem letzteren. Dies hat natürlich Anlaß zu einer Quellenscheidung gegeben. So will z. B. *Eissfeldt* [1] V. 14–23, mit Ausnahme von V. 18 und 21 [2], der Quelle III [3] mit Fortsetzung in Kap. 17,32–39 zurechnen; auch Kap. 18,10 und 19,9 gehören nach *Eissfeldt* zu dieser Quelle, da David dort als Hirtenjunge und Harfenspieler auftritt. Demgegenüber leiten sich die Verse 18 und 21, in denen von David als geübtem Krieger die

1. Die Komposition, S. 12.
2. Nur in diesen Versen sei nach *Eissfeldt* das Kriegermotiv anzutreffen. Jedoch hat *Stoebe* nachgewiesen, daß es auch in V. 20 vorhanden ist (Anmerkungen zu 1. Sam. viii 16 und xvi 20, VT, 4, 1954, S. 177 ff.). An dem המור, das den Auslegern viel Kopfzerbrechen bereitet hat – entweder hat man es in חמשה verbessert oder unter der Voraussetzung beibehalten, daß an dieser Stelle etwas weggefallen sein müsse (vgl. *Budde,* Komm., S. 120) –, hält *Stoebe* nämlich fest. Der Esel gehört nach *Stoebe* durchaus zur Ausrüstung eines Kriegers. Nach V. 20 schickt Isai einen »jungen wehrfähigen Mann, einen guten und qualifizierten Krieger zu seinem König.« *Stoebe* beruft sich außer auf Gen. 49,11 und Sach. 9,9 auch auf 1. Sam. 8,16. לחם stellt *Stoebe* ein ו voran.
3. Auch Kap. 16,1–13 gehört nach *Eissfeldt* zur Quelle III. Dagegen verteilt *Nübel* Kap. 16,1–13 und 14–23 auf die Gr. bzw. den B. – hierüber später in Zusammenhang mit Kap. 17.

Rede ist aus der Quelle I her (derselben Quelle wie Kap. 14,52!), wozu noch im folgenden die Passagen gehörten, wo David auch als Krieger auftritt, z. B. Kap. 18,5 ff. [4].

Daß in Kap. 16,14–23 nicht ganz miteinander in Einklang zu bringende Motive vorliegen, kann nicht bestritten werden. Ebenso versteht es sich, daß diese Motive später im Abschnitt über David im Dienste Sauls in Kap. 16,14–19,17 wieder auftauchen. Aus diesem Grunde könnte man mit einer gewissen Berechtigung von Kap. 16,14–23 als einer Exposition zu dem Gesamtabschnitt Kap. 16,14–19,17 sprechen. In Kap. 16,14–23 steckt schon im Ansatz der Konfliktsstoff, der sich im folgenden entlädt. Die Stimmung in Kap. 16,14 ff. ist idyllisch: Die Überlieferung von David als Harfenspieler ist mit der Tradition von Sauls Sinnestrübung verknüpft. Alles sieht nach eitel Freude und vielversprechend aus, da Saul durch das Harfenspiel Trost findet [5]. Aber es sollte anders kommen. Gerade die idyllische Szene mit dem vom bösen Geist besessenen König, der dasitzt und dem Harfenspiel des Jungen lauscht, gibt später den Rahmen ab für Sauls Anschlag auf David, Kap. 18,10 und 19,9. Die beiden anderen Funktionen treten weniger hervor, sind darum aber keineswegs ohne Bedeutung. Die erste – David als junger Hirte – weist zurück auf Kap. 16,1–13 und deutet Kap. 17 an, die dritte und letzte – David als erprobter Krieger – bestimmt Kap. 18,5–19,17: In erster Linie in seiner Eigenschaft als Krieger und Feldherr wird David Gegenstand des ständig wachsenden Hasses des Königs.

Darf diese Analyse von Kap. 16,14–23 für sich Richtigkeit beanspruchen, so liegt keine Veranlassung vor, zu klassischen Quellenhypothesen Zuflucht zu nehmen. Es ist also auch unbefriedigend, wenn man sich auf die Feststellung beschränkt, Kap. 16,14–23 sei eine Parallele zu Kap. 17 und gehöre daher

4. Bemerkenswert ist, daß *Budde* (Komm., S. 117 f.) der Auffassung ist, daß Kap. 16,14–23 zu ein und derselben Quelle gehört (J, setze Kap. 14,52 voraus), da mehr auf David als Krieger das Gewicht liege als auf David als Musikant. Auch *Mowinckel* (GTMMM, II, S. 193) meint, 16,14–23 gehörten insgesamt zu J.
5. Hätte man die konsekutiven Perfektformen in V. 23 als Fortsetzung der in V. 22 ergangenen Aufforderung aufzufassen (vgl. *J. Pedersen,* Israel III, S. 675, Anm. zu S. 52), träte der Charakter des Kap. 16,14–23 als Exposition noch stärker hervor, denn dann wäre noch nichts über den Erfolg von Davids Harfenspiel, sondern lediglich über den damit verbundenen Zweck etwas ausgesagt. Der Erfolg liegt in Kap. 18,10 f. und 19,9 f. vor, allerdings in allem anderen als in der beabsichtigten Weise! Dennoch bliebt die Frage offen, ob die kons. Perfektformen in V. 23 wirklich so aufgefaßt werden dürfen; immerhin wird Saul in der 3. Person erwähnt, während das in V. 22 in der 1. Person geschieht. Die kons. Perfektformen sind möglicherweise deshalb gewählt worden, um das sich Wiederholende zum Ausdruck zu bringen (vgl. *Nyberg,* Hebreisk Grammatik, S. 305).

einer anderen Quelle an, weil in diesen beiden Berichten unterschiedlich behandelt wird, wie David an den Hof Sauls kam [6]. Ebenso wichtig ist es, in Erfahrung zu bringen, was für eine Rolle diese beiden Berichte (Überlieferungen) in der Komposition spielen (darüber in Zusammenhang mit Kap. 17).

Das Geplagtwerden Sauls von einem bösen Geist beruht sicher auf einer alten Saulüberlieferung, vgl. 18,10 f. und 19,9 f. Diese ist hier in V. 14 a freilich ganz eigenartig mit der Verwerfung Sauls in Zusammenhang gebracht worden: Der Geist, den er bei der Salbung empfangen hatte, verließ ihn wieder, wodurch sozusagen Platz frei geworden ist für einen bösen Geist von Jahwe (מאת יהוה). Der Verfasser hat anscheinend den Geist Jahwes exklusiv verstanden: Es gibt nur einen, vgl. V. 13, wo berichtet wird, daß Jahwes Geist über David kommt, als dieser gesalbt wurde. Es besteht die Meinung, der König habe den Geist Jahwes. Es liegt nahe, hierin eine negative Anwendung des Ps. 51,13 zu sehen: Verwirf mich nicht von deinem Angesicht, nimm deinen heiligen Geist nicht von mir. Damit ist schon angedeutet, daß wir uns in der Sphäre der Königsideologie bewegen, wie sie im königlichen Tempel zu Jerusalem anzutreffen war [7]. Jahwe nimmt seinen Geist von Saul und gibt ihn David! Im Gegensatz zum Königskult, wo die Erniedrigung des Königs augenblicklich und zeitweilig ist, bis Jahwe eingreift [8], ist Sauls Erniedrigung permanent, er ist unwiderruflich verworfen.

In Kap. 16,18 läßt der Verfasser einen der Diener Sauls indirekt den jungen David als den wirklichen König bezeichnen; dies wird deutlich in dem Ausspruch יהוה עמו, Jahwe ist mit ihm. So kurz dieser Ausspruch auch sein mag, ihm kommt doch eine außerordentliche Bedeutung zu. Diese Formel spielt nämlich in der Vorgeschichte eine grosse Rolle. Es sei deshalb auch hingewiesen auf Kap. 17,37 (aus dem Munde Sauls); 18,12. 14, vgl. 28 (Sauls eigene Feststellung); 20,13 (Jonathans Wunsch) und 2. Sam. 5,10. Woher stammt diese Formel? Unwillkürlich denkt man zunächst an Immanuel (עמנו אל), Gott mit uns, Jes. 7,14. Die Verbindung von Immanuel mit dem Kultus geht indessen aus Ps. 46,8 und 12 hervor, wo Immanuel einen Kultruf darstellt [9]. In Jes. 7 kommt die Formel im Zusammenhang mit der Geburt eines Königssohnes vor, ein Zeichen dafür, daß sie vornehmlich ihren Platz im Königskult hat. Die Vermutung wird erhärtet durch 1. Kg. 1,37: Wie Jahwe mit meinem Herrn, König David, gewesen ist, so soll er auch mit Salomo sein. Sicherlich haben wir hier »a faint echo of a coronation ritual which

6. Vgl. *Mowincel,* GTMMM, II, S. 194, und *Budde,* Komm., S. 120 f.
7. Hinsichtlich des Verständnisses von Ps. 51 als Königspsalm siehe Anm. 99 zu Kap. I.
8. Vgl. *Grønbæk,* DTT, 20, 1957, S. 12 ff.
9. Vgl. *Hammershaimb,* The Immanuel Sign, ST, III, in: Some Aspects of Old Testament Prophecy from Isaiah to Malachi, 1966, S. 20 f.

was once practised at the royal sanctuary of Jerusalem« [10]. גבור in 16,18 wird auch für David in Ps. 89,20 gebraucht, der die Königsalbung, die Inthronisation, zum Inhalt hat.

B. David bringt Goliath zu Fall (Kap. 17,1–18,4)

Während sich die Heere der Philister und Israeliten im nordwestlichen Juda gegenüberstehen, tritt ein schwer bewaffneter Riese mit Namen Goliat auf und fordert einen Israeliten zum Zweikampf heraus, dessen Ausgang für das Schicksal der Schlacht bestimmend sein soll. Diese Herausforderung versetzt Israel in Schrecken (V. 1–11). Inzwischen erscheint der Hirtenjunge David am Ort, der von seinem Vater geschicht worden war, um Davids drei älteren Brüdern Proviant zu bringen. David, dem die Aufforderung Goliaths nicht entgeht, wird bei König Saul vorgelassen, der ihn aussendet, um mit dem Philister zu kämpfen (v. 12–37). Nur mit Stab und Schleuder bewaffnet, streckt David Goliath nieder, worauf das Heer der Philister die Flucht ergreift und von den Israeliten verfolgt wird (V. 38–54). Nachdem David vor den König gebracht wird, nimmt der König David zu sich, und Jonathan, Sauls Sohn, und David werden Freunde (V. 55–58; Kap. 18,1–4).

Eissfeldt sieht in 17,32–39 die Fortsetzung von Kap. 16,14–23 (Quelle III), während V. 12–31 sowie V. 55–18,4 (gerade die großen Abschnitte, die in der LXX(B) fehlen, was für *Eissfeldt* in seiner Argumentation anscheinend keine Rolle spielt!) eine Fortsetzung von Kap. 13,15 a (Quelle II) seien. In V. 1–11 und 40–54 findet er Spuren von II und III [11]. Die Quelle I sei dagegen in Kap. 17 nicht vertreten. Grundlegender Anlaß für diese Quellenscheidung ist die Feststellung, daß der König nach 17,55 ff. David nicht gekannt hätte, während dies in V. 32 ff. der Fall wäre [12].

Die Frage ist jedoch, ob man nicht überhaupt das Urteil verfrüht fällt, David müsse laut V. (31) 32–39 – im Gegensatz zu V. 12–31 und 55 ff. – Saul

10. *E. Nielsen,* Some Reflections on the History of the Ark, VT, Suppl., 7, 1960, S. 72.
11. Die Komposition, S. 12. Weder *Budde* noch *Mowinckel* teilen Kap. 17 auf verschiedene Quellen auf, und so ist *Budde* bemüht, die eine Quelle (»E«) in ihrer ursprünglichen Gestalt als Fortsetzung von Kap. 15 zu rekonstruieren (a. a. O., S. 120 ff.), während es bei *Mowinckel* kurzum heißt: »Die Versuche, es (Kap. 17) in 2 Teile zu zerlegen, ist mißglückt.« (GTMMM, II, S. 195).
12. *Gressmann* (Die älteste Geschichtsschreibung, 1910, S. 77 ff., vgl. auch die Aufl. von 1921, S. 70 f.) benutzt diesen mutmaßlichen Widerspruch als Ausgangspunkt für die Annahme zweier »Rezensionen« in Kap. 17, einer »Hirten-Erzählung«, V. 12–14. 17–19. 20–30. 41. 48 b. 50. 55–58, und einer »Pagen- Erzählung«, V. 1–11. 16. 31–40. 42–48 a. 49. 51–53.

unbedingt bekannt gewesen sein. In erster Linie beruft man sich darauf, daß Saul V. 32ff. David nicht nach seinem Namen frage, was hingegen in V. 55 ff. der Fall sei [13]. Doch der Aufbau des Berichtes selbst gibt die Antwort, weshalb er es nicht tut. Angesichts der fortgeschrittenen Handlung vor dem V. 31 soll das Verzweifelte an der Situation Sauls deutlich gemacht werden. Als der unnbekannte Hirtenjunge plötzlich auftauchte, faßte der König eine schwache Hoffnung auf Rettung und verfiel natürlich nicht auf den Gedanken, den Namen des Unbekannten zu erfragen. Was David V. 32 ff. übermütig äusserte, genügte Saul. Erst nachdem der Riese der Philister besiegt war, fand der König Zeit zum Nachdenken und zur Besinnung, und so fragte er schließlich nach Namen und Herkunft des Siegers, V. 55 ff.

Hertzberg meint, vornehmlich in den von der LXX(B) ausgelassenen Stükken – das betrifft nicht nur 17,12–31 und 55 ff., sondern auch 18,1–5. 10. 11. 12 b. 17–19. 21 b. 29 b–30 – hätten wir es mit einer »Parallele« zu Kap. 16,14–23 zu tun [14]. Das dort Berichtete solle Davids »Aufstieg« legitimieren; der kleine Mann wird groß durch Jahwes Hilfe, er gewinnt die Achtung des Königs, die Freundschaft des Kronprinzen, wird wegen seiner Tapferkeit des Königs Schwiegersohn usw. Dagegen ließen sich nach *Hertzberg* die Stücke, die MT und LXX(B) gemeinsam haben, »zur Not« mit Kap. 16,14 ff. in Einklang zu bringen. Er spricht sich entschieden dagegen aus, daß der Text aus Gründen der Harmonisierung verkürzt worden sei, und zwar mit dem Argument, die ausgelassenen Stücke ließen »sich zu einem recht guten Zusammenhang fügen«. Abgesehen davon, daß es bedenklich erscheint, wie *Hertzberg*, den Textunterschied zwischen MT und LXX(B) unmittelbar zum Ausgangspunkt überlieferungsgeschichtlicher Erwägungen und Schlußfolgerungen zu machen [15], ist überdies zu Recht in Zweifel gezogen worden, ob Kap.

13. *Hertzberg* (Komm., S. 117) macht sich ebenfalls dieses Kriterium zu eigen, doch äußert er sich bemerkenswerterweise weitaus zurückhaltender.
14. Komm., S. 117, vgl. auch S. 198. *Hertzberg* bezeichnet die Abschnitte, die in der LXX(B) ausgelassen sind, als »diejenigen Stücke, in denen die Unbekanntheit von Kap. 16 am augenfälligsten ist.« So urteilt also auch *Hertzberg* nach dem »Kriterium der Unbekanntheit«, obwohl er andererseits über die gemeinsamen Stücke von LXX(B) unt MT mit Bedacht verlauten läßt: »Hier könnte es so sein, dass eine Bekanntschaft Sauls mit David vorausgesetzt war, wenn das auch nicht völlig sicher ist.« Es dürfte daher durchaus statthaft sein, das Kriterium: bekannt – unbekannt völlig aus dem Spiel zu lassen und statt dessen festzuhalten, daß in Kap. 16,14 ff. und Kap. 17 als Ganzem (vgl. besonders V. 55 ff.) grundsätzlich zwei verschiedene Überlieferungen über das Gelangen Davids an den Hof Sauls vorliegen.
15. Auch für *Ward* (a. a. O., S. 6 ff.) bilden die Unterschiede zwischen MT und LXX(B) – und das nicht nur in Kap. 17, sondern auch in Kap. 18 – den Ausgangspunkt für überlieferungsschichtliche Erwägungen. Andererseits überrascht es, daß *Ward,* der – im Gegensatz zu *Hertzberg* – für die Existenz einer ursprünglich selbständigen Geschichte von »David's Rise« eintritt, die

17,12–31. 55 ff. usw. wirklich einen besonders guten Zusammenhang ergeben [16]. Darum hat *Hertzberg* dem »gut« auch wohlweißlich ein einschränkendes »recht« vorangestellt!

Dennoch hat *Hertzberg* – ungeachtet der dafür angegebenen Begründung – sicher recht, daß V. 12–31 und 55 ff. nicht aus harmonistischen Gründen von der LXX(B) ausgelassen worden seien [17]. Viel eher wird es sich doch wohl so verhalten, daß die entsprechenden Abschnitte in der hebräischen Vorlage der LXX(B) fehlten [18]. Die in Qumran aufgefundenen Fragmente der Samuelbücher lassen nämlich klar erkennen, daß die hebräischen Textrezensionen der Samuelbücher keineswegs einheitlich waren [19], was man ohnehin

Überlieferungen, die MT über LXX(B) hinaus hat, in der Vorgeschichte für sekundär hält, und das, obwohl sie so offensichtlich – um *Hertzberg* zu zitieren – den »Aufstieg Davids als legitim« darstellen, was ja doch eben in der Absicht der Vorgeschichte liegen dürfte!

16. Vgl. besonders *Stoebe,* Die Goliathperikope und die Textform der Septuaginta, VT, 6, 1956, S. 404 f. (Später werden wir auf *Stoebe*'s in dieser Abhandlung dargelegte Auffassung von Kap. 17 zurückkommen.) Ebensowie *Stoebe* ist auch *Ward* (a. a. O., S. 217) nicht der Meinung, daß die Stücke, die MT über LXX(B) hinaus hat, »a continuous narrative« gebildet haben.
17. Vgl. auch *Smith,* Komm., S. 150, der indessen LXX (B) für ursprünglich hält. – Im Gegensatz dazu *Eissfeldt* (S. 12): »Diese und andere Stücke sind bekanntlich von LXX aus harmonischtischen Gründen unterdrückt.« Vgl. auch *Driver,* Notes, S. 150. – Interessant ist Folgendes: Während *Wellhausen* in »Der Text der Bücher Samuelis« aus dem Jahre 1871 (S. 104 f.) LXX(B) den Vorrang einräumte, neigte er in »Die Composition des Hexateuch ...« von 1889 (S. 250) zu der Auffassung, daß der Text aus harmonistischen Gründen gekürzt worden sei. – *B. Johnson* hat gezeigt, daß die in LXX(B) fehlende Abschnitte auch nicht auf einem frühen Stadium des LXX vorhanden waren, sondern erst später (vgl. LXX(A)) in Übereinstimmung mit MT eingefügt wurde (Die hexaplarische Rezension des 1. Samuelbuches des Septuaginta, 1963, S. 118 ff.).
18. Vgl. *Budde,* S. 121; *Driver,* a. a. O., S. 150; *Mowinckel,* GTMMM, II, S. 194. – *De Boer* scheint in »Research into the Text of I Samuel I–XVI« 1938, davon auszugehen, daß MT ganz einfach mit der Vorlage von LXX identisch sei, vgl. S. 8 f. und 44 ff. – Bezüglich des Verhältnisses der LXX zum MT siehe im übrigen die kurze und instruktive Darstellung in *Würthwein,* Der Text des Alten Testaments, 1963, S. 66–71.
19. Es handelt sich um Fragmente von 1. Sam. 1–2 aus der Höhle 4 (herausg. von *Cross* in BASOR, 132, 1953, S. 15 ff.; engl. Übers. neben LXX und MT von *Allegro,* The Dead Sea Scrolls, 1956, S. 59 ff.) und um Fragmente von 1. Sam. 16,1–11; 9,10–17; 21, 5–10; 23,9–17 aus derselben Höhle (herausg. von *Cross* in JBL, LXXIV, 1955, S. 165 ff.). Dazu aus Höhle 1 Fragmente von 1. Sam. 18,17–18; 2. Sam. 20,6–10; 23,9–12 (herausg. von *Barthélemy* in Discoveries in the Judaean Desert, I, 1955, S. 65 f.). Diese Fragmente stehen alle der von der LXX repräsentierten Textform näher als der vom MT, woraus sich mit Sicherheit schließen läßt, daß die Abweichungen in LXX vom MT bereits auf die hebräische Textvorlage der LXX zurückgehen können, also nicht

nicht hätte erwarten dürfen [20]. Es besteht gar kein überzeugender Grund dazu, die masoretische Textform anzufechten. Überhaupt hat man bei der Erforschung der in Kap. 17 enthaltenen Probleme zweifellos allzu einseitig die Unterschiede zwischen MT und LXX(B) ins Auge gefaßt. Wir wollen uns daher in der folgenden Analyse von diesen Abweichungen nicht beeindrucken lassen, vielmehr gänzlich von ihnen absehen. (So hat *H.-J. Nübel* mit Recht darauf verzichtet, bei seinen – übrigens sehr komplizierten analytischen Untersuchungen – von der LXX(B)-Textform auszugehen.)

Zur Grundschrift (Gr.) in der ursprünglichen Anordnung gehören nach *Nübel* [21] folgende Bestandteile: Kap. 17,13. 14 a. 17–23 add. 4 b. 5. a. 8 acc–9. 23 b–26 a. 27–30. 40–42 a aa. 48 b. 49. 51–52. 55–58. 34 abc–35. 48 a aa; 16,21b. 22; 18,1.3.4 b (ohne das erste Wort) – 9 usw. (Diese genannten Stellen bilden in der Gr. die Fortsetzung von 16,1–9. 11–13 abb. 13 b.) Der Rest gehe auf den Bearbeiter der Gr. (B.) zurück, und dasselbe gilt für die nach *Nübel* stattgefundenen Umgruppierungen. Weshalb setzt der Goliathbericht erst in Kap. 17,13 ein? *Nübel* gibt zur Antwort, mit diesem Vers, in dem wir von der Teilnahme der drei Brüder am Kampf und Davids Erscheinen hören, beginne etwas Neues. V. 13 könne nämlich nicht Fortsetzung von V. 12 sein, »wo David als einziger unter 8 Söhnen des »Ephrathiters« Isai genannt ist«, sondern von der Salbungsgeschichte, in der die Namen der drei Brüder Davids, nicht aber Davids eigener genannt sind. Die Namen der Brüder werden – so wird argumentiert – »wirkungsvoll« wiederholt, bevor der Name Davids erwähnt werde. Es ist jedoch schwer einzusehen, warum es besonders wirkungsvoll sein soll, daß der Name Davids nach denen der Brüder genannt wird – und nicht umgekehrt! Merkwürdig erscheint in diesem Zusammenhang, daß eine Wiederholung nach *Nübel* wirklich »wirkungsvoll« sein kann! Eine andere Frage an *Nübel:* Warum gehören nur V. 34 abb–35 mit zur Gr. und nicht auch die übrigen V. 36 f.? Ja, hier lägen »zwei verschiedene innere Mittel-

samt und sonders auf dem Übersetzungsprozeß beruhen, vgl. auch *Cross,* The Ancient Library of Qumran and Modern Biblical Studies, 1958, S. 124 ff. Wenn *Maass* (Theologische Literaturzeitung, 81, 1956, Sp. 339 ff.) meint, nach den Funden der Samuelfragmente in Qumran könne man den Emendationen des MT auf Grund von LXX-Varianten getrost einen hohen Rang zubilligen, dürfte das eine außerordentlich voreilige Schlußfolgerung sein! Über die Funde in Qumran und deren Bedeutung für die alttestamentliche Textkritik siehe im übrigen die Abhandlungen von *Rabin,* JThS, 6, 1955, S. 174 ff., und von *Skehan* und *Orlinsky* – die des letztgenannten in bezug auf die LXX – in JBL, 78, 1959, S. 21 ff. und 26 ff. Hingewiesen sei auch auf *B. Johnson,* a. a. O., S. 131–139 und auf *Jenni*'s Überblick über die Forschung in der Theologischen Rundschau, 1961, S. 26–29.

20. Siehe vor allem *Budde,* Komm., S. 121.
21. A. a. O., S. 122. – Die Vershälften sind von *Nübel* weiter nach Sätzen unterteilt, auf die er mit dobbelten Buchstaben verweist.

punkte vor«, in V. 34 f. Davids Mut, in den folgenden Versen sei es (dagegen) das Vertrauen zu Jahwe, »der den unbeschnittenen Lästerer der Schlachtreihen des lebendigen Gottes durch Davids Hand strafen wird.« Als ob Mannesmut und Gottvertrauen miteinander nicht vereinbar wären! Indes hat *Nübel* geltend gemacht, die Verse, in denen berichtet wird, daß Goliath die Schlachtreihen Israels verhöhnt, können nicht mit zur Gr. gehören. So möchte er in V. 8 ff., Goliaths herausfordernden Worten, zwei verschiedene und unvereinbare Merkmale sehen; es handelt sich um V. 8 f. (die also zur Gr. gehören), wo die freien Philister den Knechten Sauls gegenübergestellt werden und wo von dem Zweikampf die Rede ist; die Partei des Siegers soll die unterlegene unter seine Knechtschaft bekommen. Dieses Motiv weiche nach *Nübel* völlig von V. 10 ab, wo Goliath die Schlachtreihen Israels verhöhnt. Über diese letzte Besonderheit, die in V. 26 b. 36. 42 abb–47 wiederkehre, sagt *Nübel,* daß sie – nicht nur in V. 10, sondern auch an den eben genannten Stellen – »durch eigenes Gewicht sich aus dem Fluss der Erzählung herausarbeitet.« Wenn man – wie *Nübel* – auf das Aufspüren von Unebenheiten und Dubletten erpicht ist, kann man natürlich von vornherein damit rechnen, solche auch zu finden. So etwas kommt unwillkürlich bei ursprünglich mündlich formulierten Erzählungen vor. Daß in diesem Fall in V. 8 ff. eine gewisse »Doppelheit« vorliegt, sei durchaus zugegeben, daß diese »Doppelheit« aber auffällig sei, leuchtet dagegen nicht ein.

Nach dieser ziemlich ausführlichen Bezugnahme auf *Eissfeldt, Hertzberg* und *Nübel,* von denen *Eissfeldt* und *Nübel* Kap. 17 als ein Stück schriftlicher Literatur ansehen und das Kapitel demgemäß auch behandeln, soll Kap. 17 im folgenden unter einem ganz anderen Gesichtspunkt analysiert werden, der im wesentlichen der Auffassung *Hertzberg*'s entspricht. Aus dem Folgenden wird deutlich werden, daß wirklich eine Art »Doppelsträngigkeit« vorliegt, die andererseits nicht auf die Absichten eines Redaktors zurückzuführen ist, zwei (schriftliche) Quellen (*Eissfeldt*) oder die ergänzende und korrigierende Fassung eines Bearbeiters mit einer ihm zur Verfügung stehenden schriftlich fixierten Grundschrift (*Nübel*) zusammenzuarbeiten.

Der Abschnitt, der auf Davids Kampf mit Goliath Bezug nimmt, umfaßt Kap. 17,1–18,4. Von Kap. 18,5 an ist nämlich von allgemeinen Dingen die Rede, die in keinen speziellen Zusammenhang mit Davids Kampf gegen Goliath stehen. Hinzu kommt die Entsprechung von ויצא in V. 5 mit בבואם in V. 6 [22]. Wenn also der Goliath-Kampf und dessen Folgen Kap. 17,1–18,4 in ihrer jetzigen Gestalt einnehmen, hat man offenbar den Skopus des Berich-

22. Vgl. auch Kap. 18,13 und 16. Das Pluralsuffix erklärt sich daraus, daß David und die Krieger, an deren Spitze David von Saul gesetzt worden war, nach V. 5 in dem Kampf ziehen. Hinsichtlich der Goliathepisode in V. 6 vgl. unten S. 101 f.

tes in Kap. 18,1 ff. zu sehen, d. h. nicht primär darin, daß Saul nach der Tat Davids diesen zu sich nahm, sondern daß David durch einen Bund mit dem Sohn des Königs, Jonathan, in Verbindung kommt. Natürlich haben sich die Ausleger an V. 2 gestoßen, in dem erwähnt wird, daß Saul David zu sich nahm und ihn nicht wieder in das Haus seines Vater zurückkehren ließ [23]. V. 1–4 bieten in Wirklichkeit eine anschauliche Darstellung: Schon bevor der König David in seinen Dienst nimmt, gewinnt Jonathan zu ihm Zuneigung (V. 1); später – als das Verbleiben Davids am Hofe beschlossene Sache war (V. 2) – kam es zu dem Bundesschluß zwischen den beiden.

In die Vorgeschichte sind somit zwei Überlieferungen eingegangen, die auf unterschiedliche Weise das Kommen Davids an den Hof erklären. Diese beiden Überlieferungen, Kap. 16,14 ff. und Kap. 17, haben aber zwei verschiedene Funktionen in der Komposition der Vorgeschichte zu erfüllen gehabt. Kap. 16,14 ff. – David als Harfenspieler – bereitet die Szene in Kap. 18,10 f. und 19,9 f. vor. Desweiteren wird durch das Kriegermotiv in 16,18 (und 21) im jetzigen Zusammenhang – über Kap. 18,2 – Davids Erfolg als Heerführer im Dienste Sauls angebahnt, Kap. 18 f. In Kap. 17 tritt David weder als erprobter Krieger noch als Harfenspieler auf, sondern als der unbekannte und in Kriegsdingen gänzlich unerfahrene Hirtenjunge. David war in Kap. 16, 1–13 (vgl. V. 11) eindeutig der junge Hirte und wird auch in Kap. 16,19 als ein solcher erwähnt. In bezug auf die Person Davids beherrscht dieses Merkmal das ganze Kap. 17. So ist David nicht – wie seine älteren Brüder – mit Saul gegen die Philister in den Krieg gezogen, was ja wohl bedeutet, daß er nicht alt genug dazu war; vielmehr hütete er die Schafe seines Vaters (V. 12 ff. [24]). Schon gar nicht fällt es Davids ältestem Bruder ein, daran zu denken, David sei an die Front gekommen, um zu kämpfen (V. 28). Aus dem Gespräch zwischen Saul und (dem ihm unbekannten) David geht hervor, daß David zuhause Hirte war und immer noch ist [25].

Schwerlich lassen sich die Schilderung des Zweikampfs selbst (V. 41 ff.) und die Vorbereitungen dazu (V. 38 ff.) anders verstehen, als daß David im

23. *Eissfeldt* (Die Komposition, S. 12) korrigiert »Saul« in »Jonathan«, denn er ist der Überzeugung, daß David – historisch gesehen – nicht Sauls, sondern Jonathans Vasall wurde; Jonathan wurde also in Wirklichkeit Davids »Lehnsherr«, vgl. S. 15.
24. In Kap. 17,15 liegt ein später Eingriff vor; er stammt von einem Abschreiber, der die Diskrepanz zwischen Kap. 16,22 und 18,2 als unerträglich empfand.
25. So hat man das Perf. היה in V. 32 zu verstehen; demgegenüber machen *Smith* (Komm., S. 160) und zuletzt *Stoebe* (VT, 6, 1956, S. 406) das Tempus der Vergangenheit geltend, demzufolge David also nicht mehr Hirte gewesen sei. Diese beiden Forscher sind nämlich der Auffassung, daß David in den MT und LXX gemeinsamen Abschnitten, d. h. V. 1–11. 32–54, als Sauls Waffenträger fungiere (vgl. 16,21), daß also der Bericht sich »reibungslos« Kap. 16,14–23 anschließe.

regulären Krieg völlig unerfahren ist. David ist mit Stab und Schleuder (V. 40) versehen, was im Kontext den Gegensatz zu der sonst üblichen Kriegsausrüstung deutlich werden läßt (V. 38 f.). V. 39 ist freilich grammatisch und textkritisch schwierig, doch dürfte der Sinn darin liegen, daß David die der Situation angemessene Kriegerausrüstung, einschließlich Schwert, ausschlägt, sei nun diese Ausrüstung damals gebräuchlich gewesen oder nicht [26]. Deshalb ist es auch nicht verwunderlich, daß er zum Gespött der Philister wird (V. 43 [27]). Darüber hinaus überrascht es nicht, daß er zum Abhauen des Kopfes des Philisters dieses Schwert braucht (V. 50 f.). Auch grammatisch problematisch ist V. 51, insofern es beim ersten Zusehen ungewiß erscheint, ob es sich um Davids eigenes Schwert handelt. V. 50 b ist freilich zu entnehmen, daß das Schwert nicht David gehört. Nun stellt sich heraus, daß die LXX(B) V. 50 nicht aufweist, so daß das Schwert in LXX(B) V. 51 als Davids eigenes Schwert aufgefaßt werden kann [28]. Ob V. 50 b eine »Glosse« ist [29] oder nicht [30], bleibt dahingestellt, jedenfalls ist andererseits indirekt 2. Sam. 23,21 der Hinweis zu entnehmen, daß das Schwert in V. 51 dem Philister gehört. Mit V. 51 hat es wahrscheinlich folgende Bewandnis: Die LXX(B) hat ihn – wenn er überhaupt in der hebräischen Vorlage vorhanden war! – gestrichen, weil V. 51 nicht nur V. 50 zu wiederholen scheint, sondern auch im Hinblick auf die Todesursache Goliaths eine andere Erklärung gibt als V. 50. V. 38 ff. wollen zeigen, daß es sich hier um einen Sieg Jahwes und nicht Davids handelt, wenn nämlich berichtet wird, daß Saul versucht, David in seine Kriegerausrüstung zu stecken [31], David sich aber weigert, weil er mit einer solchen Ausrüstung gar nicht vetraut sei. Er

26. *De Vaux* (Les Institutions, II, S. 13) hält den Helm und Panzer unbedingt für Anachronismen.
27. Von dem Philister wird kein Schwert erwähnt, vgl. auch. V. 47, der voraussetzt, daß David kein Schwert hatte.
28. Es kann schwerlich das Schwert gemeint sein, das Saul – auf Grund von LXX(B) – David umschnallte, vgl. V. 39 f. (Die genaue Übersetzung von V. 39 des MT lautet entweder: David umgürtete sich mit seinem Schwert über seinem Waffenrock (vgl. Ri. 3,16), oder: mit seinem (d. h. Sauls) Schwert über seinem (d. h. Sauls, vgl. V. 38 aα) Waffenrock. Letzterer Auffassung gibt z. B. *Ehrlich* (Randglossen, S. 229) den Vorzug, indem er betont, daß David zu dieser Zeit kein Schwert getragen habe. Doch würde man wohl in V. 39 eine ähnliche Konstruktion wie im vorhergehenden Vers erwarten, und so darf man annehmen, daß hier eine Umstellung von דוד und את erfolgt ist, vgl. V. 39 LXX(B).
29. *Smith,* Komm., S. 163; *Mowinckel,* GTMM, II, S. 198; *Nowack,* Komm., S. 91.
30. *Budde,* Komm., S. 130; *Hertzberg,* Komm., S. 122. Letzterer vermutet, V. 50 unterstreiche »rückschauend auf V. 47 die Tatsache, dass der Sieg nicht mit üblichen Waffen erfolgt ist.«
31. מדים bezeichnet entweder Sauls Kriegerausrüstung, die dann im folgenden näher beschrieben wird (vgl. *Stoebe,* VT, 6, 1956, S. 407 f.) oder – besser – Waffenrock, »the outer garment of a warrior« (*Driver,* Notes, S. 145 f.).

begnügte sich mit seinem Stab und seiner Schleuder [32]. (Übrigens zeigt ein Vergleich der Waffen Goliaths und Sauls, daß die Ausrüstung Sauls mit Kupferhelm und Panzer von der Goliaths auf ihn übertragen ist [33].)

Im Zuge seiner Beweisführung, daß der MT – mit Ausnahme von V. 12–31 – sich an Kap. 16,14–23 anschließe, sieht *Stoebe* V. 39 im Zusammenhang mit Davids Funktion als Waffenträger (vgl. 16,21) und verweist dabei auf 1. Sam. 31,4 [34]. In der Übersetzung durch die LXX(B) sei insofern der Sinn entstellt, als David noch als ein »des Krieges völlig ungewohnter Jüngling« gelte. Ferner findet er den Stab in dem Zusammenhang fehl am Platze, wenngleich ihn Goliath in V. 43 ausdrücklich erwähne; der Stab sei wohl auf Grund von 2. Sam 23,21 in die Erzählung hineingekommen [35]. Allerdings nimmt *Stoebe* nicht dazu Stellung, ob das Schwert in V. 51 das Schwert Davids oder Goliaths ist, obwohl man von seinen Voraussetzungen her bestimmt anzunehmen hätte, daß es sich um Davids Schwert handele, denn zum einen darf mit Sicherheit vorausgesetzt werden, daß er als Waffenträger ein solches gehabt hat, und zum anderen weil V. 50, in dem eindeutig von Goliaths Schwert die Rede ist, ja unter dem Einfluß von 2. Sam. 23,21 zustande gekommen sein könnte, wo nämlich berichtet wird, daß der Riese zwar nicht durch sein eigenes Schwert, aber durch seinen eigenen Spieß ums Leben gekommen sei! Schließlich meint *Stoebe* – in Anlehnung an *Smith* [36] – in der Schleuder habe man nicht unbedingt eine typische Hirtenwaffe zu sehen; in Ri. 20,16 sei sie z. B. eine gefürchtete Waffe der Benjaminiten. Dazu ist jedoch zu sa-

32. קלע, V. 40 und 50. Der Verbalstamm קלע findet sich nur in Ri. 20,16, wo von den Benjaminiten erzählt wird, sie seien ausgezeichnete »Steinschleuderer«, und in Jer. 10,18 – hier metaphorisch –, beiden Stellen im Qal; zudem in 1. Sam. 17,49 und 25,29 – hier metaphorisch –, diese beiden letztgenannten Stellen im Piel.

33.

Goliath:	*Saul:*
V. 5: Kupferhelm כובע נחשת	V. 38: קובע נחשת
V. 5: Schuppenpanzer שריון קשקשים	V. 38: שריון
V. 6: Kupferschienen מצחת נחשת	÷
V. 6: kupferner Wurfspieß כידון נחשת	÷
V. 7: Spieß חנית (vgl. V. 45, wo חנית und כידון, die die gleiche Waffenart darstellen (*Galling,* BRL, 1957, Sp. 353) zusammen genannt werden; daß hier nicht nur חנית steht, sondern auch das seltene כידון, hat seinen Grund wohl in V. 6).	(Kap. 13,22, siehe Anm. 81)
V. 45: Schwert חרב (vgl. V. 50 f.)	V. 38: חרב, vgl. Kap. 13,22.

Betreffend die Ausrüstung Goliaths siehe *Galling,* VT, Suppl., 1966, S. 155–169.

34. A. a. O., S. 408 ff.
35. A. a. O., S. 409.
36. Komm., S. 162.

gen: Wenn die Schleuder in V. 40 in Verbindung mit dem Stab erwähnt wird (vgl. auch V. 50, der von vielen als »Glosse« bezeichnet wird, es aber sicherlich nicht ist!), ist es wahrscheinlich, daß es sich eben nicht um die Waffe eines Kriegers handelt.

Stoebe kommt angesichts der oben andeutungsweise erwähnten Vermutungen zu dem Ergebnis, daß Kap. 17,1–11 und 32–54 zeigen sollen, wie Jahwe »jetzt nicht mehr bei Saul, sondern bei seinem jungen Krieger ist, und Saul selbst ihm den Weg ebnen muss.« (V. 38 ff.) [37]. Gegen diese Ansichten müssen nun allerdings folgende Einwände erhoben werden: *1.* Daß David ein Krieger gewesen sei, ist durchaus nicht überzeugend, vielmehr führt eine unvoreingenommene Betrachtung des Kap. 17 zu der Erkenntnis, daß David als ein junger Hirte auftritt, der gerade auf Grund seiner Jugend im Kampf unerfahren ist und folglich nicht die geringste Chance hatte, gegen den Philister aufzukommen. *2.* Aus diesem Grunde muß die Möglichkeit ausgeschlossen werden, Kap. 17,1–11 und 32–54 seien eine unmittelbare Fortsetzung von Kap. 16,14–23. Ein Zusammenhang mit 16,1–13 – wenn auch nicht ursprünglich – ist weitaus wahrscheinlicher. *3.* Da also David in Kap. 17 als junger und im Krieg unerfahrener Hirte auftritt – das gilt sowohl für die in LXX(B) fehlenden Abschnitte [38] als auch diejenigen, die MT und LXX(B) gemeinsam haben – wird in diesem Zusammenhang der Auffassung der Boden entzogen, welche die Unterschiedlichkeit zwischen V. 1–11 und 32–54 einerseits, und V. 12–31 und 55 ff. andererseits besonders herausstreichen möchte. 4. Wenn *Stoebe* [39] in den Abweichungen vom MT in V. 1–11 und 32–54, die in der LXX(B) vermerkt sind (παιδάριον für נער in V. 33, die Übersetzung von V. 39, die Auslassung von V. 38 b. 41 und 48 b), eine beabsichtigte Sinnentstellung der ursprünglichen Bedeutung, daß David ein des Krieges völlig ungewohnter Jüngling sei, erblicken möchte, so ist das kaum richtig; sicher ist es doch so, daß die LXX Davids Unerfahrenheit im Krieg betont, die also schon im MT erscheint. Auf die Wiedergabe von נער durch παιδάριον in der LXX(B) kann man an und für sich nicht viel geben, da die Gepflogenheit, so zu übersetzen, für den überwiegenden Teil des AT gilt.

In Kap. 17 liegt also ein Bericht oder eine Überlieferung vor, die weder mit dem voraufgegangenen noch mit dem folgenden Kapitel ursprünglich verbunden war [40]. Der Bericht wird damit eingeleitet, daß die Philister und Israeliten ihre Heere zum Kampf zusammenziehen, die ersteren zwischen Socho

37. A. a. O., S. 410.
38. Auf *Stoebe's* Auffassung von Kap. 17,12–31. 55 ff. werden wir später zurückkommen.
39. A. a. O., S. 410 f.
40. Vgl. *Mowinckel,* GTMMM, II, S. 194.

und Aseka in Ephes-Dammin [41] in Juda [42], die Israeliten in 'emek ha-'ela [43]. Vor dem Kampf befinden sich die Philister auf einem Bergabhang auf der einen Seite des Tales [44], die Israeliten auf der anderen (V. 1–3).

Wir befinden uns also im nordwestlichen Winkel des (späteren Königtums) Juda. Zweifellos beruht das auf echter Überlieferung. V. 1 ff. deuten an, daß Sauls frühere Auseinandersetzungen mit den Philistern (zunächst) anscheinend mit Erfolg gekrönt waren [45]. Das geht aus dem Umstand hervor, daß der Austragungsort des Kampfes nicht – wie in Kap. 13–14 – das Bergland Benjamins und Ephraims ist, sondern ziemlich in der Nähe des eingenen Gebietes der Philister liegt.

Dieser Einleitung folgt nicht sogleich der Bericht über den Kampf und dessen Ausgang. Vielmehr wird uns in V. 4 ff. ein gewaltiger Zweikämpfer der Philister namens Goliath vor Augen geführt, der die Schlachtreihen Israels ver-

41. Ephes-Dammin, das also in Kap. 17 geographisch zwischen Socho und Aseka festgelegt ist, wird mit Recht mit Pas-Dammin in 1. Chr. 11,13 identifiziert, wo dieser Ort – ohne nähere geographische Bezeichnung – im Zusammenhang mit der Erwähnung der Taten eines der Helden Davids vorkommt. Im Paralleltext in 2. Sam. 23,9 hat man sicher statt בחרפם בפלשתים nach 1. Chr. 11,13 בפס דמים והפלשתים zu lesen (vgl. *Driver,* Notes, S. 365). Socho und Aseka, die sich auch in Jos. 15,35 finden, lagen ca. 20 Km westlich von Bethlehem (vgl. *Noth,* Das Buch Josua, S. 94).
42. ליהודה, eigentlich zu Juda gehörend, das hier das Königreich Juda darstellt, da das Niederland (Schephela), in dem Socho und Aseka nach Jos. 15,35 liegen, nicht zur *Landshaft* Juda gehörte, vgl. unten S. 152 f.
43. Dieser Ort findet sich nur hier in 1. Sam. 17,2. 19. und Kap. 21,10; wird im allgemeinen mit wadi es-samt identifiziert, vgl. *Grollenberg,* S. 62. 66. 148.
44. Bei הגיא (V. 3) ist wohl an den versiegten Bachlauf gedacht, während מעק die Landschaft, das Gebiet, selbst ist.
45. Gegen die Aauffassung, hinter V. 1 ff. stünde eine echte Überlieferung über eine kriegerische Auseinandersetzung zwischen Saul und den Philistern, könnte vielleicht der Einwand erhoben werden, daß Ephes-Dammin – außer an dieser Stelle – auch in einer Überlieferung vorkommt, in der über eine Auseinandersetzung zwischen David und den Philistern die Rede ist (vgl. 1. Chr. 11,13 und 2. Sam. 23,9, siehe Anm. 41 oben). Ist es nun wahrscheinlich, daß sowohl Saul als David in Kämpfe mit den Philistern in dieser Gegend verwickelt gewesen seien? Doch muß man immerhin ins Auge fassen, daß in Kap. 17,1 die Ortsangabe »zwischen Socho und Aseka« mindestens ebenso wichtig ist wie »in Ephes-Dammin«. Hinzu kommt, daß es durchaus nicht unwahrscheinlich ist, daß »Ephes-Dammin« erst zu einen späteren Zeitpunkt des Überlieferungsprozesses in die Goliathgeschichte in Kap. 17 hineingekommen ist, als nämlich diese Geschichte auf Grund einer Kombination einer Überlieferung von Sauls Auseinandersetzung mit den Philistern im nordwestlichen Juda (zwischen Socho und Aseka) mit der Erzählung über David und Goliath zustande gekommen ist (siehe mehr im folgenden). Diese Auffassung gewinnt an Wahrscheinlichkeit, als der Goliathkampf – wie der Ort Ephes-Dammin – nicht nur in Kap. 17, sondern auch in einem Bericht über einen Helden Davids, 2. Sam. 21,19 (23, 24) erwähnt werden. Hierüber unten mehr.

höhnt und einen Israeliten zum Kampf herausfordert. Das versetzt »ganz Israel« in Schrecken (V. 11). Von V. 12 [46] und dem Bericht her bekommt man den Eindruck, das Kapitel sei von diesem »Zweikampf-Motiv« beherrscht. Im folgenden finden sich aber Merkmale, die weitaus besser zu einem allgemeinen »Kamp-Motiv« passen (vgl. V. 1–2), als zu dem Zweikampf-Motiv. Schon V. 19 setzt voraus, daß es sich hier um einen wirklich stattgefundenen Kampf handelt. Doch einen noch deutlicheren Hinweis darauf geben V. 20 b–21 und 52–53. In V. 20 b wird nämlich vom Ausrücken des Heeres und Erschallen des Kriegsrufes berichtet. Das paßt schlecht zum Kontext, demzufolge die Israeliten auf die Herausforderung Goliaths hin von Entsetzen gepackt, also passiv von Schrecken erfaßt wurden (V. 11, vgl. V. 24). V. 52 f. indes sind aus dem Zusammenhang heraus vielleicht besser verständlich; der überwältigende Sieg der Israeliten wird als Auswirkung der vorangegangenen Tat Davids angesehen. Darüber hinaus ist der Schlachtruf in V. 52 im Gegensatz zu V. 11 in dem Zusammenhang begreiflich. Doch recht besehen stehen V. 52 f. im Widerspruch zu den Bedingungen Goliaths in V. 8 ff. Außerdem geben V. 52 f., aus dem Zusammenhang herausgelöst, eine ganz normale Kampfschilderung ab. In V. 46 f. haben wir es augenscheinlich mit einer Kombination des Zweikampf- und des Kampf-Motives zu tun, insofern diese Verse abwechselnd individuelle und kollektive Züge tragen.

Damit ist bereits der doppelte Aspekt in Kap. 17 angedeutet, eine Doppelheit, die sich natürlich nicht im einzelnen nachweisen läßt [47]. Man kann sich dennoch des Eindrucks nicht erwehren, daß die Kampfschilderung und die Darstellung des Zweikampfes ursprünglich keinerlei Beziehungen zueinander gehabt haben. Dafür spricht immerhin auch die Tatsache, daß die Goliathepisode (vgl. 2. Sam. 21,19!) nichts mit Sauls Kriegen zu tun hat.

Wer aber steht hinter dieser Kombination der Überlieferung von einer Philisterschlacht im nordwestlichen Juda, in der Saul den Feind klar in die Flucht schlägt, mit der Erzählung von David und Goliath? Hat diese kombinierte Darstellung bereits dem Verfasser vorgelegen? Dafür spricht der Eindruck, daß diese Verkoppelung sich derart organisch vollzogen hat, daß man in ihr wohl das Ergebnis eines echten Überlieferungsprozesses sehen darf. Die beiden Ele-

46. Nicht nur הזה (vgl Anm. 49), sondern wahrscheinlich auch ודוד בן sind sekundär hinzugekommen, um den Zusammenhang mit Kap. 16,1 ff. herzustellen, vgl. *Klostermann,* Die Bücher Samuelis und der Könige, 1887, S. 64.
47. So ist es auch nicht möglich, mit Hilfe von V. 1–3. (19.) 20 b. 21 und 52–53 einen völlig zusammenhängenden Bericht herzustellen. – Vgl. übrigens *Galling,* der unter Hinweis von Kap. 13 f. schreibt: »So wird auch das Duell zwischen dem Philister (Goliath) und David vom Erzähler einem Schlachtbericht zugeordnet.« (A. a. O., S. 153, Anm. 2). Nach *Galling* ist in der Zweikampschilderung zwei Motive kombiniert worden: ein »Stellvertreterkampf« mit einem anonymen Philister und Davids Kampf mit dem Riesen Goliath (vgl. 2. Sam. 21,19), a. a. O., S. 151 ff.

mente, aus denen sich Kap. 17 zusammensetzt, sind so sehr zu einer höheren Einheit verschmolzen, daß man sie nur in groben Zügen voneinander zu trennen vermag.

Aus diesem Grunde hat Kap. 17 in seiner Gesamtheit wahrscheinlich dem Verfasser schon vorgelegen [48]. Dies mag erklären, daß V. 12 ff. die Familie Davids vorstellen, obwohl das nach Kap. 16,1 ff. nicht erforderlich gewesen wäre [49]. Zudem ist es nicht unwahrscheinlich daß der Verfasser gerade aus dem ihm in Kap. 17 vorliegenden Bericht die Namen der Brüder Davids in Kap. 16,6 ff. entnommen hat [50]. Das gilt vielleicht auch für die Charakteristik Davids in 17,42, vgl. 16,12. Daß Kap. 17 in seiner Gesamtheit dem Verfasser zu Gebote gestanden haben muß, scheint auch daraus hervorzugehen, daß sich in ihm mehrere Anzeichen finden, die eine gewisse Vertrautheit mit dem heiligen Krieg deutlich werden lassen, was immerhin für das verhältnismäßig hohe Alter des Berichtes spräche. Hierbei ist gedacht an die Verbindung מערכות אלהים in V. 26. 36. 45, die Wendung: Jahwe hat dich (euch) in meine (unsere) Hand gegeben, vgl. 46 f., den Schlachtruf (תרועה) V. 20. 52 [51].

Wie hat der Verfasser dem Kap. 17 seine besondere Note gegeben? Abgesehen davon, daß er ihm allein dadurch, es gerade an dieser Stelle anzubringen, seine Bedeutung zugewiesen hat, läßt sich mit hinreichender Sicherheit einiges in dieser Richtung anführen, so z. B. die oben [52] erwähnte Formel ויהוה יהיה עמך, die in V. 37 König Saul in den Mund gelegt ist. Das ist an sich beachtlich, da der Verfasser damit den Verworfenen – unbewußt – den Gesalbten mit einer aus dem Königskult stammenden Formel segnen läßt! Zu fragen wäre auch, ob nicht die Erwähnung der Männer Judas (אנשי ישראל ויהודה) in V. 52 auf den Verfasser zurückgeht. Zwar nehmen nach V. 12 ff. die drei ältesten Brüder Davids auf seiten Sauls an der Schlacht teil, was aber nicht zu bedeuten braucht, daß die Männer Judas als solche neben und Seite an Seite mit den Männern Israels am Kriege teilgenommen haben, weit mehr Wahrscheinlichkeit hat die Annahme für sich, daß der Verfasser nicht bloß die beiden Teile des davidischen Reiches, Israel und Juda, in die Zeit Sauls

48. Dafür spricht auch der Umstand, daß der Verfasser den Bericht an und für sich nicht ausschließlich gegeben hat, um David zu verherrlichen, sondern zugleich mit ihm David Jonathan vorstellen möchte, vgl. Kap. 18,1 ff.
49. הזה nach אפרתי in V. 12 ist natürlich ein späterer – sprachlich unkorrekter (vgl. *Driver,* Notes, S. 141) – Einschub, der zum Ausdruck bringen soll, daß es sich um den von Kap. 16 her bekannten Mann handelt.
50. Vgl. auch *Mildenberger,* der annimmt, daß konkrete Züge in Kap. 16,1–13 (z. B. die Namen der Söhne Isais und Davids Rolle als Hirtenjunge) Kap. 17 entnommen seien, das dem »nebiistischen« Bearbeiter vorlag, und nicht ursprünglich zur »Geschichte von Saul und David« gehört hätten (a. a. O., S. 21).
51. Über diese Termini des heiligen Krieges siehe *v. Rad,* Der heilige Krieg, S. 7 ff.
52. S. 79.

zurückprojeziert hat, sondern es auch für selbstverständlich hielt, daß Saul – wie sein Nachfolger David – sowohl über den Süden als auch den Norden geherrscht hat [53]. Juda kommt in Kap. 17 – außer in V. 1 – lediglich hier in V. 52 vor, sonst wird nur Israel genannt, vgl. V. 1. 8. 10. 11. 19. 21 usw. [54].

Kap. 18,1–4 stammt, abgesehen von V. 2, der mit Kap. 17,57 im Zusammenhang steht – bestimmt auch vom Verfasser. Durch V. 1 verknüpft er nämlich Kap. 17 mit dem Folgenden, wo das Verhältnis zwischen David und Jonathan eine wichtige Rolle spielt. Daß diese Anknüpfung andererseits ein wenig ungeschickt wirkt, ist eine andere Sache [55]. Doch spricht diese etwas ungelenke Anknüpfung dafür, daß Kap. 18,1. 3–4 ursprünglich nicht mit zu dem Überlieferungsstoff gehörte, den er vorfand.

Wenn demnach Kap. 17 durch die Kombination einer Überlieferung (oder eines Überlieferungsfragments) über eine von Saul gegen die Philister erfolgreich gelieferte Schlacht mit der Legende von David und Goliath entstanden ist, kann man sich dem wohl nicht verschließen, daß Sauls Sieg über die Philister durch die Kombination mit Davids Sieg über den Riesen Goliath eine spürbare Abschwächung erfahren hat. Der Sieg ist in Wirklichkeit von David davongetragen worden! Mit anderen Worten: Hier haben wir wieder ein Beispiel dafür, wie Saul – ohne daß an ihm übrigens unsympathische Züge sichtbar würden – in den Schatten Davids gerückt wird.

Kap. 17 zeigt also eine sichtliche Verherrlichung Davids. Das gilt im übrigen auch für die Erzählung von seinem Sieg über den Riesen Goliath. Denn dieser Riese ist nach der Überlieferung ursprünglich von einem anderen bezwungen worden. Aus 2. Sam. 21,19 geht hervor, daß ein Mann namens Elhanan, Jares [56] Sohn, ein Bethlehemit, während der Philisterkriege den Gathiter Goliath, dessen Speerstange wie ein Weberbaum war, erschlug, vgl.

53. Vgl. oben S. 20 f. 52 f.
54. *Danell,* der hier Juda nicht als einen späteren Zusats ansieht (a. a. O., S. 73), sucht eine Antwort darauf, weshalb Juda gerade hier eingefügt worden sein sollte;die Antwort kann jedoch nicht mit Sicherheit gegeben werden, vielleicht aber liegt die Ursache dafür in der Erwähnung Jerusalems in V. 54.
55. Vgl. *Gressmann,* der im Zusammenhang mit Kap. 18,1 schreibt: »Das einzige aber, was der Hirtenbube gesagt hat, ist der Name seines Vaters gewesen!« (Die älteste Geschichtsschreibung, 1910, S. 77).
56. 1. Chr. 20,5 hat Ketib יעור, Qere (vgl. LXX, Syr.) יעיר. Von der geäußerten Ansicht, Elhanan wäre Davids ursprünglicher Name gewesen, wollen wir hier absehen. Diese Auffassung wird von *Honeyman* und – unabhängig von diesem – von *Pakozdy* unterstützt, indem sie darauf hinweisen, daß יערי in mehreren Handschriften mit einem kleinen ר geschrieben ist; die Möglichkeit ist gegeben, daß עי ursprünglich ein ש gewesen ist, so daß dort ישי gestanden hat. So bestechend diese Auffassung auch sein mag, erscheint es doch höchst merkwürdig, da sie erst im 20. Jahrhundert aufgekommen ist und keinen Anhalt in den Textzeugen für sich in Anspruch nehmen darf! (Vgl. *A. M. Honeyman,* The Ei-

auch 2. Sam. 23,24. Es dürfte wohl zweifellos so sein, daß eben diese kurze Notiz aus 2. Sam. 21,19 die Bildung der Legende in Kap. 17 veranlaßt hat, und zwar hat man in dem übermäßigen Drang nach einer Verherrlichung Davids diesem berühmten König eine Tat zugeschrieben, die ursprünglich von einem seiner »dreißig Helden« ausgeführt worden war, vgl. 2. Sam. 23,24 [57].

Zur Beantwortung der Frage, wo man die in Kap. 17 enthaltene Legende wohl zu lokalisieren habe, richten wir unser Augenmerk auf V. 54: Nachdem David Goliath getötet und dessen Haupt abgeschlagen hatte, brachte er es nach Jerusalem [58], während er die Waffe des Riesen mit in sein Zelt nahm. Daß hier in V. 54 a offensichtlich ein Anachronismus vorliegt, ist völlig klar; doch kommt diesem Anachronismus in überlieferungsgeschichtlicher Hinsicht eine große Bedeutung zu. Wenngleich die Behauptung sicherlich zu gewagt wäre, bei der ganzen Schilderung des Goliath-Kampfes hätten wir es ursprünglich mit einer ätiologischen Sage zu tun, die eine Erklärung für die Herkunft eines in Jerusalem existierenden Riesenschädels geben wollte, deutet doch zumindest das »Jerusalem« in V. 54 a darauf hin, daß die Episode in dieser Stadt überliefert oder weiterüberliefert worden ist [59]. In V. 54 b hätte man billigerweise etwas erwartet. was zu Jerusalem paßt, doch steht da »sein

dence for Regnal Names among the Hebrews, JBL, 67, 1948, S. 23 f. und *L. M. Pakozdy,* 'Elhânân – der frühere Name Davids?, ZAW, 68, 1956, S. 257 f.).

Als sicher kann angesehen werden, daß es sich bei Elhanan in 2. Sam. 21,19 und 23,24 um dieselbe Person handelt, dieser Name kommt nur an zwei Stellen (außer den Parallellen in Chr.) im AT vor und in beiden Stellen als Name eines Mannes aus Bethlehem. Freilich ist der Name des Vaters unterschiedlich angegeben; da jedoch 21,19 textlich nicht in Ordnung ist, wäre es nicht ratsam, allzu viel auf diese Abweichung zu geben (vgl. zudem *Elliger,* De dreissig Helden Davids, PJB, 31, 1935, S. 33). Bezüglich des Vaternamens in Kap. 21,19 siehe *Budde,* Komm., S. 312.

57. *Wenn* Dodo in 2. Sam. 23,24 ein Göttername sein sollte (über Dodo auf dem Mescha-Stein siehe *Ahlström,* Psalm 89, S. 164, den Text in: *Pritchard,* Ancient Near Eastern Texts, S. 320, wo mit »chieftain« übersetzt wird), braucht zwischen 2. Sam. 21,19 und 23,24 durchaus kein Gegensatz zu bestehen, da an erster Stelle der Name des Vaters, an zweiter der Name des Gottes angegeben wird (vgl. hierzu Schamgar, der Sohn Anaths, Ri. 3,31). Vielleicht ist ein Gott namens Dodo nicht nur in Bethlehem, sondern auch in Beerseba verehrt worden, vgl. Am. 8,14 (Über diesen Vers siehe *Hammershaimb,* Amos S. 128 f.).
58. Um hier Jerusalem zu umgehen, vermutet *Caspari* (Komm., S. 221), daß ירושלם irgendwie eine falsche Schreibung für אל שאול sei, während *de Boer* (OTS, 1, 1941, S. 102) annimmt, »that Jerusalem is an substitute, made by a priest, for the name of the holy of Nob.« Vgl. 21,10.
59. Als ein Kuriosum soll noch *J. de Groot*'s Auffassung von V. 54 a (Zwei Fragen aus der Geschichte des alten Jerusalems, BZAW, 66, 1936, S. 194) erwähnt werden. Dieser Halbvers solle nach *de Groot* beweisen, daß Jerusalem zu

Zelt«. Daß David in dieser Erzählung ein Zelt gehabt haben soll, ist aus ihr selbst heraus unverständlich [60]. Nun läßt sich aber mittels einer geringfügigen Korrektur zwischen diesen beiden Halbversen eine gute Übereinstimmung erzielen, wenn man nämlich statt אהלו ein אהלי liest, wobei י eine Abkürzung für יהוה wäre[61]. Damit ist dann Jahwes Zelt, sein Zeltheiligtum in Jerusalem gemeint (vgl. 54 a). Nun hören wir aber später in Kap. 21,10 (vgl. 22,10), David habe Goliaths Schwert in das Heiligtum zu Nob gebracht. Das läßt sich freilich mit Jerusalem nicht in Einklang bringen, es sei denn, man denkt sich die Dinge so, David habe zunächst das Schwert in Nob aufbewahrt, von wo es später nach Jerusalem überführt wurde. Doch tut man besser daran, jedwedes Harmonisieren zu unterlassen und stattdessen festzuhalten, daß es eben über die Deponierung des Goliathschwertes zwei Versionen gibt, eine in Verbindung mit Jerusalem, eine andere in Zusammenhang mit dem Heiligtum in Nob [62]. Entweder hat man an das Zeltheiligtum in Jerusalem zu denken, das David nach 2. Sam. 6,17 für die Bundeslade errichtete, oder eher noch an den von Salomo gebauten Tempel, denn der Ausdruck Zelt kommt in der poetischen Sprache der Psalmen häufig vor, vgl. Ps. 15,1; 27,5; 61,5 usw. Damit ist also zum Ausdruck gebracht: Beide Halbverse in V. 54 deuten einwandfrei darauf hin, daß die Legende über David und Goliath in Jerusalem überliefert worden ist. Diese Vermutung wird durch die Tatsache gestützt, daß Jerusalem die Stadt Davids war und somit der Ort, an dem die Legendenbildung um seine Person natürlich florierte. Die Erwähnung der Kultversammlung in V. 47 (הקהל) legt nahe, daß die Legende irgendwie mit dem Kultus Verbindung gehabt hat. Die »ganze Erde« soll sich durch das Hören der Heldentat Davids von der Macht Jahwes überzeugen lassen (V. 46). Ein solcher

dieser Zeit philistäisch gewesen sei, hätten wir es doch hier mit einem glaubwürdigen Bericht »über eine Verwegenheit des jungen Hirtenknaben« zu tun, der das abgeschlagene Haupt Goliaths über die Stadtmauer Jerusalems »ins Lager dessen Volksgenossen« geworfen habe.

60. *Smith* (Komm., S. 165) ist jedoch der Meinung, die Erwähnung von Davids Zelt sei »perfectly in accord with the narrative, 16,14–23, which makes him a member of Saul's staff«. Da man jedoch Kap. 17 nach dem Vorhergehenden als eine ursprünglich selbständige Überlieferung anzusehen hat, darf die Verbindung mit Kap. 16,14 ff. in dieser Beziehung hier außer Betracht gelassen werden.

61. Vgl. *Herzberg,* Komm., S. 123; *Mowinckel* (GTMMM, II, S. 199) liest anstelle von אהלו ein אהל יהוה, u. a. mit dem Hinweis auf Kap. 21,10, wo es sich um einen heiligen Ort handeln müsse.

62. *Hertzberg* versucht Kap. 17,54 a mit Kap. 21,10 dadurch in Einklang zu bringen, daß er die Meinung verficht, Jahwes Zeltheiligtum, aus dem David nach Kap. 21,10 Goliaths Schwert holte, sei das Heiligtum in Mizpa gewesen und Nob die Priesterunterkunft, die zu diesem Heiligtum gehörte (vgl. *Mizpa,* ZAW, 47, 1929, und seinen Komm.). *Herzberg's* Auffassung ist freilich reine Hypothese.

Universalismus wird am besten auf dem Hintergrund des Kultus verständlich [63]. Auch ist es möglich, daß das an jedem Neujahrstage im Tempel zu Jerusalem aufgeführte Kultdrama mit dazu beigetragen hat, daß die Besiegung Goliaths David zugeschrieben wurde; in diesem Drama bringt der König – durch das Eingreifen Jahwes – die Chaosmacht zu Fall [64]. Vermutlich ist Goliath auf diesem kultischen Hintergrund in Jerusalem als Verkörperung und Historifikation der Chaosmacht aufgefaßt worden, die die Existenz des Volkes bedrohe [65]. Eine unmittelbare Beziehung zum Kultus hat die Legende allerdings nicht gehabt; bei ihrer Ausgestaltung und Weiterentwicklung hat der Kultus eine Rolle gespielt.

Die Goliath-Erzählung ist selbstverständlich die jüngste der beiden oben angenommenen Bestandteile des Kap. 17. Eine Entstehung schon zur Zeit Davids ist kaum anzunehmen; dafür spricht der Umstand, daß in ihm David eine Heldentat beigelegt ist, die ursprünglich von einem seiner Helden ausgeführt worden war. Zu dieser Übertragung wird es sicher erst gekommen sein, als man zu den Ereignissen einen gewissen Abstand bekommen hatte [66]. Wir werden gewiß ein gutes Stück in die Regierungszeit Salomos hineingehen

63. Vgl. *Mowinckel,* Psalmenstudien, II, S. 181 ff. und Offersang og Sangoffer, 1951, im Register unter Universalisme.
64. Vgl. hierzu *Grønbæk,* DTT, 20, 1957, S. 1–16.
65. Vgl. *W. E. Stapples,* der bereits die Auffassung vertrat (Cultic Motifs in Hebrew Thought, AJSL, 55, 1938, S. 49 ff.).
66. Überhaupt finden sich verschiedene mit dem Inhalt von Kap. 17 verwandte Züge in den anekdotenhaften Aufzählungen der Taten der Helden Davids, die wir in 2. Sam. 21,15–22 und 23,8–39 vor uns haben (V. 24–39 ist eine Liste der Helden Davids). In Kap. 21,15–22, das die geschlossenste Form aufweist (alle vier Episoden finden während der Philisterkämpfe statt, alle Gegner der vier Helden gehören zum Geschlecht des Riesen Rapha und werden in allen vier Episoden getötet, vgl. V. 22), bewahrt Abisai (V. 15–17) David vor der Tötung durch einen Riesen, dessen Ausrüstung an die Ausrüstung Goliaths erinnert, die jedoch in Kap. 17 ausführlicher beschrieben wird. In Kap. 21,16 wird der Speer (קין) genannt, der 300 Lot Kupfer wiegt, während die Speerstange (V. 7: עץ חניתו, die wie ein Weberbaum ist, vgl. 21,19) ein Gewicht von 600 Lot Eisen hat. In der vierten Episode kämpft ein Neffe Davids gegen einen Riesen mit grauenerregendem Äußerem (sechs Finger an jeder Hand und sechs Zehen an jedem Fuß!), der erschlagen wird, weil er Israel verhöhnt (V. 21 חרף, vgl. Kap. 17,10. 25. 26. 36. 46). Schließlich zeigen sich in Kap. 23, 8–39, das textlich sehr schlecht erhalten ist, vornehmlich im ersten Abschnitt über die Taten der drei Helden (V. 8–12) Merkmale, die unwillkürlich an Kap. 17 erinnern. Der andere Held, Eleasar, Dodos Sohn (vgl. Elhanan als Dodos Sohn in V. 24, siehe oben Anm. 57), nimmt an einen Kampf zwischen den Philistern und Israel teil, in dessen Verlauf sich die Israeliten zurückziehen müssen; durch den Mut Eleasars wendet sich jedoch der Fortgang der Schlacht, so daß Jahwe an dem Tage einen großen Sieg gibt, das Volk zurückkehrt und Eleasar folgt sowie den Feind ausplündert. Die Situation erinnert ganz

müssen, als die Ereignisse um die Entstehung des geeinten Reiches, die Philisterkriege, die Eroberung Jerusalems usw. zeitlich derart in die Ferne gerückt waren, daß die Berichte über diese Begebenheiten sich nur schwer kontrollieren ließen. Der Golitath-Kampf steht in keinerlei Beziehung zu Sauls Kriegen gegen die Philister, sondern zu den Philisterkämpfen, die ihren Anfang nahmen mit der Krönung Davids zum König über Israel in Hebron und mit der Eroberung Jerusalems durch David, oder in der Zeit danach, ihr Ende fanden. Dies geht ja auch klar aus 2. Sam. 21,19 hervor, wo es sich natürlich nicht um einen Krieg Sauls gegen die Philister handelt.

Etwas anderes spricht nun allerdings dafür, daß wir im Blick auf die Ausgestaltung von Kap. 17 in die Regierungszeit Salomos zu gehen haben. Unverkennbar drängen sich Ähnlichkeiten mit der Josephsgeschichte in Gen. 37 auf. Das Verhältnis Josephs zu seinen Brüdern einerseits, und das Davids zu seinen Brüder andererseits erinnern sehr stark aneinander. Der eigenartig anmutende Zorn Eliabs gegen David und die Erwähnung der Bosheit und des Hochmuts David in 17,28 müssen unwillkürlich überraschen, erhalten aber von Gen. 37,2 ff. her glänzende Aufhellung [67]. Wie David in 17,17 ff.,

stark an die in Kap. 17, wo auch ein einzelner dem ganzen Geschehen eine Wendung gibt, daß es nach anfänglicher Angst vor einer völligen Niederlage zum Sieg und zu anschließender Plünderung kommt (vgl. Kap. 17,52 f.); an beiden Stellen ist der Sieg in Wirklichkeit von Jahwe erfochten worden. Überdies wird in Kap. 23,20 berichtet, wie Benaja – allerdings unter anderen Umständen als David in Kap. 17,34 ff. – einen Löwen tötet, und in V. 21, wie derselbe Held einen ägyptischen Riesen mit dessen Spieß umbringt (חנית, in Kap. 17,51 war es mit dem Schwert Goliaths), und er selber nur mit einem Stock ausgerüstet war (שבט, vgl. Kap. 17,40. 43: מקל).

Wie hat man sich nun diese unverkennbar bestehenden Ähnlichkeiten zwischen Kap. 17 und 2. Sam. 21 und 23 zu erklären? Das Nächstliegendste wäre eine literarische Abhängigkeit, doch spricht dagegen der Umstand, daß der Sprachgebrauch unterschiedlich ist. In Erwägung ziehen könnte man, ob nicht Kap. 21,15–22 ursprünglich Fortsetzung von 2. Sam. 5,17–25 gewesen sei; so nimmt man jedenfalls allgemein an (vgl. *Eissfeldt,* Einleitung in das AT, S. 371 f.). Unter allen Umständen muß man damit rechnen, daß Kap. 21,15–22 und 23,8–19 – als Bestandteile des Überlieferungskomplexes Kap. 21–24 – spät in den jetzigen Zusammenhang hineingekommen sind, vielleicht erst nach Aufteilung des deuteronomistischen Geschichtswerkes in die heutigen »Bücher« (vgl. *Noth,* Überlieferungsgeschichtliche Studien, S. 62, Anm. 3). Eine Abhängigkeit der Kap. 21,5 ff. und 23,8 ff. von Kap. 17 kann man sich nicht vorstellen. Hingegen scheint die volkstümliche Überlieferung von David und Goliath, was Form und Inhalt anbetrifft, von den anekdotenhaften Abschnitten in 2. Sam. 21 und 23 abhängig zu sein. Mehr läßt sich darüber kaum etwas sagen.

67. Wenn man zwischen der Begünstigung Davids und Eliabs Zorn gegen David einen Zusammenhang sehen möchte, so ließe sich dieser nur daraus erklären, daß Mißgunst dahinter stand. Eine solche Deutung ergibt auch seine Parallele in der Josephsgeschichte, vgl. Gen. 37,4!

so wird Joseph von seinem Vater geschickt, um nach den Brüdern zu sehen, vgl. Gen. 37,12 ff. [68]. Eine literarische Abhängigkeit von Eigentümlichkeiten aus der Josephsnovelle kommen nicht in Betracht, dazu sind die sprachlichen Unterschiede zu groß. Die Berührungspunkte sind überlieferungsgeschichtlich so zu werten, daß charakteristische Züge aus der Josephsnovelle in die David–Goliath-Geschichte Eingang gefunden haben, wobei diese Motive natürlich auf diese spezielle Erzählung zugeschnitten worden sind [69].

Es ist hier nicht der Ort, um auf den Ursprung und die überlieferungsgeschichtliche Entwicklung der Josephsgeschichte einzugehen [70]. Als erwiesen gilt jedoch, daß wir in der Josephsgeschichte in ihrer jetzigen Gestalt im Verhältnis zu den übrigen Teilen des Pentateuchs ein spätes Erzeugnis vor uns haben [71]. *Von Rad* möchte auf Grund der engen Beziehungen zwischen dem Bildungsideal sowie der theologischen Grundgedanken der Josephsgeschichte zur älteren Weisheitsliteratur, die nach *von Rad* als eine ausgesprochene Hofliteratur anzusprechen sei, die literarische Ausgestaltung der Josephsgeschichte in der frühen Königszeit ansetzen [72]. Es spricht nichts dagegen, daß die Josephsnovelle in ihrer jetzigen Form bereits unter Salomo abgefaßt worden ist [73].

Werfen wir einen Blick auf den Überlieferungskomplex Gen. 37–50, so besteht kein Zweifel darüber, daß – angesichts der Hervorhebung Josephs unter seinen Brüdern – der Kern auf das »Haus Josephs« und im »Haus Josephs« wiederum auf den Stamm Ephraim zurückgeht, vgl. Gen. 48 [74]. Wie hat

68. Es ist also zweifellos richtig, wenn *de Boer* (OTS, 1, 1941, S. 89) annimmt, Kap. 17,18 sei von Gen. 37,14 der Josephsnovelle beeinflußt.
69. Gehen wir zu weit mit der Vermutung, daß bei der Kombination der beiden ursprünglich unabhängigen Bestandteile in Kap. 17 immerhin charakteristische Merkmale aus der Josephsgeschichte eine Rolle gespielt haben? Auf Grund der Tatsache, daß der Vater David schickt, gelangt er doch aufs Schlachtfeld (V. 17 ff.) und infolge seiner »Vermessenheit« (V. 28) kommt er mit Saul in Berührung!
70. Vgl. hierzu u. a. *O. Kaiser,* Stammesgeschichtliche Hintergründe der Josephsgeschichte, VT, 10, 1960, S. 1–15. *L. Ruppert*'s »Die Josephserzählung der Genesis« (1965) steht ganz im Zeichen der klassischen Quellenscheidung.
71. Vgl. *Noth,* Überlieferungsgeschichtliche Studien, S. 226 ff.
72. Josephgeschichte und ältere Chokma, VT, Suppl., I, 1953, S. 120–127, in: Ges. Studien zum AT, S. 272 ff. – In diesem Zusammenhang sei auf das Bildungsideal in 16,18: נבון דבר hingewiesen, vgl. folgende Anm.
73. Die Zeit Salomos bildete gerade in dieser Beziehung einen entscheidenden Einschnitt; *v. Rad* spricht darum von dem »salomonischen Humanismus«, vgl. Der heilige Krieg, S. 39 f. und Theologie des AT, S. 56 ff. In dieser Zeit seien nach Meinung *v. Rad*'s die »Geschichte von Aufstieg Davids«, das Geschichtswerk des »Jahwisten« sowie die »Thronfolgegeschichte« entstanden.
74. Siehe im übrigen *Noth,* Überlieferungsgeschichtliche Studien. S. 229. Kap. 48,22 läßt erkennen, daß Überlieferungsfragmente manassischen Ursprungs übernommen worden sein müssen, vgl. *E. Nielsen,* Shechem, S. 283 ff.

man sich die Existenz von Kap. 38 und 49 inmitten dieses Überlieferungskomplexes zu erklären? In diesen beiden Kapiteln steht unübersehbar Juda im Mittelpunkt, ganz augenscheinlich in Kap. 38, aber auch in Kap. 49, wo unter denen aus sehr verschiedenen Zeiten stammenden Aussagen über die Söhne Jakobs die Aussage über Juda (V. 8–12) die hervorstechendste ist. Viel spricht dafür, daß Kap. 49,1–27 in seiner jetzigen Form aus der Zeit Davids oder Salomos stammt [75], und an sich ist es denkbar, daß Kap. 49, das – wie Kap. 38 – ursprünglich keinen Zusammenhang mit der Josephsnovelle hatte, eben zu dieser Zeit mit ihr verbunden worden ist. Das heißt also: Die Kap. 38 und 49 der Josephsgeschichte zeugen davon, daß diese hauptsächlich ursprünglich ephraimitische Erzählung von judäischen Überlieferungskreisen in Jerusalem übernommen, oder vielleicht besser in jerusalemischen Überlieferungskreisen mit judäischen oder judäisch geprägten Überlieferungen zusammengefügt worden sind.

Es ist demnach durchaus möglich, daß der Verfasser Kap. 17 annähernd in der heutigen Form vorgefunden hat, inbegriffen also die auf einen Einfluß von Gen. 37 hinweisenden Züge! Die Tatsache, daß Kap. 17 – oder besser die David–Goliath-Erzählung – bei ihrer Ausgestaltung u. a. von der Josephsgeschichte beeinflußt ist, hat noch in einer anderen Beziehung Bedeutung. In diesem Zusammenhang müssen wir unser Augenmerk auf die ganze Geschichte von David bis zu seiner Thronerhebung (1. Sam. 15–2. Sam. 5) richten. Das Grundanliegen der Vorgeschichte besteht darin, David als den legitimen Erben Sauls auf dem Thron Israels zu schildern, also die Kontinuität zwischen dem ersten Königreich unter dem *Benjaminiten* Saul und dessen Fortbestand unter dem *Judäer* David deutlich werden zu lassen. Das aber muß jedoch unweigerlich in der Vorgeschichte eine gegen das Nordreich gerichtete polemische Spitze nach sich ziehen, da das Nordreich nach der Teilung des Reiches den Anspruch erhob, das wahre israelitische Reich zu verkörpern, d. h. daß *Ephraim* (das Nordreich) in bezug auf das Königtum sich als den eigentlichen Erben des Reiches Sauls betrachtete. Nun stellen in der Josephsnovelle zweifellos Joseph und seine Brüder die Hauptfiguren dar, und unter diesen werden vor allem Benjamin und Juda besonders herausgehoben. Mit einer gewissen Berechtigung kann man also sagen, die Hauptfiguren sind Ephraim (Joseph), Benjamin und Juda. Nicht allein in den ursprünglich sekundären Kapiteln 38 und 49 wird Juda in den Vordergrund gestellt, sondern auch in der Novelle selbst, vgl. Kap. 37,26, wo Juda Joseph vom Tode errettet, indem er vorschlägt, ihn zu verkaufen. Im Gespräch zwischen Jakob und seinen Söhnen ist es, als es darum geht, ob Jakob erlaube, daß Benjamin mit zu Joseph nach Ägypten mitgenommen werden dürfe, Juda, der die maßgebliche Rolle spielt, ja er übernimmt für den Bruder Benjamin die volle Verantwortung

75. Vgl. *Noth,* Das System der zwölf Stämme Israels, S. 7.

(Kap. 43,1 ff.). Nachdem Joseph den Brüdern seinen Hausvorsteher nachgeschicht und dieser den Becher in Benjamins Sack gefunden hatte, kehrten die Brüder zu Joseph zurück, und »Juda und seine Brüder« kamen in Josephs Haus (Kap. 44,14), wo Juda Joseph in einer langen Unterredung unter vier Augen zu besänftigen suchte (V. 16. 18–34) und sich selbst anstelle seines Bruders Benjamin anbot (V. 33 f.). Auch in Kap. 46,28 scheint – wie in Kap. 44,14 – Juda die Brüder zu repräsentieren. Aus diesen Stellen läßt sich schlußfolgern, daß Juda in der Josephsgeschichte keineswegs in einem unvorteilhaften Licht stand. Daß die besondere Hervorhebung Judas zur ursprünglichen Josephsgeschichte gehört hat, ist sehr unwahrscheinlich, da Juda erst unter David mit Israel politisch in Berührung kam [76]. Nicht unabsichtlich werden in der Josephsgeschichte außer Joseph (Ephraim und Manasse) und Benjamin von den Brüdern nur Ruben, Simeon und Juda erwähnt, also die drei ältesten südlichen Stämme. (Von den späteren Zusätzen in Kap. 46,8–27 und 49,1–27 sehen wir hier ab.) So könnte einiges darauf hindeuten, daß diese namentlich genannten Brüder erst hinzugefügt worden sind, nachdem die Josephsgeschichte nach Jerusalem gekommen war. Das gilt auch für die Nachricht, daß Jakob (Israel) sich in Hebron, der südlichen Heimat des Patriarchen Abraham, aufhielt. Ferner wäre anzuführen, daß Gen. 48,7 das ephraimitische [77] Ephrath mit Bethlehem [78] identifiziert, vgl. 1. Sam. 17,12.

76. Vgl. *Mowinckel,* Zur Frage nach dokumentarischen Quellen in Josua 13–19, 1946, S. 21; »Rahelstämme« und »Leastämme«, BZAW, 77, 1958, S. 138.
77. Daß es ein Ephrat in Ephraim – ein Ort zwischen Bethel und Rama – gibt, geht aus Gen. 35,19; 48,7; Ri. 12,5; 1. Sam. 1,1; 1. Kg. 11,26 hervor. *F. Willesen* ist der Ansicht, daß es sich nicht nur in Ri. 12,5 sondern überhaupt, wo אפרתי vorkomme um ein judäisches Ephrat handele, siehe seine »short note« The אפרתי of the Shibboleth incident, VT, 8, 1958, S. 97 f.
78. Was das judäische Ephrat anbetrifft, ob nun mit Bethlehem identisch oder jedenfalls damit im Zusammenhang stehend, vgl. Ruth 1,2; 4,11; 1. Sam. 17,12; Ps. 132,6; Mi. 5,1. Die Identifikation des (ephraimitischen) Ephrat mit Bethlehem in Gen. 48,7 (vgl. auch 35,19) wird in der Forschung als »Glosse« abgetan (vgl. *v. Rad,* Das erste Buch Mose, ATD, 1956, S. 297 f.); eine andere Frage ist nach *v. Rad,* wann und wie die Überlieferung von Rahels Grab in Bethlehem lokalisiert worden ist. So könnte man zu der Annahme neigen, diese zweifache Lokalisation des Grabes Rahels habe ihren Grund vor allem in einer spät aufgekommenen Unsicherheit hinsichtlich des Ortes Ephrat, der sowohl auf judäischem als auch ephraimitischen Gebiet bekannt war. Doch würde eine solche Erklärung wirklich ausreichen? Wird es sich nicht eher um eine bewußte, tendenziöse »Verwechslung« handeln? Und hat man diese »Verwechslung« mit Sicherheit spät anzusetzen? Kann es sich nicht in der Tat um eine Überlieferung älteren Datums handeln? Hierbei muß man sich vergegenwärtigen, daß die »Verwechslung« im Zusammenhang mit der Lokalisation von Rahels Grab stattfindet, das ursprünglich (vgl. Gen. 35,16–20) auf benjaminitischem Gebiet gelegen haben muß, nach Jer. 31,15 in der Nähe von Rama, an der Grenze nach Ephraim (vgl. 1. Sam. 10,2). Die ursprünglichem Überlieferung besagt, daß

Die gleichen Hauptfiguren treten sozusagen – ohne natürlich den Vergleich pressen zu wollen – in der Vorgeschichte 1. Sam.15–2. sam. 5 wieder auf, insofern Ephraim durch Samuel, Benjamin durch König Saul und Juda durch David repräsentiert werden. Wenn die Novelle in Jerusalem, der Stadt Davids, erzählt worden ist, wird man unwillkürlich die Gestalt des Joseph mit David verglichen haben, der ja auch alles gut zu Wege brachte. Auf diese Weise sind unbemerkt durch den Volksmund Züge aus der Josephsgeschichte in die David–Goliath-Legende eingedrungen. Und dies hatte sozusagen theologische Folgen. Joseph wurde eine Art davidischer Prototyp; und was keinesfalls undenkbar wäre: Das Verhältnis zwischen Joseph und Benjamin hat man prototypisch für das Verhältnis zwischen David un den Benjaminiten gehalten. Diese Vorstellung gewinnt um so mehr an Gewicht, als ausgerechnet Juda in der Josephsgeschichte als der von den Brüdern hingestellt wird, der sich des kleinsten und schutzlosen, nämlich Benjamin, annimmt.

C. Davids Aufenthalt bei König Saul (Kap. 18,5-19,17)

David hat im Dienste König Sauls großen Erfolg. Doch wirkt sich dieser Erfolg verhängnisvoll aus, er wird wegen seiner Popularität im ganzen Volk bald nicht nur Gegenstand des Mißtrauens und der Mißgunst seitens des Königs, sondern auch Ziel seines mörderischen Anschlages. Darum geht es im Abschnitt Kap. 18,5–16.

Der wenig straffe und etwas unklare Aufbau dieses Abschnitts, aber auch das Fehlen wirklich konkreter Züge machen einen stutzig. Der Verfasser hat zwar etwas Bestimmtes im Sinn, doch mußte er sich eben mit der Verarbeitung der Traditionen zufrieden geben, die ihm zur Verfügung standen. Daher die fehlende Einheitlichkeit [79]! Z. B. hat er natürlich den Satz in V. 7 nicht selbst erfunden: Saul hat seine Tausend erschlagen, aber David seine Zehntausend [80], sondern ihn in einen bestimmten Rahmen gestellt (vgl. Kap.

Rahels Grab (auf benjaminitischem Gebiet) am Wege nach (dem ephraimitischen) Ephrat gelegen hat. Dadurch, daß ein (judäischer) Tradent dieses Ephrat mit dem an anderen Stellen des AT in Verbindung mit Bethlehem bekannten Ephrat identifizierte, hat er sozusagen das Grab Rahels übernommen. In dem Fall haben wir ein überlieferungsgeschichtlich wichtiges Zeugnis für das Rivalisieren zwischen Ephraim und Juda um Benjamin und die Überlieferungen dieses Stammes. »Schon in alt. Zeit wanderte die Grabtradition, wohl wegen der Namengleichheit nach einer Stelle umittelbar n. Bethlehem ab.« *Biblisch-historisches Handwörterbuch,* I, 1962, Sp. 421).

79. Diese »arge Verwirrung« rührt nach *Budde* (Komm., S. 131) daher, daß die Quellen J und E miteinander durchsetzt worden seien.
80. Dieser Ausspruch ist schwerlich zur Zeit Sauls entstanden, vielmehr zur Zeit Davids (so *Auerbach,* a. a. O., S. 197) oder Salomos.

21,11 und 29,5). Der Gesang der Frauen erweckte in dem König Eifersucht, und er versuchte David nach dem Leben zu trachten, während dieser ihm auf seiner Harfe vorspielte (V. 10 f., vgl. 19,9 f.) Die Szene mit dem schwermütigen König, der dem auf einer Harfe vorspielenden David zuhört, stammt selbstverständlich nicht aus der Feder des Verfassers, sondern ist von ihm aus der volkstümlichen Überlieferung übernommen worden [81]. Entscheidend ist indessen, daß der Verfasser diese Überlieferung mit der Sentenz von Saul, der die Tausend, und David, der die Zehntausend schlug, verknüpft hat. Saul sucht also den *Harfenspieler* David nicht in momentaner Geistesgestörtheit zu töten, sondern weil er ihn wegen seines Erfolges als *Krieger* fürchtet, vgl. V. 17 b und 21 b. Wir haben es hier also mit der gleichen Motivverknüpfung (Harfenspieler – Krieger) zu tun, die wir schon in Kap. 16,14 ff. beobachteten. Daß sich diese beiden Motive eigentlich ausschließen, geht aus V. 13 hervor: Saul entfernt David aus Angst und macht ihn zum Anführer einer Tausendschaft! (David als Harfenspieler und David als Krieger stehen sich hier streng gegenüber!) Er tut das, obwohl David schon Anführer einer Tausenschaft ist, und es doch gerade sein Erfolg als Krieger war, der die Angst und Eifersucht des Königs bewirkte, V. 9 f. (Nach V. 12 sieht es so aus, als wäre Sauls Angst auf Grund des geglückten Entweichens Davids vor dem Anschlag des Königs entstanden, vgl. 16,14!)

Auch hinsichtlich des Zusammenhanges mit Kap. 17 bestehen Unstimmigkeiten. So bezieht בשוב דוד מהכות את הפלשתי, V. 6 a, sich unmittelbar auf Kap. 17, doch hinkt diese Wendung derart hinterher, daß man sie wohl als einen späteren Zusatz zu werten hat; in Kap. 17,57 findet sich die Passage wörtlich wieder. Nichts zwingt nämlich zu der Annahme, daß die in V. 6 ff. geschilderten Begebenheiten bei der Heimkehr von dem in Kap. 17 erwähnten Krieg stattgefunden haben müßten. In dem Fall wäre die Feindschaft Sauls schon zu einem außerordentlich frühen Zeitpunkt geweckt worden! Erwähnt werden muß auch, daß V. 6 ff. David als einen erfahrenen Krieger voraussetzen und nicht nur als den Hirtenjungen, der den Riesen bezwang (Kap. 17). Schon an frühere Stelle waren wir dafür eingetreten, daß V. 5 einen neuen Abschnitt einleite und somit nicht den Abschluß von Kap. 17 bilde. Der Zusammenhang von V. 5 und 6 ff. ist klar, hier handelt es sich nicht um etwas sich Wiederholendes [82], sondern um einmalige Handlungen, was besonders deutlich aus V. 9 ff. hervorgeht; (bei einer bestimmten Gelegenheit) zog David

81. Sowohl Kap. 18,10 b als auch 19,9 a lassen wohl erkennen, daß der Spieß (חנית) zur »Königsausrüstung« Sauls gehört, vgl. *de Vaux,* Les Institutions, II, S. 13 *Gressmann* nimmt lediglich an, daß also das Bild Sauls in der Erinnerung des Volkes lebendig geblieben sei »wie des Samuels als eines alten Mannes mit langem Mantel«. (Die älteste Geschichtsschreibung, 1921, S. 79).

82. Die Erwägung, ob ויצא iterative Bedeutung haben kann, ist also überflüssig, vgl. *Budde,* Komm., S. 131, und *Driver,* Notes, S. 149.

aus – hatte ihn doch Saul wegen seiner militärischen Erfolge über seine Krieger gesetzt [83] –, und als sie (der König, David und die Krieger) heimkehrten, gingen die Frauen . . .(V. 5 ff.).

Die Komposition von V. 5–16 durch den Verfasser wird schon dadurch nahegelegt, daß der ganze Abschnitt von der Tatsache beherrscht ist, David würde Sauls Nachfolger werden. Das gilt für die Bemerkung Sauls, es fehle David nur noch die Königsgewalt (V. 8 b), die er natürlich Saul in den Mund gelegt hat, weil David in der Tat sein Nachfolger geworden ist [84]. Genauso hat man den Schluß des vorliegenden Abschnitts, V. 16, zu verstehen, als es hier nämlich nicht nur heißt, ganz Israel (כל ישראל) liebte David, sondern »ganz Israel und Juda«. Hier tritt die Intention des Verfassers offen zutage, vgl. oben zu Kap. 17,52. Dasselbe ist der Fall bei der Wendung יהוה (היה) עמו in V. 12 b [85] und V. 14.

Diese Schilderung von Davids Aufenthalt am Hofe Sauls läßt die Problematik des Verhältnisses zwischen David und dem König klar ins Auge fallen. Die Beziehung der beiden zueinander steht nämlich im Lichte Davids (künftigen) Königtums. Doch bereits in V. 1–4 stand die Freundschaft Jonathans fest. Wenn das Verhältnis zwischen dem König und David auch so tragisch endete, stand es um das Verhältnis zwischen Jonathan und David doch so ganz anders! Die enge Beziehung zwischen dem Königssohn und dem künftigen König ist andererseits – aus der historischen Sicht – sicherlich stark übertreiben worden [86]. Das Verhältnis zwischen David und Jonathan hat man aus der Warte Davids späterer Ergreifung der Königsgewalt gesehen, so daß die außerordentlich stark betonte Freundschaft den Zweck verfolgte, die Würdigkeit Davids, König zu werden, zu legitimieren. Dasselbe gilt in noch mehr ausgesprochenem Maße für die besondere Bezugnahme auf das Verhältnis Davids zu den beiden Töchtern Sauls, wie es im folgenden berichtet wird. Doch nicht nur das: Davids starke Popularität hat man unter demselben Aspekt

83. V. 5 – ausgenommen die beiden ersten Worte – ist demnach erklärende Parenthese.
84. Im Zusammenhang mit 18,8 b schreibt *Caspari* (Thronbesteigungen und Thronfolge, 1917, S. 196): »dies ist ein Zusatz zum Original, von dem LXX noch nicht weiss. Und das ist das Ausschlaggebende dass wir von ihm (d. h. Davids späterem Königtum) wissen.« *Caspari* hat grundsätzlich recht, nur handelt es sich dabei nicht um einen »Zusatz« textlicher Art.
85. Das Bezeichende für V. 12 besteht darin: Das Gegenteil von »Jahwe ist mit jemand« ist »Jahwe ist von einem gewichen«, und wird auf David, bzw. Saul angewendet. V. 12 b ist eine verkürzte Variante von Kap. 16,14, vgl. oben S. 79 – V. 12 b für sekundär zu halten, weil dieser Halbvers in LXX fehle, dürfte verfehlt sein (gegen *Ward,* a. a. O., S. 217).
86. Vgl. *A. S. Kapelrud,* König David und die Söhne des Sauls, ZAW, 67, 1955, S. 200.

zu sehen; hierbei bleibt die Legitimation jedoch nicht im »Familiären« verhaftet, sondern bekommt einen »demokratischen« Gehalt [87].

Mit König Saul – und er ist wirklich der einzige – könnte David nicht in ein gutes Einvernehmen kommen. Die Überlieferung von Sauls mißglücktem Versuch, David mit seinem Spieß [88] zu durchbohren, hat der Verfasser dazu benutzt, um aus der Sicht Sauls das Unhaltbare der Situation zu illustrieren. Als Heerführer ist David mächtiger als der König selbst. Indirekt wird zu verstehen gegeben, daß David am Bruch schuldlos ist. Daß Saul David durch die Ernennung zum Anführer einer Tausenschaft ans Leben will (vgl. V. 13, der im Zusammenhang mit dem folgenden Abschnitt betrachtet werden muß), ist eine Konstruktion. Saul will nicht Hand an David legen, vgl. 17 b und 21 a. (Das wiederum läßt sich nicht mit V. 10 ff. in Einklang bringen, wo er es dennoch tut!) Warum nicht? Die Antwort ergibt sich, wenn man Kap. 24,6 und 26,9 in Augenschein nimmt, wo David davor zurückschreckt, an Jahwes Gesalbten Hand anzulegen. Sauls Haltung gegenüber David ist in Wirklichkeit nach dem Vorbild des Verhaltens Davids gegenüber Saul dargestellt worden [89]. Somit hat man David indirekt als den Gesalbten Jahwes gekennzeichnet, was er nach Meinung des Verfasser ja eben war, vgl. die Salbung in Kap. 16,1 ff!

Die Notiz Kap. 18,13 a (Davids Ernennung zum Anführer einer Tausendschaft) ist ein – etwas plumper – Versuch, zwei Motive miteinander in Einklang zu bringen: David als »Hofmusikant« und als Feldherr. Zugleich dient jedoch V. 13 a der Vorbereitung des im folgenden über Davids Verhältnis zu Sauls Töchtern zu Berichtende (V. 17 ff.) [90]. Die Ehe Davids mit diesen beiden Frauen wird nämlich so dargestellt, als wäre sie für den König ein Anlaß, David los zu werden; das geht mit aller Deutlichkeit aus V. 17 b und 21a hervor. Da sich das schlecht zusammenreimt, wird dieser Aspekt ursprünglich nicht zu dem überlieferten Stoff gehört haben. Saul brauchte doch nicht erst David zu seinem Schwiegersohn zu machen, um ihn den Kriegsge-

87. Diese – auf Grund der hervorragenden Eigenschaften Davids als Heerführer – entstandene Gunst beim Volke bildet die Voraussetzung für die Akklamation für David zum König von Israel, vgl. 2. Sam. 5,2.
88. *Smith* (Komm., S. 170) möchte nicht mit MT ויטל, Hiphil von טול: werfen, schleudern (vgl. Kap. 20,33) lesen, sondern ויטל von נטל: heben, da es so aussehe, als habe Saul in Wirklichkeit den Spieß nicht geworfen. Wahrscheinlicher ist jedoch, daß man mit dieser Lesart eine Harmonisierung beabsichtigte, wobei Kap. 19,9 f. eine Steigerung bezeichnen sollte, während Saul das zweite Mal wirklich mit dem Spieß warf.
89. Vgl. unten S. 170.
90. Hinzu kommt, daß Davids Ehe mit einer der Königstöchter durch Kap. 17,25 vorbereitet ist. Das will natürlich nicht besagen, wir hätten damit einen Beweis für eine zusammenhängende Quelle, vgl. die Literarkritiker! Der Zusammen-

fahren aussetzen zu können! [91]. Von V. 17 b. 21 a und 25 b wollen wir einstweilen absehen. Zudem wird Kap. 19,11–17 im Zusammenhang mit Kap. 18,20 ff. untersucht, da in beiden Abschnitten von Michal und David die Rede ist. Die betreffenden Abschnitte sind also 18, (17–19) 20–27 [92], sowie 19,11–17.

Saul bietet David seine älteste Tochter Merab unter der Bedingung als Frau an, daß er die »Kriege Jahwes« tapfer führt. Als aber die Zeit heran ist, wird sie einem anderen gegeben (V. 17–19). Inzwischen hat Michal, eine (andere) Tochter des Königs, zu David Zuneigung gefaßt. Durch einige seiner Leute bietet der König David Michal zur Frau an, wenn er ihm 100 Vorhäute der Philister bringe. David liefert 200 Vorhäute ab [93] und bekommt Michal zur Frau (V. 20–27). Im dritten Abschnitt (19,11–17) wird berichtet, daß Saul Leute zu Davids Haus schickt, um es zu bewachen und David gegen Morgen zu töten. Michal verrät Sauls Vorhaben und läßt David durchs Fenster hinab. Ins Bett legt sie den Hausgötzen, den Sauls Leute, die sich am Morgen einfinden, um David zu Saul bringen, anstelle Davids vorfinden. Der König wirft seiner Tochter vor, sie habe seinem »Feind« zur Flucht verholfen.

Die Verbindung zwischen dem ersten und zweiten Abschnitt wird durch V. 21 b hergestellt: Saul will zum *zweiten* Mal David zu seinem Schwiegersohn machen. David war es ja im ersten Fall nicht geworden! Eine andere Verbindung zwischen dem ersten und zweiten Abschnitt scheint es ansonsten nicht zu geben.

Die Stimmung im ersten und zweiten Abschnitt ist auffallend unterschiedlich; nach V. 20 ff. (abgesehen jedoch von V. 21 a) zeigt Saul David gegenüber Wohlwollen, während in 19,11 ff. ganz eindeutig das Gegenteil der Fall ist. Dennoch scheint einiges darauf hinzudeuten, daß 18,20 ff. und 19,11 ff. zusammengehört haben. Sollte es an dem sein, so hinterläßt diese Überlieferung als Ganze die Erinnerung daran, daß Saul David jedenfalls anfangs

hang von Kap. 17,25 und Kap. 18,17 ff. geht auf den Verfasser zurück. (Vgl. *Hertzberg,* Komm., S. 128: die »Meinung des Gesamtverfassers«, und das wäre nach *Hertzberg*'s Terminologie die des Dtr.) Über den besonderen Inhalt von V. 17 ff. siehe unten S. 106 f.

91. Vgl. *Gressmann,* Die älteste Geschichtsschreibung, 1910, S. 84.
92. V. 27 hat eindeutig Abschlußcharakter, und mit V. 28 wird im Verhältnis zu dem unmittelbar Vorhergehenden etwas Neues eingeleitet, vgl. auch den Ausdruck יהוה אם דוד, der allem Anschein nach auf den Verfasser zurückzuführen ist. Mit V. 28 b greift der Verfasser auch das Motiv der Liebe Michals von V. 20 wiederauf.
93. Sogar noch vor dem von Saul in V. 26 b für die Hochzeit festgesetzten Termin. Die Zahl 200 soll natürlich Davids Mut und Tüchtigkeit zum Ausdruck bringen. Diese Zahl hat man wohl frühzeitig in die wirklich geforderten 100 Vorhäute geändert, vgl. 2. Sam. 3,14 und die LXX z. St.

freundlich gesinnt war; sonst hätte er ihn unmöglich zu seinem Schwiegersohn machen können. Die Auffassung, die beiden Abschnitte hätten ursprünglich zusammengehört, wird von *Mowinckel* [94] bekräftigt, der annimmt, 19,10: בלילה (ה)הוא, das man am besten im Zusammenhang mit V. 11 [95] zu lesen habe, beziehe sich auf die Hochzeitsnacht. Es gibt nämlich alle möglichen Gründe für die Annahme, daß David nach Sauls offensichlichem Anschlag, worüber V. 8 ff. gerade berichtet haben, sofort und nicht erst am Morgen flüchten wollte [96]. Die Nacht ist also die Hochzeitsnacht, vgl. 18,27 [97]. בלילה (ה)הוא paßt auch ausgezeichnet zu בבקר in V. 11 [98]. Von ihrem Inhalt her zu schließen liegt in 18,20–27 und 19,11–17 unverkennbar Erzählgut aus dem Volke vor. Interessant sind die Berührungspunkte zwischen der Geschichte Davids und der Jakobs [99]. Zu nennen wären die eindeutig gemeinsamen Züge zwischen Rahel und Michal (die jüngsten und begünstigten Töchter), die Flucht und die Rolle des Hausgötzen dabei [100]. Diese übereinstimmenden Merkmale lassen offenbar auf eine Ausgestaltung der Davidüberlieferung unter dem Einfluß der Jakob–Laban-Überlieferungen schliessen [101].

Weshalb jedoch ist diese volkstümliche Überlieferung über David und Michal in der Mitte durchgeschnitten? Bevor wir auf diese Frage eine Antwort zu geben versuchen, wollen wir noch einmal das Verhältnis des ersten und zweiten Abschnitts zueinander in Augenschein nehmen, also 18,17–19 und

94. GTMMM, II, S. 204.
95. Vgl. z. B. *Driver,* Notes, S. 156.
96. Est ist also klar, daß V. 11 ff. mit den unmittelbar vorhergehenden Versen ursprünglich nichts zu tun gehabt haben.
97. Vgl. auch *Smith,* Komm., S. 178 f. *Mowinckel* wie auch *Smith* behalten Kap. 18,17 b. 21 a. 25 b bei, da sie zwischen diesen Versen und Kap. 19,11 ff. eine Verbindung sehen: Als Sauls Hoffnung, David würde im Kriege umkommen, nicht in Erfüllung ging, ja, im Gegenteil David Michal zur Frau bekam und sein Ruhm noch größer wurde, – –. »The crisis comes when the hated parvenu actually takes his bride to his house. This will be the time to strike; David will be unsuspicious, his friends will have dispersed after the marriage feasting. Dramatically nothing could be more effective.« (*Smith,* S. 178).
98. Eine inhaltliche Berührung zwischen Kap. 18,20 ff. und Kap. 19,11 ff. liegt auch in der Tatsache begründet, daß Michals Liebe (18,20) besonders in 19,11 ff. zum Ausdruck kommt, wo sie in Treue – und unter eigener Gefahr – ihren Mann rettet.
99. Vgl. *Stoebe,* David und Mikal, BZAW, 77, 1958, S. 236 ff.
100. Zu erwähnen wäre auch, daß sowohl für Rahel als auch für Michal das Motiv der Unfruchtbarkeit in Anspruch genommen wird. Zudem entspricht die Erwähnung einer zeitlichen Frist in Kap. 18,26 b auch den Jakob–Laban-Überlieferungen.
101. *L. Waterman,* Jacob the forgotten Supplanter, AJSL, 55, 1938, S. 25 ff. erklärt die Dinge so, daß die Jakob–Laban-Überlieferungen Verhältnisse zur Zeit Davids wiederspiegelten.

20–27. Diese beiden Abschnitte sind, wie bereits erwähnt, in einer nicht besonders glücklichen Weise durch V. 21 b miteinander verknüpft [102]. Allein diese umständliche Verknüpfung deutet darauf hin, daß 18,17–19, also der Abschnitt mit dem Thema David und Merab, ursprünglich nichts mit der Überlieferung von David und Michal in 18,20–27 und 19,11–17 zu schaffen gehabt hat. Es finden sich auch keinerlei inneren Zusammenhänge zwischen dem ersten und zweiten Abschnitt. Die Erzählung über David und Michal zeigt inhaltlich an keiner Stelle eine Abhängigkeit von V. 17–19, so daß man diese Verse irgendwie als (unentbehrliche) Einleitung zu V. 20 ff. hätte ansprechen können. Vielmehr ist die Erzählung von David und Michal eigenständig [103].

In welchem Verhältnis steht der erste Abschnitt (V. 17–19) zu dem Vorhergehenden? Wie schon früher betont, ist der ganze Bericht über David und die beiden Töchter Sauls in V. 13 vorbereitet. Jedoch erweist es sich als notwendig, noch weiter zurückzugreifen, und zwar auf Kap. 17,25. Nur schwer kann man sich dem Eindruck entziehen, daß hier ein Zusammenhang besteht zwischen 18,17–19 und Kap. 17,25, wo es heißt daß derjenige, der den Riesen Goliath schlägt, als Belohnung für diese Tat die Tochter der Königs zur Frau bekomme [104]. *Gressmann* [105] sieht allerdings zwischen 17,25 und 18,17 ff. keinen Zusammenhang und begründet dies damit, daß hier in gar keiner Weise auf Goliath angespielt sei. So würde man in V. 17 auch einen Hinweis auf Davids frühere Taten und nicht auf seine in der Zukunft liegende Tapferkeit in »Jahwes Kriegen« erwartet haben [106]. Trotzdem ist es möglich, Kap. 18,17 ff. mit der Situation in Kap. 17 in einen

102. Ebenfalls בשתים möchte *Stoebe* (a. a. O., S. 241) von den Jakobüberlieferungen her verstehen, und zwar von Gen. 29,21. 27. 28 her, doch damit wird der Zusammenhang von David- und Jakobüberlieferungen wohl übertrieben.
103. Es ist also bezeichnend daß Michal schlechthin als die Tochter Sauls gilt; auf eine andere wird nicht Bezug genommen (vgl. *Smith,* Komm., S. 172), geschweige denn auf Merab. – Legt man dieses Verständnis des Zusammenhanges zwischen Kap. 18,20–27 und Kap. 19,11–17 zugrunde, wird von vornherein die Behauptung entkräftet, Kap. 19,11–17 seien – neben Kap. 19,18–24 und 21,11–16 – von einem späteren Herausgeber in die Vorgeschichte eingeschaltet worden (gegen *Ward,* a. a. O., S. 36 ff.).
104. Siehe ferner oben Anm. 90. – Zwischen Kap. 17,25 und 18,20 ff. besteht dagegen kein Zusammenhang, da in diesem Fall die Zuneigung Michals zu David der Ausgangspunkt ist.
105. Die älteste Geschichtsschreibung, 1921, S. 79.
106. Wenn man hier in V. 17–19 nicht – wie in Kap. 17 – David als einen Hirtenjungen bezeichnet, der noch nicht das heiratsfähige Alter erreicht hat, sondern erst weitere Taten vollbringen müsse, um die Reife dazu zu bekommen (vgl. Hertzberg, Komm., S. 128 f.)? Zu dieser Auffassung gelangt jedoch *Hertzberg* auf Grund dessen, daß Kap. 17,25 und 18,17 ff. in der LXX(B) fehlen; dieses Argument läßt sich allerdings kaum aufrechterhalten, vgl. oben S. 81 ff.

sinnvollen Zusammenhang zu bringen. Die Annahme, die Formulierung von 18,17 ff. habe ihre Wurzel in Kap. 17, wird kaum auf Widerstand stoßen. Kap. 17 verriet ja Vertrautheit mit der Institution des heiligen Krieges [107]. Nicht allein der Ausdruck »Jahwes Kriege« hat in der Darstellung in Kap. 17 seine Entsprechung, auch das Wort Davids an Saul in Kap. 18,18, in dem David auf die Niedrigkeit des Geschlechtes seiner Väter in Israel hinweist, würde glänzend zu einer Situation passen, wo der König im Begriff ist, sein Versprechen einzulösen, vgl. 17,25.

Wenn nun – was oben bewiesen werden sollte – Kap. 18,17–19 (Davids Verhältnis zur ältesten Tochter des Königs) nicht nur zu dem unmittelbar Vorhergehenden einen eigentümlich abrupten Charakter aufweist, sondern sich in das Folgende auch nicht organisch einfügen läßt [108], liegt die Vermutung nahe, daß wir es hier mit einem Erzeugnis des Verfassers zu tun haben (Das einzig Historische in V. 17–19 ist die Verheiratung Merabs mit Adriel aus der Stadt (Abel-)Mehola in Isaschar [109].) Fragt man nun, zu welchem

107. »Jahwes Kriege« kommen im AT lediglich hier und in 1. Sam. 25,28 vor, beide Stellen in der Geschichte von Davids Aufstieg zu Königsherrschaft; vgl. jedoch den Ausdruck »das Buch von den Kriegen Jahwes«, Num. 21,14.
108. So sind die V. 17–19 auch in der LXX(B) ausgelassen; hinsichtlich des Qumranfragments dieser Verse siehe oben Anm. 19.
109. Adriel wird auch in 2. Sam. 21,8 erwähnt, doch dort als Michals Mann. Von den sieben männlichen Nachkommen Sauls, die David den Gibeonitern auslieferte, waren nach dieser Stelle fünf Söhne von Michal und Adriel. Nun möchten nahezu alle Forscher an dieser Stelle statt »Michal« lieber »Merab« lesen, indem sie sich auf die lukianische LXX-Übersetzung, einige LXX-Ausgaben und Syr. berufen. *Stoebe* hingegen hält (BZAW, 77, 1958, S. 224 ff.) in 2. Sam. 21 an »Michal« fest. Hiergegen kann jedoch mit Nachdruck auf 2. Sam. 3,15 ff. hingewiesen werden, wo Michals Mann als Paltiel, Lajischs Sohn, nach 1. Sam. 25,44 aus Gallim, erwähnt wird. (Was das Verhältnis zwischen 2. Sam. 3,15 ff. und 1. Sam. 25,44 anbetrifft, vgl. unten S. 179.) Allerdings betont *Stoebe,* daß im Gegensatz zu 2. Sam. 21, wo Adriel in einem sinnvollen historischen Zusammenhang erscheine, die »Angaben über den Mann, mit dem Mikal nach I Sam. 25,44 II Sam. 3,16 in zweiter Ehe verheiratet worden ist, viel weniger greifbar« wirken (a. a. O., S. 231). Hinter den näheren Angaben über Paltiel stehe keine gesicherte Überlieferung. Selbst wenn *Stoebe* darin recht haben mag, daß die näheren Angaben über Paltiel künstliche Erzeugnisse seien – was anderseits nicht ganz zu überzeugen vermag –, kommt man jedenfalls um den Namen Paltiel selbst für den Mann Michals nicht herum! Die an und für sich durchaus berechtigten Bemühungen, 2. Sam. 21,8 im MT zu retten, verleiten jedoch zu allzu vielen, höchst hypotetischen Vermutungen. – Auch *J. J. Glück* (Merab or Mikal, ZAW, 77, 1965, S. 72 ff.) behält »Michal« in 2. Sam. 21,8 bei, wenngleich unter anderen Voraussetzungen als *Stoebe.* Er sieht nämlich in der Erwähnung von Michals Mann Adriel, des Meholiten Barsillaj's Sohn, in Kap. 21,8 eins der im AT zahllos vorhandenen Beispiele für die Ungenauigkeit bei der Angabe von Familienbeziehungen. Hinzu kommt, daß *Glück* auch der Meinung ist, eine historische Erklärung dafür geben zu können, warum David

Zweck dann der Verfasser die Episode in V. 17–19 konstruiert hat, hat man den Anlass dazu wohl in Kap. 17,25 zu suchen. Wie sich der Verfasser in der Abfassung von Kap. 18, 1–4 an Kap. 17 orientiert hat, so auch in V. 17–19. Doch ist das nur der mutmaßliche Grund. Weshalb ausgerechnet die älteste Tochter? Begreiflicherweise um nachdrücklich Davids Anspruch auf den Thron zu legitimieren. David war also nicht nur mit der jüngsten Tochter Sauls verheiratet, wie es in der vom Verfasser benutzten volkstümlichen Erzählung Kap. 18,20 ff. berichtet wird, sondern auch – und das ist von Bedeutung – mit der ältesten Tochter war eine Ehe in Aussicht genommen. Warum aber läßt der Verfasser überhaupt den König sein Versprechen nicht halten? Der Verfasser lebt nicht so sehr lange nach der Zeit Davids und hat daher damit rechnen müssen, daß seine Berichterstattung über eine so gewichtige Begebenheit von seinen Zeitgenossen hätte nachgeprüft werden können. Wenn Merab nämlich niemals mit David verheiratet war, und das dürfte aus V. 17–19 deutlich geworden sein, wäre es unmöglich gewesen, diese Behauptung aufzustellen, ohne daß sich nicht Protest erhob. Man hört auch nirgends in den Saul- und David-Überlieferungen davon, daß David Merab zur Frau gehabt haben soll. Hingegen ist es viel schwieriger, die Behauptung nachzuprüfen, Saul habe David Merab *versprochen,* dieses Versprechen aber nicht gehalten. Endlich baut der Verfasser auf die volkstümliche Überlieferung von Michal und David in V. 20 ff. weiter. Beim Zustandekommen der zuletztgenannten Tradition haben, wie schon vordem erwähnt, die Jakob–Laban-Überlieferungen als Vorlage gedient. Laban hatte ja auch eine Tochter mit Namen Lea! Auch sie war die älteste Tochter! Jakob wurde sowohl mit Rahel als auch mit Lea verheiratet. Darüber hinaus wurde Jakob *zuerst* Lea zugeführt. Erinnert sei auch daran, daß Jakob beim ersten Mal von Laban betrogen worden war. Es haben sich also dem Verfasser genügend Berührungspunkte zwischen der David–Merab-Episode und den Jakob–Laban-Überlieferungen als Material angeboten, um auf diesem Hintergrund Kap. 18,17–19 abzufassen.

Auf die volkstümliche Überlieferung von David und Michal in Kap. 18,20–27 und 19,11–17, die der Verfasser vorgefunden und für seine Zwecke nutzbar gemacht hat, braucht nicht noch näher eingegangen zu werden. Auch soll zur Frage ihrer Historizität nicht Stellung genommen werden. Es handelt sich um eine Erzählung über Liebe und Heldentaten, sowie auch über die unglaubliche Launenhaftigkeit eines Menschen: König Saul, der (anfangs) mit Sympathie auf die Liebe seiner Tochter zu David blickt und nach Bezahlung einer reichlichen Brautsumme sie ihm zur Frau gibt, gereut es am Tage der Hochzeit, und er beschließt, den Bräutigam am kommenden Tage umzubringen! Nur

Barsillaj's Enkelkinder (vgl. 2. Sam. 17,27 ff.; 19,31 ff.!) nicht hat ausliefern können, und weshalb es gerade die Kinder seiner Frau Michal aus erster Ehe waren (das schlechte Verhältnis zwischen Michal und David, sowie Davids Furcht, ihre Söhne könnten Anspruch auf den Thron erheben).

zwischen den Zeilen wird der Grund für Sauls Handlungsweise angegeben, doch bleibt selbstverständlich für Deutungen Spielraum. Der Verfasser gibt der Erzählung ein Verständnis, wonach Saul bereits von Anfang an Böses im Sinn hatte, indem er V. 21 a und 25 b einschob [110]. Weiter hat der Verfasser das Paradoxe der Handlungsweise Sauls in 19,11 ff. dadurch aus dem Wege geräumt, daß er diesen Versen einen nochmaligen Versuch Sauls voranstellte, David mit seinem Spieß zu durchbohren, während dieser auf seiner Harfe vorspielte (V. 9 f.). Diese Schilderung hat er im voraus angedeutet durch die Bemerkung in Kap. 18,11 b, daß David Saul zweimal entkam.

Damit haben wir hoffentlich eine zufriedenstellende Antwort auf die Frage gefunden, weshalb die Überlieferung von David und Michal in der Mitte durchgeschnitten worden ist. Unsere Ausführungen werden noch prägnanter, wenn wir nun ganz kurz die wesentlichen Konturen in Kap. 18,5–19,17, zunächst aus der Sicht Sauls und danach aus der Davids, kurz skizzieren. Sichtlich hat der Verfasser die Absicht verfolgt eine Entwicklung der Haltung Sauls gegenüber David darzustellen. Saul hat wegen Davids Erfolg im Krieg und der sich daraus ergebenden großen Popularität im Volk Angst, sein Thron sei in Gefahr, vgl. V. 8. Einstweilen gipfelt diese Befürchtung in Sauls verzweifeltem Versuch, David zu ermorden (V. 11 [111]). Auf Angst vor David entfernt ihn Saul und macht ihn zum Anführer einer Tausendschaft, doch das Glück folgt David in jeder Beziehung auf dem Fuß (V. 12–16). Jetzt sieht der König keinen anderen Ausweg, als seine Töchter als Werkzuge zur Beseitigung Davids einzusetzen (V. 21!). Doch mißglückt sein Vorhaben auf ganzer Linie, da David den Philistern eine Niederlage nach der anderen bereitet und sein Ruhm noch größer wird. Daher fürchtet Saul ihn noch mehr und wird ihm immer feindseliger gesinnt (V. 28–30 [112]). Saul hat also sein Ziel auf direktem Wege nicht erreichen können, darum teilt er Jonathan und

110. In V. 21 b – wie in V. 17 – spricht Saul David direkt an, während er in V. 22 ff. mit ihm über seine Leute verhandelt, vgl. *Nübel,* a. a. O., S. 29 f.
111. Eigentümlich wirkt, daß Saul in V. 10 durch einen *bösen* Geist Gottes in Raserei, in prophetische Verzückung (נבא im Hitpael) gerät (vgl. Kap. 16,14. 23; 19,9). Es ist bezeichnend, daß dieses Verb so oft mit der Person Sauls in Verbindung gebracht wird, vgl. Kap. 10,6. 10. 13; 19,23 f. Sowohl in Kap. 10 als auch in Kap. 19 wird die prophetische Verzückung durch den Geist Gottes ausgelöst, und obwohl die Äußerung in Kap. 10,12 und Kap. 19,24 kaum als ein Kompliment aufgefaßt werden darf (vgl. *J. Lindblom,* Profetismen i Israel, 1934, S. 110), steht dennoch dahinter nicht die Ansicht, als wäre die Verzückung durch einen *bösen* Geist Gott bewirkt.
112. Diese Verse können natürlich nicht zu den vorhergehenden V. 20–27 gehört haben, sondern gehen – wie V. 17–19. 21 a und 25 b – auf den Verfasser zurück, da in ihnen vor allem deutlich wird, daß V. 20–27 der jetzigen Darstellung Sauls in seiner ständig wachsenden Angst vor David und seinem zunehmenden Haß ihm gegenüber angepaßt worden sind.

seinen Leuten offen mit, daß er die Absicht habe, David zu töten. Jonathan hinterbringt dies natürlich (vgl. 18,1 ff.!) David und verspricht ihm, mit Saul über seine Sache zu sprechen. Jonathan betont seinem Vater gegenüber Davids Mut im Kampf gegen Goliath und die Bedeutung dieses Kampfes für das ganze Folk. Saul läßt sich besänftigen und verspricht unter Eid, David nicht zu töten, und nimmt ihn wieder zu sich (vgl. 18,13 a), 19,1–7. Während David wieder Saul mit seinem Harfenspiel unterhält, wiederholt Saul seinen Mordversuch, doch erneut ohne Erfolg, V. 9–10. David flüchtet in sein Haus, das Saul bewachen läßt, um ihn am Morgen zu töten, doch durch die Hilfe seiner Frau Michal kann David entkommen, V. 11–17.

Dem König will also schlechthin nichts gelingen. Alles kehrt sich für David zum Guten. Das ist es ja nicht allein, daß er zwei Mordanschlägen Sauls entgeht und die Philisterkriege überlebt. Alles bekommt für David in Wirklichkeit positive Bedeutung oder Wendung – auf seinem Weg zur Königsherrschaft über Israel. Er gewinnt die Gunst des Volkes auf Grund seiner Taten. Von den beiden Töchtern Sauls, die eigentlich Ursache zu seinem Fall sein sollten, wird Michal seine Frau. Er wird Schwiegersohn des Königs und kommt damit dem Thron näher. Und der älteste Sohn des Königs, Jonathan, ergreift sogar gegen seinen Vater für ihn Partei.

So also ist – aus der Perspektive der beiden Hauptfiguren Saul und David, des verworfenen und des designierten Königs, gesehen – in Kap. 18,5–19,17 der Gang der Handlung [113]. Die Haltung gegenüber König Saul in diesem Abschnitt macht auf den ersten Blick einen ausgesprochen negativen Eindruck. Nun sollte man sich aber daran erinnern, daß es sich bei den Versen, in denen Saul David nach dem Leben trachtet (18,10 f. und 19,9 f.), um Stoff handelt, den der Verfasser vorgefunden und demnach also verwertet hat. Vielleicht hat der Verfasser darin, daß Sauls verzweifelte Handlungsweise eine Folge seiner Besessenheit (er war ja von einem bösen Geist besessen) sei, eine Art mildernden Umstand sehen wollen. Jedenfalls dürfte aus Kap. 19,1 ff. ersichtlich sein, daß David Sauls Handeln nicht als Folge einer durchweg

113. Mit Recht macht *Herzberg* (Komm., S. 113) darauf aufmerksam, daß die Wiederholung der Verben מות im Hiphil und מלט diese zu den herausragenden Stichworten macht. Es muß jedoch betont werden, daß die Wiederholung dieser Verben für den Abschnitt Kap. 19,1–17(18), und nicht, wie *Hertzberg* anscheinend meint, für 19,1–24 charakteristisch ist. Von Kap. 19,1 an ist König Saul ganz von dem Verlangen durchdrungen, David zu töten, koste es, was es wolle, vgl. V. 1. 2. 5. 11. 15 (מות Hiph.) und 6. 11 (מות Hoph.). Aber es mißlingt auf ganzer Linie, denn David entkommt (מלט Niph.); lediglich in V. 17 steht מלט allein, während in V. 10. 12. 18 neben מלט eine Form von נוס steht – in V. 10 – an den anderen Stellen eine Form von ברח. Wahrscheinlich beruht der Wechsel von נוס und ברח auf dem Grund, zu variieren. Natürlich kann man auch annehmen, daß sich hinter dem Niph. von מלט verbirgt, daß es Jahwe ist, der David hilft. Jahwe ist mit seinem Gesalbten!

feindlichen Haltung von seiten des Königs aufgefaßt. Zudem erzielte der Verfasser durch die Teilung der Geschichte von Davids und Michals Hochzeit in zwei Teile, nämlich 18,20 ff. und 19,11 ff., eine wesentliche Abschwächung des ursprünglich von Saul gezeichneten Bildes. Saul wird nicht so barbarisch geschildert, daß er nicht doch noch von dem Versuch hätte Abstand nehmen können, seinen Schwiegersohn unmittelbar nach der mit der Tochter verbrachten Hochzeitsnacht zu töten. Bestimmt gehen 18,17–19. 21 a. 25 b auf den Verfasser zurück. Wenn Saul – im Widerspruch zum Inhalt in 18,10 f. und 19,9 f. – nicht will, daß David durch seine eigene Hand, sondern im Krieg gegen die Philister umkommt, kann doch auch hierin eine mildernde Absicht liegen. Im übrigen ist Sauls Trachten in der Hinsicht weniger »barbarisch« als das Davids im Zusammenhang mit Uria [114].

Steht also nur noch die Untersuchung von Kap. 19,1–7 aus, Jonathans geglückter Versuch, den König mit David zu versöhnen. Zuvor haben wir in der Erzählung über Davids Dienst bei Saul zwei Motive feststellen können. Eine Harmonisierung dieser beiden Motive lag in Kap. 18,13 a vor: Saul entfernt den *Harfenspieler* David (vgl. die vorhergehende Szene in V. 10 f.) und macht ihn zum *Heerführer* (Anführer einer Tausendschaft). Diesem Vers entspricht indessen Kap. 19,7 b: Nach gelungener Schlichtung führt Jonathan David zu Saul, und David steht erneut dem König zur Verfügung (ויהי לפניו). So ist von der Komposition her der Weg frei für einen neuen Anschlag auf David, während dieser mit seinem Harfenspiel dem König Linderung zu verschaffen sucht, V 9 f. (Wie in Kap. 18 sind der Beweggrund für diesen Anschlag Davids Kriegserfolge, vgl. 19,8!). Unsere Betrachtungen über den Aufbau des Abschnitts in Kap. 18,5–19,17 münden natürlich darin aus: Kap. 19,7 b stammt vom Verfasser. Das gilt auch für V. 1, der zu dem oben skizzierten Verlauf der Handlung paßt: Sauls Pläne entwickeln sich von heimlichen Überlegungen zu ihrer offenen Preisgabe an Menschen aus seiner nächsten Umgebung, seinen Leuten (כל עבדיו) und vor allem seinen Sohn, V. 5 – mit dem Hinweis auf Davids Mut im Kampf gegen Goliath, der mit dem Sieg Israels ausging (vgl. 17,52 f.) – geht auch auf den Verfasser zurück [115]. V. 2 a bildet eine notwendige Fortsetzung von V. 1, insofern Jonathan – nachdem er von Sauls Plan erfahren hatte – sich an David wendet. Jonathan verrät die Absicht des Vaters und warnt ihn vor dem morgigen Tag, indem er David den Rat gibt, sich zu verbergen. Daß bei dem morgigen Tag (בבקר) ge-

114. Übrigens ist nicht ausgeschlossen, daß der Verfasser gerade bei der Schilderung der Gedanken Sauls Züge aus dem Zusammenhang Davids mit Uria, 2. Sam. 11, entlehnt hat. David setzte allerdings seinen Willen durch, Saul dagegen nicht!
115. Charakteristisch ist der Ausdruck כל ישראל, vgl. Kap. 17,11; hier haben wir sicher die umfassende Bedeutung, d. h. einschließlich Juda, vor uns.

rade an den Morgen nach der Hochzeitsnacht zu denken ist (vgl. V. 11 b), ist nicht wahrscheinlich, da gemäß 18,28 f. nach der Hochzeit eine geraume Zeit verstrichen sein müßte [116]. In Wirklichkeit hängen Jonathans Worte in der Luft, was nicht zuletzt aus dem folgenden V. 3 hervorgeht. Mit Recht macht hier *Hertzberg* [117] darauf aufmerksam, daß sich die beiden Aussagen schwerlich miteinander vereinbaren ließen, daß einmal Jonathan David den Rat gibt, an einem verborgenen Ort zu warten, zum anderen aber mitteilt, daß er in einem Gespräch mit dem Vater »auf dem Felde, wo du bist« Klarheit zu schaffen bemüht sei. Daher nimmt *Hertzberg* an, in V. 3 steckten zwei verschiedene Überlieferungen, von denen sich die erste auf die Worte »wo du bist« bezöge, die zweite dagegen den Rest des Verses umfaßte. Nach *Hertzberg* hat die zweite Überlieferung ursprünglich »zu dem Ganzen des Berichts« gehört, während die erste an die Situation in Kap. 20, das eine Szene »auf dem Felde« enthält, erinnere [118]. Doch scheint es einfacher zu sein, wenn man annimmt, der Verfasser habe aus der in Kap. 20 vorliegenden Überlieferung Züge übernommen, die er dann teils für seinen speziellen Zweck veränderte, teils aber auch unvermittelt stehen ließ. So heißt es beim Verfasser, in Kap. 19,2, daß Jonathan zu David kam – im Gegensatz zu Kap. 20, wo in V. 1 David zu Jonathan kommt. Bei ihm ist der Ausgang des Gesprächs zwischen Jonathan und Saul in 19,7 positiv – während er in Kap. 20 höchst negativ ausfällt. Darüber hinaus hat er von Kap. 20 das »auf dem Felde« (= im Freien [119]) übernommen, vgl. 20,5. 11. 24. 35; hier sollte sich David nach der Unterredung verbergen (vgl. 20,5. 24), was wiederum das im Zusammenhang mit 19,3 stehende unverständliche »das Feld, wo du bist« erklärte [120]. Diese Wendung ist dadurch nicht verständlicher geworden, daß Jonathan mit seinem *Vater* auf dem Feld zu sprechen beabsichtigt; in Kap. 20 ist es David, der mit Jonathan auf dem Feld spricht,

116. Dagegen könnte man fragen, ob in dem unmittelbar Vorhergehenden wirklich etwas ist, was eine Erklärung dafür enthält, daß David sich ausgerechnet »am Morgen« in acht nehmen soll. Das scheint nicht der Fall zu sein.
117. Komm., S. 131.
118. In ähnlicher Weise spricht *Gressmann* (Die älteste Geschichtsschreibung, 1921, S. 80) davon, in Kap. 19,1 ff. lägen Reste einer selbständigen Überlieferung vor, die verlorengegangen sei. Diese Überlieferung möchte er in V. 2–3 wiedererkennen, da diese Verse den Zusammenhang störten. Die Überlieferung sei nach Gressmann vielleicht eine Variante zu Kap. 20,19.
119. Bei שדה muß an das Gebiet außerhalb der Stadt gedacht sein, nicht an ein bestimmtes Feld. Bezüglich dieser Bedeutung von שדה kann auf Jos. 21,12 hingewiesen werden; vgl. auch Kap. 21,1 b: Jonathan geht (aus dem Freien kommend) wieder in die Stadt.
120. David befindet sich ja gerade nach Kap. 20,12 ff. mit Jonathan im Freien. Hinzu kommt, daß V. 7 a möglicherweise voraussetzt, daß sich David in der Nähe Jonathans (und Sauls) befinde, vgl. *Smith,* Komm., S. 176, was zu Kap. 20,35 ff. gut passen würde.

während die Unterredung mit dem Vater zuhause beim Neumondfest stattfindet. Auch ist nicht unwahrscheinlich, daß das in seinem Zusammenhang derart beziehungslos stehende בבקר von Kap. 20 beeinflußt worden sei, vgl. V. 5. 12. 18. 35.

Die Entlehnung von Merkmalen aus Kap. 20 durch den Verfasser kann also kaum in Zweifel gezogen werden [121]. Auch *Nübel* [122] spricht davon, daß Elemente von Kap. 19,1–7 Kap. 20 entnommen seien; wenn er aber im folgenden mit Hilfe von Elementen aus Kap. 19,1–7 (und 23,16 ff.) eine ursprünglich folgerichtige Erzählung, in welcher K. 20 »einen dramatischen Höhepunkt bildete«, zu rekonstruieren versucht, vermag man ihm darin nur schwer zu folgen. Was verschafft uns überhaupt das Recht, das Vorhandensein einer solchen »folgerichtigen« Erzählung zu fordern, wie *Nübel* – und mit ihm die meisten Literarkritiker – es tut [123]?

Zu welchem Zweck hat der Verfasser eigentlich diese Erzählung von Jonathans überraschend erfolgreichen Schlichtungsbemühungen geschaffen? Auf diese Frage gibt es keine bessere Antwort als ein Zitat von *Hertzberg:* »Mit hoher Kunst hat der Verfasser an dieser Stelle, als retardierendes Moment [124] in der Tragödie, den Versöhnungsversuch des Kronprinzen hergestellt.« [125] Der Verfasser wollte demnach den endgültigen Bruch zwischen Saul und David in die Länge ziehen, was natürlich die Spannung erhöhte.

121. *Mowinckel* spricht sich folgendermaßen aus: Hier liege »ein phantasieloser Widerhall von I 20,3 ff.« vor (GTMMM, II, S. 203).
122. A. a. O., S. 31.
123. *Eissfeldt* (Die Komposition, S. 13) spricht ebenfalls von einer Parallelität zwischen Kap. 19,1–7 und Kap. 20, was einen »sekundären Austausch von Elementen der beiden Stücke zur Folge« gehabt habe.
124. Was das retardierende Moment in der Erzählkunst anbetrifft, siehe *Hempel,* Die althebräische Literatur, S. 84 ff. Siehe auch *Gunkel,* Genesis, S. LII ff.; *A. Olrik,* Epische Gesetze, 1909, S. 9; *A. Schulz,* Erzählungskunst in den Samuel Büchern, 1923, S. 191 f.
125. Komm., S. 131.

KAPITEL III

Davids Flucht in die Wüste Juda

(1. Sam. 19,18–22,23)

Auf seiner Flucht kommt David von Gibea (19,18 a, vgl. V. 12 b) nach Rama, von wo aus er weiter fliehen muß (20,1 a). Danach sucht er Jonathan auf und bittet ihn erneut, die Haltung Sauls zu erkunden. Da das Ergebnis negativ ist, bricht er wieder auf und kommt nach Nob (21,2 a), wo er bei dem nichtsahnenden Priester Aufnahme findet. Schließlich flieht er von hier aus über Gath (21,11 ff.) und die »Bergfestung« Adullam (22,1 ff.) ins Land Juda. So gelangt David endlich aus Sauls unmittelbarer Machtsphäre.

Der gesamte Abschnitt 1. Sam. 19,18–22,23 hat einen planmässigen Aufbau. Er beginnt mit ודוד ברח וימלט [1], das V. 12 b wieder aufnimmt [2]. Jeder Unterabschnitt wird mit einem ויבא eingeleitet, vgl. V. 18 a; 20,1 b und 21,2 a. 11 b. Diese Unterabschnitte haben offenbar grundsätzlich einmal selbständige Einheiten dargestellt und sind vom Verfasser aneinandergereiht worden. Die ursprünglichen Einheiten sind also Kap. 19,18–24; Kap. 20; Kap. 21,2 a ff. und 22,6 ff. Dazu kommen 21,11 ff. und 22,1 ff. Es handelt sich demnach um fünf oder sechs [3] ursprünglich selbständige Einheiten, die der Verfasser zur Abfassung dieses Hauptabschnitts verwendet hat.

A. Davids Flucht zu Samuel nach Rama (Kap. 19,18-24)

David kommt nach Rama, wo er sich mit Samuel in »Najoth« (Qere) aufhält. Dreimal schickt Saul Boten nach Rama, doch jedesmal werden diese von der Extase der Propheten »angesteckt«. Zuletzt macht sich Saul selbst auf den Weg, wird aber schon auf dem Wege dorthin vom Geist Gottes überwältigt. Vor Samuel reißt er seine Kleider entzwei und bleibt dort den Rest des Tages und die Nacht über nackt liegen.

1. Was diese Wendung anbetrifft, siehe Anm. 92, und Kap. II Anm. 113.
2. V. 12 b wiederum wird durch V. 10 b vorbereitet, in dem sich ודוד נס וימלט nicht direkt auf den umittelbar davor berichteten Anschlag Sauls bezieht, da hier Davids Rettung hingänglich durch das Verb יפטר gekennzeichnet ist, vgl. *Smith,* Komm., S. 178.
3. Über das Verhältnis zwischen Kap. 21,2 ff. und 22,6 ff. siehe unten S. 127 ff.

Budde leitet diese Perikope wie Kap. 16,1–13 aus derselben späten »Midraschquelle« her [4]. Die Perikope könne nämlich nicht zu »E« [5] gehört haben, da sie sich im Widerspruch zu 15,35 a (E) befände, wo steht, daß Samuel Saul nie wiedergesehen habe [6]. Nach *Budde* hat die Perikope wesentliche Motive aus Kap. 10 (J) übernommen (Sauls Verzückung, der Ausspruch über Saul unter den Propheten), doch habe sich der Charakter dieser Motive vollständig geändert. »Alles dies beweist, wie frei sich der Verfasser in seinem Fabulieren bewegte«. Auch unterstreicht *Budde* die Ähnlichkeit mit der Elia-Erzählung in 2. Kg. 1 [7], da er die Herkunft dieser Erzählung aus derselben Midraschquelle vermutet.

Hertzberg [8] dagegen möchte in V. 18–24 eine echte Überlieferung erkennen, eine (möglicherweise in Rama überlieferte) Legende, parallel zu Kap. 10,10–12 [9].

Nübel [10] verbindet V. 18–24 ebenfalls mit Kap. 16,1 ff. Er rechnet die Episode der Gr. zu »Eine Zutat von späterer Hand ist bei dem strengen Schnitt des Berichs ausgeschlossen.« Das hieße, die Perikope würde aus der frühesten Regierungszeit Davids sammen [11].

Bereits bei der Behandlung von Kap. 16,1–13 (Davids Salbung) sahen wir einen Zusammenhang mit dem Komplex 1. Sam. 9–10,16 [12]. Wir ließen die Frage offen, ob die Erzählung von Sauls Jagd nach den abhandengekommenen Eselinnen und seine Salbung wirklich als Komplex vor der Vorgeschichte vorhanden gewesen ist. Mag das Salbungsmotiv ursprünglich nicht mit dazugehört haben [13] oder doch ein Bestandteil der ältesten Erzählung ge-

4. Komm., S. 139.
5. Nach *Mowinckel* (GTMMM, II, S. 204 f.) gehört gerade Kap. 19,18–24 zu E., insofern in ihm eine Variante zu Kap. 10,9–12 (J) vorliege.
6. Vgl. auch *Gressmann,* Die älteste Geschichtsschreibung, 1921, S. 82; hiergegen wendet *Eissfeldt* – unter Hinweis auf 1. Kg. 12,16; Jes. 5,12; 22,11 und 26,10 – ein, ראה in Kap. 15,35 habe die Bedeutung »nach etwas sehen, sich um etwas kümmern«, so daß 19,18–24 sehr gut mit zu derselben Quelle gehört haben kann. Siehe unten S. 119 f.
7. *Budde,* Komm., S. 139. König Ahasja sendet dreimal einen Offizier mit 50 Mann fort, um Elia zu ergreifen, die ersten beiden Male werden sie von Feuer vom Himmel verzehrt, während der Offizier, der an dritter Stelle geschickt wird, Elia zum König bringt, V. 9–17.
8. Komm., S. 134.
9. *Kirkpatrick,* der in seinem Komm. (S. xix) davon spricht, V. 18–24 »may be derived from some independent tradition«, möchte in keine Parallele zu Kap. 10,10 ff. sehen, da »both incidents may have occurred« (a. a. O., S. 163)!
10. A. a. O., S. 32 f.
11. S. 124. Merkwürdigerweise stellt *Nübel,* obwohl er doch gerade annimmt, daß der Bearbeiter (= B.) von den Eliaüberlieferungen abhängig sei, vgl. S. 147 ff., zwischen V. 18 ff. und 2. Kg. 1 keine Gemeinsamkeit fest.
12. Siehe oben S. 71 ff.
13. So *Stoebe,* VT, 7, 1957, S. 368.

wesen sein [14], manches spricht dafür, daß der Komplex Kap. 9,1–10,16 im großen und ganzen in der gegenwärtigen Form vor der Ausarbeitung der Vorgeschichte schon verlag. Dies ließe sich noch weiter begründen durch einen Vergleich von Kap. 19,18–24 mit Kap. 10,10 ff. (vgl. V. 5 f.).

An früherer Stelle haben wir Kap. 9,1–10,16 als eine Gilgal-Tradition charakterisiert. Wenn es sich in der Tat so verhält, nimmt die Wahrscheinlichkeit zu, daß dieser Komplex für die Vorgeschichte über David »Stoff« geliefert hat. Wir sahen z. B. bei der Behandlung von Kap. 15, daß hinter dem Bericht über die Verwerfung Sauls auch eine Gilgal-Tradition stand [15]. *Hertzberg* [16] vermutet indessen, Kap. 9,1–10,16 seien in Bethel gesammelt worden, und versucht dieses Problem folgendermaßen zu lösen: Hinter dem Bericht stünden zwei Lokalüberlieferungen, von denen die eine eine Erzählung von einem unbekannten Seher enthalte, den Saul auf seiner Jagd nach den abhandengekommenen Eselinnen, weit von seiner Heimatstadt entfernt, aufsucht; dieser verheißt ihm auf abenteuerliche Weise die künftige Königswürde. Diese Überlieferung stamme aus Ramathajim in Zuph. Die andere Überlieferung erzähle von einem Besuch, den Saul in der Nachbarstadt Rama bei Samuel abstattet, der Saul überraschend einlädt, ihn salbt und ihm Zeichen mit genauen Ortsangaben vorhersagt. Diese Überlieferung sei in Rama gepflegt worden. Eine Vereinigung dieser beiden Überlieferungen zu dem jetzigen Komplex ist nach Meinung *Hertzberg*'s möglicherweise in Bethel erfolgt, »dem hier mehrfach neben Rama genannten Heiligtum, das ja auch mit Samuel (7,16) ausdrücklich zusammengebracht wird.« Selbst wenn *Hertzberg* im Prinzip mit seiner Bestimmung der Bestandteile des Komplexes recht hat [17], dürfte Bethel wohl kaum der Ort gewesen sein, wo der Komplex als solcher entstanden sei. Wie vordem erwähnt, deutet viel auf Gilgal hin. Wenn die Königsakklamation in Gilgal stattfand (vgl. Kap. 11,15), geht man sicher recht in der Annahme, daß die Überlieferung mit der Berichterstattung über die Designation Sauls zum König, auch dort gang und gäbe gewesen ist [18]. Nun war Gilgal ursprünglich ein benjaminitisches Heiligtum, das aller Wahrscheinlich-

14. So *Hylander,* a. a. O., S. 137 f., 152.
15. Vgl. oben S. 47 ff. 65 ff.
16. Komm., S. 61.
17. Es handelt sich hier um die Bestimmung der benjaminitischen und ephraimitischen Bestandteile des Komplexes; doch wieder müssen hier Zweifel in bezug auf ihre ursprüngliche »Ortsgebundenheit« angemeldet werden. Besser hat man sie einfach als benjaminitisch bzw. ephraimitisch zu bezeichnen, vgl. vor allem die Ansicht über Samuels Heimatstadt.
18. Überhaupt hat man wohl damit zu rechnen, daß die Einsetzung eines Königs in den Saulüberlieferungen bereits vor dem Zustandekommen der Vorgeschichte unter dem Aspekt: Designierung von Jahwe – Akklamation durch das Volk gesehen worden ist. Das hieße mit anderen Worten, daß Kap. 9,1–10,16 und Kap. 11 zu einem frühen Zeitpunkt zusammengekommen sind.

keit nach Silo als Zentralheiligtum der Amphiktyonie abgelöst hatte [19]. Zu dieser Zeit scheint Ephraim der tonangebende Stamm dieses Stämmebundes gewesen zu sein – was wir früher bereits betonten [20]. Gehen wir davon aus, daß das Heiligtum in Gilgal ein benjaminitisches Lokalheiligtum war, das zur Zeit Sauls in dem unter ephraimitischer Vorherrschaft stehenden Stämmebund als Zentralheiligtum diente, findet sich für den von *Hertzberg* angesprochenen doppelten Aspekt in Kap. 9,1–10,16 durchaus eine Erklärung [21].

Die gemeinsamen Züge in Kap. 10,10–12 und 19,18–24 sind nicht von der Hand zu weisen. Das gilt nicht bloß für den Ausspruch über Saul unter den Propheten (10,11 und 19,24), sondern auch für dessen Hintergrund. An beiden Stellen wird Saul vom Geist Gottes überwältigt, so daß er in prophetische Extase gerät. An beiden Stellen wird die Extase durch »Ansteckung« ausgelöst. Auf der anderen Seite finden sich in Kap. 19,18–24 auch Merkmale, die in Kap. 10,10 ff. ihresgleichen nicht haben. So ist die Erwähnung der Boten etwas Neues, ein Motiv, das man auch im vorhergehenden antrifft, wo Saul in V. 11 und 15 f. Boten (מלאכים) ausschickt, um David zu ergreifen. In V. 18 ff. werden *drei* Mal Boten ausgeschickt, ein bekanntes episches Charakteristikum [22]. Es besteht daher kein zwingender Grund, mit *Budde* und *Hertzberg* zur Erklärung der *drei* Mal abgesandten Boten 2. Kg. 1 mit heranzuziehen. Letzten Endes besteht nämlich das Gemeinsame lediglich in der Zahl *drei*.

In Kap. 19,20 a tritt Samuel anscheinend als eine Art Lehrmeister für Extatiker auf. Darin unterscheidet sich 19,20 a augenscheinlich von Kap. 10, wo Samuel in keiner Weise an dem extatischen Auftreten der Propheten beteiligt ist; er steht ganz abseits. Schließlich findet sich in 19,18. 22 f. das problematische נוית. Man hat entweder an einen Ort oder ein Gebäude, in dem die extatischen Übungen abgehalten wurden, gedacht [23]. Mit Recht muß man

19. Vgl. oben S. 67. Siehe auch *Noth,* Geschichte Israels, S. 158, wo jedoch nicht – wie bei *Alt* (Kleine Schriften, II, S. 21) – von einem amphiktyonischen Heiligtum die Rede ist. Dagegen bezeichnet *Engnell* (SBU, I, Sp. 709) Gilgal als »zentralen Kultort« zur Zeit Sauls.
20. Vgl. oben S. 66.
21. *Mowinckel* meint (GTMMM, II, S. 170), Kap. 9,1–10,16 seien im Geschlecht Sauls entstanden und somit alt, da eine spätere Zeit kein Interesse an der Verherrlichung Sauls gehabt haben wird; bei dieser Auffassung hat *Mowinckel* allerdings nur das benjaminitische Element ins Auge gefaßt.
22. Vgl. *Olrik,* Epische Gesetze, S. 4; *Schulz,* Erzählungskunst, S. 182.
23. Vgl. z. B. *Jacob,* La Tradition historique, S. 56 ff. und *Lindblom,* Profetismen i Israel, S. 114. *Jacob* übersetzt mit »les demeures« und folgert aus dieser Stelle und Kap. 10,5, daß bei Rama und Gilgal Prophetenbruderschaften oder -schulen (»confréries ou écoles«) in der Art bestanden haben, wie wir sie später unter König Ahab und nach dessen Zeit wiederfinden (vgl. 2. Kg. 2,3; 4,38; 6,5). *Lindblom* identifiziert נוית mit dem in 2. Kg. 6,1 ff. erwähnten, aus Balken zusammengezimmerten Raum, in dem die Prophetensöhne saßen.

bekennen, daß damit noch keine befriedigende Erklärung für den rätselhaften Ausdruck [24] gefunden ist. Gleichviel, die genannten Merkmale lassen sich jedenfalls nicht aus Kap. 10 herleiten. Samuel in Eigenschaft als »Lehrmeister« extatischer Propheten ist wirklich ohne Beispiel. Dieses Charakteristikum fehlt in den alten Samuelüberlieferungen, die in ihrer Darstellung Samuels sonst alles Mögliche in sich aufgenommen haben! Samuels Rolle entspricht eigentlich der Rolle, die wir bei einem Propheten wie Elisa wiederfinden, der als »Vater« einer Prophetenzunft auftritt. Allerdings besteht, was das Verhältnis Samuels zu den Propheten in Kap. 19,18 ff. angeht, eine gewisse Unklarheit. So wohnt Samuel schlechtin in Rama, nicht in »Najoth«, wohin er mit David geht. Während ausdrücklich beschreiben wird, daß die Boten Sauls bei ihrer Extase durch die versammelten Propheten angesteckt wurden, verhält es sich bei Saul anders, der in Extase gerät, *bevor* er zu Samuel nach Rama kommt, wobei in V. 24 (vgl. Kap. 10!) Samuel nicht ausdrücklich neben den Propheten erwähnt ist. Sauls Demütigung, die mit einem gewissen Spott geschildert wird [25], ist nur eine Angelegenheit zwischen ihm und Samuel. Wie in Kap. 10 gerät Saul schon unterwegs in Extase, *nicht* erst bei der Begegnung mit Samuel.

Bei alledem hat man den Eindruck, daß in Kap. 19,18 ff. ein klarer Hinweis auf einen Zusammenhang mit dem Gilgal-Traditionskomplex Kap. 9,1–10,16 enthalten ist. Im Blick auf Kap. 16,1 ff., den Bericht über Davids Salbung durch Samuel, ging unsere Vermutung dahin, daß es sich bei diesem Abschnitt um eine – wichtige – Konstruktion des Verfassers handelte. Dasselbe scheint auch für den Bericht über Davids Flucht zu Samuel nach Rama zuzutreffen [26]. Der Verfasser baut auf Bestandteilen des Gilgal-Komplexes weiter auf. Grundsätzlich verändert ist der Rahmen für den Ausspruch über Saul unter den Propheten (Verächtlichmachung der extatischen Propheten); aus den ursprünglichen Bestandteilen der Überlieferung hat der Verfasser einen Bericht geformt, der in seinen Plan (die Geschichte von der Flucht Davids) und zur Intention der Vorgeschichte paßt. Das Motiv des extatischen Saul hat im Gegensatz zu Kap. 10,10 ff. (5 ff.) eine wesentliche Umgestaltung erfahren. Saul wird vom Geist Gottes ergriffen, festgehalten in einem extati-

24. Vielleicht – das kann nur eine bloße Vermutung sein – hat die Erzählung einen mythischen Hintergrund und enthält etwas vom Aufenthalt Gottes in der Unterwelt? David befindet sich ja auf der Flucht, er ist gedemütigt und gejagt. So deutet *A. Haldar* unter Hinweis auf die übliche Parallelisierung von Wüste und Unterwelt die Wurzel נוה in Ps. 68,13 als Wüste, indem er auf eine akkadische Bezeichnung hinweist (The Notion of the Desert, 1950, S. 46 f.).
25. Vgl. *Gressmann,* der – etwas übertrieben – behauptet, die Erzählung spotte »über den unbeherrschten Herrscher und belustigt sich an der Art, wie ihm sein Gegner entwischt.« (Die älteste Geschichtsschreibung, 1921, S. 82).
26. So gesehen haben *Budde* recht, wenn er zwischen Kap. 16,1 ff. und 19,18 ff. einen Zusammenhang sieht, vgl. oben S. 115.

schen, *hilflosen* Zustand für einen Tag und eine Nacht, damit David außer Reichweite gelangen kann! In Kap. 10,6. 9 f. steht das Kommen des Geistes Gottes über Saul, der daraufhin in prophetische Verzückung gerät, in eindeutigem Zusammenhang mit seiner Salbung. Die Extase ist eine Manifestation seines königlichen Bewußtseins. Hier liegt eine tendenziöse Verzeichnung vor: Im Gegensatz zu dem Bericht in Kap. 10, wo der Geist Gottes den jüngst Gesalbten ergriff und bekundete, daß Saul von Gott ein »anderes Herz« (V. 9) bekommen habe, der Gesalbte geworden sei, hat der Geist Gottes hier in Kap. 19,18 ff. eine völlig andere Funktion. Er arbeitet Saul bei seiner Jagd nach dem wirklichen Gesalbten entgegen. In 19,18 ff. wird Sauls Salbung (erneut) annuliert, seine Verwerfung bekräftigt [27]. Anstelle des Geistes Jahwes hat er von Jahwe einen bösen Geist bekommen (vgl. Kap. 16,14).

Nach diesem Verständnis kann in der Erzählung von Davids Flucht nach Rama grundsätzlich keine echte Tradition vorliegen, die in Rama gepflegt worden sei [28]. Der Verfasser selbst hat die Episode konstruiert und sie nach Rama verlegt, das schon in alten Saulüberlieferungen für Samuels Heimatstadt [29] gehalten wird. Diese Auffassung wird auch vom Dtr. geteilt [30]. Es fällt nicht schwer, beim Verfasser einen Beweggrund dafür zu finden, warum David auf seiner Flucht zunächst Samuel aufsucht, der ja nach Meinung des Verfassers hinter der Designierung Davids zum König steht. Der Verfasser wollte durch seine Erzählung an Sauls Verwerfung und die sich daraus ergebende Machtlosigkeit erinnern; dadurch hat er auch indirekt Davids Legitimation für den Thron als Sauls Nachfolger bekräftigt. Dies hatte allerdings zur Folge, daß der Verfasser zu der Nachricht in Kap. 15,35 in Widerspruch

27. Es kann kaum ein Zweifel darüber bestehen, daß der Verfasser Sauls Benehmen für wenig flattierend hält. Das aber bedeutet wohl zugleich auch, daß seine Haltung gegenüber den extatischen Propheten ebenso negativ ist, denn der extatische Zustand Sauls ist ja für diese kennzeichnend. Deshalb ist es nicht richtig, wenn *Nübel* (a. a. O., S. 32) hier eine ganz anders positivere Würdigung der Extase erblicken will als in Kap. 18,10 f. und 19,9 f. *Hylander* kommt (a. a. O., S. 267) der Wahrheit näher, wenn er schreibt, die Erzählung stehe den extatischen Propheten »feindselig oder fremd« gegenüber. Vgl. im übrigen Kap. II Am. 111.
28. Einige Forscher wittern hinter שכו in V. 22 einen Ort, was die Vermutung verstärken würde, daß es sich um eine Lokalüberlieferung handele. Syr., Targum und LXX haben das Wort offenbar als eine Ortsbezeichnung verstanden, vgl. *de Boer,* Research into the Text of 1 Samuel xviii–xxxi, 1949, S. 21. Zu erwägen wäre, ob man nicht LXX^{BL} und andere Übersetzungen übernehmen sollte, die שפי voraussetzen (vgl. *Koehler-Baumgartner,* die שפי mit »Piste, track« übersetzen); könnte es sich hier um eine Anspielung auf die Höhe handeln, die in Kap. 10,5 erwähnt wird und von der die Propheten herabstiegen, als Saul ihnen begegnete?
29. Vgl. 1. Sam. 1,19; 2,11.
30. Vgl. 1. Sam. 7,17; 8,4; siehe *Noth,* Überlieferungsgeschichtliche Studien, S. 60.

geriet, derzufolge Samuel Saul bis zu seinem Tode nicht wiedersah [31]. (Dieses Verständnis von Kap. 19,18–24 läßt natürlich deutlich werden, daß die Episode von vornherein als unhistorisch anzusehen ist [32].

B. David bei Jonathan (Kap. 20)

Bereits bei der Behandlung von Kap. 19,1–7 [33] wurde Kap. 20 am Rande erwähnt. Dort erbrachten wir den Nachweis, daß die Episode in Kap. 19,1 ff., die von Jonathans gelungenem Versuch, den König mit David zu versöhnen, berichtete, mit Hilfe von Elementen aus Kap. 20 konstruiert worden war. Dieses Kapitel war demnach dem Verfasser als eine selbständige Überlieferung vorgegeben, der nun einerseits aus jenem Bericht über David bei Jonathan Züge entnahm, um den endgültigen Bruch zwischen David und Saul hinauszuzögern, andererseits ihn in seiner Gesamtheit für die Geschichte über die Flucht Davids benutzte. Wenn also der Inhalt von Kap. 20 durch Kap. 19,1–7 vorbereitet ist, hat dies zur Folge, daß alles, was in Kap. 20 auf Kap. 19,1 ff. zurückweist, dem Verfasser zugeschrieben werden muß. Das gilt für die unverständliche Wendung in Kap. 20,19, ובאת אל המקום אשר נסתרת שם ביום המעשה, die – vielleicht von den beiden letzten Worten abgesehen [34] – ohne Schwierigkeit auf Kap. 19,1–7 zurückführt werden kann. Bei ביום המעשה könnte man an Sauls früheren Anschlag (vgl. 18,10 f. und 19,9 f.) denken. Doch wird im Zusammenhang mit 18,10 f. (oder 19,9 f.) nichts davon berichtet, daß David sich an einem Ort im Freien versteckte. Will man nicht – wie verschiedene Forscher [35] – die Möglichkeit einer endgültigen Erklärung für die problematische Wendung ביום המעשה in Kap. 20,19 überhaupt aufgeben, hat die Auffassung wohl am meisten für sich, daß המעשה auf 19,1 f. zurückgehe [36].

31. *Eissfeldt*'s oben in Anm. 6 dargelegtes Verständnis von ראה kann kaum als etwas anderes gelten als ein Harmonisierungsversuch.
32. Dies wird auch von *Mowinckel,* GTMMM, II, S. 204 f., betont; vgl. *Gressmann,* Die älteste Geschichtsschreibung, 1921, S. 82; *Hylander,* a. a. O., S. 267; *Lindblom,* Profetismen i Israel, S. 111; *Auerbach,* Wüste und gelobtes Land, S. 197.
33. Vgl. oben S. 111 f.
34. *Wellhausen* (Der Text der Bücher Samuelis, 1871, S. 116) ist davon überzeugt, daß auch in dieser Wendung ein Hinweis auf Kap. 19,1 ff. enthalten sei. Dagegen führt *Nowack* ins Feld, Kap. 19,1 ff. gehöre zu einer anderen Quelle als Kap. 20 (Komm., S. 106).
35. Vgl. *Smith,* Komm., S. 190 f.; *Kirkpatrick,* Komm., S. 168; *Hertzberg,* Komm., S. 141.
36. *Auerbach,* a. a. O., S. 198, möchte im Zusammenhang mit Sauls Anschuldigungen gegen Jonathan in Kap. 20,30 (vgl. 22,8) in V. 19 ein Anzeichen für eine mißglückte Verschwörung gegen den König, eine »Kronprinzentragödie« sehen.

Der »Tag der Untat« ist demnach der Tag, an dem Saul nach 19,2 David zu ermorden beschlossen hatte [37].

Durch 20,1 a hat der Verfasser diese ursprünglich selbständige [38] Überlieferung mit der von ihm konstruierten Episode von Davids Flucht zu Samuel und dessen Aufenthalt bei ihm verbunden. Daß Kap. 20 ursprünglich von Kap. 19,18–24 unabhängig war, ist offenkundig; ein Versuch, einen logischen und chronologischen Zusammenhang zwischen den beiden Berichten herzustellen, macht das deutlich. Zur Not wäre es möglich, daß David von Rama zu Jonathan (also zurück nach Gibea?) geflüchtet war, während der König den Rest des Tages und die folgende Nacht über auf dem Boden lag (19,24). Höchst auffällig erscheint jedoch, daß Saul am folgenden Tag, dem Neumondstag, erwartet, David würde sich zum Festmahl einfinden!

In einer Untersuchung wie der vorliegenden würde es strenggenommen den Rahmen sprengen, wollte man auf die Einzelheiten in diesem komplizierten Kap. 20 eingehen. Wir beschränken uns auf das unbedingt Notwendige. Der Gang der Handlung ist – abgesehen von V. 41 f. [39] – einigermaßen durchschaubar. Jedenfalls ist es wohl völlig abwegig, mit charakteristischen Merkmalen aus Kap. 19,1–7 Ergänzungen vorzunehmen [40].

David findet sich bei Jonathan ein und beklagt sich über die Nachstellungen des Königs. Jonathan, der von ihnen nicht weiß, verspricht auf Davids Vorschlag hin, die Reaktion des Königs zu beobachten, wenn David am folgenden Tag, dem Neumond, statt mit Saul bei Tische zu sitzen, sich bis zum Abend im Freien versteckt halten wird. Jonathan soll, wenn Saul nach David fragt,

37. Man hätte erwartet, daß מעשה eine wirklich verübte Untat bezeichnen würde und nicht eine Untat, die gar nicht begangen worden ist; eine ähnliche, nicht besonders glückliche Ausdruchweise fand sich in בשתים in Kap. 18,21 b, vgl. oben S. 106.
38. Vgl. *Mowinckel,* GTMMM, II, S. 206. *Mowinckel* meint auf Grund der bestehenden Dubletten und Unstimmigkeiten in Kap. 20 E sowie J abgrenzen zu können (S. 205 f.). *Budde* (Komm., S. 140) dagegen ist der Auffassung, daß wir es in Kap. 20 lediglich mit *einer* Quelle (J) zu tun hätten, denn er sieht – wenngleich unter Vorbehalten – einen Zusammenhang mit Kap. 18,10 f. Widersprüche und Unstimmigkeiten in dem Kapitel führt er nicht auf Quellenunterschiede zurück, sondern hält sie für sekundäre Zusätze.
39. Wenn nun die beiden Freunde endgültig Abschied voneinander nehmen, hätte Jonathan David über den Ausgang ebensogut mündlichen Bescheid zukommen lassen können! Dieses Stück kann also nicht mit zum ursprünglichen Bericht gehört haben.
40. Gegen *Nübel,* a. a. O., S. 33 ff. *Nübel* legt in seiner Methode einen übertriebenen literarkritischen Maßstab an. Wie überall in der Vorgeschichte fordert er einen ganz logischen Zusammenhang zwischen den einzelnen Teilen, und wenn – oder besser falls – der Bericht dieser Forderung nicht standhält, nimmt er ziemlich willkürliche Umstellungen von Versen und Abschnitten vor; vgl. hierzu sein »Verzeichnis der Stellen, in welchen die Geschichte von Davids Aufstieg (Gr.) erhalten ist«, S. 122 f.

berichten, er habe ihm erlaubt, nach Bethlehem zu gehen, um am jährlich stattfindenden Opfer teilzunehmen. Jonathan gibt David den Rat, mit ins Freie zu kommen (V. 1–11). Dort verspricht Jonathan, am folgenden Tage um die gleiche Zeit die Haltung seines Vaters zu erkunden, und – sollte das Ergebnis negativ ausfallen – David zur Flucht zu verhelfen. Nach einer Erneuerung des Bundes zwischen den beiden wiederholt Jonathan den Plan mit David [41]. Ferner nennt Jonathan einen bestimmten Ort im Freien, wo David sich verstecken soll, und spricht mit ihm ab, auf welche Weise er über den Ausgang des Gespräches informiert wird. Daraufhin versteckt sich David (V. 12–24 a). Am Neumondstag selbst nimmt Saul von Davids Abwesenheit keine Notiz, erst während der Mahlzeit am Tage danach fragt er Jonathan nach dem Grund seines Fehlens. Dieser antwortet, wie es verabredet war, doch hätte ihn das beinahe das Leben gekostet. Der König macht seinem Sohn Vorwürfe wegen seiner Freundschaft zu David und wirft seinen Spieß nach ihm, worauf Jonathan in Zorn gerät (V. 24 b–34). Am nächsten Tage geht Jonathan ins Freie und gibt David das verabredete Zeichen (V. 35–40). Zuletzt nehmen Jonathan und David – nachdem sie ihren Bund erneuerten – voneinander Abschied; David bricht auf, während Jonathan in die Stadt geht (V. 41 – Kap. 21,1).

Nichts deutet darauf hin, daß der Verfasser in bezug auf die Gliederung der Handlung an der Erzählung etwas verändert hat. Übrigens paßt die Erzählung nicht gut in den vorhandenen Zusammenhang. So ist auffallend, daß David – nach dem bisher Berichteten – so sehr daran gelegen war, die Meinung des Königs über ihn in Erfahrung zu bringen. Was David bisher erlebt hatte, dürfte ihn doch kaum darüber in Zweifel gelassen haben! In den Rahmen der Fluchtgeschichte paßt Kap. 20 also schlecht. (Weit besser würde der Inhalt in die Zeit passen, als David sich (ständig) am Hofe aufhielt, also vor der Flucht. Grundsätzlich wird vorausgesetzt, daß David beim König ernstlich in Ungnade gefallen ist.) Darüber hinaus vermißt man eigentlich in V. 1 die Angabe eines Orts, zu dem David von Rama aus hingelangt, bevor er (21,2 a) später nach Nob geht. Vielleicht hat der Verfasser selbst an eine andere Stadt

41. מאד in V. 19 a paßt schlecht zu תרד, aus welchem Grunde die meisten Forscher unter Berufung auf ἐπισκέψῃ in der LXX statt תרד eben תפקד lesen, vgl. *Wellhausen,* Der Text der Bücher Samuelis, S. 117; *Driver*, Notes, S. 167. Die Übersetzung lautet dann: Übermorgen wirst du noch mehr vermißt. Wenn diese Auffassung richtig sei (*Hertzberg,* Komm., S. 136, heißt diesen Verbesserungsvorschlag nicht gut, doch läuft sein eigener Vorschlag jedenfalls aufs gleiche hinaus), setze Jonathan voraus, daß der König erst am Tage nach dem Neumondstag reagieren würde, vgl. V. 27. Nun ist dies bereits in V. 5 und 12 vorausgesetzt, vgl. das grammatisch unmögliches השלשית, das allerdings wohl an beiden Stellen als eine unzweckmäßige Glosse ex eventu angesehen werden muß, vgl. *Driver,* a. a. O., S. 161 und 164.

als an Gibea Sauls gedacht? Doch nirgends hören wir davon, daß Jonathan eine selbständige »Residenzstadt« gehabt habe.

Das Problem, was für eine Funktion das Kap. 20 in seinem Zusammenhang ausübe, ließe sich vielleicht mit folgender Frage einer Lösung näherbringen: Warum läßt der Verfasser David Jonathan in diesem Stadium seiner Flucht aufsuchen? Einer der Gründe könnte der sein, daß er zeigen will, der Bruch zwischen David und dem König sei nicht auf Grund der Haltung Davids, sondern Sauls zustande gekommen. In diese Richtung wiese ja der Umstand, daß David auf der Flucht Hilfe erfuhr, nicht nur von der eigenen Tochter des Königs, Samuel und – wie wir später hören werden – den Priestern in Nob, sondern auch vom ältesten Sohn des Königs. Überzeugendere Beweise für Davids Unschuld an dem Zerwürfnis und der Feindseligkeit seiten des Königs ließen sich kaum beibringen. Somit kann man jedenfalls annähernd einen der Beweggründe erkennen, warum der Bericht in Kap. 20 gerade in diesen Zusammenhang gekommen ist. Dennoch hat der Verfasser, wie schon erwähnt, in dem Bericht Aussagen beziehungslos in dem Zusammenhang stehen lassen, in den er ihn stellte. Deshalb ist wohl in der Frage, inwieweit der Verfasser die Überlieferung in Kap. 20 in dem gegebenen Zusammenhang benutzt hat, noch nicht das letzte Wort gesprochen.

Welche grundlegende Absicht verfolgt überhaupt Kap. 20 im jetzigen Zusammenhang? Wir verweisen auf *Hertzberg:* »Der Skopus des Kapitels in der jetzigen Form ist der Blick auf Davids künftige Stellung als König« [42]. Oder konkreter ausgedrückt: David erhält in einem sehr kritischen Augenblick seines Lebens vom ältesten Sohn König Sauls, vom »Kronprinzen«, die Anerkennung als Sauls künftiger Nachkomme [43].

Die grundlegende Intention läßt sich aus V. 13 b ff. herleiten. V. 13 b ist besonders deutlich; das Königtum Davids wird mit dem Sauls auf eine Stufe gestellt und als legitime Fortsetzung angesehen in dem von Jonathan ausgesprochenen Wunsch: Möge Jahwe mit dir sein, wie er es mit meinem Vater gewesen ist! Da die Formel יהוה (היה) עמו in der Vorgeschichte eine entscheidende Rolle spielt [44], ist damit zu rechnen, daß sie – wie an den anderen Stellen, wo sie vorkomt (16,18; 17,37; 18,12. 14. 28; 2. Sam. 5,10) – auf den Verfasser zurückzuführen ist [45]. Hier wird also Jonathan etwas in den Mund gelegt, was für ihn sozusagen indirekt den Verzicht auf die Krone seines Vaters bedeutet. Der eigentliche Grund, daß Jonathan dieser Auszeichnung zu

42. Komm., S. 138.
43. Kap. 20 befindet sich also in seiner jetzigen Form in Übereinstimmung mit der Haupttendenz der Vorgeschichte.
44. Vgl. oben S. 79 f.
45. Der Inhalt von V. 15 b ist wahrscheinlich kultischen Ursprungs, vgl. den aus dem Neujahrskult her bekannten Volkskampfmythos, siehe *Mowinckel,* Psalmenstudien, II, 1922, S. 57 f.; Offersang og Sangoffer, S. 149 ff.

entsagen vermochte, ist natürlich der, daß er faktisch nicht der Nachfolger Sauls geworden ist. Auch die folgenden Verse (V. 14–17) stehen im Zeichen des Königstums Davids. Jonathan läßt David schwören (V. 17), er möge – wenn er König wird – Jonathan (V. 14 [46]) und sein Haus (V. 15 f. [47]) [48] nicht ausrotten.

Interessant für die Beurteilung des Verhältnisses Jonathans zu Saul und dessen Königtum ist V. 31: Saul hat auf Jonathan einen gewaltigen Zorn und macht ihn darauf aufmerksam, daß seine Freundschaft zu David ein nie wieder gut zu machender Schaden für Jonathans künftiges Königtum sein könne [49]. »Solange Isais Sohn auf Erden lebt, stehen weder du noch dein Königtum fest.« Vielleicht hat Saul wirklich Pläne gehabt, seinen Sohn Jonathan als seinen Nachfolger auf dem Thron zu sehen? Wollte Saul eine Dynastie begründen? Diese Frage ist nicht leicht zu beantworten. Außer hier in V. 31 gibt es darüber im AT kein anderes Zeugnis. In der Tat ist ja einer von Sauls Söh-

46. Die Negationspartikel לא, die das andere לא wieder aufnimmt, leitet eine Frage ein. Viele vokalisieren jedoch לֻא, vgl. *Driver,* Notes, S. 164, und de Boer, Research, S. 25 f. – Hinsichtlich חסד יהוה (siehe auch 2. Sam. 9,3: חסד אלהים), vgl. *A. R. Johnson,* Hesed and Hasid, in der Mowinckel-Festschrift, 1955, S. 103: Jahwes חסד ist »the hesed which he (d. h. David) had sworn by God to maintain towards Jonathan and his house.«
47. V. 15 b–16 sind – wie auch V. 14 – problematisch, vgl. dazu vor allem *Driver,* Notes S. 165 f. – Betreffend V. 16 f. siehe übrigens unten Kap. IV Anm. 74.
48. Ein direkter Hinweis auf Davids Schwur findet sich in 2. Sam. 21,7. In diesem Zusammenhang sei auch erwähnt, daß V. 14: עשה חסד in 2. Sam. 9,1 und 7 wieder auftaucht. Gegen *Nübel*'s Auffassung, 2. Sam. 9 hätte mit zur Vorgeschichte gehört, haben wir uns schon oben S. 00 ausgesprochen. Eigentümlicherweise nimmt *Nübel* nicht an, daß 2. Sam. 21,1 ff. mit seinem Hinweis auf Davids Schwur – ebensowie Kap. 9 – ursprünglich zur Vorgeschichte gehört habe. – Möglicherweise hat 2. Sam. 21,1 ff. ursprünglich vor Kap. 9 gestanden, doch hat der Dtr. angesichts der Erwähnung von Menschenopfern diesen Zusammenhang aufgegeben, und später ist Kap. 21,1 ff. in den jetzigen Zusammenhang gestellt worden (*Mowinckel*).
49. Saul bringt in V. 31 – wie in Kap. 18,8 (siehe oben S. 102) – seine Besorgnis über den Bestand seines Königstums zum Ausdruck. Der Ton ist in diesem Vers allerdings weitaus »positiver« als in dem unversöhnlichen V. 30, der schon Gegenstand unzähliger Emendationsversuche gewesen ist. Nun hat *J. Finkel,* Filial Loyalty as Testimony and Legitimacy, JBL, 55, 1936, S. 133 ff.,durch Heranziehung unterschiedlichen Materials für das Verständnis dieses Verses in der masoretischen Textform eine einsichtigen Hintergrund geschaffen. Weil Jonathan eine Vorliebe für den Feind seines Vaters hat, müssen Saul bezweifeln, ob er wirklich sein eigener Sohn ist! Seine Mutter ist eine Ehebrecherin! – Wie der Ton in V. 31 völlig von dem in V. 30 abweicht, so weichen die beiden Verse auch in dieser Beziehung voneinander ab, daß – im Gegensatz zu V. 31 – die Frage der Dynastie in V. 30 keine Rolle spielt.

nen sein Nachfolger geworden, doch erstens kam es dazu auf Grund einer Initiative Abners (ohne Designation und Akklamation!), und zweitens ohne sonderlichen Erfolg [50]. 1. Sam. 13,13 f. setzt eigentlich den Gedanken voraus, daß Sauls Königtum ein Erbkönigtum (vgl. עד עולם) sein sollte, doch geht diese Anmerkung sicherlich auf den Dtr. zurück [51].

Sauls Königtum war ein Wahlkönigtum. Israel hat – im Gegensatz zu Juda – ganz offenkundig niemals das dynastische Königtum akzeptiert [52]. Von daher ist es wahrscheinlich, daß Kap. 20,31 – ebensowie 13,13 f. – historisch das dynastische Königtum voraussetzen, d. h. das Davids, oder besser, das Salomos. Beide Stellen sind anscheinend durch kultische Weissagungen beeinflußt, die dem König am Neujahrsfest entgegengerufen wurden [53].

Kap. 20,31 wird erst im Licht der Tatsache richtig verständlich, daß David tatsächlich König in Israel geworden ist; er – und eben nicht Jonathan – wurde also Sauls Nachfolger. Doch aus welchem Grund war es so gekommen? Diese Frage wird schon in V. 13 b beantwortet: Weil Jonathan es so wünschte [54]! Jedenfalls hat Jonathan es vorausgesehen. Das kommt in Kap. 23,16 ff. ganz unmittelbar zum Ausdruck [55].

Kap. 20 ist also zum größten Teil eine ursprünglich selbständige Überlieferung, die der Verfasser benutzt und sowohl in bezug auf ihren Inhalt als auch auf die Festlegung der Handlung geprägt hat. Bezeichnend ist, daß die Hauptpersonen David und Jonathan sind; Sauls Rolle steht eigentlich im Hintergrund, er gibt lediglich die negative Folie ab, auf der die herzliche Freund-

50. Vgl. unten S. 226 f.
51. Bei einem Nachfolger nach Jahwes Herzen ist natürlich an David gedacht, vgl. oben S. 49.
52. Vgl. *Alt,* Das Königtum in den Reichen Israel und Juda, 1951, in: Kleine Schriften, II, S. 116 ff.
53. In 2. Sam. 7, das das Ritual des Neujahrsfestes in Jerusalem widerspiegelt (vgl. Einleitung: Anm. 107; siehe schon *Mowinckel,* Psalmenstudien, III, 1923, S. 34 ff.), findet sich die Wendung עד עולם in Verbindung mit dem Königtum Davids, vgl. auch die Königspsalmen Ps. 18,51; 45,7; 89,5. 37. (Siehe 2. Sam. 7,13. 16. 25. 29). Bemerkenswert ist das Vorkommen der Wurzel כון (im Hiph. und Niph.) in 1. Sam. 13,13 und 20,31, an der erstgenannten Stelle – wie in 2. Sam. 7,6 (vgl. auch Ps. 89,5) – im Zusammenhang mit עד עולם.
54. *J. Morgenstern* (David und Jonathan, JBL, 78, 1959, S. 322 ff.) versucht nachzuweisen, daß Jonathan, den Saul zu seinem Nachfolger zu machen beabsichtigte, dennoch David unterstützt hat, weil dieser als Krieger im Dienste des Königs Ruhm erworben hatte und Schwiegersohn des Königs war, was der entscheidende Grund für Davids Ambitionen gewesen sei. In letzterem (ein Schwiegersohn des Königs als Nachfolger auf dem Thron) erkennt *Morgenstern* einen gemeinorientalischen, matriarchalischen Zug wieder (vgl. sein Beena Marriage (Matriarchat) in Ancient Israel, ZAW, NF, 6, 1929, S. 91 ff., und 8, 1931, S. 46 ff.).
55. Vgl. unten S. 159 f.

schaft zwischen David und Jonathan geschildert wird [56]. Wie *Hylander* [57] die Tendenz in den Saul-Überlieferungen, Jonathan zu Ungunsten Sauls eine hervorstechende Rolle einzuräumen, auf den Einfluß jerusalemischer Kreise zurückführt, so darf man wohl annehmen, daß die Freundschaft zwischen David und dem Königssohn frühzeitig ein sehr beliebtes Erzählungsmotiv in solchen Kreisen dargestellt hat. In Kap. 20 liegt wahrscheinlich eine ursprünglich in Jerusalem gepflegte Überlieferung über Davids Flucht vom Hofe Sauls durch die Hilfe seines Freundes Jonathan vor. Insoweit handelt es sich hier um eine parallele Erzählung zu Kap. 19,11–17. (Eine Abhängigkeit der beiden Fluchtepisoden voneinander kommt wohl nicht in Frage.) Die beiden Überlieferungen erinnern insofern aneinander, als David in beiden Fällen von Sauls Angehörigen Hilfe erfährt und der König seinen Kindern vorwirft, sie hätten seinem Feind zur Flucht verholfen.

Eine Charakterisierung der in Kap. 20 enthaltenen Überlieferung als jerusalemisch reicht bei weitem nicht aus, desgleichen die Auffassung, es handele sich hier um eine Erzählung über eine unverbrüchliche, ja, innerliche Freundschaft, die noch höher stehe als die Liebe zum Vater. Dafür trägt die Erzählung in zu starken Maße konkrete Züge. V. 19 b verrät Ortskenntnis; »gewiss hat man später den Stein gezeigt und dort diese Vorgänge lokalisiert« [58]. Die »Tischordnung« in V. 25 zeugt von Vertrautheit mit den Verhältnissen am Hofe Sauls. So undurchsichtig die Art und Weise, auf die Jonathan David den Ausgang des Gesprächs mit dem König mitteilen will, auch sein mag (v. 20 ff.; 35 ff.), so erweckt sie doch einen außerordentlich konkreten Eindruck. Zudem wäre zu erwähnen, daß Davids Plan darauf hinausläuft, Jonathan solle zu seinem Vater sagen: »David bat mich (sic.), in seine Heimatstadt Bethlehem gehen zu dürfen, denn dort hält das ganze Geschlecht das jährliche Schlachtopfer« (v. 6, vgl. V. 29). Überhaupt bekommt man an mehreren Stellen des Kapitels (vgl. z. B. auch V. 5 und 8) den Eindruck, David habe zu Jonathan in einem untergeordneten Verhältnis gestanden. Hiermit ist uns womöglich eine Sicht des Verhältnisses zwischen Jonathan und David erhalten geblieben, die der historischen Wahrheit am nächsten kommt [59].

Eben diese erwähnten Besonderheiten in Kap. 20 lassen erkennen, daß die in diesem Kapitel enthaltene, wahrscheinlich jerusalemische Überlieferung Züge in sich aufgenommen hat, die Bekanntschaft und Vertrautheit mit den Ver-

56. Hinter der Freundschaft zwischen David und Jonathan sieht *Kapelrud* den historischen Sachverhalt, David hätte Jonathans Unterstützung nötig gehabt, denn »als Glied der königlichen Familie hatte Jonathan Anteil an dieser Heiligkeit, und durch ihn wurde auch David in ihren Bereich gezogen.« (König David und die Söhne Sauls, ZAW, 67, 1955, S. 200).
57. A. a. O., S. 254.
58. *Hertzberg,* Komm., S. 141.
59. Siehe oben Kap. II: Anm. 23.

hältnissen am Hofe Sauls zeigen. Mit anderen Worten: Das Kapitel enthält Anzeichen dafür, daß wir hier mit Bestandteilen benjaminitischer Herkunft zu rechen haben.

C. David in Nob und Sauls Rache (Kap. 21,2-10; 22,6-23)

In der Überschrift sind Kap. 21,2 ff. und 22,6 ff. zusammengefaßt. Von vornherein hat man nämlich den Eindruck, daß diese beiden Abschnitte nicht nur literarisch [60], sondern auch überlieferungsgeschichtlich irgendwie im Zusammenhang gesehen werden müssen. Jedenfalls wirkt die Episode David bei König Achis von Gath in Kap. 21,11 ff. in dem Zusammenhang reichlich unpassend – was natürlich nicht zugleich auch heißt, daß die Stellung des Berichts an dieser Stelle unbeabsichtigt wäre. Ferner macht die durch 22,6 a zwischen 22,1–5 und dem unmittelbar Folgenden hergestellte Verbindung von vornherein einen sekundären Eindruck.

Der Bericht zergliedert sich in vier Szenen – *1:* 21,2–10; *2:* 22,6 b–10; *3:* 22,11–19; *4:* 22,20–23. In der ersten Szene flieht David nach Nob [61], wo ihm der Priester Ahimelech ängstlich entgegenkommt [62]. David, der dem Priester mitteilt, er sei in heimlicher Mission für den König unterwegs und er habe seine Männer bereits vorausgeschickt, bittet Ahimelech um Brot. Als Ahimelech ihm nur »Schaubrote« anbieten kann, greift er zu. Kurz erwähnt wird, daß sich einer der Hirten Sauls, der Edomiter Doeg, im Tempel aufhält. Auf die Anfrage hin, ob Ahimelech eine Waffe für ihn habe, gibt Ahimelech David das Schwert Goliaths (21,2–10). Die zweite Szene spielt in Gibea, wo Saul von seinen Leuten umgeben, unter der Tamariske sitzt. (Von V. 6 a sehen wir, wie schon oben erwähnt, ab.) Der König beschuldigt seine Leute der Verschwörung, weil sie ihm nichts von dem Bund zwischen seinem Sohn und David gesagt hätten. Unter den Anwesenden befindet sich auch Doeg, der dem König berichtet, er habe David nach Nob kommen sehen, um dort ein Jahweorakel einzuholen; bei dieser Gelegenheit hätte David nach Doegs Aussage Reiseproviant (צידה) und das Schwert Goliaths erhalten (22,6 b–10). In der dritten Szene läßt Saul Ahimelech und die anderen Priester holen und beschuldigt sie einer mit David gegen seine Person gerichteten Verschwörung, weil sie ihm Brot und Schwert (V. 13: לחם וחרב) gegeben und

60. Vgl. *Mowinckel,* GTMMM, II, S. 209 ff.
61. Über die Lage Nobs herrscht Unklarheit, doch liegt Nob sicher, wie aus Jes. 10,32 hervorgeht, in der Nähe Jerusalems. Die Stadt wird lediglich in Kap. 21,2; 22,9. 11. 19; Jes. 10,32; Neh. 11,32 erwähnt, und das heißt: Nob taucht im AT erstmalig an dieser Stelle auf. Vgl. *Procksch,* PJB, 5, S. 75.
62. Vgl. Kap. 16,14, wo חרד לקראת auch vorkommt. Ahimelechs Furcht hat ihren Grund darin, daß David allein kommt. Und daß seine Furcht berechtigt war, geht ja klar aus dem Schluß des Berichtes hervor!

für ihn eine Jahwebefragung durchgeführt hätten. Ahimelech und seine Priester werden auf Befehl Sauls von Doeg erschlagen, nachdem die (anderen) Leute Sauls den Befehl verweigert hatten (22,11–19). Es zeigt sich jedoch, daß einer der Priester in Nob, Ahimelechs Sohn Ebjathar, dem Blutbad entgangen ist; er kommt zu David und berichtet ihm, was passiert ist; David, der die ganze Schuld auf sich nimmt, stellt Ebjathar unter seinen persönlichen Schutz (22,20–23).

Wer diesen Bericht von David und der Priesterschaft in Nob hört, der ahnt gleich zu Beginn, daß er ein verhängnisvolles Ende nehmen wird. Die Ahnung wird zur Gewißheit durch das Auftauchen Doegs in V. 8. Die Gegenwart dieses Mannes mußte notwendig zur Folge haben, daß der Aufenthalt in Nob keine Episode blieb – wie etwas der Aufenthalt vordem bei Samuel in Rama. So taucht Doeg in der nächsten Szene am Hofe Sauls als Denunziant wieder auf (22,9 ff.) und in der dritten Szene als der Vollstrecker des Zornesurteils des Königs an der Priesterschaft in Nob (22,18 f.). Durch die Gestalt des Edomiters Doeg sind die einzelnen Abschnitte der Erzählung miteinander verbunden.

Eine Analyse des Berichts in der jetzigen Gestalt läßt eine Reihe merkwürdiger Einzelheiten sichtbar werden. Für ihre Herausarbeitung wird es sich als zweckmäßig erweisen, wenn wir von Kap. 22,11–19, Sauls Verhör des Ahimelech, ausgehen. Dieser wird vom König der Teilnahme an einer Verschwörung beschuldigt. 21,2 ff. hinterlassen nun allerdings nicht gerade den Eindruck, als handelte es sich hier um eine Verschwörung. Vielmehr wird betont, daß Ahimelech in gutem Glauben handelte. Somit liegt die Vermutung nahe, daß Sauls Beschuldigung – in der jetzigen Gestalt des Berichtes – bewußt unter dem Aspekt des krankhaften Mißtrauens des Königs geschildert wird. Nun beschuldigt Saul in der zweiten Szene auch seine Leute der Verschwörung (dieselbe Wurzel קשר, die lediglich an diesen beiden Stellen in dieser Bedeutung in der Vorgeschichte verwendet wird!). Saul stützt seine Anschuldigung Ahimelechs auf Doegs Zeugenaussage in V. 9 f.; Doeg habe David ja zu Ahimelech kommen sehen, der für ihn eine Jahwebefragung vorgenommen, ihm Wegzehrung und Goliaths Schwert gegeben hatte. Daß Saul in V. 13 lediglich von (gewöhnlichem) Brot spricht und nicht von heiligem Brot, wie das in 21,5 f. der Fall ist, stimmt an und für sich mit Doegs Bericht in V. 10 (צידה) überrein, doch aus welchem Grunde berichtet Doeg nicht, daß es sich um heiliges handelte [63]? Zum anderen erzählte Doeg, David habe von Ahime-

63. Warum fünf Brote? Wird damit vorausgesetzt, daß im Tempel in Nob fünf »Schaubrote« waren, während es sich nach Lev. 24,5 ff. in Jerusalem um sechs handelte? Oder ist eine unbestimmte Anzahl gemeint (vgl. Kap. 17,40), ungefähr sechs Stück? Darauf deutet die Formulierung in V. 4 hin. *Ehrlich*, Randglossen, III, S. 242, liest אם יש statt חמשה.

lech Goliaths Schwert bekommen, während Saul das Schwert Goliaths nicht ausdrücklich erwähnt, sondern bloß von einem Schwert spricht. Weiter wäre anzuführen: während Doeg (22,10 a) und Saul (V. 13 b) darauf hinweisen, Ahimelech habe für David eine Gottesbefragung vorgenommen, steht in Kap. 21,2 ff. nichts davon. Demgegenüber wird von Ahimelech (22,15) nur den Vorwurf erwähnt, er habe für David ein Jahweorakel eingeholt, von dem (heiligen) Brot und (Goliaths) Schwert wird – trotz der Beschuldigung in V. 13 und trotz 21,2 ff. – überhaupt nichts erwähnt.

Das Gemeinsame von 22,13 und 8 in bezug auf das Verschwörungsmotiv ist bereits berührt worden. Doch fällt noch eine andere Übereinstimmung ins Auge. In 22,8 beschuldigt Saul seine eigenen Benjaminiten der Verschwörung, weil ihm niemand hinterbracht hätte (אין גלה את אזני), daß Jonathan mit Isais Sohn einen Bund geschlossen und sein eigener Sohn David »als Horcher (ארב) gegen mich hat auftreten (הקים) lassen, so wie er es heute tut (כיום הזה).« Schließlich wäre noch zu erwähnen, daß Saul in V. 17 seinen Befehl, die Nob-Priester durch die Leibwache töten zu lassen, damit begründete, sie hätten ihn – obwohl sie von Davids Flucht wußten – nicht davon unterrichtet (לא גלו את אזני [64]! –

Wie hat man sich diese Tatbestände zu erklären? Da die Kap. 21 und 22 sich im Blick auf das Verständnis, inwieweit Ahimelech bei der Flucht Davids mitgewirkt hat, in wesentlichen Punkten voneinander unterscheiden, nimmt es nicht wunder, daß die Literarkritiker die beiden Kapitel auf zwei verschiedene Quellen verteilen und die Unebenheiten, die sich innerhalb ein und derselben Quelle ergeben, durch Harmonisierungsversuche beseitigen möchten. So rechnet *Budde* Kap. 21,2–10, in dem zwar nichts von der Gottesbefragung, dafür aber vom heiligen Brot und Goliaths Schwert etwas steht (Kap. 17 gehört *Budde* zufolge zu »E«) zu »E«, während Kap. 22, das die Gottesbefragung besonders hervorhebt, jedoch weder von heiligem Brot noch von Goliaths Schwert [65] etwas enthält, zu »J« gehöre [66]. Demgegenüber gehört nach *Mowinckel* [67] der vorwiegende Teil von Kap. 21,2–22,23 zur Quelle J, in die einzelne E-Stücke eingeschoben seien. Im Gegensatz zu *Budde* hält er es für möglich, daß 21,2 ff. die Gottesbefragung voraussetzen, da dies in erster Linie der Grund war, weshalb sich David in Wirklichkeit in Nob einfand. Zur Quelle E gehört nach *Mowinckel* die Episode mit Goliaths Schwert, die in 21,9 f. zu spät ins Bild komme, da V. 8 die Szene in V. 2 ff. unbedingt ab-

64. גלה אזן kommt also in 22,8 und 17 vor (vgl. auch 20,2. 12. 13); es hat die Bedeutung von verraten, enthüllen.
65. Kap. 22,10 b und die Erwähnung des Schwerts in V. 13 sind nach *Budde* unter dem Einfluß von Kap. 21 in den Text gekommen.
66. Komm., S. 146 f. 153.
67. GTMMM, II, S. 209 ff.

schließe [68]. In 22,10 und 13 sei dagegen die Erwähnung des Schwertes redaktioneller Zusatz. Er findet nichts daran, daß in 22,10 und 13 lediglich von Reiseproviant und Brot die Rede ist, obwohl in 21,2 ff. die heiligen Brote erwähnt werden. Auf der anderen Seite nimmt er an, E habe wohl aus kultischen Rücksichten nicht ausgesprochen, daß David heiliges Brot gegessen habe (im Gegensatz dazu oben *Budde*).

Auch *Nübel* [69] sind die Unebenheiten in Kap. 21–22 nicht entgangen. Er kommt zu einem Ergebnis, das in mehrfacher Hinsicht dem *Mowinckel*'s entspricht. Für ihn besteht auch zwischen 21,2–10 und 22,6–23 ein Zusammenhang. Wie überall in der Vorgeschichte, möchte *Nübel* auch hier eine vom Verfasser (B.) bearbeitete Grundschrift (Gr.) erkennen, doch findet er überraschenderweise in der Nob-Episode in Kap. 21–22 die Gr. in nahezu ursprünglicher Gestalt wieder. Zur Gr. gehörten 21,1–7 a. 8 ff. [70], sowie 22,7 a [71]. 8 a (bis zum zweiten עלי). 9–13 bβ [72]. 14–19. Der Abschnitt in Kap. 22 rede »durch das Gewicht der Tatsachen, die nüchtern und politisch verständlich dargestellt sind.« [73] Wie *Mowinckel* meint auch *Nübel,* in 21,2 ff. sei das Jahweorakel vorausgesetzt, nur gibt er dafür eine ausführlichere Begründung, die deshalb von Bedeutung ist. Seiner Meinung nach behandelt Ahimelech David als einen, »der sich auf dem Weg des »Heiligen Krieges« befindet, weshalb Doegs Anschuldigung und Sauls Verdacht, Ahimelek habe David ein günstiges Orakel gegeben, durchaus begründet sind.« [74] Dem-

68. Nach *Mowinckel* gehört Kap. 21,11–16 – ebensowie V. 9–10 – zu E, da hier eine Variante zu Kap. 27 (J) vorliege. *Eissfeldt* (Die Komposition, S. 18) verteilt Kap. 21,2–10; 22,1–2. 6–23 auf die Quellen I und II, ohne jedoch die einzelnen I – und II –Stücke im einzelnen aufzuteilen.
69. A. a. O., S. 36 ff.
70. Auch 21,11–16 gehört nach *Nübel* zur Grundschrift.
71. V. 7 b, der im Zusammenhang – wie *Nübel* meint – störend wirke, sei auf Grund B.'s »priesterlichem Sonderinteresse« eingeschoben. *Mowinckel* meint, daß E nicht den ersten Teil wie Kap. 21,1–8 (J) erzählt hat, da es »seiner Auffassung von der Frömmigkeit Davids und Einstellung zu den kultischen Dingen widerstrebe, ihm ein solches Auftreten beizulegen.« (GTMMM, II, S. 209).
72. V. 8 a (von וגלה) und den Schluß von V. 13 b (von לקום) hat man nach *Nübel* als einen Versuch anzusehen, V. 7–19 mit den später eingeschobenen V. 1–5 in Einklang zu bringen.
73. A. a. O., S. 38; vgl. übrigens *Gressmann,* Die älteste Geschichtsschreibung, 1910 S. 94 f.: Im Gegensatz zu Kap. 22,6 ff. sei es charakteristisch, daß sich Kap. 21,2 ff. weniger am Politischen interessiere, Kap. 21,2 ff. ist nach *Gressmann* jüngeren Datums.
74. A. a. O., S. 36 f. Auch *Stoebe* (Erwägungen zu Psalm 110 auf dem Hintergrund von 1. Sam. 21, Festschrift Friedrich Baumgärtel, 1959, S. 181 ff., 188) versteht Kap. 21,2 ff. von der Vorstellungswelt des heiligen Krieges her. Davids Männer sind rein, sie befinden sich »im Zustand des Heiligen Krieges«, was sie dazu berechtige, heiliges Brot zu empfangen. Und dieser heilige Zustand werde durch die Priester vor allem dadurch bekräftigt, daß sie ihnen die

gegenüber schreibe der B. die Ausrottung der Nob-Priesterschaft Sauls blindem, von dem bösen Jahwegeist inspirierten Haß, nicht aber politischen Motiven zu. Während darüber hinaus Saul nach der Gr. in 22,13 (vgl. V. 10) Ahimelech die Herausgabe des geweihten Brotes an David nicht zur Last lege, habe B. Bedenken bekommen, vgl. V. 7 b, den einzigen Bestandteil im ersten Abschnitt, der zu B. gehöre [75]. Da die Stellung von 22,1–5 auf B. zurückgehe, müsse sich nach *Nübel* auch 22,6 auf B. beziehen. 22,1–5 habe nach Meinung *Nübel's* ursprünglich vor 23,1 gestanden.

Das waren Kap. 21 und 22 in literarkritischer Sicht. Interessant ist die Feststellung, daß die oben erwähnten »Unebenheiten« in dem Bericht von Davids Aufenthalt bei Ahimelech und dessen Folgen bei *Budde* auf zwei verschiedene Quellenschriften verteilt wurden, während beachtlicherweise *Mowinckel* und *Nübel* in dieser Beziehung vorsichtiger zu Werke gingen. Der Zusammenhang von Kap. 21 und 22 ist demnach als nicht bloß »scheinbar« [76], sondern wirklich gut.

Nun lassen sich die Probleme indes nicht auf literarkritischem Wege lösen. Wir gehen davon aus, daß wir es in Kap. 21,2–10 und 22,6 b–23 grundsätzlich mit einem zusammenhängenden Bericht zu tun haben (vgl. oben *Mowinckel* und *Nübel*), und unter »Bericht« verstehen wir in diesem Zusammenhang eine Überlieferung, die wahrscheinlich in mehr oder weniger abgewandelter Form in der Vorgeschichte Aufnahme gefunden hat.

Den Skopus des Berichts bezeichnet *Hertzberg* [77] folgendermaßen: »Während Saul also die Trennung von den Priestern vollzieht, kommt David eben

heiligen Brote mit auf den Weg geben, wodurch Jahwe Davids Freibeuterexistenz in der Wüste Juda heilige. Hiergegen wäre einzuwenden, daß *Stoebe* in dem Zusammenhang den *heiligen* Broten, allzu große Bedeutung beimißt, wo doch dieses Motiv ziemlich an Wirkung verliert (vgl. 22,10. 13), um ganz zu verschwinden (vgl. 22,15). Der Akzent dagegen liegt auf dem Orakel (vgl. auch *Nübel*). Hinzu kommt ja, daß David, wie dem Zusammenhang zu entnehmen ist, *allein* flieht und somit die Erwähnung der Männer in dem Zusammenhang eigentlich fehl am Platze ist. Überlieferungsgeschichtlich gesehen besteht zwischen den heiligen Broten und den Männern Davids kaum eine ursprüngliche Verbindung. Die Erwähnung der Männer in Kap. 21,2 ff. ist sicher ein übernommenes Traditionselement, das an und für sich außerordentlich gut, aber eben doch sekundär mit den heiligen Broten verbunden worden ist. Die wenigen Brote passen übrigens vorzüglich zu einem einzelnen Flüchtling, jedoch schlecht als Nahrung für mehrere Krieger! Vgl. ferner die Analyse unten und Anm. 116.

75. Vgl. Anm. 71.
76. Vgl. *Budde,* Komm., S. 146, der, nachdem er Kap. 21,11–16 in dem Zusammenhang als einen unbedingten Fremdkörper ausgeschieden hat, schreibt: »Das übrige steht scheinbar in gutem Zusammenhang, stammt aber dennoch aus zwei verschiedenen Quellen«!
77. Komm., S. 152.

dadurch in den Besitz eines Priesters, und zwar eines »echten«, vom Elidenstamm.« [78] Nun muß freilich mit Nachdruck daran erinnert werden, daß Ahimelech in Kap. 21 und 22 nicht mit einem einzigen Wort als Elide bezeichnet wird. Darum hat man von der Bemerkung: »und zwar eines echten«, »vom Elidenstamm« abzusehen, wenn man den Skopus dieses Berichtes formulieren will. In der Forschung bringt man fast einhellig den 1. Sam. 14,3 erwähnten Eliden Ahia, Ahitobs Sohn, mit Ahimelech in Verbindung, der ja auch in Kap. 22,11 f. als Ahitobs Sohn bezeichnet wird. Es ist kaum empfehlenswert, wie *Johs. Pedersen* [79], hinter diese Identifikation ein Fragezeichen zu setzen, denn sehr viel spricht für deren Richtigkeit. Erstens die Namen Ahi(j)a und Ahimelech, insofern hier melek ein Ausdruck für Jahwe ist. Zweitens ist der Name des Vaters, Ahitob, bei beiden gleich. Zudem trug Ahia ebensowie Ahimelech ein Ephod, vgl. 21,10; 22,18; 23,9; 30,7. Alles dies spricht für die Identität von Ahia, Sauls Priester, und dem Priester Ahimelech in Nob, dessen Sohn Ebjathar in Davids Dienst tritt. Damit ist aber vorläufig noch nichts über Ebjathars elidische Abstammung ausgesagt. In den Saul-Überlieferungen wird dies allerdings in Kap. 14,3 angedeutet, der V. 18 des selben Kapitels vorbereitet, wo Saul Ahia auffordert, den Ephod zu bringen [80]. Der Grund für die ausdrückliche Hervorhebung in Kap. 14,3, Ahia sei ein Elide [81], leuchtet natürlich ein. Dadurch wird er als Priester legitimiert, er gilt als ein »echter« Elide! Aber damit ist noch nicht entschieden, ob Ahia – historisch gesehen – wirklich ein Elide war. Hinzu kommt, daß Ahia Ahimelech in Kap. 21 und 22 als Oberhaupt eines angesehen Priestergeschlechtes in Nob auftritt. *Johs. Pedersen* [82] hält es in jedem Fall für undenkbar, daß dieses Geschlecht nur eine Generation früher von Silo nach Nob übergesiedelt sei. Immerhin, die Geschlechtertafel in 1. Sam. 14,3 wirkt in formeller Hinsicht eigenartig. Der Einschub von Ikabod zwischen Ahitob, Ahias Vater, und dessen Vater, Pinehas, wirkt störend (vgl. 4,19 ff.); man hätte erwartet: Ahia, ein Sohn von Ahitob, ein Sohn von Pinehas usw. Die Stammtafel hat etwas Gekünzeltes an sich. Allgemein pflegt man diese Tatsache damit zu erklären, Ikabod sei ein redaktioneller Zusatz [83]. Eher wird es sich so verhalten, daß die Eliden-Stammtafel, die man übrigens in Verbindung mit Ikabod hätte erwarten können, hier auf Ahia, den Sohn Ahitobs, übertragen

78. Allerdings spricht *Hertzberg* in diesem Zusammenhang lediglich von »Skopus des Kapitels«, nämlich Kap. 22.
79. Israel, III, S. 152.
80. Im MT steht ארון האלהים, das *Herzberg* (Komm., S. 86, 89 f.) beibehält; LXX hat Ephod, vgl. unten Anm. 84.
81. Vielleicht wird Zadok zum Eliden gemacht, indem er 2. Sam. 8,17 als Sohn Ahitobs und damit als Bruder von Ahimelech bezeichnet wird.
82. A. a. O., S. 152. – Silo existierte ja noch als Heiligtum, vgl. Kap. I Anm. 113.
83. Vgl. z. B. *Smith,* Komm., S. 104; *Hertzberg,* S. 88.

worden ist [84]. Für diese Vermutung spricht schon, daß Ahitob nirgends in den Saul-Überlieferungen und auch nicht in den Überlieferungen bezüglich Silo erwähnt wird. Daher ist bezeichnenderweise Ahias Verhältnis zu den Eliden in Kap. 14,3 so merkwürdig verschleiert. Seinen Vater Ahitob hat man zu einem Bruder von Ikabod, dem Sohn von Pinehas, dem Sohn von Eli, dem Priester Jahwes in Silo, gemacht.

Aus welchem Grund ist Ahia, Ahitobs Sohn, zu einem Eliden gemacht worden? Mit aller Wahrscheinlichkeit ist dies zu einem sehr frühen Zeitpunkt erfolgt. Ja, Kap. 14,3 läßt vielleicht darüber hinaus ursprünglich den Anspruch der Nob-Priesterschaft deutlich werden, als elidisch zu gelten, d. h. der alten Silo-Priesterschaft anzugehören [85].

Daß man frühzeitig Ahia/Ahimelechs Abstammung aus dem Hause Eli – möglicherweise in der Priesterschaft von Nob – für sich in Anspruch nahm, um sich aus ihr eine Legitimation abzuleiten, werden die folgenden Betrachtungen nahelegen. 1. Sam. 14,3 ist nämlich nicht die einzige Stelle, an der Ahia/Ahimelech als Elide bezeichnet wird. Bemerkenswert ist jedoch, wo dies anderswo hervorgehoben wird, da gereicht das nicht gerade zum Lobe der Nob-Priesterschaft – im Gegenteil! Es ist hier an die Stellen 1. Sam. 2,27 ff. und 1. Kg. 2,27 gedacht. An letztgenannter Stelle wird in Salomos Verstoßung Ebjathars, Ahimelechs Sohn, die Erfüllung der über das Haus Eli verhängten Worte in 1. Sam. 2,27 ff. gesehen. 1. Kg. 2,27 ist bestimmt dtr., d. h. Ausdruck dtr. Geschichtstheologie [86]. Hinter 1. Sam. 2,27 ff. mit seiner scharfen Polemik gegen das Haus Eli, V. 29–32, und die zum Geschlecht Elis gehörenden Priester von Nob (V. 33), aber auch – was wichtig ist – hinter der Prophezeihung eines neuen Priestergeschlechts (V. 35 f.), stehen unverkennbar die Zadokiden in Jerusalem [87]. Die Drohung gegen das Haus Eli geht in Kap. 4 in Erfüllung, die gegen die Nob-Priesterschaft in Kap. 22. Wir haben hier also eine jerusalemisch-zadokidische Überlieferung über die Herkunft der Nob-Priester aus der Eli-Priesterschaft in Silo, eine Abstammung, die wohlgemerkt nicht gerade zu Gunsten der Priester von Nob spricht! Und was die

84. Der Umstand, daß man Ahia zu einem Eliden gemacht hat, erklärt darüber hinaus, daß die Bundeslade V. 18 erscheint (Silo und die Lade sind ja eng miteinander verbunden). Dies kann sehr wohl zu einem frühen Zeitpunkt erfolgt sein. Da aber die elidische Geschlechtertafel V. 3 am Anfang von Kap. 14 eingeschoben worden ist, muß in V. 18 ursprünglich etwas über den Ephod und nicht die Lade gestanden habe. Obgleich die Lesart der LXX (vgl. oben Anm. 80), textkritisch betrachtet, durchaus nicht richtig zu sein braucht, ist sie es doch in sachlicher Hinsicht!
85. Übrigens fällt auf, daß Nob in den alten Saulüberlieferungen und auch in Verbindung mit Ahia, Ahitobs Sohn, nicht erwähnt wird!
86. Vgl. *v. Rad,* Studies in Deuteronomy, 1953, S. 73.
87. Vgl. *Bentzen,* Studier over de zadokidiske Præsteskabs Historie, 1931, S. 39 ff.; siehe auch *Hylanders* eingehende Analyse, a. a. O., S. 51 ff.

Prophezeihung der Ausrottung der Nob-Priesterschaft, mit Ausnahme des einem, Ahimelechs Sohn Ebjathar, anbetrifft, so stellt sich uns damit eine völlig andere Auffassung von dieser Katastrophe dar als in 1. Sam. 21–22. Dort wird die Katastrophe als das wohlverdiente Strafgericht Jahwes über das Geschlecht Eli angesehen, hier hingegen als Folge des Zornes eines krankhaft mißtrauischen Despoten auf Ahimelech, der sich mit David verschworen haben soll [88].

Daraus erklärt sich vielleicht auch, warum Ahimelech in 1. Sam. 21.22 nicht als Elide bezeichnet wird, wie es in Kap. 14,3 der Fall ist (vgl. 2,27 ff.). Die Eliden sind ausgesprochen in Mißkredit geraten; daher wird die herkömmliche Auffassung des Nob-Priesters Ahimelech als Abkömmling Elis stillschweigend übergangen. Daß derjenige, der letzten Endes hinter Kapitel 21.22 steht, von der Überlieferung über die elidische Abstammung der Ebjathariden Kenntnis gehabt haben muß, ist wohl kaum zu bezweifeln.

Sauls gewaltsames Vorgehen gegen die Priester von Nob und deren Stadt hat also zur Folge, daß David aus dieser angesehenen (an einem benjaminitischen Lokalheiligtum beheimateten) Priesterschaft den Priester übernimmt, nämlich den am Leben gebliebenen Ebjathar, der ihm später als Orakelpriester während seines Umherwanderns in Juda folgt (23,9) und nach Jerusalem mitgeht, wo er neben Zadok Davids Priester wird (2. Sam. 8,17; 15,24. 29. 35; 17,15; 19,12; 20,25 [89]). Durch das Blutbad in Gibea und die anschließende Vernichtung der Priesterschaft in Nob, die Tötung von Menschen und Vieh, vollzieht Saul in Wirklichkeit die Trennung zwischen Jahwe mit seinen Priestern und sich selbst, während David durch die Anstellung des überlebenden Ebjathar als Orakelpriester dieses Schisma zwischen Jahwepriestern und Königshaus wieder rückgängig macht. Es ist also deutlich spürbar ein Zusammenhang mit der Tatsache vorhanden, daß David der künftige König über Israel werden würde. Soviel läßt sich jedenfalls grundsätzlich über die Intention des Berichtes in seiner jetzigen Gestalt sagen.

Daß es sich dabei nicht um eine erfundene Geschichte handelt, ist völlig klar. Es muß eine Überlieferung vorgelegen haben; doch lassen sich ihre ursprünglichen Konturen noch erkennen? Bevor wir darauf eine Antwort zu geben versuchen, ist es angebracht, erst einmal darüber nachzudenken, woher diese Überlieferung stammen könnte. Immerhin kann man sich schon vor einer eingehenderen Analyse von Kap. 21.22 ungefähr vorstellen, wo der Ursprung dieser Überlieferung zu suchen ist. Nicht allein der Charakter des In-

88. Weitaus wahrscheinlicher ist, daß 1. Sam. 2,27 ff. auf einer althergebrachten Tradition über die elidische Abstammung der Ebjathariden beruht, als daß wir hier eine tendenziöse Konstruktion vor uns hätten.
89. Bezeichnend ist, daß Ebjathar in den Texten, die die Regierungszeit Davids behandeln, stets neben Zadok genannt wird.

halts selbst deutet ihn an, in 22,21 haben wir anscheinend einen direkten Hinweis: »Und Ebjathar erzählte David, daß Saul Jahwes Priester getötet hatte.« Die Überlieferung von der Ausrottung der Nob-Priesterschaft stammt irgendwie von dem Überlebenden dieser Priesterschaft, nämlich Ebjathar. Setzt man voraus, die Vorgeschichte sei nach der Spaltung des Reiches abgefaßt, so ist es freilich kaum möglich, daß der Verfasser den Bericht von Ebjathar selbst haben kann. Ebjathar war nach 1. Kg. 2,26 während der Thronfolgestreitigkeiten zwischen Adonia und Salomo wegen seiner Parteinahme für den ersteren nach Anathoth vertrieben worden. In ebender Stelle wird erwähnt, warum Salomo Ebjathar nicht (wie seinerzeit Sauls dessen Geschlecht!) töten ließ: Weil er – wie es heißt – die Leiden des Vaters von Salomo, David, geteilt habe. Daß hier sichtlich auf die Zeit der Bedrängnis Davids vor seiner Inthronisation angespielt wird, dürfte kaum zu bezweifeln sein [90]. Nun wäre es allerdings denkbar, daß das Blutbad an den Nob-Priestern in Gibea – und 1. Kg. 2,26b würde an sich in diese Richtung weisen – ursprünglich mit Ebjathars Verteidigung in einem Prozess nach der Thronbesteigung Salomos im Zusammenhang gestanden hat. Ob dies nun zutrifft oder nicht, hat im Grunde für die Sache keine Bedeutung; jedendalls ist die Überlieferung wohl ursprünglich unter den Ebjathariden entstanden mit der Absicht, Ebjathars Verdienste (oder eines seiner Verdienste) um David und damit dessen Dynastie herauszustreichen. In dem Fall wäre eine nicht unbedeutende Änderung der Intention der Überlieferung eingetreten [91].

Diese letzte Beobachtung versetzt uns nun in die Lage, den Anteil des Verfassers an dem jetzigen Bericht in Kap. 21,2–8 und 22,6 b–23 zu bestimmen, in dem unverkennbar David im Mittelpunkt steht. In V. 20 haben wir eine Fraseologie, die sich an anderen Stellen der Fluchtgeschichte Davids findet [92].

90. Vgl. z. B. *I. Benzinger,* Die Bücher der Könige, 1899, S. 12.
91. Eine Andeutung dieser Problemstellung findet sich bereits bei *W. Caspari,* Komm., S. 280 f.; aus 1. Kg. 2,26 f. schlußfolgert *Caspari,* daß das Geschlecht Ebjathars in den Ruf gekommen war, ungerecht behandelt worden zu sein, was »zur Darstellung der einstigen Verdienste um den König durch Gottesbefragung I 22,10–23,6 und Brotgeschenk I 22,7« reizte. So spricht er davon, daß Kap. 22,6 ff. später »als Beitrag zu Dv.' Geschichte unter Saul« Verwendung gefunden habe. Er will also nur in Kap. 22,6 ff. einen alten, in der Geschichte Davids verwendeten Bericht sehen; Kap. 21,2–8 habe dagegen nach *Caspari*'s Meinung »von Anfang an in Dv. den Mittelpunkt.« – *Ward,* der (a. a. O., S. 52) von einem »Nob-complex« spricht, macht die Andeutung, daß dieser Komplex von Ebjathar aus Anathoth (1. Kg. 2,26–27) stammen könnte, schließt aber andere Möglichkeiten (Dörfer oder Sippen in der Nähe Nobs) nicht aus. *Ward*'s Abgrenzung des Nobkomplexes und seine Analyse dieses Komplexes weichen in beachtlichem Maße von der Analyse in vorliegender Abhandlung ab.
92. Die Verben מלט (Niph.) und ברח kommen nebeneinander vor, vgl. 19,12. 18. und 19,10, wo statt ברח allerdings נס steht. (Siehe oven Anm. 1). Von diesen Stellen hat Kap. 19,18 – wie 22,20 – eindeutig den Charakter eines Binde-

Wie also 22,20 demnach auf den Verfasser zurückgeht, so auch V. 21, der – in Form und Inhalt – ebensowie V. 20 mit 19,18 zusammenfällt. In 19,18 ist es David, der flieht und zu Samuel kommt, um ihm zu erzählen, was Saul getan habe; in 22,20 f. ist es Ebjathar, der entkommt und sich zu David flüchtet und ihm berichtet, daß Saul die Priester Jahwes tötete.

Im übrigen setzt die Tatsache, daß Ebjathar entkommt und zu David gelangt (V. 20 ff.), der ihn unter seinen persönlichen Schutz stellt (V. 23), Kap. 22,1 ff. voraus, das ursprünglich nicht mit zu der Erzählung gehört hat: David ist nicht mehr der einsame Flüchtling, sondern hat Männer um sich, die diesen Schutz in der Tat gewährleisten. Schließlich wird in V. 20 ff. nichts darüber laut, wo sich David zum Zeitpunkt aufhält, als Ebjathar zu ihm kommt. Es bleibt nichts anderes übrig, als sich den Aufenthaltsort aus Kap. 22,1 ff. [93] herzuleiten. Höchstwahrscheinlich rührt 22,20–23 vom Verfasser her. Und hier ist gerade die Intention des Berichtes in seiner jetzigen Gestalt zu finden: Das Blutbad in Gibea hatte insofern ein positives Ergebnis, als Ebjathar, ein Mitglied der Priesterschaft in Nob, Davids Orakelpriester wurde. Im eigentlichen Mittelpunkt des Berichte steht David und nicht Ebjathar. Das erklärt vielleicht die Formulierung in V. 23 a: der, der nach meiner Seele [94] trachtet, trachtet nach deiner Seele. Man hätte die umgekehrte Reihenfolge erwartet (vgl. BH, die eine Korrektur vorschlägt!), doch liegt die Betonung auf David, er ist die zentrale Gestalt, Ebjathar nur eine Nebenfigur.

Kap. 22,11–19, die dritte Szene, betrachten wir aus methodischen Gründen am besten im Zusammenhang mit der zweiten Szene in 22,6 b–10. Diese beiden Abschnitte haben wesentliche Elemente gemeinsam. Nicht zuletzt gilt das für das Verschwörungsmotiv. In Kap. 22,8 beschuldigt der König seine eigenen Leute der Verschwörung, weil sie ihm nichts von dem Bund zwischen Jonathan und David mitgeteilt hätten, denn dadurch war es möglich, daß Jonathan David dazu bewegen konnte, als »Horcher« (ארב) des Königs aufzutreten. Was bedeutet hier eigentlich der Ausdruck »Horscher«, »Lauscher«? Bei welcher Gelegenheit hat Jonathan David dazu bewogen, ihn unterstützt, seinen Vater zu »belauschen«? Es ist hier wohl kaum an den Bund zu denken, den Jonathan nach Kap. 18,3 f. [95] mit David schloß, da man sich nicht vorzustellen vermag, daß Saul nichts von diesem Verhältnis gewußt haben sollte.

gliedes und stammt – wie übrigens auch der entsprechende Abschnitt von der Flucht Davids nach Rama (Vgl. oben S. 119.) – vom Verfasser.

93. Nach Kap. 23,6 (MT) wäre Ebjathar erst in Kegila zu David gekommen, vgl. hierzu unten S. 153.

94. יבקש; hier liegt eindeutig ein dem Thema entsprechendes Motiv vor, vgl. z. B. Kap. 19,2. 10; 20,1; 23,10. 14. 15. 25; 24,3. 10; 26, 2. 20; 27,1. 4; 28,7.

95. Auch in Kap. 18,1 kommt das Verb קשר vor, doch deutlich nicht in der Bedeutung »sich verschwören«.

Vielleicht käme das in 20,8. 13 ff. [96]. 23. 41f. Berichtete in Frage, also die Flucht, zu der Jonathan David verhalf. Bei dem Ausdruck »Horcher« im jetzigen Zusammenhang hat man an das zu denken, was sich aus der Flucht Davids ergab: seine Wirksamkeit in Juda, also an den Inhalt von Kap. 22,1 ff. Dies geht aus 22,8 b: כיום הזה hervor. Nun hat freilich nicht der Verfasser den Ausdruck »Horcher« eingeführt, denn dieser Ausdruck wirkt im Kontext von Kap. 22,1 ff. nicht sonderlich glücklich. In dem Ausdruck muß etwas stecken, was darauf hinweist, daß David im Verborgenen – nicht in der Öffentlichkeit – etwas Bestimmtes zu erreichen sucht. Im vorliegenden Zusammenhang hätte man eher איב, Feind, erwartet [97]. Wenn Saul dennoch das Wort »Horcher« gebraucht, so handele es sich dabei sicher um »a graphic description of the trusted man, who keeps close to him in order to deprive him of his blessing«, wie *Johs. Pedersen* es ausdrückt [98]. Oder mit anderen Worten: Der Ausdruck macht Sauls Mißtrauen deutlich; David macht ihm im Verborgenen und in seiner unmittelbaren Nähe den Rang als König streitig. Ein solches Mißtrauen kommt ja vor allem auch in Sauls Beschuldigung seiner Leute in V. 7 b zum Ausdruck: David muß ihnen goldene Berge versprochen haben [99]!

Es hat demnach viel für sich, V. 8 in der zweiten Szene des Berichts Kap. 22,6 b–10 dem Verfasser zuzuschreiben [100]. Woher aber stammen das Verschwörungs- und das »Horcher«-Motiv? Dies Frage ist nicht allzu schwer zu beantworten. Da die eigentlichen Hauptpersonen des Berichts Ahimelech und dessen Priesterschar sind – und nicht Jonathan, ja, an und für sich auch David nicht – und sowohl das Verschwörungs- als auch das »Horcher«-Motiv in der Beschuldigung gegen den Nob-Priester in 22,13 vorkommen, haben diese beiden Motive offenbar ursprünglich in diesen Zusammenhang gehört.

In V. 13 – abgesehen von bα – beschuldigt Saul Ahimelech und andere Priester in Nob der Verschwörung mit David gegen den König; die Folge dieser Verschwörung ermöglicht Davids Rolle als »Horcher« des Königs, wie er es

96. Vgl. ebenfalls 19,17, wo König Saul seiner Tochter gegenüber David als seinen Feind (איבי) bezeichnet.
97. Die Mehrzahl der Forscher korrigiert deshalb ארב ganz einfach in איב, vgl. LXX.
98. Israel, I, S. 187.
99. Das Mißtrauen des Königs hat – wie schon früher betont (vgl. oben S. 000) – sicherlich seinen Grund in Davids Erfolg als Krieger; so ist es wohl auch richtig, wenn *Caspari* (Komm., S. 277) in V. 7 b vor allem an Anweisungen nach erfolgreichen Feldzügen denkt.
100. Mit Recht bemerkt *Ehrlich* (Randglossen, S. 246), daß kein Grund dazu besteht, das ausdrucksstarke חלה krank, um jemand besorgt sein (על; vgl. Am. 6,6 wo das Niph. steht) in חמל abzuändern, vgl. Kap. 23,21. *De Boer* (Research, S. 40) faßt V. 8 auf als »a link with the records of xviii-xx. It is a summary of the situation and at the same time an introduction to the following episode.«

am gleichen Tage noch tut. Wenn wir allerdings an dem oben angeführten Verständnis des Ausdruckes »Horcher« festhalten, ist hier folglich auch nicht an David als Bandenführer in Juda (22,1 ff.) zu denken, also als einen *offen* auftretenden Feind des Königs, sondern wir haben uns hier David als einen Mann vorzustellen, dem Saul mißtraut, weil er im *Verborgenen* und in des Königs eigener Umgebung nach der Königsherrschaft greifen wolle. Und die Priesterschaft von Nob würde nach Meinung des Königs mit David konspirieren. Damit jedoch nimmt die Analyse eine überraschende Wende; strenggenommen braucht es sich in der ursprünglichen Überlieferung gar nicht so zu verhalten, daß diese Beschuldigung gegen die Priester von Nob durch Davids Flucht und Ahimelechs Beihilfe veranlaßt worden ist. Zur Erhärtung dieser Annahme möchten wir auf das Wort Ahimelechs in 22,15 hinweisen, das ja die Antwort auf Sauls Anschuldigung darstellt. Wie oben bereits erwähnt [101], ist es merkwürdig, daß Ahimelech lediglich wegen der Gottesbefragung für David angeklagt ist, während er um die beiden anderen Anklagepunkte herumkommt [102]. Aus Ahimelechs Aussage geht hervor, daß er nicht zum ersten Mal für David eine Jahwebefragung vorgenommen hatte, weshalb er es auch dieses Mal ohne Bedenken getan habe. Die Situation ist also eine ganz andere als in 21,2 ff., wo David nur durch eine Notlüge das Gewünschte erreichen konnte. Sollte der Bericht ursprünglich von den Ebjathariden stammen und dessen eigentliches Anliegen darin bestanden haben, Ebjathars Verdienste um David besonders herauszustellen, wäre es ja eine recht törichte Sache, auf einen Dienst zu pochen, den dieser ohne sein Wissen David geleistet hätte.

Freilich ist die skizzierte Auffassung von Ahimelechs Verschwörung zugestandenermaßen mit unübersehbaren Schwierigkeiten verbunden. So lauten die beiden ersten Anklagepunkte in 22,13 darauf, Ahimelech hätte David Brot und Schwert gegeben, was eindeutig auf die Fluchtepisode in 21,2 ff., vgl. 22,17 a, zurücklenkt. Was jedoch die Motive des Brotes und Schwertes anbetrifft, so besteht, wie oben angeschnitten [103] darüber durchaus keine Einhelligkeit. Zudem ist die Atmosphäre in 21,2 ff. eine ganz andere als im übrigen Teil des Berichts; von irgendeiner Gottesbefragung hören wir jedenfalls in 21,2 ff. direkt nichts, während dieses Motiv 22,11 ff. beherrscht. Von daher liegt die Vermutung nahe, daß 21,2 ff. und 22,11 ff. nicht denselben Ursprung gehabt haben können, denn eine Entsprechung ist irgendwie nicht zu sehen. Das Wesentliche in 22,11 ff., die Verschwörung und Gottesbefragung, läßt sich schwerlich aus 21,2 ff. ableiten, während die Hauptsache von 21,2 ff., das heilige Brot und das ausdrücklich genannte Schwert Goliaths, in

101. Vgl. oben S. 129.
102. V. 13, vgl. auch Kap. 21,2 ff. Man hätte erwartet, daß Ahimelech zum Ausdruck bringen würde, er sei von David betrogen worden, oder – wie Michal (Kap. 19,17) – unter Drohungen dazu gezwungen worden!
103. Vgl. oben S. 129 f.

22,11 (9) ff. nur schwach anklingt, und dann noch unvollkommen. So fällt es schwer, wie *Mowinckel* und *Nübel* [104], ohne nennenswerte Mühe die beiden Abschnitte über einen Leisten zu schlagen. Mit Recht ist nachdrücklich darauf hingewiesen worden, daß das politische Moment in 22,6 ff. stark im Mittelpunkt steht, während es in 21,2 ff. ganz in den Hintergrund tritt.

Früher ist die Vermutung geäußert worden, daß das Fluchtmotiv ursprünglich nicht mit zu dem Bericht gehört hat. Woher stammt das Motiv? Man könnte es auf den Verfasser zurückführen. Indessen hat das Fluchtmotiv allem Anschein nach den Bericht beherrscht, bevor der Verfasser ihn übernahm. Es ist also, wie eine nähere Betractung von 21,2 ff. zeigt, nicht ratsam, dieses Motiv dem Verfasser zuzuschreiben, da dieser Abschnitt unlöslich mit Davids Fluchtsituation verbunden zu sein scheint. Allerdings macht dieser Abschnitt nicht unbedingt einen ausgesprochen wirklichkeitsnahen Eindruck, David ist in heimlicher Mission für den König unterwegs und hatte solche Eile, daß er Brot mitzunehmen vergaß! Ja, er hatte es nicht einmal geschafft, ein Schwert anzulegen! Natürlich hat man den Versuch unternommen, diesen Sachverhalt irgendwie mit dem Vorhergehenden in Verbindung zu bringen, was an sich ganz legitim ist, wenn man nicht damit – falls der Versuch überhaupt glücken sollte – einen Quellenzusammenhang herzustellen bemüht ist [105]. Demgegenüber sollte man auf anderem Wege versuchen, den Absichten des Verfassers auf den Grund zu gehen, warum er einen zusammenhängenden Bericht über Davids Flucht in das Land Juda schafft.

Überdies wäre noch auf die Kuriosität aufmerksam zu machen, daß Ahimelech David nur die heiligen Brote und Goliaths Schwert anzubieten in der Lage ist! Darüber hinaus wird Ahimelech über Gebühr naiv und gutgläubig geschildert. Er läßt sich von dem schlauen David zum Narren halten. »Die Zuhörer freuen sich an dem Erfolg des schlauen David und belustigen sich über die Art, wie er den Priester geprellt hat.« [106] Dieses respektlose Bild von Ahimelech kann nicht vom Verfasser gezeichnet sein. Andererseits könnte man sich darüber wundern, daß der Verfasser 21,2 ff. überhaupt mithinzugenommen hat. Doch hat der Verfasser der wenig flattierenden Situation, in die David Ahimelech bringt, auch einen Dämpfer aufgesetzt, vgl. Kp. 22,22.

Die Erzählung in 21,2 ff. ist wohl kaum zur Zeit Davids entstanden. Die Zeit Salomos, als Ebjathar, Ahimelechs Sohn, seiner Stellung enthoben und nach Anathoth ausgewiesen war, bietet einen verständlicheren Rahmen. Der

104. Vgl. oben S. 129 f.

105. *Budde* und *Smith* sind also der Ansicht, Kap. 21,2 ff. sei die Fortsetzung von Kap. 19,17. Demgegenüber möchte *Mowinckel* an die Quelle J in Kap. 20 anknüpfen. *Hertzberg* (Komm., S. 143) setzt allerdings voraus: »Doch ist es relativ fruchtlos, hier Verknüpfungen vorzunehmen. Es gab eine Überlieferung, wonach David seine Zuflucht bei den Propheten suchte, und eine andere, wonach er zu den Priestern floh.«

106. *Gressmann,* Die älteste Geschichtsschreibung, 1910, S. 96.

Abschnitt trägt seiner Form und seiner Inhalts nach Züge einer »volkstümlichen« Überlieferung. David steht deutlich im Mittelpunkt der Erzählung, und seine Schlauheit, eine schwierige Situation zu meistern, wird auf Kosten der Naivität des Nob-Priesters verherrlicht, die an Dummheit grenzt [107]. Diese volkstümliche Erzählung war zur Zeit nach Salomos Thronbesteigung in Jerusalem im Umlauf. Der einstmals so mächtige Ebjathar und sein Geschlecht sind verstoßen und entmachtet.

Doch hat denn Kap. 21,2 ff. gar keinen Zusammenhang mit dem zweiten Teil, Kap. 22,6 b–18? In formeller Hinsicht gibt et manche Verbindungslinien. *1.* Die Beschuldigung der Verschwörung wird auch in 22,17 mit Davids Flucht in Verbindung gebracht. *2.* Die Erwähnung der Wegzehrung (22,10) und des Brotes (22,13), die David von Ahimelech bekam, lenkt das Augenmerk natürlich zurück auf die heiligen Brote in 21,3 ff. *3.* In 22,10 ist ein klarer, in 22,13 ein unmittelbarer Hinweis auf 21,9 f. enthalten. *4.* Die Gestalt des Doeg ist ein unbedingt notwendiges Bindeglied zwischen den einzelnen Szenen. Er wird 21,8 und 22,9 als Edomiter bezeichnet. – Dahinter kann natürlich eine zuverlässige Nachricht stehen, da es gut denkbar wäre, daß Saul einen Edomiter in seinen Dienst nahm (vgl. 14,52!) [108]. – Doch hören wir, wie vordem erwähnt, in 21,2 ff. nichts von einer Gottesbefragung, was *Budde* [109] feststellt, während *Mowinckel* und *Nübel* dafür eintreten, sie sei in der in 21,2 ff. enthaltenen Episode vorauszusetzen. In gewisser Weise haben die beiden Letztgenannten insofern recht, als 22,6 ff. voraussetzt, daß in der Einleitung von einer Gottesbefragung die Rede war. Doch kann Kap. 21,2 ff. unmöglich diese Einleitung gewesen sein. Daher liegt die Vermutung nahe, diese Episode mit Davids Schlauheit und Ahimelechs Torheit habe eine ursprüngliche Einleitung ersetzt, in der wirklich von einer Gottesbefragung die Rede war und die den Rahmen für die Gerichtsszene und das Gerichtsurteil in Kap. 22,6 b–19 absteckte. Eine solche Vermutung würde den inneren Zusammenhang herstellen, wie er einst in der ursprünglichen ebjatharidischen Überlieferung vorhanden gewesen sein dürfte.

Budde wie auch *Mowinckel* halten die Erwähnung von Goliaths Schwert außer in 21,2 ff. nicht für ursprünglich, ja, *Mowinckel* nimmt zudem an, auch die Erwährung von Goliaths Schwert in 21,9 f. sei sekundär, indem diese

107. David erinnert hier an die Gestalt des Jakob, die im Volksmund so etwas wie ein Prototyp Davids geworden ist, vgl. oben S. 105.
108. *Stoebe* (BZAW, 1958, S. 234) ist der Meinung, der Zug mit dem verhaßten Edomiter stehe unter dem Einfluß der Patriarchenüberlieferungen. Nicht auszuschließen ist, daß die Nationalität tendenziösen Charakter haben könnte, doch ist er andererseits nicht erforderlich, auf die Jakobüberlieferungen zurückzugreifen. Die Verhältnisse zur Zeit Davids (vgl. 2. Sam. 8,14) oder Salomos (vgl. 1. Kg. 11,14 ff.) geben einen natürlichen historischen Hintergrund ab.
109. Vgl. oben S. 129.

Verse mit den folgenden V. 11–16 aus der Quelle E stammten [110]. Wahrscheinlich hat *Mowinckel* grundsätzlich recht; wie die Gestalt des Doeg in der 2. und 3. Szene an letzter Stelle steht (22,9 f.; 22,18 f.), so sicherlich auch in der 1. Szene (21,8), weshalb auch die Episode mit Goliaths Schwert in 21,9 f. zu spät erscheint. Wie aber ist die Erwähnung dieses Schwertes dann in die Erzählung hineingekommen? Wahrscheinlich um Davids Flucht zu König Achis (21,11 ff.) vorzubereiten. Der Umstand, daß Goliaths Schwert eindeutig auf Kap. 17 zurückverweist [111], spricht dafür, daß der Verfasser die Episode 21,9 f. hinzugefügt hat, wie er allem Anschein nach [112] auch für die Einbeziehung von 21,11 ff. verantwortlich ist. Folglich müssen 22,10 b und וחרב in 22,13 ebenfalls vom Verfasser herrühren [113].

Ungeklärt ist noch die Erwähning der Wegzehrung (צידה) und des Brotes in 22,10 a, bzw. 22,13 b, die zweifellos im Zusammenhang mit 21,2 ff. gesehen werden muß. *Budde* und *Mowinckel* lassen 22,10 a und die Erwähnung des Brotes in 22,13 b so stehen, während sie also beide – aus unterschiedlichen Motiven – 22,10 b und וחרב in 22,13 streichen. Doch ist ein solches Vorgehen inkonsequent, denn sowohl Schwert als auch Brot beziehen sich auf 21,2 ff. Der Ausdruck צידה kann wohl kaum anders aufgefaßt werden, als daß er besonders darauf hinweisen soll, daß das (die) Brot(e), die Ahimelech gemäß 21,7 David gab, Reiseproviant war(en) und demnach in Verbindung mit der Fluchtsituation stand(en). *Budde*'s Auffassung leitet sich offensichtlich von seiner Theori über zwei parallele Quellen her, während bei *Mowinckel* die Ansicht dahintersteht, 21,2 ff. und 22,6 ff. gehörten zu ein und derselben Quelle.

Nunmehr sind wir in die Lage versetzt, den hinter Kap. 21.22 liegenden überlieferungsgeschichtlichen Prozeß zu verfolgen. Grundstock des Berichtes ist Kap. 22,6 b–7. 9–10 a. 11–12. 13 (÷ בתתך לו לחם וחרב)· 14–15. 17 (÷ וכי ידעו כי ברח הוא ולא גלו את אזני)· 18–19. Dieser Grundstock stellt *ein ebjatharidisches Überlieferungsfragment* dar, das eine gerichtliche Handlung beinhaltet, anläßlich der König Saul Ahimelech, den Priester in Nob [114], der

110. Vgl. oben S. 129.
111. Vgl. den Ort עמק האלה (17,2. 19). Zu erwähnen wäre auch der angeführte Ephod (vgl. 14,3) der im folgenden auch eine Rolle spielt, vgl. Kap. 22,18; 23,9; 30,7.
112. Vgl. oben S. 127 und unten 143 ff.
113. Mit der Erwähnung von Goliaths Schwert im Zusammenhang mit Nob in Kap. 21,10 verbindet sich demnach keine echte Überlieferung, vgl. oben S. 94 zu Kap. 17,54.
114. Da Nob erstmalig hier im AT erwähnt wird (also in Kap. 21–22), handelt es sich wahrscheinlich um ein unbedeutendes benjaminitisches Lokalheiligtum (vgl. *Morgenstern,* HUCA, XVIII, 1943–44, S. 8 f.), das auf Grund seiner Nähe zu Gibea unter König Saul den Charakter einer Art benjaminitischen Stammesheiligtums angenommen hat, ja, die Priester des Heiligtums haben vielleicht sogar

Verschwörung mit David beschuldigt, dem er bei irgendeiner Gelegenheit ein (günstiges) Orakel erteilt hat. Als Zeuge gegen den Nob-Priester trat der Edomiter Doeg auf [115]. Diese Überlieferung wurde *in Volkskreisen in Jerusalem* weitererzählt, die – offensichlich unter dem Eindruck des Schicksals der Ebjathariden bei der Thronbesteigung Salomos (1. Kg. 2,26) – den Charakter des ursprünglichen Berichtes änderten. So hat man die ursprüngliche Einleitung [116] durch eine neue ersetzt, 21,2–8, nach der David, der sich sichtlich auf der Flucht vor Saul befindet, vorgibt, in geheimer Mission für den König unterwegs zu sein und kein Brot mit sich zu haben, und von Ahimelech die heiligen [117] Brote ausgehändigt bekommt. Diese neue Einleitung hatte auch die Einfügung von צידה in V. 10 und בתתך לו לחם in V. 13 sowie וכי ידעו ······ את אזינ in V. 17 zur Folge. Schließlich hat *der Verfasser* diese volkstümliche Überlieferung in die Vorgeschichte aufgenommen, sie aber durch

für das Nob-Heiligtum den Anspruch auf den Charakter eines amphiktyonischen Heiligtums als Erbe des berühmten Silo-Heiligtums erhoben.

115. Vgl. oben S. 128 f.

116. Einen gewissen Eindruck davon, wie diese ursprüngliche Einleitung gelautet haben muß, bekommt man vielleicht doch, wenn man auf Kap. 22,11 ff. Rückschlüsse zieht. Nach dem oben Erwähnten war das einzige, was Doeg dem König hinterbrachte, dies, daß Ahimelech David ein (günstiges) Orakel gegeben hat (vgl. oben S. 129 ff.). Doch aus welchem Grunde wollte David dieses Orakel haben? *Nübel* (vgl. oben S. 130) brachte Kap. 21,2 ff. mit dem heiligen Krieg in Verbindung; in dieser Einleitung wird Ahimelech David ein günstiges Orakel gegeben haben. Grundsätzlich hat *Nübel* sicher recht. Eigentümlich ist nämlich, daß David V. 6 vorgibt, mit seinen Leuten auf einem gewöhnlichen (חל) Streifzug zu sein, und dennoch waren seine Leute sexuell rein! In Wirklichkeit erzählt David dem Priester, seine Leuten seien in dem heiligen Zustand, weil sie sich auf dem Wege in den Krieg befänden (vgl. hierzu *v. Rad,* Der heilige Krieg, S. 7). Es ist nicht ganz von der Hand zu weisen, daß wir hier ein Überbleibsel von der ursprünglichen Einleitung haben. Man hat auch den Eindruck, daß Davids Leute in Kap. 21,2 ff. im jetzigen Zusammenhang etwas unmotiviert sind (vgl. oben Anm. 74).

Stoebe's Versuch, was den Vorstellungsgehalt anbetrifft, zwischen 1. Sam. 21,1 ff. und Ps. 110,3 eine Übereinstimmung wahrzunehmen, mutet recht willkürlich an (vgl. seine Anm. 74 zitierte Abhandlung, S. 184 ff.). Seine Deutung des sehr schwieringen V. 3 in diesem Psalm von der Vorstellungswelt des heiligen Krieges her (vgl. auch *Weiser,* Die Psalmen, ATD, 15, 1955, S. 477) trifft sicher nicht zu. In Ps. 110 bewegen wir uns durchweg innerhalb der Sphäre der Königsideologie (vgl. z. B. *Bentzen,* Salmerne, S. 557–560, und *Ahlström,* Psalm 89, S. 112, 137 f.).

117. In V. 7 b werden diese Brote als לחם הפנים bezeichnet, wobei es sich um eine technische Bezeichnung handelt, die sonst im AT nur für die heiligen Brote im Tempel von Jerusalem verwendet wird. Die Verwendung dieser Bezeichnung verrät zudem das jerusalemische Milieu des Erzählers. Angesichts der oben durchgeführten Analyse liegt in dem Umstand, daß die Brote *heilige* Brote waren, kaum etwas anderes, als daß es die einzigen Brote waren, welche die Priester in dem Augenblick zur Hand hatten!

den Einschub der Episode von Davids Flucht zu König Achis (21,11–16) und seine endgültige Ankunft im Lande Juda (22,1–5) in zwei getrennte Abschnitte geteilt. Ferner hat der Verfasser dem Bericht eine neue Tendenz gegeben, Kap. 22,20–23 [118]. Dadurch erreichte er, daß die Geschichte in 21,2–10; 22,6–23 sich in den Hauptabschnitt (Kap. 19,18–22,23) harmonisch einfügte, der Davids Fluchtroute in Benjamin behandelt, bis er sichereren – aber keineswegs sicheren! – Boden in Juda unter die Füße bekommt. Dazu kommt, dass der Verfasser die Erwähnung von dem Schwert (Goliaths) eingeschoben hat (vgl. oben).

D. David bei König Achis von Gath (Kap. 21,11-16)

Das Kap. 21,11 ff., das den Zusammenhang des Berichts über die Vorgänge in Nob abbricht, wird allem Anschein nach [119] durch die sekundären Verse 9 f. im ersten Teil des Nob-Berichts vorbereitet. Auf seiner Flucht kommt David nach Gath, wo er als der wiedererkannt wird, von dem die Frauen sangen: Saul schlug Tausend, David aber Zehntausend. David stellt sich in seiner Furcht wahnsinnig, weshalb ihn Achis schleunigst fortschickt.

Warum floh David ausgerechnet nach Gath [120]? Beabsichtigte er hier in der Tat anonym Zuflucht zu suchen? Oder mußte er unbedingt durch philistäisches Gebiet, ehe er sein endgültiges Ziel, Juda, erreichen konnte? Eine solche Fragestellung ist wohl abwegig. Lohnender ist es, von einer inhaltlichen Analyse der Perikope her die Frage nach ihrer Herkunft zu stellen. Danach müssen wir uns klar werden, wieso sie in den jetzigen Zusammenhang eingefügt worden ist.

Budde [121] meint, die Perikope stamme wie Kap. 16,1–13 und 19,18 ff. aus der Midraschquelle. Es handele sich also seiner Meinung nach um eine sehr spät entstandenen Erzählung. Die Erzählung möchte Davids Aufenthalt im Philisterland (Kap. 27) »auf einen blossen, erfolglosen Versuch« zurückführen und damit das Anstoßerregende, daß David sich in Feindesland aufhält, aus dem Wege schaffen [122]. Im folgenden wird hoffentlich deutlich werden, daß ein solches Verständnis der Beziehung zwischen 21,11–16 und Kap.

118. Vgl. oben S. 135 f.
119. Vgl. oben S. 141.
120. Die geographische Lage Gaths ist immer noch ein ungelöstes Rätsel. *Simons,* The Geographical and Topographical Texts of the OT, S. 509, spricht von »a dozen suggested identifications«. Vgl. auch *Aharoni,* The Land of the Bible, 1967 (Register).
121. Komm., S. 146.
122. Vgl. auch *Smith,* Komm., S. 201: »The present account seems to be an attempt to explain away the facts of history.«

27 f. [123] den Charakter der Perikope völlig verkennt. Derartige Ansichten laufen ganz in den Bahnen der Quellenkritik, die mehr daran interessiert ist, Zusammenhänge nachzuweisen – oder einen Mangel an solchen festzustellen –, als Einzelüberlieferungen zu analysieren. Darüber hinaus braucht an und für sich, so wie der Verlauf der Handlung festgehalten ist, zwischen Kap. 21,11–16 und Kap. 27 f. kein Gegensatz zu bestehen [124].

Hertzberg [125] sieht in der kurzen Erzählung eine, vielleicht in Gath selbst entstandene Lokalüberlieferung. Sie soll nach *Hertzberg* dreierlei zeigen: *1.* Davids Fähigkeit, eine schwierige Situation zu meistern. *2.* Davids verzweifelte Situation. *3.* Gottes führende und bewahrende Hand. Jedoch ist es höchst unwahrscheinlich, ob hier eine Überlieferung aus Gath vorliegt.

Im folgenden unternehmen wir den Versuch der Perikope von ihrem eigenartigen Inhalt her beikommen. Wenn wir uns statt auf den Kontext der Perikope auf ihren Inhalt konzentrieren, ergibt sich vielleicht auch die Möglichkeit, über ihre Entstehung ein klärendes Wort zu sagen. In diesem Zusammenhang sei auf eine Abhandlung von *M. Bič* hingewiesen [126]. Unsere besondere Aufmerksamkeit gilt hier dem bei *Bič* sichtbar werdenden Grundgedanken. Er weiß sich sichtlich der skandinavischen alttestamentlichen Forschung verpflichtet, mit deren spezifischer Tendenz er offensichlich durch *Aage Bentzen*'s »Messias – Moses redivivus – Menschensohn« [1948] bekannt geworden ist. In Kap. 21,11–16 haben wir es nach *Bič* mit einem sakralen Text zu tun, und zum Verständnis der Perikope zieht er Ps. 34 heran, dessen Überschrift – die nach *Bič*'s Meinung bis in vorexilische Zeit zurückgeht – sich deutlich auf Kap. 21,11 ff. beziehe. »Il faut se représenter simplement la chose de telle manière que la position de David parmi les Philistins est devenue le »modèle« de la lutte de rois, actualisée plus tard dans la culte, durant laquelle se firent derechef valoir les paroles du Ps. 34.« [127] In Ps. 34,3 sieht *Bič* in dem Verb h – 1 – 1 III, hitp., ein beabsichtiges Wortspiel zu h – 1 – 1, hitpoel. In den Augen der Widersacher könne Davids Hoffnung auf Jahwe nur wie eine Torheit aussehen. Davids Torheit wird also theologisch gedeutet. In der Erzählung 21,11–16 liege eine historifizierter Kultmythos

123. In Kap. 21,11 ff. geht es vom Zusammenhang her darum, Saul zu entkommen, Gath ist lediglich eine Station auf dem Wege nach Juda. In Kap. 27 ist Gath der letzte Ausweg, sogar in Juda ist David vor Saul nicht sicher. Es liegt also im Verhältnis zu Kap. 21,11 ff. in Kap. 27 eine Steigerung vor (vgl. übrigens unten S. 183 ff.).
124. Dies richtet sich gegen *Nübel,* der (a. a. O., S. 37 f.) davon ausgeht, Kap. 21,11 ff. und Kap. 27 ff. seien miteinander unvereinbar; doch im Gegensatz zu *Budde* (und *Mowinckel*) hält er Kap. 21,11 ff. für älter, da er annimmt, 21,11 ff. gehöre zur Gr., Kap. 27–29 dagegen zum B.
125. Komm., S. 147.
126. La folie de David, Revue d'Histoire et de Philosophie Religieuse, 37, 1957, S. 156–162.
126. A. a. O., S. 158.

vor. David komme, mit Goliaths Schwert als dem sichtbaren Zeichen eines Siegers bewaffnet (V. 9 f.), nach Gath. Er komme nicht als geächteter König, sondern als »König der Erde« (מלך הארץ, V. 12). Die Situation sei nach *Bič* [128] »absolument la même« wie die, als Jesus zu den Gadarenern kam (Mt. 8,29). Und wenn David hier als Wahnsinniger auftrete, zeige Ps. 34,4, daß er gleichsam ein »folie de la croix« sei. Das von David an die Pforte geschriebene Zeichen bedeute, daß er »annonçait le jugement«, denn die Pforte sei im AT vornehmlich der Ort, an dem Recht gesprochen werde [129]. Wenn David ausspucke, sei das Ausdruck des Bannens.

Wenngleich manches von der soeben angeführten Einzelheiten in *Bič*'s Verständnis von 21,11–16 in der Tat problematisch ist [130], ist es wahrscheinlich grundsätzlich richtig, wenn man Kap. 21,11–16 für einen historifizierten Mythos hält. Wir ahnen vielleicht die Umrisse des im Kultus gedemütigten, in Feindesland [131] geratenen, aber letztlich erretteten Königs. David hat Angst (vgl. die Königs-Klage-Psalmen!), in die Gewalt des Feindes, der im Philisterkönig Achis personifizierten Chaosmacht zu fallen. König Achis dagegen fürchtet David insofern, als er gegen ihn Drohungen ausspricht und seine Verfluchungen gegen ihn ausstößt. So wird in dem Bericht über Davids kurzen Aufenthalt in Gath der im Kultus des Neujahrsfestes stattfindende Kampf des Königs mit dem Chaos transparent. Jedoch schimmert dieser Kultkampf wohlgemerkt nur durch, den Kulttext selbst haben wir natürlich nicht vor uns. Er ist historifiziert, in einen geschichtlichen Zusammenhang gestellt [132].

Es besteht jedenfalls kein Grund zur Annahme, daß 21,11–16 sehr spät entstanden sei, vielmehr läßt der angenommene kultische Hintergrund auf ein hohes Alter schließen. Er stammt aus dem Königskult in Jerusalem. Für eine Historifizierung des Mythos durch den Verfasser ergeben sich keine Anhaltspunkte. Vermutlich hat er ihn annähernd in der Gestalt vorgefunden, wie wir sie heute vor uns haben. Die beiden Kap. 21,11–16, d. h. dem Kultmythos zugrundeliegenden wesentlichen Merkmale sind die Erniedrigung des Königs und seine Errettung (vgl. *Hertzberg*'s Punkte 2 und 3 oben). Dahin-

128. A. a. O., S. 160.
129. A. a. O., S. 161.
130. Das betrifft vor allem seine Auffassung über das hohe Alter der Psalmenüberschrift in Ps. 34, die Verbindung von Ps. 34 mit der Perikope hier, die Rolle Goliaths in Kap. 21, 11 ff.
131. Feindesland hat man zu deuten als eine Konkretisierung der kultischen Not, des Totenreiches, vgl. *Grønbæk*, DTT, 20, 1957, S. 13 f.
132. Ein Anklang an den Kulttext liegt vielleicht in dem in diesem Zusammenhang überraschenden Ausdruck מלך הארץ, der in der kultischen Sphäre »König der Erde, der Welt« bedeutete, hier aber offenbar den »König des Landes« bezeichnet. Das zeigt ja auch V. 12 b mit dem aus Kap. 18,7 stammenden und in Kap. 29,5 wieder auftauchenden »Gesang«: Saul hat seine Tausend geschlagen, aber David seine Zehntausend.

gestellt bleibt übrigens, ob die Wahnsinnsszene in V. 14 kultische Wurzeln hat, oder ob man sie schlechterdings als eine epische Darstellungsweise zu verstehen hat [133].

V. 12 b geht wohl auf den Verfasser zurück, was jedoch nicht unbedingt heißen muß, daß erst der Verfasser in V. 12 a das Wort »König der Erde« »eingeengt« habe. Tatsache ist jedenfalls, daß מלך הארץ für den Verfasser die Bedeutung von »König des Landes« hatte. Beachtenswert ist, daß der Ausdruck den Philistern in den Mund gelegt wird [134]. Darin spricht sich eine Vorwegnahme der späteren Würde Davids als König des Landes aus [135]. 21,12 hat man also – und das muß man sich unbedingt klarmachen – im Lichte der Intention der Vorgeschichte zu betrachten.

Warum steht die Erzählung über David als König über die Philister ausgerechnet an dieser Stelle? Eine mögliche Antwort wäre die: Die Erzählung will dem nächsten Hauptabschnitte Kap. 23,1–27,4 vorgreifen und ihn vorbereiten, nämlich Davids Aufenthalt in der Wüste Juda. Hauptthema dieses umfassenden Abschnitts ist ja die Erniedrigung Davids, seine Situation als gejagter Flüchtling, aber auch sein Weg unter Jahwes schützender Hand. Diese beiden Motive werden im folgenden erst richtig entfaltet. Kap. 21,11–16 hat demnach die Aufgabe einer Art Exposition. Gleichzeitig nimmt dieser Abschnitt auch Davids späteren Übertritt zum Philisterkönig in Kap. 27,1 ff. vorweg [136]. Darüber hinaus hat der Verfasser dadurch, daß er die Episode an dieser Stelle plazierte, mit epischer Durchschlagskraft die verhängnisvollen Folgen des Aufenthaltes Davids in Nob während seiner Flucht aufgeschoben

133. Das gleiche Motiv findet sich auch an anderen Stellen (vgl. *Smith,* Komm., S. 201). So wie die Erzählung heute den Eindruck erweckt, ist der Wahnsinn simuliert, er hat mit prophetischer Verzückung nichts zu tun (gegen *Nübel,* a. a. S. 37), was auch aus der Tatsache hervorgeht, daß sich unter den Verben, die verwendet werden (חלל III und שגע im Hitp.), נבא (Hiph.) nicht findet. Was die Textkritik angeht, siehe *H. S. Gehman,* A Note on I Samuel 21,13(14), JBL, 67, 1948, S. 241 ff. *Gehman* versucht den Nachweis zu erbringen, daß hinter ויתו und ויתף (LXX ἐτυμπάνιζεν) zwei hebräische Textüberlieferungen stehen; er weist darauf hin, daß zwei LXX-Handschriften (nicht wie im Cod. Vat. ἔπιπτεν) die Lesart ἔτυπτεν haben, hinter der das hebräische תוה (τύποι, Kennzeichnen, Zeichen) zu vermutet ist.

134. Vgl. auch Kap. 29,5, siehe unten S. 200.

135. Auch in dem »Gesang« der Frauen in Kap. 18,7 wurde die zukünftige Königswürde Davids vorgegriffen.

136. Vgl. *de Vaux,* Les livres de Samuel, S. 103. Es reizt geradezu das Verhältnis zwischen Kap. 21,11 ff. und Kap. 27 mit dem zwischen Kap. 19,1 ff. und Kap. 20 zu vergleichen (vgl. oben S. 113). Wie der Verfasser durch die Abfassung der Episode in Kap. 19,1 ff. den endgültigen – und unumgänglichen – Bruch zwischen David und Saul hinauszögerte, so hat er in Kap. 22,1 ff. durch die Aufnahme der dort überlieferten Episode den endgültigen – und unvermeidbaren – Übertritt Davids zu den Philistern hinausgeschoben. In beiden Fällen hat er also den Ablauf der Handlung verzögert.

und schließlich durch 21,11–22,5 erreicht, daß David in (verhältnismäßig annehmbare) Sicherheit gelangt, bevor Sauls Faust gegen die Priesterschaft von Nob zuschlägt [137].

E. David entweicht nach Juda (Kap. 22,1-5)

Nachdem sich David von Gath (משם, V. 1 a) in die Höhle Adullam (מערת עדלם) gerettet hatte, kommen seine »Brüder« und »seines Vaters Haus« zu ihm dorthin. Außerdem sammelt sich um ihn eine Schar von 400 mit der Gesellschaft unzufriedenen Männern (V. 1–2). David zieht von der Höhle Adullam (משם, V. 3 a) (weiter) nach Moab, wo seine Eltern eine Aufenthaltserlaubnis erhalten, so lange David sich an der »Zufluchtsstätte« (מצודה) aufhält (V. 3–4). Der Prophet Gad rät David, ins Land Juda zu gehen. Daraufhin geht David nach Jaar Hereth (V. 5).

Diese Perikope hat Bruchstückcharakter. Das erste Bruchstück ist V. 1–2. (Oder haben wir es hier mit mehreren Bruchstücken zu tun, V. 1 und 2, oder V. 1 a, 1 b und 2?) Bemühungen, eine andere Verbindung zum vorhergehenden Stoff herzustellen, sind nicht nur umsonst, sondern auch völlig abwegig. Aus der Stellung des V. 1 geht schon hervor, daß er sich aus das unmittelbar Voraufgegangene bezieht, was wohl auch nie anders gewesen ist. Nun hören wir allerdings noch an einer anderen Stelle, daß sich David in der Höhle Adullam aufhielt [138], und zwar in 2. Sam. 23,13 ff. (vgl. 1. Chr. 11,15 ff.), einer Heldenanekdote, die wahrscheinlich die Verhältnisse unmittelbar vor (oder nach) der Eroberung Jerusalems berührt [139]. Das Bruchstückhafte an Kap. 22,1–5 läßt berechtigte Zweifel aufkommen, ob der Verfasser wirklich eine Überlieferung von Davids Aufenthalt in der Höhle Adullam in der Zeit unmittelbar nach dessen Flucht vom Hofe Sauls oder jedenfalls aus dessen unstetem Leben, ehe er Vasall unter dem Philisterkönig wurde (27,1 ff.), zur Verfügung hatte. Die Möglichkeit ist nämlich keineswegs aus-

137. Der Erzähler wird kaum der Meinung gewesen sein, daß das in Kap. 21,11–22,5 Erzählte mit dem in Kap. 22,6–23 Berichteten gleichzeitig vor sich gegangen ist. David *ist* in Juda angekommen, als Saul die Priesterschaft von Nob vernichtete. Auch hier gilt sicher, daß nicht über Ereignisse berichtet wird, die sich zu gleicher Zeit an zwei verschiedenen Schauplätzen zutragen (vgl. *Olrik,* Epische Gesetze, S. 8, und *Schulz,* Erzählungskunst, S. 169).

138. מערת עדלם; nahezu alle Ausleger korrigieren unter Hinweis auf במצודה, V. 4 (vgl. auch V. 5), מערת in מצודת (מצדת). *Kirkpatrick,* Komm., S. 178, und *de Vaux,* Les livres de Samuel, S. 104, halten indessen wohl mit Recht an der Ursprünglichkeit von מערת fest. Entweder ist Adullam mit dem heutigen ʿid el-mije identisch, das mit Adullam Klangverwandschaft hat, vgl. *Proksch,* Der Schauplatz der Geschichte Davids, PJB, 5, 1909, S. 61, oder mit esch-schech madkur in dessen Nähe, vgl. *Grollenberg* und *Simons.*

139. Hinsichtlich 2. Sam. 5,17 siehe unten S. 253.

zuschließen, daß der Verfasser die Rolle Adullams als Aufenthaltsort Davids während der Philisterbegegnung in 2. Sam. 23 in die Zeit unmittelbar nach Davids Flucht vom Hofe Sauls zurückprojeziert hat.

Ist dieses Verständnis von V. 1 a richtig, so hat das in ihm Berichtete ursprünglich nichts mit V. 1 b zu tun gehabt. Daß sich (einige von) Davids Stammesgenossen (אחיו) nach Davids Flucht ihm angeschlossen haben sollen, klingt nicht unwahrscheinlich. So gesehen handelt es sich hierbei wohl um eine zuverlässige Überlieferung. Über den Zusammenhang dieser Stammesgenossen zu den in V. 2 erwähnten Leuten herrscht allerdings schon vom Charakter von 22,1–5 her Unsicherheit. Ist die Zahl dieser Stammesgenossen in den 400 inbegriffen [140]? Jedenfalls sieht es nach dem jetzigen Zusammenhang so aus, als hätte David zwei Gruppen von Anhängern gehabt, Stammesgenossen und die in V. 2 erwähnten, mit der Gesellschaft unzufriedenen Leute; beide Gruppen wären demzufolge schon während seines Aufenthaltes in der Höhle Adullam zu David gekommen, d. h. zu Beginn seines Aufenthaltes in der Wüste Juda.

In Verbindung mit Davids Stammesgenossen (אחיו) in V. 1 b werden nun auch die ganze Familie oder das ganze Geschlecht Davids genannt [141]. Dabei hat man sicher sowohl Männer als auch Frauen mit Kindern einzubeziehen. Sollten indes David wirklich so viele in die Wüste nachgefolgt sein [142]? Für diese Annahme sprechen jedenfalls nicht die übrigen Überlieferungen aus Davids Wüstenzeit, die sich in der Folgezeit erhalten haben. Vielleicht verhält es sich so, daß die Wendung das »ganze Haus seines Vaters« an diese Stelle zu stehen gekommen ist, um V. 3 f. mit der Erwähnung von Davids Vater und Mutter vorzubereiten [143]. Wie die Dinge auch liegen mögen, hinter V. 1 b verbirgt sich eine Tradition, die davon weiß, daß (einige von)

140. Diese Anzahl, die man natürlich nicht als eine genaue Zahlenangabe werten darf (vgl. כ), hat sich in Kap. 23,13 auf 600 vergrößert; die letzte Zahl taucht wieder auf in Kap. 27,2 und 30,9. 10, vgl. auch 25,13 b. Es bestand wohl die Absicht, zum Ausdruck zu bringen, daß Davids Anhänger in der Wüste Juda beträchlich zunahmen.

141. Was den Begriff בית אב anbetrifft, siehe *J. Pedersen,* Israel, I, S. 46 ff. und *de Vaux,* Les Institutions, I, S. 37 ff.

142. *Gressmann* (Die älteste Geschichtsschreibung, 1921, S. 102 f.) spricht z. B. statt von Davids »Freibeutertum« von seinem »Nomadentum, da sich ein ganzes Geschlecht auf der Wanderschaft befindet.«

143. Übrigens wird im allgemeinen die Notiz, daß sich das ganze Geschlecht Davids auf der Flucht befand, damit begründet, daß dadurch ein kollektiver Vergeltungsakt von seiten des Königs verhindert wurde, vgl. das gewaltsame Vorgehen gegen die Priesterschaft von Nob. Hiergegen ließe sich einwenden, daß einmal Bethlehem nicht wie Nob auf dem Gebiet Israels und somit nicht in Sauls Reich gelegen hat, und daß zum anderen sich Saul im folgenden nur dann nach Juda begibt, um David zu erfolgen, wenn ihm dessen Aufenthalt zugetragen worden ist, vgl. Kap. 23,7 ff., 19 ff.; 24,2 ff.; 26,1 ff. Etwas anderes ist, daß

Davids Stammesverwandten zu einem frühen Zeitpunkt seiner Existenz als Bandenführer in der Wüste Juda sich ihm angeschlossen haben [144].

Auch im Blick auf V. 2 läßt sich mit an Sicherheit grenzender Wahrscheinlichkeit behaupten, daß hier eine echte Überlieferung zugrunde liegt. Niemand würde aus der Luft greifen, daß sich eine solch große Anzahl von Leuten um David geschart hätte! Daß sich, wie aus dem Kontext hervorgeht, schon zu einem so frühen Zeitpunkt und plötzlich derart viele um David gesammelt haben sollen, hat die ursprüngliche Überlieferung indessen nicht berichtet.

In bezug auf die bemerkenswerten V. 3 f. bestehen freilich einige Unklarheiten. Auch im Buch Ruth hören wir von judäischen Flüchtlingen, die nach Moab ziehen; dies geschah allerdings in den »Tagen der Richter« und auf Grund einer Hungersnot (Ruth 1,1). Immerhin ist Davids Vater Isai nach Ruth 4,18 ff. ein Enkel der Moabiterin Ruth. Nun würde es allerdings zu weit führen, wollte man in dieser Hinsicht noch näher auf die Beziehung zum Buch Ruth eingehen. Von vornherein hat die Erörterung wenig Aussicht, ob 1. Sam. 2,3 f. vom Buch Ruth abhängig sei [145], oder umgekehrt [146]. Eher möchte man das Verhältnis dergestalt bestimmen, daß sowohl das Buch Ruth als auch 1. Sam. 22,3 f. je auf eigene Weise eine historische Verbindung zwischen David und seinem Geschlecht mit den Moabitern zu erkennen geben. Ebensowie niemand darauf käme, eine moabitische Abstammung Davids mütterlicherseits zu erfinden oder zu erdichten [147], wäre kaum jemand daran gelegen, einfach aus der Luft zu greifen, daß David – irgendwann einmal – seine Eltern in Moab in Sicherheit gebracht habe. Daher liegt hier in Kap. 22,3 f. wahrscheinlich eine zuverlässige Überlieferung (oder ein Überlieferungsfrag-

das Bild, das wir im folgenden von Davids Leben in der Wüste Juda bekommen, von der Vorstellung beherrscht ist, daß er unaufhaltsam von Saul verfolgt wird; hinzu kommt noch, daß für den Verfasser allem Anschein nach Juda ein Teil des Reiches Sauls ausmachte, weshalb er vielleicht wirklich eine Beziehung zwischen dem gesehen hat, was dem Nobgeschlecht widerfahren war und was dem Geschlecht Davids hätte blühen können!

144. Das ist nach *Elliger* (Die 30 Helden Davids, PJB, 31, 1931, S. 70) in der Liste über die 30 Helden in 2. Sam. 23,24 ff. bezeugt; diese Liste – so behauptet *Elliger* – »spiegelt die Geschichte Davids vom Bruch mit Saul bis zur Belehnung mit Ziklag durch Achis getreu wieder.« *Elliger* sieht keinen Zufall darin, daß der erste, der angeworben wurde, aus der nächsten Ungebung von Bethlehem stammte, vgl. a. a. O., S. 70, vgl. S. 39.

145. Für diese Möglichkeit tritt jedoch – soweit uns bekannt – kein Forscher ein.

146. So z. B. *Budde,* Komm., S. 151; *Smith,* Komm., S. 204; *Gressmann,* Die älteste Geschichtsschreibung, 1910, S. 96. *Kirkpatrick,* Komm., S. 179, gibt zu verstehen, daß David tatsächlich zu Moab Verbindung durch seine Urgroßmutter gehabt hätte; so pointiert kann man wohl kaum eine – eventuelle – Verbindung zwischen Kap. 22,3 ff. und dem Buch Ruth festlegen.

147. Vgl. *Gerleman,* Ruth, 1960, S. 81.

ment) vor, die der Verfasser übernommen und in den jetzigen Zusammenhang gestellt hat.

Das Verständnis von במצודה in V. 4 b bereitet Schwierigkeiten. Am besten wäre an und für sich, wenn man vom gegenwärtigen Kontext von V. 3–4 absieht, das kollektive Verständnis [148]. Im vorliegenden Textzusammenhang ist wohl an die Höhle Adullam als Aufenthaltsort gedacht [149], vgl. V. 1. Doch läßt sich das nicht mit dem folgenden V. 5 in Einklang bringen, wonach David (eilig) die Höhle Adullam verließ, so daß der Aufenthalt seiner Eltern in Moab von entsprechend kurzer Dauer gewesen sein muß. Es ist also mit gewissen Schwierigkeiten verbunden, V. 3 f. im Kontext sinnvoll unterzubringen. Setzt man hinter V. 3 f. wirklich eine echte Überlieferung voraus, so muß diese freilich einen anderen Hintergrund gehabt haben als den jetzigen. Nun kommt uns der oben für V. 1 festgestellte Zusammenhang zu Hilfe. Wie V. 1 beziehen sich V. 3 f. nicht auf Davids Wüstenzeit, sondern auf die Zeit unmittelbar vor (oder nach) der Eroberung Jerusalems. Das läßt die Mitteilung über den Aufenthalt der Eltern Davids, vielleicht seines Geschlechtes, (vgl. 1 b) in Moab in neuem Licht erscheinen. Aus 2. Sam. 23,14 geht nämlich hervor, daß Bethlehem während Davids Aufenthalt in der Höhle Adullam von Philistern besetzt war. Das Geschlecht der Väter Davids hat zu der Zeit sicher aus der Stadt flüchten müssen [150].

Der ursprüngliche Zusammenhang von V. 5 mit der vorhergehenden V. 3 f. ist problematisch. במצודה bezieht sich hier auf die Höhle Adullam, vgl. V. 1 f. Nun hat es den Auslegern Kopfzerbrechen bereitet, daß David von Gad angeraten wird, in das Land Juda zu gehen, wenn Adullam – wie man argumentiert – in Juda liege, wobei man an das später das Königreich Juda umfassende Gebiet zu denken hat. Wenn V. 5 auf den Verfasser zurückgeht,

148. Vgl. *Budde*, Komm., S. 152: »... so lange David das schweifende Leben führte, das ihn von einer Bergfeste in die andere treib.«

149. Anstatt מצודה mit »Bergfestung« zu übersetzen und den Ausdruck bildlich zu nehmen (vgl. *Gesenius-Buhl*), sollte man die Übersetzung »unzugänglicher Ort« (*Koehler-Baumgartner*) »Zufluchtsort«, vorziehen, vgl. schon *Thenius*, Die Bücher Samuels, 1864, z. St. Vgl. auch *de Vaux*, Les livres de Samuel, S. 104: ... c'est la grotte qui est un repair.« – Syr. liest indes statt במצודה ein במצפה, das gleiche ist in V. 5 der Fall, vgl. auch Kap. 24,23; doch geht diese Version bestimmt auf einen Versuch zu harmonisieren zurück; zudem hat der MT zweifellos die lectio difficilior.

150. Übrigens ist bemerkenswert, daß מצודה sich in der Vorgeschichte nur im Sing. findet, während מצד, das sehr wahrscheinlich inhaltlich dieselbe Bedeutung hat, nur im Plur. steht, vgl. Kap. 23,14. 19; 24,1 (In 1. Chr. 11,7; 12,9. 17 haben wir dagegen den Sing מצד, völlig identisch mit מצודה). – Erwähnt sei noch, daß *Aharoni* (The Land of the Bible, S. 257) annimmt, Massada, wo auch Scherben von Töpfen aus der Eisenzeit gefunden worden sind, sei vielleicht das Fort gewesen, das David als Operationsbasis in der Wüste benutzt habe (vgl. 22,4–5; 23,14; 24,1), denn Massada befände sich gegenüber der Furt über das Tote Meer, die auf dem direkten Wege von Juda nach Moab lag.

fiele es ebenso schwer, anzunehmen, daß Adullam nicht in Juda gelegen sein soll, wobei ihm natürlich der Staat Juda vor Augen gestanden haben muß. Man könnte sich durchaus vorstellen, daß diese wohl in der frühen Königszeit noch immer überwiegend kanaanäische[151] Stadt so nahe an philistäisches Gebiet grenzte, daß sie unter die Oberhoheit der Philister geraten ist [152]. Daß aber ist keineswegs eine Erklärung dafür, daß Adullam nicht in Juda gelegen haben sollte. Eher hat man bei »Land Juda« an das judäische Hochland [153] oder die Wüste Juda [154] zu denken.

Wenn mit dem »Land Juda« in V. 5 a nicht der Staat Juda gemeint ist, sondern das Bergland Juda oder die Wüste Juda, hat man den nur in V. 5 b vorkommenden Ort יער חרת vom Zusammenhang her entweder im Bergland Juda oder in der Wüste Juda zu lokalisieren [155]. So findet auch die Identifizierung von Ja^car Hereth mit Horescha, vgl. Kap. 23,15 ff., allgemeine Zustimmung [156]. Ist dies richtig, so ist durch den Ort Ja^car Hereth (= Horescha) eine Verbindung nach vorn zu Kap. 23,14 ff. hergestellt, wo sich David bei Horescha in der Wüste Siph aufhält, vgl. V. 15. 18 f. [157].

Natürlich hat der Verfasser den Hauptabschnitt über Davids Flucht von Saul mit einer Aufforderung abgeschlossen, David solle sich an das endgültige Ziel seiner Flucht, nämlich in das »Land Juda« begeben. Diese Aufforderung erfolgte durch den Propheten Gad, dem erst später in 2. Sam. 24 erwähnten »Hofpropheten« Davids [158]. Ebjathar kam dafür ja nicht in Frage, da er erst später zu David stößt, vgl. Kap. 22,20 ff. David war bereits in Sicherheit, als Saul an der Priesterschaft in Nob seine blutige Rache nahm [159].

Laut Kap. 22,1–5 ist David also über die Höhle Adullam (vorläufig) in der Wüste Juda in Sicherheit gelangt. Dieser vom Verfasser komponierte Abschnitt bildet den chronologischen Abschluß des Hauptabschnitts über Davids Flucht vom Hofe König Sauls (Kap. 19,18–22,23) und die Überleitung zum nächsten Hauptabschnitt über den Aufenthalt Davids in der Wüste Juda.

151. In Jos. 15,35 wird Adullam im Zusammenhang mit Socho und Aseka genannt, die ja nach Kap. 17,1 im (Königreich) Juda liegen, vgl. oben Kap. II: Anm. 42.
152. Vgl. *Hertzberg*, Komm., S. 149.
153. Vgl. *de Vaux*, Les livres de Samuel, S. 105.
154. Vgl. unten S. 152, wo wir für einen Zusammenhang zwischen ביהודה in Kap. 23,3 und ארץ יהודה hier in Kap. 22,5 eingetreten sind.
155. *Grollenberg* möchte dagegen Ja^car Hereth (»Forest of Hereth«) unmittelbar südlich von Adullam lokalisieren.
156. Horescha wird im allgemeinen mit chirbet churejsa identifiziert, vgl. *Buhl*, Geographie des Alten Palästina (S. 97), ca. 10 Km südlich von Hebron. Nach *Hertzberg*'s Vermutung, die von *Ewald* (Geschichte des Volkes Israel, III, 1866, S. 123) bestimmt ist, ist Ja'ar Hereth eine »Dialektabweichung« von Horescha, Komm., S. 149.
157. Vgl. unten S. 158.
158. Vgl. *Engnell*, SBU, II, Sp. 267.
159. Vgl. oben S. 136.

KAPITEL IV

Davids Aufenthalt in der Wüste Juda

(Kap. 23,1–27,4)

A. David in Kegila (Kap. 23,1-13)

David kommt dem von Philistern belagterten Kegila zu Hilfe. Vorher hatte er zweimal ein Jahweorakel eingeholt, da seine Männer sich sträubten, ihm Folge zu leisten (V. 1–5). Inzwischen wird Saul davon unterrichtet, daß sich David in Kegila aufhalte; er ruft ganz Israel zusammen, um dorthin zu ziehen und David zu umzingeln (V. 7–8). Bei einer Jahwebefragung wird David die Antwort zuteil, die Einwohner von Kegila beabsichtigten, ihn Saul auszuliefern; Daraufhin bricht er auf und zieht mit seinen Männern von einem Ort zum anderen. Unter diesen Umständen nimmt Saul von seinem Vorhaben Abstand (V. 9–13).

Diese Perikope ist sowohl durch 22,1 ff. als auch 22,20 ff. vorbereitet [1]. Was ihr Verhältnis zu 22,1 ff. angeht, so wird zwischen »Land Juda« in 22,5 a und »Juda« in 23,3 a seine deutliche Analogie sichtbar. David hält sich in Juda auf, wohin er sich nach 22,5 a gerade im Aufbruch befand. *Gressmann* [2] tut indessen Juda als eine Glosse ab, die unter der falschen Voraussetzung entstanden sei, Kegila läge nicht in Juda. Entscheidend ist jedoch, was man hier unter Juda zu verstehen hat. Mit Juda kann nämlich auch – und das ist wohl die ursprüngliche Bedeutung – die Landschaft gemeint sein. Von daher nimmt *Noth* [3] an, V. 3 sei durchaus korrekt, da hasch-schephela, wo Kegila [4] liege [5], nicht mit zur Landschaft

1. *Nübel* (a. a. O., S. 38) nimmt an, daß in der Gr. 22,1–5 seine unmittelbare Fortsetzung in 23,1 ff. hatte. Die jetzige Anordnung sei vom B. vorgenommen worden, um die Rolle des Propheten Gad als Orakelgeber auszuschalten, denn stelle man Kap. 23,1 ff. hinter 22,1 ff., so sehe man – wie Nübel behauptet – »Gad alsbald wieder in Aktion.«
2. Die älteste Geschichtsschreibung, 1921, S. 92.
3. Die Welt des AT, 1957, S. 48, Anm. 5.
4. Kegila ist sicher identisch mit dem heutigen tell kila, ca. 5 Km südlich von Adullam (vgl. Jos. 15,35), auch in hasch-schefela gelegen (Jos. 15,44).
5. Die Stadt Kegila ist wahrscheinlich bis zu dem Zeitpunkt, wo sie unter David zu Juda kam, ein unabhängiger kanaanäischer Stadtstaat gewesen (vgl. *Alt,* Die Landnahme der Israeliten in Palästina, 1925, in: Kleine Schriften, I, S. 119).

Juda gehört habe, die *Noth* zufolge nur das Bergland Juda und die Wüste Juda umfaßte [6].

Und darüber hinaus ist 23,1 ff. durch 22,20–23 vorbereitet. An früherer Stelle haben wir Kap. 22,20–23 dem Verfasser zugeschrieben, der mit diesen Versen der von ihm benutzten Nob-Tradition seinen Stempel aufgedrückt hat: Durch die in dieser Überlieferung enthaltenen Begebenheiten erhielt David ein Mitglied der berühmten Priesterschaft von Nob als Orakelpriester. Wo David sich mit seinen Männern aufhilt, als Ebjathar zu ihm kam, geht aus V. 20 ff. nicht hervor, sondern muß aus 22,5 abgeleitet werden: David hielt sich in Ja'ar Hereth (= Horescha) in Juda auf. Ein unmittelbarer Hinweis auf 22,20 ff. findet sich in dem problematischen V. 6, dem – in seiner MT-Fassung – zu entnehmen ist, daß Ebjathar zu David kam, als sich dieser in Kegila aufhielt, V. 6 a. Nun hat, wie gesagt, V. 6 so seine Schwierigkeiten. Zum einen steht der Inhalt des ersten Halbverses im Widerspruch zu dem aus 22,5 abgeleiteten Aufenthaltsort Davids, als Ebjathar bei ihm Zuflucht suchte. Zum anderen hat der zweite Halbvers eine merkwürdige Ausdrucksweise. Wenn V. 6 b sprachlich gesehen überhaupt als Nachsatz zu ויהי am Anfang von V. 6 a [7] in Frage kommt, hat man zu überzetzen: ... kam der Ephod herab in seiner (Ebjathars oder Davids?) Hand [8]. *De Boer* [9] streicht קעילה und ירד als »a marginal (?) note to put chapter xxii and xxiii together« und weist auf die Verbindung ירד קעילה in V. 4 und 8 hin. Aber was für eine Funktion sollte V. 6 dann in dieser verstümmelten Fassung haben? Soll die Bemerkung deutlich machen, daß der Ephod – obwohl nicht ausdrücklich erwähnt – auch in V. 2 und 4 benutzt worden sei, wie es in V. 9 der Fall ist? Das ist kaum anzunehmen, da diese Bemerkung etwas spät erscheint. Soll V. 6 möglicherweise das Folgende vorbereiten? In dem Fall käme V. 6 etwas zu früh, man hätte dann V. 6 unmittelbar vor V. 9 erwartet. Es sieht wirklich so aus, als stünde V. 6 im jetzigen Zusammenhang ziemlich verlassen da. Darum darf man wohl den *ganzen* Vers [10] als eine Randbemerkung auffassen, die später in der Text hineingeraten ist. Ein Abschreiber hat vielleicht eine

6. Wenn man dies berücksichtigt, so nimmt die Wahrscheinlichkeit außerordentlich zu, daß Kap. 22,5 a von 23,3 a abhängig ist, vgl. oben S. 151 und unten S. 155.
7. *Driver,* Notes, S. 184 bestreitet das.
8. Der LXX-Text: καὶ ἐγένετο ἐν τῷ φυγεῖν Αβιαταρ υἱόν Αβιμελεχ πρὸς Δαυιδ καὶ αὐτὸς μετὰ Δαυιδ εἰς κειλα κατεβη ἔχων εφουδ ἐν τῇ χειρὶ αὐτοῦ.
   Das Unterstrichene sind jedoch ganz bestimmt Zusätze, die den MT mit Kap. 22,20 in Übereinstimmung bringen sollen (vgl. *de Boer,* Research, S. 45). Deshalb können wir hier von den zahllosen Abänderungsversuchen, die man unter Berufung auf die LXX vorgeschlagen hat, absehen.
9. A. a. O., S. 45.
10. – und nicht, wie *de Boer* annimmt, bloß einen Teil von ihm.

Erklärung dafür geben wollen, wieso Ebjathar mit dem Ephod in V. 9 auftaucht und nicht schon in V. 2 und 4 erwähnt wird: Ebjathar kam erst zu David, während sich dieser in Kegila aufhielt [11].

Obwohl man V. 6 als eine – übrigens ziemlich sinnentstellende – Glosse anzusehen hat, deutet diese Glosse doch schon in dem Abschnitt 23,1–13 einen doppelten Aspekt an. Der Glossator hat sichtlich den Zusammenhang von 22,20 ff. und 23,7–13 im Auge gehabt, d. h. die bestehende Verbindung zwischen dem Bericht über Ebjathars als Orakelpriester in V. 9. Warum aber wird Ebjathar in V. 2 ff. nicht erwähnt, in denen ja auch von einer Gottesbefragung die Rede ist? Ohne weiteres dürfte die Antwort darauf sein: V. 1–5 stellen eine Überlieferung dar, die der Verfasser vorgefunden und übernommen hat und in der Ebjathar faktisch nicht erwähnt wurde. Aufs Ganze gesehen ist wohl eindeutig, daß sich V. 7–13 nicht nur inhaltlich, sondern auch in formeller Hinsicht von V. 1–5 abheben. Es bestehen nämlich verschiedene formelle Abweichungen: *1.* In V. 2 und 4 findet sich die alte Orakelformel שאל ביהוה [12], die in V. 10 und 12 jedoch fehlt. *2.* Im Unterschied zu dem knappen und bündigen Orakelstil in V. 2 und 4 [13] ist der Stil in V. 9b–12 breit und ausführlich. Deshalb ist *Nübel* [14] der Meinung, daß V. 9 b–12 vom B. aus V. 2 und 4 abgeleitet worden seien, denn während – so hebt er hervor – V. 2 und 4 in einer strengen Form mit kurzer Frage ohne Anrede und entsprechende Antwort gehalten seien, finde sich in V. 9b–12 eine ausführliche Anrufung Jahwes und eine Schilderung der Lage des Beters. *3.* Die zweite Frage in V. 12 ist im Gegensatz zur zweiten Frage in V. 4, die hinreichende Begründung durch die Mutlosigkeit der Männer Davids (v. 3 [15]) erfährt, unmotiviert.

Manches spricht also für eine Zerlegung von 23,1–13 in zwei aus verschiedenen Bereichen stammende Bestandteile. 23,1–5 bildet ein in sich geschlossenes Ganzes und behandelt die Belagerung Kegilas durch die Philister und die Befreiung der Stadt durch David. Gewiß spielt David als Befreier eine wesentliche Rolle, doch steht die Stadt mit ihrer Belagerung und Befreiung im

11. Wie sich allerdings der Abschreiber die Art und Weise, in der David in V. 2 und V. 4 das Orakel empfangen haben soll, vorgestellt hat, muß ein Rätsel bleiben!
12. Vgl. in der Vorgeschichte Kap. 22,10. 15; 28,6; 30,8; 2. Sam. 2,1(?); 5,19. 23. Was die Formel »Jahwe hat ... in deine Hände gegeben« anbetrifft, vgl. *von Rad,* Der heilige Krieg, S. 7 ff.
13. Daß V. 2 und V. 4 sich auf zwei Quellen verteilen, vgl. *Budde* (Komm., S. 155), so daß ויסף עוד auf den Redaktor, der diese beiden Quellen zusammengefügt hat, zurückginge, können wir außer Betracht lassen, vgl. *Nowack,* Komm., S. 116 f.
14. A. a. O., S. 45.
15. Auch V. 10–12 möchte *Budde* (Komm., S. 154 ff.) auf die Quellen J und E verteilen. Selbst *G. Hölscher* (Geschichtsschreibung in Israel, S. 373) sieht überhaupt die Notwendigkeit, Kap. 23,1–18 auf J und E aufzugliedern, nicht ein.

Vordergrund. In der zweiten Szene, V. 7–13, steht Kegila lediglich im Hintergrund der Auseinandersetzung zwischen Saul und David, dem Verfolger und dem Verfolgten. Angeknüpft wird hier an den Hauptabschnitt Kap. 19,18–22,23: Davids Flucht vom Hofe Sauls. Das Verfolgungsmotiv deutet darauf hin, daß V. 7–13 vom Verfasser stammen. Eigenartig mutet an, daß Saul nach Sammlung des ganzen Volkes (העם, V. 8) – als er von Davids Entkommen in Kenntnis gesetzt worden war [16] – die Verfolgung aufgab. Ein wenig unwahrscheinlich, nachdem das ganze »Volk« zusammengerufen worden war! V. 7–13 bieten eine gute Einleitung zu dem ganzen Abschnitt über Davids Aufenthalt in der Wüste Juda, der in der ständigen Gefahr schwebt, vom König eingefangen zu werden; die Verfolgung durch den König wurde bei dieser Gelegenheit zwar eingestellt, doch es sollten sich Gelegenheiten bieten, wo es dazu kam ohne vorherige Beabsichtigung! Saul soll später wirklich aufbrechen; also eine spürbare Steigerung.

V. 7–13 stehen ganz im Zeichen des Leidensaspekts: David als der Erniedrigte. Kaum zufällig bezeichnet sich David bei seiner Anrufung Jahwes selbst als dessen »Knecht« (עבד, V. 10). Ein Einfluß aus dem Königskult in Jerusalem ist wohl anzunehmen [17].

In Kap. 23,1–13 haben wir also über Davids Hilfeleistung für die Stadt Kegila sowie seine plötzliche Flucht aus dieser Stadt aus Furcht davor, die Einwohner würden ihn dem König ausliefern, keine selbständige und aus einem Guß geformte Überlieferung vor uns. Bei den V. 1–5 wird es sich, so hat man den Eindruck, um eine alte Überlieferung handeln, wofür auch der spezielle Gebrauch des Wortes Juda spricht [18]. Anscheinend hat der Verfasser in der von ihm benutzten Überlieferung keine Eingriffe vorgenommen. Dagegen machen V. 7–13 den Eindruck, als gingen sie auf den Verfasser zurück, der diese Episode z. T. nach dem Muster der V. 1–5 gestaltet hat [19].

Woher stammt die Überlieferung in 23,1–5? Nicht völlig unmöglich ist, daß uns hier eine ursprüngliche Lokaltradition vorliegt [20]. Wichtiger als das Ausfindigmachen der Herkunft dieser Überlieferung ist indessen die Frage, aus welchem Grunde sie überhaupt in der Vorgeschichte Aufnahme gefunden hat. Das wird aus ihrem Inhalt deutlich: Davids Aktion deutet auf sein späteres Königtum hin [21]. Der Verfasser hat offensichtlich – und sicher mit Recht

16. מלט. Vgl. übrigens oben S. 114.
17. Vgl. Ps. 89,40. In den Klagepsalmen wird עבד häufig als Bezeichnung für den König verwendet, vgl. *Engnell,* SBU, II, Sp. 1243.
18. Vgl. oben S. 152 f.: beim Verfasser steht die Bezeichnung Juda in der Bedeutung des späteren Staates Juda.
19. Vgl. die Argumentation *Nübel*'s oben S. 154. – Wenn die Frage in V. 10 David in den Mund gelegt wird, ob Saul vorhabe, Kegila wegen David zu zerstören, wird damit wahrscheinlich auf das Schicksal Nobs angespielt.
20. *S. Amsler,* David, Roi et Messie, 1963, S. 28 f., sieht in Kap. 23,1–5 eine Lokalüberlieferung.

– in Davids Befreiung Kegilas eine bewußte – wenngleich vergebliche! – Anstrengung Davids gesehen, Bundesgenossen zu finden, die ihm später von Nutzen sein könnten. Und im Verein mit dem negativen Gegenstück in V. 7–13, wo David nicht als Befreier, Beschützer, sondern als Verfolgter und Erniedrigter auftritt, bilden V. 1–5 die Einleitung zu dem gesamten Abschnitt, der Davids Aufenthalt in der Wüste Juda zum Inhalt hat. In dieser Zeit ist David nicht nur unaufhörlich auf der Flucht vor Saul, sondern auf seinem Wege zeichnet sich auch schon im voraus seine Thronbesteigung als Nachfolger König Sauls ab.

B. David und die Siphiter (Kap. 23,14-28)

Nach einer Einleitung (V. 14–15) und Ewähnung des Besuchs Jonathans bei David in Horescha (V. 16–18) folgt der Hauptteil. Einige Siphiter werden in Gibea vorstellig, um Davids Aufenthalt in Horescha zu verraten. Saul fordert sie auf, sich nach genauem Aufspüren der Verstecke Davids an einem bestimmten Ort einzustellen; dann wolle er ihnen folgen und David suchen. Daraufhin brechen sie auf und ziehen Saul voran nach Siph (V. 19–24 a). David und seine Männer halten sich in der Wüste Maon auf. Als David nun erfährt, daß Saul unterwegs ist, um ihn aufzuspüren, steigt er den »Felsen« (הסלע) hinab. Saul nimmt die Verfolgung auf und geht mit seinen Leuten auf die eine Seite des Berges (ההר), während sich David mit seinen Leuten auf die andere Seite begibt. David versucht in Eile zu entkommen; unerwartet erreicht Saul die Kunde, daß die Philister ins Land eingefallen seien, und so muß er die Verfolgung aufgeben. Deshalb (על־כן) nennt man den Ort sälaᶜ hammaḥlᵉḳot (V. 24 b–28).

Das Hauptstück, V. 19–28, läßt sich deutlich in zwei Abschnitte aufgliedern, V. 19–24 a und V. 24 b [22]–28. Die Frage ist jedoch, ob diese Einleitung auch die Überlieferungsstücke sichtbar werden läßt, aus denen sich V. 19–28 zusammensetzen. *Hertzberg* [23] geht davon aus, daß V. 28 b die Existenz einer Lokalüberlieferung erkennen lasse, doch wie es scheint, grenzt er diese Überlieferung nicht klar ab. Hat man diese Lokalüberlieferung aus-

21. Vgl. *Hertzberg,* Komm., S. 154: »David erscheint hier als derjenige, der ohne Königskrone die Aufgabe des Königs in Israel wahrnimmt.«
22. Maon ist das heutige maᶜin, 15 Km südlich von Hebron, liegt also bedeutend südlicher als Siph. Beide Städte liegen im Bergland Juda, vgl. Jos. 15,55. בערבה (V. 24) überrascht, da dieser Ausdruck sonst die Jordansenke nördlich des Toten Meeres und die Talsenke im Süden davon bezeichnet; man darf wohl davon ausgehen, daß ᶜaraba als geographische Bezeichnung nicht ganz eindeutig ist, vgl. *Kirkpatrick,* Komm., S. 190. Vermutlich hat man den Ausdruck in Analogie zu Jos. 4,13 und 13,32 zu verstehen. Betreffs אל ימין הישמין vgl. das Folgende.
23. Komm., S. 157.

schließlich im letzten Teil, V. 24b–28 [24] zu sehen, oder umfaßt sie auch die Episode mit der Denunziation Davids durch die Siphiter, also V. 19–28 [25]? Zur Beantwortung dieser Frage müssen wir – über eine Untersuchung der Beziehung von V. 19–24 a zu V. 24 b–28 hinaus – auch Kap. 26,1 ff. heranziehen. Daß zwischen den beiden Abschnitten ein – direkter oder indirekter – Zusammenhang besteht, dürfte klar sein [26]. Kap. 26,1 ff. ist weitaus kürzer gefaßt als Kap. 23,19 ff.; in Kap. 26 fehlt der Dialog zwischen Saul und den Siphitern, der in Kap. 23,20–23 wiedergegeben wird. Der wesentlichste formelle Unterschied liegt in den Ortsbezeichnungen in 23,19 b und 26,1 b. Alle Forscher sind sich darin einig, daß wir in 23,19 b eine unerträgliche Häufung von Ortsangaben haben. Indes ist man nur geneigt, במצדות Ursprünglichkeit zuzubilligen, da sich diese ungenaue Angabe – so argumentiert man – nicht mit der konkreten Angabe von בחרשה vereinbaren ließe, die von V. 15 hier hineingekommen sei [27], während der Rest des Verses, also

24. So *Mowinckel* (GTMMM, II, S. 213), der annimmt, E habe aus der jahwistischen Einleitung zum Verrat der Siphiter in Kap. 26 seine eigene Erzählung geschaffen, die mit einer »Ortssage über einen Bergkamm im Gebiet der Wüste Maon« verbunden worden sei. Auch *Nübel* grenzt (a. a. O., S. 43. 47. 122) Kap. 23,19 (bis בחרשה) – 23. 24 b auf der einen und 23,25–28 auf der anderen Seite voneinander ab, indem er der Ansicht ist, daß beide Abschnitte zur Gr. gehören; der B. habe sie unmittelbar miteinander verbunden.
25. Vgl. *Smith,* Komm., S. 213.
26. An und für sich könnte man נכון, Kap. 23,23 a, vgl. mit 26,4 b, mit »etwas Sicheres, Gewißheit« übersetzen, vgl. *Koehler-Baumgartner, wo* אל gestrichen wird (Dittographie?), und *Smith,* Komm., S. 215, der statt אל ein על liest: »resting on a certainty«. Auch *Wellhausen* (Der Text ..., 1872, S. 129) und mit ihm andere Literarkritiker (so z. B. *Budde,* Komm., S. 159, und *Mowinckel,* GTMMM, II, S. 214 f.) geben dieser Bedeutung von נכון den Vorzug; doch dann müßte das Qal von שבתם entweder in derselben Bedeutung wie das Hiphil stehen (*Wellhausen*) oder einfach in das Hiphil השבתש korrigiert werden (*Mowinckel*). Weitaus angebrachter ist jedoch, eine lokale Bedeutung zugrundezulegen, weil zum einen diese Bedeutung in Kap. 26,4 auf der Hand liegt, zum anderen weil sich mit der lokalen Bedeutung von נכון ein ausgezeichnetes Verständnis des MT ergibt. Es sei verwiesen auf die Abhandlung *Morgenstern*'s נכון (JBL, 37, 1918, S. 144 ff.), wo dieser auf Grund einer textkritischen Untersuchung von 1. Sam. 23,23; 26,4 (sowie 2. Sam. 6,6) und nach einer Würdigung der in der Forschung vertretenen Auffassungen dieses Begriffs zu dem Ergebnis kommt, daß der MT die richtige Lesart wiedergebe. Von dem jeweiligen Zusammenhang her plädiert *Morgenstern* an allen drei Stellen (nicht bloß in Kap. 26,4 und 2. Sam. 6,6, sondern auch in 23,23) für eine lokale Deutung, »a certain place« (נכון = פלוני). Entweder hat der ursprüngliche Erzähler keine Ortskenntnis gehabt, und dann würde נכון von ihm stammen, oder es hat eine bestimmte Ortsbezeichnung im ursprünglichen Bericht gestanden, die dann später verlorengegangen und durch נכון ersetzt worden ist.
27. Jedoch schließt *Budde* (Komm., S. 158) nicht aus, daß במצדות 14 hineingekommen sein könne, während בחרשה ursprünglich sei.

בגבעת החכילה אשר מימין הישימין aus Kap. 26,1 herstamme [28]. Nun ist es allerdings übereilt, die Schlußfolgerung zu ziehen, daß die beiden Ortsbezeichnungen במצדות und בחרשה nicht zueinander passen würden. Es reicht aus, nur auf במצדות עין־גדי in Kap. 24,1 b hinzuweisen, das keinem in irgendeiner Weise anzutasten einfällt. Der Sinn ist einfach »Aufenthaltsorte bei Horescha« [29]. Hinzu kommt, daß die Aufenthaltsorte bei Horescha vom Zusammenhang her in dem Teil der Wüste Juda zu suchen sind, der seinen Namen nach Siph bekommen hat, also in der Wüste Siph [30]. So ist die Möglichkeit durchaus nicht auszuschließen, daß das nur hier in Kap. 23,15. 16. 18. 19 vorkommende Horescha wirklich von Anfang an zu der Überlieferung von der Denunziation der Siphiter gehört hat, während jedoch der Rest von 19 b aus Kap. 26,1 hergeleitet ist [31]. In Kap. 26,1 ff. findet sich Horescha nicht, sondern lediglich בגבעת החכילה על פני הישמון, das also – mit einer kleinen unbedeutenden Änderung [32] – in Kap. 23,19 b בחרשה vermeintlich aus Gründen einer Harmonisierung hinzufügt worden ist. Weshalb aber steht in Kap. 26,1 ff. ein anderer Ort als Horescha, und das sogar, obwohl es sich in beiden Fällen nicht nur um die Denunziation der Siphiter, sondern ohne Zweifel auch um dieselbe Episode handelt? Wahrscheinlich hat in jedem Fall der Ort Horescha ursprünglich mit zu dieser Überlieferung gehört. Wie ist dann aber die Ortsbezeichnung בגבעת החכילה על פני הישמן in Kap. 26,1 ff. hineingekommen? Die Antwort darauf hat man wohl in dem Umstand zu suchen, daß die Siphiter-Episode in Kap. 26 mit der Heldenerzählung über David kombiniert worden ist, in der David gemeinsam mit Abisai heimlich in Sauls Lager eindrang und dessen Spieß und Wasserkrug mitnahm, ohne Hand an den König zu legen. Die Handlung in dieser Erzählung ist geographisch in Gibeath-Hachila festgelegt, was aus 26,3 hervorgeht: ... und Saul schlug das Lager auf בגבעת החכילה אשר על פני הישמן על הדרך· Von hierher ist dieser Ort in die in Kap. 26,1 ff. enthaltene Fassung der Überlieferung von der Denunziation der Siphiter eingedrungen, da man Züge aus der Überlieferung von der Denunziation der Siphiter als Einleitung zu der Heldenerzählung im folgenden verwertet hat [33].

28. Vgl. *Smith,* Komm., S. 214 f.; *Gressmann,* Die älteste Geschichtsschreibung, 1910, S. 97; *Mowinckel,* GTMMM, II, S. 214; *Nowack,* Komm., S. 119 f.; *de Vaux,* Les livres de Samuel, S. 110; *Hertzberg,* Komm., S. 155.
29. Horescha hat man – wie Siph und Maon – im Bergland, am Rande der Wüste zu suchen, vgl. Kap. III, Anm. 156.
30. Über die Begriffe Wüste Siph, Maon und Thekoa siehe *Noth,* Die Welt des AT, S. 48 f.
31. Ganz gleich ob es sich nun um »redaktionelle Glossen«, vgl. *Mowinckel*'s R^{JE} (GTMMM, II, S. 214), oder um eine späte Harmoniserung mit Kap. 26 durch einen Abschreiber handelt.
32. על פני ist in מימין (ימין) umgeändert worden.
33. Daß die Anhöhe in Kap. 26,2 – also גבעת – parallel zu dem Berg in Kap.

Somit dürfen allem Anschein nach בחרשה ebensowie במצדות in V. 19 als ursprüngliche Bestandteile der Überlieferung von Saul und den Siphitern angesehen werden. Es besteht also überhaupt kein Grund dazu, בחרשה aus V. 15 herzuleiten. Das Umgekehrte ist der Fall! V. 14–15 haben nämlich sichtlich die Funktion einer Einleitung, was übrigens die Literarkritiker auch festgestellt haben; doch kommt noch hinzu, daß V. 14–15 nicht selbständige, konkrete Ausführungen enthalten, vielmehr sind diese Verse – als Einleitung – von dem Folgenden her geformt worden. So findet sich מדבר in verschiedenen Variationen in Kap. 23,24. 25; 24,2; 25,1. 4. 14. 21; 26,2. 3.; מדבר־זיף in 26,2 [34] Die Pielform בקש kommt auch in 23,25; 24,3; 26,2. 20; 27,1. 4 vor, alle Stellen, die – wie in 23,14 – Saul als Subjekt und David als Objekt haben. Das Hauptthema im Abschnitt Kap. 23,1–27,4 ist schlechthin Sauls unermüdliche Jagd auf David in der Wüste Juda [35]. Ferner werden wir in V. 14 b – proleptisch – mit dem Gedanken vertraut gemacht, daß Sauls Vorhaben mißlingt, denn Gott gibt David nicht in seine Hand [36]. Sieht man von V. 14 aβ [37] ab, so haben wir in V. 14 eine »allgemeine« Einleitung (also eine Einleitung zu dem ganzen folgenden Abschnitt bis Kap. 27,4), während V. 15 eine »spezielle« Einleitung zu Kap. 23,19 ff. darstellt, vgl. במדבר־זיף בחרשה [38].

23,25–28 stehe – wie *Eissfeldt* Die Komposition . . ., S. 18) annimmt – ist ganz unwahrscheinlich.

34. Daß nicht מדבר זיף in Kap. 23, 19 ff. steht, ist wohl rein zufällig; dagegen finden sich זפים in V. 19 (vgl. 26,1) und זיף in V. 24, was ja hinreichend belegt, daß Horescha in der Wüste Siph liegt, vgl. Anm. 29.
35. בקש muß hier nämlich »aufsuchen«, »nachjagen« bedeuten. – Daß König Saul David jagt, um ihn zu töten, ist eine andere Sache, doch wird dies besonders durch בקש mit dem Objekt נפש zum Ausdruck gebracht, Kap. 23,15, vgl. auch 25,29, wo allerdings Saul nicht erwähnt wird. Die Konstruktion von בקש mit נפש findet sig auch in 20,1 und 22,23; vgl. 19,2. 10, wo בקש mit dem inf. constr. mit vorangestelltem ל konstruiert ist. Wenn בקש unmittelbar David zum Objekt hat, steht das Verfolgungsmotiv, das Nachjagen, das Aufspüren im Vordergrund, während bei der Konstruktion mit בקש und נפש als Objekt (vgl. auch den inf. constr. mit vorangestellen ל) nicht unbedingt die Verfolgung Davids – also das Verfolgungsmotiv als solches – gemeint ist, sondern ein Trachten nach seinem Leben. – Auch *Ward* (a. a. O., S. 69) sieht in Sauls unablässiger Verfolgung Davids ein »edifying theme«, wobei er in diesem Zusammenhang allerdings nicht zwischen »Saul seeks him« und »Saul seeks his life« unterscheidet.
36. Was die Wendung »in jemandes Hand geben« anbetrifft, siehe oben Anm. 12.
37. *Gressmann* (Die älteste Geschichtsschreibung, 1910, S. 97) sieht in V. 14 aα eine Handschriftenvariante zu V. 14 aβ. – Möglicherweise ist in V. 14 aβ במדבר־זיף von V. 15 beeinflußt; und das וישב aus V. 14 aα ist wiederaufgenommen worden. Auf die gleiche Weise hat der Abschreiber mit בהר dem Folgenden vorgreifen wollen, vgl. V. 25 ff. Der Versuch *Hertzberg*'s, V. 14 aβ beizubehalten, wirkt nicht überzeugend (Komm., S. 156).
38. Von daher kann man sich auch erklären, daß der Ort בחרשה V. 16 a von V. 19 ff. her eingetragen worden ist: Da von den Siphitern angegeben wird, David

Endlich können wir auf die vorhin [39] gestellte Frage zurückkommen: Wie groß ist der Umfang der in Kap. 23,28 b angedeuteten Lokalüberlieferung? Der gesamte Abschnitt V. 19–28 oder lediglich V. 24 b–28? Gibt es in V. 19–28 Anzeichen dafür, daß V. 19–24 a und V. 24 b–28 ursprünglich nichts miteinander zu tun gehabt haben? So wie wir Kap. 23,19–28 heute vor uns haben, dürfte klar sein, daß dieser Abschnitt einen zusammenhängenden Bericht zu geben beabsichtigt. Saul erhält von den nach Gibea gekommenen Siphiten die Nachricht, David halte sich bei Horescha in der Wüste Siph auf (vgl. 26,1). Die Siphiter kommen offenbar ganz aus eigenem Antrieb, und mit beredten Worten wird ihr Diensteifer gegenüber dem König geschildert, der seinerseits seine Dankbarkeit zu erkennen gibt. Doch von V. 22 an beginnt der Bericht, wenn man die Fortsetzung in V. 24 b ff. in Betracht zieht, holperig zu werden. Das Unglaubhafte ist nicht, daß sich David nach V. 24 b in der Wüste Maon befindet, während es immerhin im vorhergehenden heißt, er halte sich in der Wüste Siph verborgen. David hat ja keinen festen Wohnsitz! Das Eigenartige ist vielmehr, daß über die Begegnung zwischen Saul und den Siphitern, die nach V. 22 f. an einem – nicht näher bezeichneten – Ort (נכון) stattfinden sollte, nicht berichtet wird. In den drei ersten Worten in V. 24 wird erzählt, die Siphiter seien (von Gibea) aufgebrochen, danach aber hören wir nichts mehr über sie. Allerdings folgt hierauf ein לפני שאול, das anscheinend zu zeigen beabsichtigt, Saul wolle ihnen folgen, doch nach dem Vorhergehenden sollte das erst nach einer erneuten Begegnung passieren. Darüber hinaus zieht Saul nach V. 25 mit seinem Heer wieder ab, ohne daß er von den Siphiten bei einer späteren Gelegenheit genaueren Bescheid erhalten hätte. Hier fehlt bestimmt etwas. Die Abfassung der V. 22–23 ist – das muß hinzugefügt werden – so ausführlich, daß ein fehlender Schluß durchaus auffällt. Außerdem kommt noch in Betracht, daß er nicht in V. 24 b ff. gesehen werden darf. Wie vielleicht in לפני שאול (V. 24 a) ein Bruchstück dieser Fortsetzung vorlag, so haben wir es möglicherweise in Kap. 26,4 b mit noch einem Bruchstück zu tun: . . . und David erfuhr, daß Saul an einem bestimmten Ort (אל נכון) gekommen war. Hier hören wir ja das, was wir nach V. 22 f. in Kap. 23 erwartet hätten, daß sich nämlich Saul – bevor er sich auf den Weg macht, um David aufzuspüren – אל נכון einfand. (Hier in Kap. 26 ist dieser nicht näher bezeichnete Ort mit Gibeath-Hachila identifiziert worden.)

halte sich in der Gegend von Horescha auf, ist es ganz erklärlich, daß der Verfasser die Begegnung zwischen Jonathan und David auch dort stattfinden läßt. Die Episode mit Jonathan und David ist nicht die Überlieferung von der Denunzation der Siphiter eingeschoben, sondern dieser vorangestellt worden. Doch nach dieser Voranstellung schien es geraten, den nachfolgenden Bericht über die Denunziation der Siphiter schon anzudeuten; dies geschieht mit Hilfe von V. 15.

39. Vgl. oben S. 156 f.

Treffen diese Überlegungen zu, dann hat die mit סלע המחלקות (V. 28 b, vgl. V. 25 a) verbundene Lokalüberlieferung mit den vorhergehenden V. 19–24 a ursprünglich in keiner Beziehung gestanden. Dagegen muß der ursprüngliche Schluß der Überlieferung von der Denunziation der Siphiten (zwei Bruchstücke ließen sich also in V. 24, לפני שאול, und V. 4 b in Kap. 26 in etwa herauskristallisieren) durch die ätiologische Lokaltradition ersetzt worden sein. In der Überlieferung von der Denunziation der Siphiter war – wie bereits angedeutet – eine ausgesprochen anti-siphitische Tendenz spürbar, was bei einem Vergleich mit der Überlieferung von Kegila und David noch deutlicher sichtbar wird [40]. Aus dem Bericht über die Handlungsweise der Siphiter und vor allem aus ihren Worten spricht eine durchweg vorwurfsvolle und verurteilende Haltung. In Kap. 23,19 ff. wird es sich schwerlich um eine siphitische Lokaltradition handeln, sondern um eine Überlieferung, die in jerusalemischen Kreisen (weiter)erzählt worden ist. Dies gibt vielleicht eine Erklärung für die anti-siphitische und damit auch anti-judäische [41] Tendenz. Damit ist natürlich nicht besagt, daß sich hinter dem Bericht über die Denunziation Davids durch die Siphiter nicht historische Wirklichkeit verbirgt – im Gegenteil. So läßt der Abschnitt Kap. 23,1–27,4 eben durchblicken, daß man David während seines Aufenthalts im Süden unter den dort lebenden Stämmen mit Mißtrauen, ja, beinahe feindlich begegnete. Und daß es einem großen Kampf gekostet hat, die Sympathie dieser Stämme, die zum Stämmebund Juda mit seinem Kultzentrum in Hebron gehörten, zu gewinnen, wird im folgenden hoffentlich deutlich werden.

V. 24 b ist eindeutig eine vorweggreifende Einleitung; so tritt במדבר מעון in V. 25 b [42] wieder in Erscheinung. Da der hier erwähnte Felsen sich nur an dieser Stelle des AT findet, ergeben sich für eine Lokalisation des Felsens in der Wüste Maon keine anderen Anhaltspunkte als eben die aus dem Kontext; daher bleibt nichts anderes übrig, als diese geographische Festlegung von vorn herein zu akzeptieren. V. 28 b mit seiner Ätiologie und Etymologie muß sich auf V. 26 beziehen: Diese Art von Felsen, der den Charakter eines »Berges«

40. Vgl. oben Anm. 19.
41. *Ward* (a.. a. O., S. 66 ff.) hat mit Recht in seiner Untersuchung der Kap. 23,14–26,25 zugrundeliegenden Überlieferungen betont, daß man nicht erwarten dürfe, daß alle Stämme in der Wüste Juda mit der ihnen zugewiesenen Stellung zufrieden gewesen wären (so die Siphiter und Kalebiter). »Nonetheless, innuendo of this type would be expected from the rival Judean clans, who surely saw to it that these stories were preserved.« (a. a. O., S. 67). Anstatt ein Rivalisieren unter den Stämmen im südlichen Teil der Wüste vorauszusetzen, möchte man schon lieber mit *K. Koch* (Was ist Formgeschichte? 1964, S. 157) annehmen daß die Überlieferungen ursprünglich unter Davids Soldaten, die ihm in die Wüste folgten, im Umlauf waren. Das antijudäische Moment (judäisch im weiteren Sinne) war für die jerusalemischen Tradenten Wasser auf die Mühle.
42. Betreffs אל ימין הישימין vgl. oben S. 158.

hatte, wurde Davids Rettung, er »teilte«, »trennte« [43] ihn und seine Männer von Saul und dessen Leuten, die auf der anderen Seite gingen. David nahm die Gelegenheit wahr und entwich. Damit wäre ja schon alles glücklich abgegangen: David entkam! Doch wird in V. 27–28 a erzählt, Saul hätte Nachricht erhalten, daß die Philister ins Land eingefallen wären, worauf er die Verfolgung aufgeben mußte [44]. Das paßt überhaupt nicht zu der ätiologische Sage. Läßt man also V. 27–28 a weg, so bleiben in V. 25–26 und 28 b nur Aussagen übrig, die den Hintergrund des Namens סלע המחלקות interpretieren [45]. Aus Kap. 24,2 a geht hervor, daß V. 27–28 a auf den Verfasser zurückgehen, denn mit Hilfe der V. 27–28 a und Kap. 24,2 a hat er Kap. 23,19–28 mit der folgenden Erzählung über David und Saul in der Höhle von Engedi, Kap. 24, verbunden.

C. David und Saul in der Höhle von Engedi (Kap. 24)

Nach dem Feldzug gegen die Philister zieht sich Saul in die Wüste Engedi, wo er die Mitteilung erhalten hat, daß sich David dort aufhalte. Auf dem Wege dorthin geht Saul in eine Höhle, um seine Notdurft zu verrichten. In ihr halten sich unterdessen David und seine Männer auf. David, den seine Leute affordern, den »Gesalbten Jahwes« zu töten, schneidet unbemerkt einen Zipfel vom Mantel des Königs ab (V. 1–7). Als der König die Höhle verlassen hat, ruft David ihn an und zeigt ihm den Zipfel des Mantels. Darauf entspinnt sich zwischen dem König und David ein längere Gespräch. Saul beteuert Davids Unschuld und bringt David dazu, zu schwören, daß er – wenn er König werde – nicht das Geschlecht Sauls ausrotten werde (V. 8–23).

43. סלע המחלקות muß dem Zusammenhang nach die Bedeutung von »Feld der Teilung« haben, vgl. auch LXX πέτρα ἡ μερισθεῖσα. Daß es sich hier um eine Volksetymologie handelt, ist augenfällig. Ohne Zweifel hat es (ההר in V. 26 weist darauf hin) in dieser Gegend felsiges Gelände gegeben mit dem Namen, dessen Bedeutung im Volksmund mit einer Begebenheit aus der Zeit Davids in der Wüste Juda in Verbindung gebracht worden ist. מחלקות hat man wohl konkret von חלק: glatt sein, abzuleiten, vgl. *Koehler-Baumgartner.*
44. Im allgemeinen versteht man die beiden Partizipien נחפז und עטרים in V. 26 so, daß sie für Sauls Entgegennahme der Botschaft in V. 27 den Rahmen abgeben (vgl. *Driver,* Notes, S. 190). Doch besteht auch die Möglichkeit, V. 26 ohne Berücksichtigung von V. 27 zu übersetzen, wobei dann V. 26 bβ ein an das Vorhergehende anknüpfender Zustandssatz wäre. Auf diese Weise kann man V. 27–28 a unabhängig von dem Kontext verstehen; vgl. die Übersetzungen bei *Nowack* (Komm., S. 120 f.) und *Hertzberg* (Komm., S. 156).
45. Anzuführen wäre auch: Während in V. 26 David und seine Männer – ebensowie Saul und dessen Leute – eine entscheidende Rolle spielen, wird in V. 27–28 a lediglich David (ohne seine Männer) genannt.

Hier handelt es sich um eine ursprüngliche Lokalüberlieferung; jedenfalls wird die Episode örtlich auf eine bestimmte Höhle (מערה) von Engedi beschränkt, die an der Westküste des Toten Meeres, nahezu in der Mitte zwischen dem Nord- und Südende des Sees liegt [46]. Ferner kommt in V. 3 eine Ortsbezeichnung vor, und zwar die »Steinbockfelsen« (צורי היעלים), die sich natürlich in derselben Gegend befinden müssen.

Wo diese Überlieferung ursprünglich eingesetzt hat, ist fraglich. Vielleicht erst mit 24,2 b, da ein Kriegsbericht natürlich mit einer Meldung beginnt [47]. Auf jeden Fall stammt V. 2 a vom Verfasser, da sich nämlich dieser Halbvers auf Kap. 23,27 f. bezieht. An und für sich könnte auch V. 1 vom Verfasser herrühren. Wie dem auch sei, die Verbindung zwischen der Überlieferung mit dem Vorhergehenden wird durch משם in V. 1 – und noch konkreter – durch V. 2 a hergestellt.

Von größeren Gewinn als eine Entscheidung darüber, wie die Überlieferung abzugrenzen sei, ist freilich die Untersuchung ihres Verhältnisses zu dem »Parallelbericht« in Kap. 26. Die Berührungspunkte der beiden Kapitel liegen klar zutage. In der Forschung hat man jedoch nicht nur der Parallelität von Kap. 24 und 26 Beachtung geschenkt. Es besteht nämlich eigenartigerweise nicht nur diese Übereinstimmung zwischen Kap. 24 und 26, sondern in bezug auf den Charakter und die Reihenfolge der Ereignisse auch eine Konformität zwischen Kap. 23,19–24,23 und Kap. 26 [48]. Es scheint so, als hätten wir es hier mit zwei Berichten zu tun, die zwei verschiedene Fassungen ein und derselben Überlieferung oder eines Überlieferungskomplexes darstellen. Diese Auffassung wird u. a. von *Budde* [49] vertreten, der nachzuweisen versucht, daß in Kap. 23,19–24,23 eine genaue Parallele zu Kap. 26 vorliege – abgesehen davon, daß die Episode mit den Siphitern in Kap. 26 nicht so vollständig und der Schauplatz nicht eine Höhle, sondern das Feldlager Sauls sei. Er äußert die Vermutung, daß hier eine »verschiedene Ausgestaltung derselben Überlieferung in verschiedenen Quellen« vorliege [50]. Eine Bestätigung für seine Auffassung sieht *Budde* vor allem darin, daß sich in beiden Fassungen die gleiche Einleitung (der Verrat durch die Siphiten) finde [51].

Aus dem Vorhergehenden [52] dürfte indessen deutlich geworden sein, daß

46. Identisch mit tell ed-dschurn in der Nähe der heutigen Oase ᶜen dschidi, vgl. *Noth,* Josua, S. 99 f.; *Grollenberg,* Atlas . . ., S. 149; *Simons,* Geographical and Topographical Texts, S. 151.
47. Vgl. *Caspari,* Komm., S. 333.
48. Vgl. *Wellhausen,* Die Composition, 1899, S. 251.
49. Komm., S. 157.
50. Gleicher Auffassung ist *K. Koch,* wenngleich er jedoch nicht wie *Budde* die beiden Berichte »auf zwei selbständige Schriftwerke verteilen möchte« (Was ist Formgeschichte, S. 162 ff.). *Ward* (a. a. O., S. 71 ff.) folgt im Prinzip *Koch.*
51. Vgl. auch *Smith,* Komm., S. 229.
52. Vgl. S. 156 ff.

wir in bezug auf die Erwähnung der Siphiter nicht zwei unabhängige Parallelberichte vor uns haben. Die »Parallelität« ist darum auf die Höhlen-Episode in Kap. 24 und die Feldlager-Episode in Kap. 26 zu beschränken. Daß die Höhlen-Episode als solche aus der Feldlager-Episode in Kap. 26 abgeleitet sei, ist ganz unwahrscheinlich [53]. Es handelt sich allen Anschein nach um zwei ursprünglich voneinander völlig unabhängige Erzählungen, von denen eine in der Gegend von Engedi (Kap. 24), die andere i Gibeath-Hachila in der Wüste Siph lokalisiert ist [54].

Der Bericht über David, der in einer Höhle unbemerkt einen Zipfel vom Gewand des Königs abschneidet, ist in mehrere Beziehung bemerkenswert. Es sieht nämlich so aus, als könnte man dem Zusammenhang entnehmen, daß David bis zu einem gewissen Grad der Forderung seiner Leute nachgibt, indem er zwar den König nicht tötet (V. 5 a), aber – und das ist kein harmlose Scherz – den Zipfel vom Gewand des Königs abschneidet; David bekommt nämlich Gewissensbisse (V. 6). Erst nach dem Abschneiden des Zipfels macht er seinen Leuten wegen ihrer Forderung Vorwürfe und verbietet ihnen, sich gegen den König zu erheben (V. 7–8 a). Vielleicht ließe sich durch eine Umstellung der Sätze ein etwas weniger komplizierten Verlauf der Handlung erreichen [55], doch ist so etwas nicht ratsam [56], weil man (was jedoch nicht der Fall ist) überzeugend nachzuweisen hätte, warum die ursprüngliche Reihenfolge geändert worden ist. Der MT hat die lectio difficilior.

Um zu einem rechten Verständnis der Episode in Kap. 24,5–8 zu gelangen, müssen wir Kap. 15,27 mithinzuziehen. In Kap. 15,27 verlieh Samuel dadurch, daß er den Zipfel seines Gewandes erfaßte (ויחזק בכנף מעילו), so daß es entzwei ging (ויקרע) dem Schicksal des Königtum Sauls symbolhaften Ausdruck: Es würde Saul entrissen und einem anderen gegeben werden. Die Analogie zu Kap. 24,5b–6 ist zugestandenermaßen auf den ersten Blick nicht unbedingt überzeugend, da in diesem Fall David den Zipfel vom Gewand des Königs, nicht aber von seiner eigenen Kleidung abschneidet; und darüber hinaus steht das Verb קרע hier nicht im Niphal. Letzteres würde übrigens auch nicht zur Situation passen! Von Bedeutung ist immerhin, daß כנף מעיל in beiden Stellen vorkommt, ein Ausdruck, der sich im AT lediglich in 1.

53. Gegen *Nübel,* darüber später.
54. Vgl. oben S. 158.
55. Vgl. demzufolge *Budde* (Komm., S. 161), der für die Reihenfolge V. 5 a. 7. 8 a. 5 b. 6. 8 b plädiert; vgl. auch *Nowack,* Komm., S. 121; *Gressmann,* Die älteste Geschichtsschreibung, 1921, S. 93; *Mowinckel,* GTMMM, II, S. 216.
56. *Klostermann* (Komm., S. 105) behält die jetzige Reihenfolge bei. Dasselbe tun *Ward* (a. a. O., S. 82 f.) und *Tiktin* (Kritische Untersuchungen zu den Büchern Samuelis, 1922, s. 32). Letzterer geht von der Auffassung aus, die er auch in Kap. 15,27 ff. zu finden glaubt, daß der Gesalbte Gottes nach altisraelitischer Vorstellung »so lange als unantastbar (galt), bis ihm ein Stück des Gewandes abgerissen wurde.«

Sam. 15,27 und 24,5. 12 findet. Diesem Ausdruck scheint von vornherein etwas Verhängnisvolles eigen zu sein; daß David durch seine Handlung den König nur verhöhnt und entehrt [57] oder ihn in eine Situation gebracht haben soll, bei der alle, denen es zu Ohren kam, in ein »unbändiges Gelächter« ausbrechen mußten [58], ist darum kaum richtig. Der Erzähler hat damit bestimmt etwas Schwerwiegendes zum Ausdruck bringen wollen. David hat durch seine Handlung – was auch aus der unmittelbaren Fortsetzung von V. 5a in V. 5 b hervorgeht, wo von der Aufforderung der Leute, Saul zu töten, die Rede ist – unmißverständlich dem König wirklichen Schaden zufügen wollen. David hat sich in der Tat an der Königswürde Sauls vergriffen, ihm in seiner Eigenschaft als König ernsthaft geschadet. In dieser Tatsache sehen wir grundsätzlich die Entsprechung zu der Handlung Samuels in Kap. 15,27, insofern Samuel hier ja gleichermaßen den Zipfel seines Gewandes im Zusammenhang mit einer gegen das Königtum Sauls gerichteten symbolischen Handlung erfaßt [59].

Ist diese Deutung von Kap. 24,5 b–6 richtig, so haben wir hier ein Zeugnis dafür, daß der Verfasser Wert darauf legt, daß David sich am König vergreift. Davids Handlungsweise ist eigenmächtig, er nimmt seine Sache in eigene Regie, vgl. V. 16 und Kap. 26,10. Daß David damit seine Kompetenz überschritten hat, wird insofern deutlich, als der Verfasser ihn seine Tat hinterher bereuen und – wie dem Zusammenhang von V. 7 sinngemäß zu entnehmen ist – seine Leute vielleicht noch härter als nötig anpacken läßt. Wer aber ist hier der Erzähler? Wenn sich V. 5 b–6 ohne Schwierigkeiten mit der Tendenz der Vorgeschichte als solcher in Einklang bringen lassen, darf man annehmen, daß es sich um den Verfasser handelt [60]. Der Verfasser hat allem Anschein nach die Episode mit David, der sich in der Höhle einen Zipfel von Sauls Gewand abschneidet (vgl. auch V. 12), eingefügt, um den Konflikt zwischen David und Saul noch zu verstärken; das Wesentliche in diesem Zusammenhang ist das Königtum Sauls.

Weshalb hat der Verfasser diese Episode in Kap. 24 eingefügt? Im »Parallelbericht« in Kap. 26 entfernt David – nachdem er sich mit Abisai in Sauls Feldlager geschlichen hatte – den an Sauls Kopfende im Boden steckenden Spieß (V. 7–12). Daß diese Episode in gewisser Beziehung – alle Unterschiedlichkeiten natürlich einkalkuliert – eine verblüffende Ähnlichkeit mit

57. Vgl. *Nübel,* a. a. O., S. 41.
58. *Gressmann,* Die älteste Geschichtsschreibung, 1910, S. 100.
59. Man ist sehr in der Versuchung, *Hylander*'s Deutung von Kap. 15,27 zu übertragen (vgl. oben S. 41): David schneidet einen Zipfel des Gewandes, das das Zeichen für Sauls Königswürde ist (vgl. Jonathans מעיל in Kap. 18,4?) ab und will so Macht über ihn gewinnen und ihm damit schaden.
60. Vgl. *Smith,* Komm., S. 217 f., der betont, daß V. 5 b–6 in Kap. 24 grundsätzlich entbehrlich wären,

Kap. 24,5–7 hat, dürfte auf der Hand liegen [61]. Müßte man mit der Möglichkeit rechnen, daß die Episode mit David und Saul in der Höhle in Kap. 24,5 ff. aus Kap. 26,7 ff. hergeleitet sei? Dieser Meinung ist *Nübel*. Überhaupt hat er, was die Beziehung von Kap. 24 und 26 anbetrifft, folgende Ansichten: Ein Redaktor habe unter Zugrundelegung einer ursprünglichen Heldengeschichte, dessen Kern er in Kap. 26 erhalten sieht, in tendenziöser Absicht eine neue Erzählung geformt, deren Herzstück er in Kap. 24 annimmt [62]. »Was in K. 26 ein Heldenstückchen ist, wird in K. 24 zu einer Entehrung.« [63] Allerdings hat *Nübel* keine befriedigende Erklärung dafür gefunden, wie es dazu kam, daß eine Bericht über David, der im *Feldlager* Sauls dessen Lanze stiehlt, zu einer Erzählung umgestaltet werden konnte, in der er in einer *Höhle* den Zipfel von Sauls Gewand abschneidet. Auch genügt es nicht, zu behaupten, Sauls Lage in der Höhle sei noch hilfloser gewesen als im schlafenden Feldlager, Davids Begleiter in Kap. 24 kämen mit ihrer versucherischen Aufforderung besser zu Wort als der einzelne Begleiter in Kap. 26, David bekomme in Kap. 24 Gewissensbisse und müsse seine Leute mit Gewalt davor zurückhalten, Saul zu töten, wovon wir in Kap. 26 überhaupt nichts hörten. *Nübel* kommt zu dem Schluß: »So sieht man leicht, in welchem Kapitel B. (= der Bearbeiter der Erstfassung der Geschichte von »Davids Aufstieg«) frei gestalten kann, und wo er sich an festliegende Überlieferung anschliesst.« [64] Hat der B. also auch aufs Ganze gesehen die Episode mit Davids zufällige Anwesenheit in der Höhle, in der sich Saul einfindet, erfunden? *Nübel* bejaht das. Der B. gäbe keine vorhandene Tradition weiter, vielmehr hätten wir diese Episode seiner Phantasie zu verdanken. *Nübel* bemüht ohne Zweifel die Phantasie des B. allzu stark! Jedenfalls wird im folgenden der Versuch unternommen, herauszufinden, was den Verfasser von Kap. 24,5 ff. veranlaßt haben könnte, den Diebstahl der Lanze eines Schlafenden in das Abschneiden eines Mantelzipfels von einem, der seine natürliche Notdurft verrichtet, umzugestalten. Hinzu kommt, daß sich – selbst wenn *Nü-*

61. Vergleiche auch Kap. 24,12 mit Kap. 26,16.
62. Wie *Nübel* ist auch *Mowinckel* (GTMMM, II, S. 213) der Meinung, Kap. 24 (E) sei von Kap. 26 (J) abhängig. Demgegenüber kommt *K. Koch* (Was ist Formgeschichte?, S. 159 ff.) nach eingehendem Vergleich der beiden Überlieferungen zu dem Ergebnis, daß Kap. 24 älter sei als Kap. 26; letzteres sei wohlgemerkt nicht von Kap. 24 abhängig, stelle jedoch in überlieferungsgeschichtlicher Beziehung eine spätere Entwicklungsstufe der gemeinsamen Grundtradition dar.
63. *Nübel,* a. a. O., S. 41. – Zur Frage, ob die Kategorie »Heldensage« bei den Berichten in Kap. 24 und 26 angebracht ist, siehe *Koch,* a. a. O., S. 153 ff., und *Stoebe,* Gedanken zur Heldensage in den Samuelbüchern, BZAW, 105, 1967, S. 211 ff. *Stoebe*'s Ausführungen machen übrigens oft einen sehr abstrakten Eindruck.
64. A. a. O., S. 48.

bel's Ansichten über die Beziehung zwischen Kap. 24,5 ff. und 26,7 ff. an sich grundsätzlich den Eindruck erwecken, richtig zu sein – von der Überlieferungsgeschichte her Einwände erheben lassen, daß die Episode mit David in der Höhle sozusagen aus der Luft gegriffen sei, also nicht auf vorgegebener Überlieferung basierte [65].

Freilich erscheint es einigermaßen Schwierig, zwischen Sauls Gewand (מעיל) und seiner Lanze irgendeine Beziehung zu sehen. Dennoch liegt das im Bereich der Möglichkeit, denn auch die Lanze ist ein Attribut der Königswürde Sauls [66]. Ob das ursprünglich in Kap. 26 der Fall gewesen ist, mag man gewiß bezweifeln, eher hat man die Lanze – wie den Wasserkrug, V. 11. 16 – ganz einfach als Kriegsausrüstung anzusehen. Doch ist damit ja nicht gesagt, daß der Verfasser in Kap. 26 die Lanze nicht (auch) als ein spezifisches Königsattribut Sauls verstanden hat. Eine solche Auffassung erklärt nämlich, warum der Verfasser in Kap. 24 anstelle der Lanze, die David aus dem Feldlager entwendet, vom Zipfel erzählt, den er in der Höhle von Sauls Mantel abschneidet. Beide Dinge stehen im Zusammenhang mit seiner Königswürde.

Treffen die oben gemachten Ausführungen zu, so steht also der Verfasser hinter Kap. 24,5b–6, dessen Entstehung auf den Einfluß der Überlieferung in Kap. 26 zurückzuführen ist. Wie verhält es sich indes mit den anderen auffälligen Gemeinsamkeiten zwischen Kap. 24 und 26? Wie kommt es, daß diese beiden ursprünglich voneinander unabhängigen Berichte in vielem sich so ähneln [67]? Ein Vergleich der sich in Kap. 24 und 26 [68] hindurchziehenden charakteristischen Merkmale wird zeigen, daß die Übereinstimmungen nicht nur einzelne Formulierungen betreffen, sondern auch den Aufbau als solchen. Nach 24,3 nimmt Saul 3000, aus ganz [69] Israel ausgesuchte Männer mit (שלשת אלפים איש בחור מכל־ישראל), um David und seine Männer aufzuspüren (בקש hat David und seine Männer zum Objekt); nach 26,2 hat Saul die gleiche, aus Israel rekrutierte (בחורי ישראל) Anzahl bei sich, um David aufzuspüren (בקש hat David zum Objekt). Am nächstliegendsten ist wohl die Annahme, daß diese Notiz ursprünglich zur Gibeath-Hachila-Tradition (also nicht zur Überlieferung von der Denunziation Davids durch die Siphiten!) ge-

65. Vgl. unten S. 163 f.
66. Das sahen wir im vorhergehenden im Zusammenhang mit der Episode in Kap. 18,10 f., vgl. 19,9 f. (siehe Kap. II: Anm. 81).
67. *Kirkpatrick* (Komm., S. xix, vgl. S. 206) spricht nur von »two similar, but different incidents.«
68. Von charakteristischen Merkmalen am Anfang von Kap. 26, die die Überlieferung von der Denunziation der Siphiter betreffen, sehen wir hier ab, vgl. oben S. 157 f.
69. Dieses kleine Wort כל geht möglicherweise auf den Verfasser zurück, der damit auch Juda in das Israel Sauls einbezieht.

hört habe, da die Information über die ansehnliche Stärke von Sauls Heer am besten die Feldlager-Szene im folgenden vorbereitet. In Kap. 24,4 kommt die Wendung על־הדרך vor, die sich auch in 26,3 a findet; diese Wendung erklärt sich besser aus der Höhlen-Szene, vgl. 24,8 b בדרך· Die Worte der Männer Davids in 24,5 a entsprechen denen von Abisai in 26.8. Die Nuance, welche die Formulierung in 24,5 a im Vergleich zu 26,8, wo auf ein bei früherer Gelegenheit von Jahwe ausgesprochenes Wort [70] hingewiesen wird, aufweist, ist besonderer Erwähnung wert. Davids Männer erblicken in der unerwarteten Situation nicht nur einen Fingerzeig des Willens Jahwes in bezug auf das Schicksal Sauls (vgl. 26,8), vielmehr wird der aktuelle Anlaß als die unmittelbare Erfüllung eines früher erteilten Jahwewortes angesehen. Wahrscheinlich wird auf Worte angespielt, die – in Analogie zu den üblichen Königssalbungen, bei denen dem König der Sieg über seine Feinde geweissagt wird [71] – auch bei der Salbung Davids ausgesprochen worden sein könnten, Kap. 16,13. In Kap. 24,7 ist die Formulierung mit der in 26,9 b und 11 a nahezu identisch, vgl. חלילה לי, שלח יד ב משיח יהוה, Die Erwähnung der möglicherweise schlechten Ratgeber Sauls (למה תשמע את דברי אדם, 24,10) taucht auch in 26,19 b (בני האדם) auf.

Neben den oben genannten Übereinstimmungen finden sich auch Unterschiede, die sich aus dem Inhalt der beiden ursprünglich selbständigen Überlieferungen als solchem ergeben. Es sei z. B. aufmerksam gemacht auf 24,8–9, das einleuchtend zur Höhlen-Episode gehört, sowie 26,5–7. 9–10. 11 b–13. Hinzu kommt noch, daß die beiden Abschlußszenen der Kapitel (24,10–23 und 26,13–25) nicht nur in bezug auf den Inhalt (abgesehen von den unverkennbaren Gemeinsamkeiten zwischen 24,11 und 26,23 b; 24,15 und 26,20 b; 24,17 und 26,17) sehr unterschiedlich sind, sondern auch in der Form abweichen [72]. Kap. 26,13–16. 22 gehört eindeutig zur Feldlager-Episode. In Kap. 24 findet sich ein langer David-Monolog (V. 10–16), in dem David Saul

70. *Wellhausen* (Der Text . . , S. 129 f.) übersetzt: Dies ist der Tag, an welchem . . ., vgl. auch *Budde,* Komm., S. 161; *Driver,* Notes, S. 192; *Ehrlich,* Randglossen, S. 250. *Mowinckel* (GTMMM, II, S. 216) sieht die Sache so, daß Jahwe durch Ahimelech diese Verheißung für David ausgesprochen hätte, Kap. 22,10.
71. Vgl. die Bemerkungen *Smith*'s zu Kap. 24,5 a: »The author probably had in mind later prophetic declarations.« (Komm. , S. 217).
72. Die Frage in Kap. 24,17 aβ paßt nach *Nübel* (a. a. O., S. 49 f.) nicht hinter V. 10–16, die Saul nicht darüber im Zweifel lassen konnten, wer hier redet. Dagegen passe dieselbe Frage ausgezeichnet in Kap. 26,17 aβ, nach Meinung *Nübel*'s jedoch am besten in der Formulierung von Kap. 24,17, wo er freilich erst das erste »Saul« in »Abner« umändert. Der ursprüngliche Schluß in der Gr. sieht nach *Nübel* dann so aus: 24,17 a (mit der notwendigen Korrektur!); 26,17 b–19 b (David antwortet und bietet Frieden an); 24,17 b–20. 21–23 a; 26,22. 25 a; 24,23 b. Das heißt also, daß David und Saul nach der Gr. miteinander Frieden gesclossen hätten!

davon zu überzeugen sucht, daß er dem König nicht nach dem Leben trachte [73] und Jahwe zwischen ihnen richten lassen wolle, vgl. V. 13 ff. Auf diesen Monolog folgt ein nicht ganz so langer [74] Saul-Monolog, in dem der König Davids Rechtschaffenheit betont, weil er nicht Böses mit Bösem vergelte. Demgegenüber gestaltet sich 26,17–25 mehr als Dialog zwischen Saul und David. David beteuert in stärkerem Maße als in Kap. 24 seine Unschuld und Not, während sich Saul seinerseits bei weitem mehr vor David demütigt als in Kap. 24.

Zwischen Kap. 24 und 26 bestehen also gleichermaßen Gemeinsamkeiten und Unterschiede. Die Unterschiedlichkeiten lassen mit aller Deutlichkeit erkennen, daß in den beiden Kapiteln zwei ursprünglich voneinander unabhängige Überlieferungen enthalten sind [75]. Was Kap. 24 anbelangt hat also der Verfasser eine Überlieferung von Saul und David in einer Höhle bei Engedi vor sich gehabt. Das Kernstück dieser Überlieferung waren die beiden Szenen, die in der Höhle, in der sich David und einige seiner Männer zufällig aufhalten, und in die Saul kommt, um seine Notdurft zu verrichten, sowie die darauf folgende Szene außerhalb der Höhle mit dem Dialog zwischen den beiden Hauptfiguren. Bei manchem fällt die Entscheidung nicht schwer, was zu dieser Überlieferung gehört hat, die man, wie bereits erwähnt, vielleicht als eine Lokalüberlieferung bezeichnen darf. Zu ihr gehört alles, was als ausgesprochenes »Sondergut« ins Auge fällt: V. 1 b. 2 b.* 3 b–5 a.* 8 b–9, dazu wohl der überwiegende Teil von V. 10–23. Der verbleibende Rest in Kap. 24 sind eben die charakteristischen Gemeinsamkeiten mit den Ausführungen in Kap. 26.

Es könnte die Frage laut werden, ob nun der Verfasser diese beiden ursprünglich selbständigen Überlieferungen aufeinander abgestimmt hat. Das ist nicht wahrscheinlich. Es ist jedenfalls kaum denkbar, daß die »Schlußredaktion« – nach Aufnahme zweier, jeweils in sich charakteristischer und besonders geprägter Überlieferungen – hinterher dieses Charakteristische und besonders Hervorstechende mit dem Ziel einer Angleichung verwischt hat. Näher liegt die Vermutung, daß diese beiden Überlieferungen in der mündlichen Tradition aufeinander abgefärbt haben. Daher die vielen eigentümlichen Gemeinsamkeiten. Welche von der sozusagen identischen Zügen in Kap. 24 und 26 der Höhlen-Tradition und welche der Feldlager-Tradition angehört haben,

73. Zu dem schwierigen V. 11 vgl. *de Boer,* Research, S. 55 f.
74. V. 21–23 a gehen auf den Verfasser. Betr. Kap. 20,16 f., die auch vom Verf. stammen und mit V. 21 ff. vieles gemein haben, siehe oben S. 124. Über קום, V. 21 (vgl. 13,14 und 2. Sam. 7,3), und die Beziehung des Verbs zur Königsideologie siehe *Sæbø,* ST., 14, 1960, S. 60 f.
75. So kann man sich eine hinter beiden Überlieferungen liegenden »Grunderzählung«, wie sie *Koch* (Was ist Formgeschichte?, S. 160) vermutet, schwer vorstellen.

läßt sich sehr schwer entscheiden. Nur einzelne Stücke meinten wir oben einer der beiden Überlieferungen mit Bestimmtheit zuweisen zu können. Über das andere kann unmöglich etwas Genaueres ausgemacht werden. Das trifft also auch für die Charakteristik Sauls als Gesalbten Jahwes zu, 24,7. 11 und 26,9. 11. 16. 23. Wir müssen uns hierbei mit der Feststellung zufrieden geben, daß diese technische Bezeichnung Sauls in beiden Berichten vorhanden war, als sie in dem Komplex 1. Sam. 15–2. Sam. 5 (der Vorgeschichte) Aufnahme fanden.

D. Abigail wird Davids Frau (Kap. 25)

Die Hauptpersonen in Kap. 25 sind nicht Saul und David, sondern Abigail, Davids zukünftige Frau, und David. Und der Akzent liegt ganz entschieden auf der ersteren, die durch ihre Klugheit (V. 3 b. 33) – und unbezweifelbare Schönheit (V. 3 b) Davids Gunst gewinnt.

In Karmel läßt der reiche Kalebit Nabal gerade seine Schafe scheren. Als David draußen in der Wüste davon erfährt, sendet er Boten zu Nabel mit dem Auftrag, doch eine Belohnung dafür zu erwirken, daß man seinen Hirten in der Wüste Schutz gewährte. Nabal reagiert mit höhnischen Worten, und die Boten berichten dies nach ihrer Heimkehr David, der daraufhin eine bewaffnete Aktion anordnet. Mit 400 Mann zieht er los, während er 200 beim Troß zurückläßt (V. 2–13). Im zweiten Teil befinden wir uns wieder in Karmel, wo die Hirten Nabals Frau Abigail auf die gefährliche Situation aufmerksam machen. Sie belädt entschlossen die Esel mit Dingen, die angeblich für David als Geschenk bestimmt sind, und sendet die Leute vorweg. Kurz bevor sie mit David zusammentrifft, schwört dieser, kein männliches Geschlecht am Leben zu lassen (V. 14–22). Im dritten Teil findet die Begegnung zwischen Abigail und David statt. Sie verurteilt ihren Mann mit heftigen Worten und bittet David, von seinem Vorhaben abzulassen. David preist Abigails Klugheit und dankt Gott dafür, daß er durch die Hilfe Abigails daran gehindert wurde, eine Blutschuld auf sich zu laden (V. 23–35). Der Schluß des Berichts führt uns erneut nach Karmel, wo Nabel ein Gastmahl abhält, ohne von der Gefahr zu wissen, in der er schwebte. Doch nach dem Freudentaumel wird er von seiner Frau darüber in Kenntnis gesetzt, worauf er vor Schreck erstarrt und bald stirbt. Nicht lange danach erscheinen Boten (עבדים) von David, der in Nabals Tod die Rache Jahwes sah; sie werben im Namen Davids um Abigail, die sich eilends auf den Weg macht und Davids Frau wird (v. 36–42).

Im ersten Abschnitt (V. 2–13) wird die Handlung in Gang gebracht, das Folgende vorbereitet und gezeigt, wo der Akzent liegt: Es ist die Entschlossenheit der klugen und schönen Frau des törichten und bösen Kalebiten [76] (vgl. die Charakteristik in V. 3!). Die meisten Forscher sehen in dieser Perikope ein durchaus glaubhaftes Bild von Davids Umherziehen in der Wüste Juda. Auf die hier geschilderte Art und Weise wird David in der Tat sich und seinen Leuten den Unterhalt verschafft haben [77]. Dem steht freilich die Auffassung *Caspari*'s entgegen [78]: Der Stoff passe besser in Davids Zeit in Ziklag, wie über sie in Kap. 27. 29 ff. berichtet werde. *Caspari* verweist in Verbindung mit V. 15 auf Kap. 27,8 und 30,26 f. (Daß die Erzählung zu früh erscheint, könnte durch מדבר in V. 1 und 4 veranlaßt worden sein.) *Caspari*'s Erwägungen sind insofern bemerkenswert, als sie für das Verständnis der Erzählung in Kap. 25 wesentliche Perspektiven eröffnen. Allerdings braucht man in der Annahme nicht so weit zu gehen, der Inhalt des Berichtes bezöge sich –historisch gesehen – schlechthin auf die Ziklag-Zeit. Dagegen kann insoweit ein überlieferungsgeschichtlicher Zusammenhang vorliegen, als der Bericht in Kap. 25,2–44 durch Überlieferungen über Davids Aufenthalt in Ziklag beeinflußt worden ist.

Schon im ersten Teil stoßen wir auf einzelne Züge, die für diesen überlieferungsgeschichtlichen Zusammenhang sprechen. Zunächst wäre auf V. 13 b mit der Bemerkung über Davids Aufbruch mit seinen 400 Männern, während 200 beim Troß zurückbleiben, aufmerksam zu machen. Dieser Sachverhalt kehrt in Kap. 30,10 wieder [79]. In Kap. 30,10 ist dieses militärische Vorgehen offenbar angesichts eines notgedrungenen Rückzugs der 400 Mann nach einem eventuell erfolglosen Feldzug erfolgt [80]. Eine solche Möglichkeit paßt allerdings nicht gerade gut in den vorliegenden Zusammenhang in Kap. 25. Hier handelt es sich ja sichtlich nicht um eine gefahrvolle militärische Operation!

Wieviel im übrigen historisch auf Davids Situation in der Wüste Juda vor seiner Ansiedlung in Ziklag zurückgeht, ist natürlich schwer zu entscheiden. Interessant ist jedenfalls die Andeutung in dem Bericht, daß es in Davids Verhältnis zur Bevölkerung südöstlich von Hebron ursprünglich nicht ganz ohne Reibereien abgegangen ist. Das zeigte schon sein Verhältnis zu den Si-

76. Ein typischer Kalebit! Das ist zweifellos der Sinn der lakonischen Bermerkung והוא כלבי, qere; bezüglich des ketib כלבו, vgl. כשמו, V. 25. Wahrscheinlich gibt der MT den ursprünglichen Sinn wieder, der durch das ketib verlorengegangen ist. Ein Abschreiber hat sich wohl daran gestoßen, daß herzlos und böse sein etwas typisch Kalebitisches sei, vgl. Anm. 87.
77. Vgl. *Gressmann,* Die älteste Geschichtsschreibung, 1921, S. 94 ff.
78. Komm., S. 311.
79. Daraus schließt *Eissfeldt* (Die Komposition ..., S. 20 f.), daß Kap. 25 und 30 zum selben Erzählungsstrang gehören. Überhaupt besteht unter den Literarkritikern die allgemeine Auffassung, daß die beiden Kapitel zu ein und derselben Quelle gehören.
80. Vgl. unten S. 215.

phitern, Kap. 23,14 (19) ff. Auf gleicher Ebene liegt das beleidigende Wort Nabals über David in V. 10 b: David wird als entlaufener Sklave hingestellt! Und der Herr ist natürlich König Saul. Wie aber erklärt sich diese – hier in Nabal konkret verkörperter – Abneigung gegen David? Diese Abneigung deutet ja eine entsprechend wohlwollende Haltung gegenüber Saul an! Ist David wirklich als »Beschützer« zu lästig geworden? Das ist wohl kaum die ganze Erklärung, denn dann wäre das Wohlwollen gegenüber Saul an und für sich von der trügerischen Hoffnung geleitet, David loszuwerden. Nein, die Erklärung hat man historisch sicher woanders zu suchen. In dieser Gegend hat Sauls Name offenbar einen besonders guten Klang. Bei Karmel erinnerte eine »Siegessäule« seinen Taten im Kampf gegen die Amalekiter, vgl. Kap. 15,12 [81].

Diese Betrachtungen deuten darauf hin, daß sich in V. 2–13 in der Tat Erinnerungen aus Davids Wüstenzeit, bevor er sich in Ziklag niederließ, erhalten haben. Es ist durchaus möglich, daß sich hinter diesen Versen Überlieferungselemente verbergen, die auf diese Zeit Bezug nehmen. Andererseits ist die Abneigung gegen David außerordentlich abgeschwächt. Sie wird nur von dem bösen Nabal empfunden, nicht dagegen von seinen Hirten, geschweige denn von seiner Frau!

In letzterem – in der stark eingeschränkten Abneigung gegen David – steckt vielleicht ein Hinweis darauf, daß die Überlieferung von Abigail und David in Kap. 25 nicht nur Davids Aufenthalt in der Wüste Juda zum Hintergrund gehabt haben könnte, sondern ebenso seinen Aufenthalt in Ziklag oder vielleicht eher noch seine Königszeit in Hebron. Erst zu dieser Zeit darf man nämlich ein gutes Verhältnis zu den Stämmen im Süden voraussetzen. Auch erst zu dieser Zeit kann man mit einer Einheirat Davids in diese Stämme oder Sippen rechnen. Vor allem in Hebron, wo die Berichte über den Ziklag-Aufenthalt überliefert sind, darf man voraussetzen, daß die Erzählung über Abigail besondere Popularität genoß. Sie war Davids dritte [82] Frau, und sie gebar ihm einen Sohn, dessen Name Kil'ab, der sich lediglich in 2. Sam. 3,3 findet [83], anscheinend auf seine Abstammung mütterlicherseits Bezug nimmt;

81. Vgl. oben S. 47.
82. – oder zweite Frau. Das hängt davon ab, ob David während seines Aufenhalts am Hofe in Gibea Michal wirklich geheiratet hat, vgl. oben S. 104 ff. und unten S. 237 f.
83. Der Name dieses Sohnes ist verschieden bezeugt (vgl. *Kittel*). So läßt sich auch *Noth* (Die israelitischen Personennamen, 1930, S. 248) eben aus Gründen der Ungewißheit in bezug auf den ursprünglichen Text über die Etymologie des Namens nicht aus. *Driver* (Notes, S. 246) hält es ebenfalls für unmöglich, zu der ursprünglichen Form des Namens auf den Grund zu kommen, wenngleich er dennoch die Möglichkeit offen läßt, daß לאב in כלאב eine Dittographie von לאב im folgenden לאביגיל sein könnte. *Caspari* (Komm., S. 430) hält Kaleb für den ursprünglichen Namen, vgl. auch *Smith*, Komm., S. 274; der Syr. hat auch Kaleb. *W. Rudolph* (Die Chronikbücher, 1955, S. 27) faßt

Hebron gehörte ja zu Kaleb (vgl. Jos. 14,14). כלבי in 25,3 b hat bestimmt eine abwertende Bedeutung [84]. Statt in dieser Charakteristik eine später in den Text eingeflossene Randglosse zu sehen [85], sind wir der Meinung, daß in ihr die jerusalemische Haltung den Kalebiten gegenüber vorzüglich zum Ausdruck kommt. Hier wird nicht nur ein allgemeiner Gegensatz zwischen Ansässigen und Halbnomaden deutlich [86], sondern eine spezifisch jerusalemische Haltung [87].

Im zweiten Abschnitt, V. 14–22, wird die Aufmerksamkeit der Zuhörer provoziert, die Spannung erhöht. Gelingt es Abigail, die einen augesprochenen Kontrast zu Nabal darstellt, David von seinem Vorhaben abzuhalten [88]? Bei dem von den Hirten über ihren Herrn abgegebenen Urteil, er sein ein בן בליעל, V. 17 (vgl. auch V. 25), handelt es sich um eine subjektive, und nicht – wie in V. 3 b – um eine typische Charakteristik.

Der dritte Abschnitt, V. 23–35, bildet das Hauptstück der Erzählung; zwischen Abigail und David wird der Kontakt hergestellt [89]. Auch an dieser Stelle tritt die psychologische Feinheit der Erzählung ganz deutlich zutage [90]. Abigail betrachtet sich selbst als Werkzeug Jahwes, da sie verhindert habe, daß David sich einer Blutschuld schuldig machte [91]. Keineswegs zufällig fehlt in

Kil'ab als einen »Schmeichelnamen« zu Daniel auf (1. Chr. 3,1) in der Bedeutung »ganz der Vater« (כל אב, vgl. Targum). Dieses Verständnis ist doch wohl ziemlich bedenklich und in seinem Charakter volksetymologisch.

84. Vgl. oben Anm. 76.
85. *Klostermann* (Komm., S. 108) meint, daß das ursprüngliche כלבו nach der Plazierung der Glosse hinter V. 3 in כלבי umgedeutet worden sei.
86. Vgl. *Mowinckel,* GTMMM, II, S. 218.
87. Vgl. *Hertzberg,* Komm., S. 164. *Hertzberg* möchte in כלבי ein Wortspiel mit כלב erkennen, das auf einen dem Hofe in Jerusalem nahestehenden Schreiber zurückgehe. Er übersetzt: »ein (nichtiger) kalebbitischer Hund« (a. a. O., S. 161).
88. Vielleicht darf man in dem Umstand, daß Abigail ihre Leute vorausschicht, während sie selber nachkommt, einen Einfluß der Jakob–Esau-Traditionen erkennen, vgl. Gen. 22.
89. Für den, der hört, wie sich Abigail vor David verneigt, wird es schon so aussehen, als sei es der (zukünftige) König, dem sie auf diese Weise huldigt, vgl. Kap. 24,9 (20,41).
90. Vgl. besonders *Gressmann,* Die älteste Geschichtsschreibung, 1910, S. 105 f. und *Hertzberg,* Komm., S. 165 f.
91. Im Blick auf das Wortspiel zwischen dem Eigennamen נבל und dem Nomen נבלה in V. 25 nimmt *W. M. W. Roth* an, daß hier auf die ursprüngliche Wurzel nbl angespielt wird: »breach of a sacred convenant relationship, in this case the relationship between protector and protected one (David and Nabal).« (NBL, VT, 10, S. 406). – In V. 26 wird vorweggenommen, daß David seine Rache nicht verwirklicht, vgl. V. 33; hinzu kommt, daß der Wunsch Abigails in V. 26 b, daß es allen, die Davids Verderben suchen, so ergehen möge, wie es Nabel ergehen wird, Nabals Tod schon andeutet ist.

V. 26 b, der mit zur ursprünglichen Überlieferung gehört hat, das für den ganzen Abschnitt Kap. 23,1–27,4 charakteristische »Verfolgungsthema« [92].

Die Einstellung zum Geschlecht Nabals, d. h. zu den Kalebiten als solchen – und nicht zu Nabal als Einzelperson – ist auffallend positiv. Hätte David nämlich sein Vorhaben durchgeführt und alles Männliche getötet, würde er sich eines entsetzlichen Verbrechens schuldig gemacht haben! Eine derartige Haltung entspricht der Haltung, die in den über den Aufenthalt Davids in Ziklag Aufschluß gebenden Überlieferungen vorherrscht. Wir hören ausdrücklich von David während seines Aufenthalts in Ziklag, daß er gegen die Feinde Judas und damit auch gegen die der Kalebiter Krieg führte, vgl. Kap. 27,8 ff. und 30,14. Der Ausdrück für Abigails Gabe in V. 27 (ברכה) kommt auch in Kap. 30,26 vor. Erwähnenswert ist auch, daß die von David an Nabal und sein Haus geplante Rache (V. 22. 34, vgl. V. 17) an das Schicksal erinnert, das die Amalekiter in Kap. 30,17 (vgl. auch 27,9. 11) erlitten. Der seltene Ausdruck »Jahwes Kriege« (מלחמות יהוה) in V. 28 b weist auf Kap. 30, Davids Amalekiterkrieg, hin. In Kap. 30,26 werden die Amalekiter als »Feinde Jahwes« bezeichnet. Es sieht so aus, als ob die in 25,7 ff. und 15 f. angedeutete Schutzgewährung durch den Ausdruck »Jahwes Kriege« in V. 28 eine höhere Bewertung erhalten hat, als ihr eigentlich zukommt [93]. Sicherlich ist das auf den Einfluß der Überlieferungen über den Ziklag-Aufenthalt zurückzuführen. Wo es zu dieser Beeinflussung gekommen ist, dürfte nicht schwer zu entscheiden sein. Bestimmt in Hebron, wo die Überlieferung von Davids Amalekiterkrieg im Umlauf war (siehe unten).

Ursprüngliche Absicht der Erzählung über Abigail und David in Kap. 25 war es, die ungewöhnliche Klugheit und Entschlossenheit der Königin, Davids Frau, zu schildern; diese Eigenschaften veranlaßten David ja auch, sie sich zur Frau zu nehmen. Dass allerdings dieser ursprüngliche Skopus in den Hintergrund gedrängt ist, geht deutlich aus den V. 28–30 hervor. Durch diese Verse, die unverkennbar die Intention des Verfassers verraten, ist die überlieferung in den Rahmen der Vorgeschichte eingefügt worden. Abigails Wort sagt die Thronbesteigung Davids als König von Israel voraus [94]. Weil David die »Kriege Jahwes« führt, wird Jahwe durch David eine dauerhafte Königsdynastie begründen [95]. Davids Funktion als Feldherr weist also in die Zukunft, auf seine Inthronisation hin; wir erinnern uns, diese Vorstellung (David als Feldherr) hat an frühere Stelle der Vorgeschichte eine maßgebliche Rolle

92. Vgl. oben Anm. 35.
93. Siehe ferner *Smend,* Jahwekrieg und Stämmebund, 1963, S. 62 f.
94. Im einzelnen herauszufinden, was in V. 28–30 zur ursprünglichen Tradition gehört hat, ist von geringerer Bedeutung.
95. בית נאמן,vgl. 2. Sam. 7,16, also jerusalemischen Ursprungs.

gespielt [96], und hier in V. 28 bereitet sie 2. Sam. 5,2 vor [97]. In 2. Sam. 5,2 findet sich in diesem Zusammenhang freilich die Bezeichnung »nagid über Israel«. Jedoch taucht die nagid-Bezeichnung auch in Kap. 25 auf, und zwar in V. 30, aus dem hervorgeht, daß Jahwe einst David verheißen habe ihn als »nagid über Israel« einzusetzen, vgl. auch 2. Sam. 5,2.

Wo ist zuvor in der Vorgeschichte von dieser David geltenden Weissagung die Rede? Wo hören wir später über die Erfüllung dieser Weissagung? Und unlöslich mit diesen beiden Fragen verbunden: Was für eine Bedeutung hat nagid überhaupt in der Vorgeschichte? Zunächst wollen wir uns den beiden letzten Fragen zuwenden, denn ihre Beantwortung liegt auf der Hand. Es dürfte nämlich deutlich sein, daß die Weissagung in 2. Sam. 5,2 – und damit auch in 25,30 – in dem folgenden V. 3 mit der durch die Ältesten vorgenommenen Salbung Davids zum König über Israel erfüllt wird. David wurde in Hebron von den Ältesten zum König (melek) gesalbt und damit als der von Jahwe ausersehene nagid eingesetzt. Die beiden Titel (melek und nagid) fallen also in der Vorgeschichte zusammen. Andererseits muß der Verfasser etwas Bestimmtes im Auge gehabt haben, wenn er in Kap. 25,30 und 2. Sam. 5,2 – den beiden einzig sicheren Stellen in der Vorgeschichte – den nagid-Ttitel und nicht melek gebraucht [98].

Aus 1. Sam. 9,1–10,16 geht nun hervor, daß der nagid-Titel Saul verliehen worden war. Samuel bekommt von Jahwe den Auftrag, einen Benjaminiten zum nagid über sein Volk Israel zu salben, der das Volk aus der Hand der Philister erretten soll (Kap. 9,16); der Auserwählte ist der junge Saul, den Samuel heimlich zum nagid salbt (10,1). In der alttestamentlichen Forschung geläufig ist *Alt*'s Untersuchung dieser Saul-Überlieferung in seinem epochemachenden Beitrag über die Staatenbildung der Israeliten [99]. »Zudem lassen die Erzählungen von Sauls Aufstieg durch andere Ausdrücke sehr deutlich erkennen, dass sie zu unterscheiden wissen und unterschieden wissen wollen, was Saul durch die Designation Jahwes und was er durch die Akklamation des Volkes geworden ist: als Designierter Jahwes heisst er nur *nagid,* erst das Volk verleiht ihm von sich aus den Königstitel *melek,* so dass die göttliche Weihe und die menschliche Würde klar voneinander geschieden bleiben.« [100]

96. Vgl. oben S. 109 f.
97. Vgl. unten S. 249.
98. *Carlson* (David the Chosen King, S. 51) hält nagid für die dtr. Bezeichnung des Königs, was kaum richtig ist. Er sieht nicht nur über den charakteristischen Inhalt des nagid-Titels hinweg, sondern interessiert sich – was ebenso verkehrt ist – auch nicht für den Zusammenhang der Überlieferungen, in denen der nagid-Titel in Erscheinung tritt. Hierüber unten.
99. Kleine Schriften, II, S. 11 ff., vgl. auch Kleine Schriften, II, S. 116 ff. (Das Königtum in den Reichen Israel und Juda).
100. Kleine Schriften, II, S. 23.

Diese beiden Aspekte sind nach *Alt* für das junge Königtum in Israel konstitutiv. Das Neue bestehe darin, daß das Volk den von Jahwe bestimmten charismatischen Führer erwählt, 1. Sam. 11. Dieses Schema hat nach *Alt* der Verfasser der Vorgeschichte auf David und sein Königtum übertragen: »ein Heerkönigtum im nationalen Sinne, letzlich auf Jahwes Designation beruhend, in Kriegstaten an der Spitze des Heerbannes bewährt und mit Akklamation des Volkes vollendet.«[101]

Alt's Auffassung über das Verhältnis von nagid und melek in den Saulüberlieferungen ist zweifellos grundsätzlich richtig. Es besteht augenscheinlich zwischen Saul in seiner Eigenschaft als der von Jahwe berufene charismatische Führer, nagid (Kap. 9,1–10,16), und in seiner Eigenschaft als der vom Volk gewählte König, melek (Kap. 11), eine Entsprechung. Auf der anderen Seite hat *Alt* – was *W. Richter* überzeugend dargelegt hat [102] – den nagid-Titel mit dem melek-Titel bedenklich eng aneinandergerückt. Er habe nicht klar erkannt, daß nagid eine selbständige Funktion ist, daß Saul wirklich als nagid *eingesetzt* worden ist, vgl. 10,1. *Richter* ist nach einer gründlichen formgeschichtlichen Untersuchung der nagid-Formel [103] zu dem Ergebnis gekommen, daß der nagid in der Zeit vor der Einführung des Königtums in Ephraim und Benjamin (Samuel und Saul!) ein »an Jahwe gebundenes und für die Rettung Israels mittels Propheten gesetztes Amt« war [104]. Von einer Einsetzung als nagid im Hinblick auf David hören wir in der Vorgeschichte nichts, sie wird lediglich in 1. Sam. 25,30 und 2. Sam. 5,2 als etwas Zukunftiges erwähnt [105]. Hingegen wird die Einsetzung Davids als nagid in 2. Sam. 6,21 und 7,8 vorausgesetzt [106]. Die Einsetzung als nagid ist folglich in der Vorgeschichte in der Königserhebung mit aufgegangen.

Der Verfasser der Vorgeschichte hat den nagid-Titel benutzt, um David als *Saul*s Nachfolger zu legitimieren. Wenn er in Kap. 25,30 und 2. Sam. 5,2 Abigail und die Männer Israels Jahwes Weissagung über David aussprechen läßt, er würde »nagid über Israel« werden, so geschieht das vornehmlich aus dem Grunde, um den eigentlichen Höhepunkt der Vorgeschichte anklingen zu lassen: die Salbung Davids zum König über Israel, das Reich Sauls, durch die Ältesten [107].

101. Kleine Schriften, II, S. 38.
102. Die nagid-Formel, Biblische Zeitschrift, 9, 1965, S. 71 ff.
103. 1. Sam. 9,16; 10,1; 13,14; 25,30; 2. Sam. 5,2; 6,21; 7,8; 1. Kg. 1,35; 14, 7; 16,2; 2. Kg. 20,5.
104. A. a. O., S. 83.
105. Betreffs 2. Sam. 3,9 siehe unten S. 238 f.
106. *Richter*, S. 76. *Richter* hält mit Recht 1. Sam. 13,14 für dtr. vgl. a. a. O., S. 74, Anm. 9.
107. Der nagid-Titel ist sichtlich nördlichen, israelitischen Ursprungs, so taucht er im Ahiageschichten-Zyklus wieder auf, 1. Kg. 14,7.

Doch haben wir auf die letzte der oben aufgeworfenen Fragen noch keine Antwort gegeben: Wann – und wo in der Vorgeschichte – hat Jahwe verheißen, daß David nagid (= König) über sein Volk Israel werden würde? Diese Frage bleibt sowohl bei *Alt* als auch *Richter* unbeantwortet. Sogleich muß man natürlich zugeben, daß darüber nirgendwo ausdrücklich berichtet wird. Bedenkt man allerdings, daß der Verfasser den nagid-Titel in Verbindung mit Saul zwar andeutet, aber gleichzeitig in der Vorgeschichte zwischen nagid und melek inhaltlich keinen Unterschied macht, darf das Fehlen des nagid-Titels in den vorhergehenden Partien der Vorgeschichte nicht wunder nehmen. Saul wurde von Samuel zum *nagid* gesalbt, bevor er König wurde. Wie verhält es sich bei David? Er wurde von *Samuel* zum König gesalbt, ehe er schließlich am Schluß der Vorgeschichte von den *Ältesten* zum König gesalbt wurde. Also eine reelle Übereinstimmung zwischen dem Saul-Komplex 1. Sam. 9,1–10,16 und der Vorgeschichte. D. h., das Schema Designation – Akklamation bestimmt in bezug auf die Art und Weise, wie David König wird, auch die Vorgeschichte. Aber wohlgemerkt ohne daß der Verfasser in diesem Zusammenhang zwischen nagid und melek einen Unterschied macht. Oben [108] haben wir gesehen, daß 1. Sam. 16,1–13 mit dem Bericht über die Salbung Davids von 1. Sam. 9,1–10,16 abhängig war. Kap. 16,1 lenkt den Blick zurück auf Sauls Salbung zum nagid in Kap. 10,1 und nicht auf die Königswahl in Kap. 11. Dies kann man Kap. 15,1 deutlich entnehmen: ... Der Herr hat mich gesandt, um dich zum König über *sein Volk Israel zu salben.* Nur hat der Verfasser nicht nagid, sondern melek! David ist – um einen Ausdruck *Alt*'s zu gebrauchen – Jahwes designierter König (= nagid) [109], der »verborgene« Messias. Dadurch, daß Jahwe Samuel David schon salben läßt, als er noch ein Junge war, hat er ihm den Thron Israels nach der Verwerfung Sauls verheißen und versprochen.

Auch in dem abschließenden Bericht der Abschnitts, 25, 36–42, ist ein Zusammenhang mit den Ziklag-Überlieferungen erkennbar. Nicht nur in Kap. 27,3 hören wir, daß David – außer der Jesreeliterin Ahinoam – auch die Karmeliterin Abigail als seine Nebenfrau nach Ziklag mitbringt, sondern von ebenden beiden Frauen ist auch in Kap. 30,5 die Rede. Ob David wirklich in seiner »Freibeuterzeit« in der Wüste diese beiden Frauen geheiratet hat, darf man allerdings historisch in Frage stellen. Denn diese beiden Heiraten hätten ein Bündnis mit den Bewohnern dieser Gegenden bedeutet [110]. Hier kommen wir auf das zurück, was für die ganze Überlieferung Kap. 25, 2–42 in

108. Vgl. oben S. 71 ff.
109. In 2. Sam. 3,18 wird David als der zukünftige nagid geschildert, ohne daß der nagid-Titel selbst erscheint.
110. Vgl. *Noth,* Geschichte Israels, S. 166; *Bright,* A History of Israel, S. 173.

ihrer jetzigen Form charakteristisch ist. Sie verrät – im Gegensatz zu den anderen Überlieferungen von Davids Wüstenzeit – daß David in stabilen Verhältnissen lebt. Und nicht zuletzt setzen natürlich die beiden Heiraten solche voraus. Wann hat man sich das Vorhandensein solch stabiler Verhältnisse vorzustellen? Jedenfalls kaum vor der Ansiedlung in Ziklag. Wahrscheinlich hat David auch nicht während seines Ziklag-Aufenthalts in angesehene Sippen in der Gegend südlich von Hebron eingeheiratet. Wahrscheinlich [111] ist das erst in Hebron geschehen, also nachdem David zum König über das »Haus Juda« gesalbt worden war (2. Sam. 2,1 ff.). Diese Vermutung ist nicht nur historisch, sondern auch überlieferungsgeschichtlich von Bedeutung. In diesem Umstand könnte nämlich doch ein Anzeichen dafür gesehen werden, daß die Überlieferung in Kap. 25,2–42 in Hebron ausgestaltet worden ist, und zwar in Kreisen, die aufgrund der Vorkomnisse während der Königszeit Davids in Hebron – in diesem Fall seine eheliche Verbindung mit der Sippe im Süden der Stadt – der Überlieferung ihr Gepräge gegeben haben. Ja, sehr wahrscheinlich hat die Überlieferung in diesem Zeitraum ihre endgültige Ausformung erfahren. Von hier aus hat sie dann ihren Weg weiter nach Jerusalem genommen.

Aus steht noch die Behandlung von Kap. 25,1 und 43 ff. Zunächst V. 43 ff. Offenbar hat David Ahinoam von Jesreel [112] vor Abigail geheiratet [113]. V. 43 hat ursprünglich nicht mit zum Vorhergehenden dazugehört; möglicherweise ist er in Hebron angehängt worden doch sicherlich erst bei Abfassung der Vorgeschichte. Dafür spricht der Umstand, daß V. 44 allem Anschein nach vom Verfasser herrührt, da man diese Notiz, Saul hätte seine Tochter Michal einem anderen gegeben, im Zusammenhang mit dem früher über Davids Ehe mit Michal Ausgeführten zu sehen hat, vgl. Kap. 18,20 ff.; 19,11 ff. V. 44 hat an dieser Stelle in gewisser Weise die Aufgabe, Davids Ehe mit den beiden Frauen aus dem Süden zu rechtfertigen. Die Überlieferung, derzufolge David Michal während seines Aufenthalts am Hofe des Königs heiratete, hat man mit den Überlieferungen von Davids beiden Frauen aus der Zeit in der Wüste Juda in Einklang zu bringen versucht [114]. Ob die Überlieferungen in 18,20 ff. und 19,11 ff. nun historisch sind oder nicht [115],

111. Vorläufig sind wir freilich nur in der Lage, diesen Zeitpunkt annähernd zu schätzen!
112. In derselben Gegend wie Maon, Karmel und Siph. Genaue Lage ist unbekannt.
113. Ahinoam wird unter den Frauen Davids stets vor Abigail genannt, vgl. 27,3; 30,5; 2. Sam. 2,2, wie auch ihr Sohn, Amnon, Davids ältester Sohn ist, vgl. 2. Sam. 3,3; 1. Chr. 3,1.
114. *Nowack* (Komm., S. 129 f., vgl. auch *Driver,* Notes, S. 204) scheint den Zusammenhang so zu verstehen, daß V. 44 eine Erklärung dafür geben solle, weshalb David diese beiden Frauen nahm: Weil Saul ihn der Michal beraubt hatte!
115. Oben S. 108 f. gingen wir auf dieses Problem nicht ein, vgl. weiter unten S. 237 f.

immerhin sind sie mit der zweifellos zuverlässigen Tradition über Michals Ehe mit einem gewissen Paltiel, Lachis's Sohn, vgl. 2. Sam. 3,15 f., kombiniert worden [116]. Vermutlich ist nämlich V. 44 b von der Überlieferung in 2. Sam. 3,15 ff. abhängig, in welcher der Name von Michals Mann erwähnt ist – oder gehört jedenfalls zur selben Überlieferung [117].

In anderer Weise fragwürdig als V. 43 f. ist der V. 1. Die Notiz über David, der – das ist doch wohl der Sinn – infolge des Todes seines Schutzherrn Samuel bis weit in die Wüste Paran fliehen muß, hängt genauso in der Luft. Als Einleitung zum Folgenden paßt die Wüste Paran schlecht, da David sich im folgenden in der Wüste Juda aufzuhalten scheint [118]. Weit besser ist es, wenn man V. 1 als Fortsetzung von Kap. 24 betrachtet, dessen Parallelbericht Kap. 26 auch durch eine Fluchtgeschichte fortgesetzt wird; beide Male flieht David aus der Machtsphäre Sauls [119].

Fraglos hat 25,1 ursprünglich weder zur Überlieferung von David und Abigail gehört noch zu der Tradition in Kap. 24, die natürlich in 24,23 b endet. Hinzu kommt, daß V. 1 a und b auch ursprünglich nicht zusammengehört haben; das wird durch Kap. 28,3a (= 25,1 a) nahegelegt [120]. V. 1 b geht zweifelsohne auf echte Überlieferung zurück. Offensichtlich hat der Verfasser die Tradition über Davids Aufenthalt in der Wüste Paran aufgenommen und in den vorliegenden Kontext eingebaut. Ebensowie Davids Flucht nach Gath in Kap. 27 nicht unmittelbar durch Kap. 26 nahegelegt ist, sondern einer zusätzlichen Begründung bedurfte (vgl. 27,1!), wirkt Davids Flucht ins südliche »Ausland« in Kap. 24 auch nicht ohne weiteres verständlich. Deshalb erfolgt die (tiefere) Begründung durch den Tod Samuels.

Immer wieder fällt auf, daß die Wüste Paran im Verhältnis zu Karmel doch sehr weit im Süden liegt, vgl. V. 4. Diese Schwierigkeit erklärt sich jedoch durch die Überlegung, daß der Verfasser schwerlich mit den geographischen Verhältnissen in diesen Gegenden völlig vertraut gewesen ist [121].

116. Vgl. unten S. 238.
117. Merkwürdigerweise wird Gallim, das nach Jes. 10,30 zwischen Gibea und Jerusalem, also in Benjamin, liegen muß, hier in V. 44 b genannt, nicht dagegen in 2. Sam. 3,15 f.
118. LXX(B) liest מעון, was eine Harmonisierung mit der folgenden Erzählung darstellt, vgl. *de Boer*, Research, S. 59.
119. Vgl. *Koch,* Was ist Formgeschichte?, S. 162.
120. *Nübel* (a. a. O., S. 41) möchte in dem Umstand, daß 25,1 a und 28,3 a identisch sind, den Beweis dafür sehen, daß das 25,1 Voranstehende und auf 28,3 Folgende einmal zusammengestoßen sind. Eine etwas massive Betrachtungsweise! *Schunck* (Benjamin, S. 94 f.) hält 25,1 – wie 28,3 a – für dtr., indem er davon ausgeht, daß als Heimatstadt Samuels Rama genannt wird. So sind nach *Schunck* auch 15,34; 16,13 und 19,18–20,1 a (vgl. V. 18. 22, 1 a) dtr. Vgl. dazu oben S. 119.
121. So habe diese Distanz nach *Nübel* (a. a. O., S. 50) auch den B(earbeiter) der Gr(undschrift) nicht angefochten!

Schließlich bedarf es noch der besonderen Erwähnung, daß der Verfasser, der ja nicht nur die beiden Parallelfassungen in Kap. 24 und 26 aufgenommen, sondern beide mit dem Verrat der Siphiter zusammengefügt hat, gleichfalls gezwungen war, zwischen den beiden Episoden einen Spielraum zu lassen. Das hat er durch die Einschiebung der Abigail-Erzählung in Kap. 25 erreicht, was freilich zur Folge hatte, daß geographische Angaben nicht so genau genommen wurden! [122].

E. David im Feldlager Sauls in Gibeath-Hachila (Kap. 26)

Die Siphiter kommen erneut (vgl. 23,19) zu König Saul und verraten Davids Aufenthaltsort in Gibeath-Hachila; dorthin macht sich nun Saul auf den Weg. David gelangt indessen in Sauls Feldlager und entdeckt Saul und dessen Heerführer Abner, die in der »Wagenburg« (מעגל) liegen und schlafen. Mit Abisai dringt David in die Wagenburg ein, doch anstatt Abisais Drängen nachzugeben, den »Gesalbten Jahwes« zu töten, entfernt David lediglich Sauls Spieß und Wasserkrug (V. 1–12). Vom Gipfel des nahegelegenen Hügels ruft David Abner und wirft ihm vor, er habe den König nicht bewacht. Daraufhin entspinnt sich ein längeres Gespräch zwischen Saul und David. David macht dem König den Vorwurf, er habe ihn vom Erbteil des Herrn ausgeschlossen, so daß er anderen Göttern dienen müsse; Saul fordert schuldbeladen David zur Umkehr auf, doch David verschwindet wiederum zur gleichen Zeit, da Saul nach Hause zurückkehrt (V. 13–25).

Was die Einleitung in 26,1 anbetrifft – die Veranlassung für Sauls Marsch nach Gibeath-Hachila [123] in die Wüste Siph – so haben wir es, wie oben nachgewiesen [124], mit Bruchstücken einer Siphiter-Tradition zu tun, vgl. Kap. 23,19 ff. Da die folgende Erzählung von David im Feldlager Sauls in Gibeath-Hachila ursprünglich eine selbständige Überlieferung gewesen sein dürfte, hat der Verfasser Bruchstücke der Siphiter-Tradition als Einleitung – und Anlaß – benutzt. Die überlieferungsgeschichtlichen Probleme in Kap. 26 sind bereits im Zuge der Behandlung des Kap. 24 erörtert worden [125]. In Kap. 26 liegt

122. Wenn *Koch* (a. a. O., S. 163) jedoch aus der geographischen Unstimmigkeit zwischen 25,1 und 25,2 ff. schließt, in 25,2 ff. »schreibt eine andere Feder«, ist das nicht zwingend.
123. Die genaue Lage (der Ort wird nur hier in V. 1 und 3 sowie in Kap. 23,19 erwähnt) ist völlig unbekannt. *Grollenberg* schlägt das heutige dahret el-kola, zwischen Siph und Engedi, vor, vgl. schon *Buhl,* Geographie des alten Palästina, 1896, S. 96 f.
124. Vgl. oben S. 157 f.
125. Vgl. oben 163 f.

eine von der Überlieferung in Kap. 24 substantiell andersartige und darum von dieser unabhängige Überlieferung vor. Auch lassen sich die beiden Überlieferungen nicht aus einer Urtradition herleiten. Die offensichtlich bestehenden Gemeinsamkeiten gehen auf den Überlieferungsprozeß zurück. Vornehmlich auf Grund der grundsätzlichen Verschiedenartigkeit der beiden Erzählungen in Kap. 24 und 26 kommt für *Nübel* [126] immerhin eine überlieferungsgeschichtliche Betrachtungsweise nicht in Frage. Anders freilich lägen nach *Nübel* die Dinge, wenn uns zweimal Davids in Sauls Feldlager berichtet wären, oder überhaupt »zwei echte Heldenstückchen« vorlägen. Da dies nicht der Fall sei, rechnet er ausschließlich mit der literarischer Tätigkeit eines »Redaktors«. *Nübel*'s Meinung ist nicht zuzustimmen. Zunächst kann man nicht von vornherein davon ausgehen, daß die Erzählung in Kap. 26 die ältere sei [127]. Zum anderen setzt *Nübel* irrtümlicherweise auch eine Abhängigkeit der Substanz der beiden Erzählungen voraus. Drittens handelt es sich bei der Aussage, daß David sich an dem »Gesalbten Jahwes« nicht vergreift, eben nicht – wie *Nübel* behauptet – um ein später hinzugetretenes literarisches Motiv.

Beachtenswert und einzigartig für die Überlieferung in Kap. 26 sind die Worte Davids an Saul in V. 19–20 a: Entweder habe Jahwe Saul gegen David aufgehetzt, oder es seien Menschen gewesen [128]. Ist es Jahwe, so soll Saul ihn besänftigen [129], sind es die Menschen, sollen sie verflucht sein, weil sie heute David verstoßen haben, so daß er vom Erbteil Jahwes ausgeschlossen ist, mit den Worten: Geh hin und diene anderen Göttern. Zum Schluß bittet David Saul darum, sein Blut möge nicht fern von Jahwe vergossen werden. Es kann kaum Zweifel darüber geben, daß V. 19–20 a Davids endgültigen Übertritt zu den Philistern voraussetzen. Dies könnte freilich die Vermutung aufkommen lassen, diese Passage sei »redaktionell« und habe demnach nicht mit zu der ursprünglichen Überlieferung gehört [130]. Mit größeren Wahrscheinlichkeit verhält es sich wohl so, daß V. 19–20 a in der Tat ursprünglich mit zur Überlieferung von David im Feldlager Sauls bei Gibeath-Hachila gehört haben – oder jedenfalls gehörten, als die Überliefe-

126. A. a. O., S. 11.
127. *Gressmann,* Die älteste Geschichtsschreibung, 1910, S. 108 ff., kommt jedenfalls zu dem Ergebnis, daß die Erzählung in Kap. 26 jünger sei, vgl. auch *Koch,* Was ist Formgeschichte?, S. 159 ff. – In der Aufl. von 1921 (s. 100) kommt *Gressmann* allerdings zu dem Resultat, daß Kap. 26 älter sei!
128. Tertium non datur! Immerhin wird die Möglichkeit, daß es Saul aus eigenem Antrieb gewesen sei, außer Betracht gelassen!
129. Eigentlich eine Opfergabe riechen, den Rauch einer Opfergabe genießen (lassen), vgl. Gen. 8,21.
130. So hält *Gressmann,* a. a. O., 1910, S. 108 und 110, V. (18) 19–20 für einen Zusatz; in der Aufl. 1921 gibt er diese Auffassung jedoch wieder auf.

rung in die Vorgeschichte aufgenommen worden ist. Dies ist vor allem auch der Grund, daß diese Überlieferung – und nicht die in Kap. 24 – der Erzählung über Davids Flucht in Feindesland in Kap. 27 unmittelbar vorangestellt wurde.

David hielt sich angesichts der Überlieferungen in Kap. 23,19(14)–26,25 in seiner Freibeuterzeit – nach der Flucht vom Hofe König Sauls und vor dem Übertritt zu den Philistern – im Gebiet des Stämmebundes Juda auf – genauer gesagt: in der Wüste südlich von Hebron, der Wüste Siph [131], und in der Wüste Maon [132]. Die beiden Städte, denen diese Teile der Wüste Juda ihren Namen verdanken, werden in Jos. 15,55 ff. neben Karmel [133] und Jesreel (V. 56, vgl. 1. Sam. 25,43) erwähnt. *Alt,* der in Jos. 15,20–61 ein Dokument sieht, das die Gaueinteilung im Königreich Juda unter König Josia enthalte [134], hält das Gebiet in Jos. 15,55–57 a für ein ursprünglich kenitisches Siedlungsgebiet [135], was allerdings keineswegs ausschließt, daß der in Kap. 25 erwähnte Nabal Kalebit ist [136]. *Alt* unterstreicht nämlich, der Umstand, daß hier in Jos. 15,55 ff. allem Anschein nach ein das ursprünglich kenitische Siedlungsgebiet umfassender »Gau« vorliegt, heiße nun nicht, daß nicht auch andere Gruppen hier gewohnt haben können.

Wenn die einzelnen Überlieferungsstücke in Kap. 23,14–26,26 in Jerusalem überliefert worden sind, wo der Verfasser sie übernahm, könnte man mit Recht die Frage stellen: Wie sind diese Stücke so weit nach Norden gelangt? In diesem Zusammenhang müssen wir uns daran erinnern, daß David – bevor er Jerusalem zu seiner Residenzstadt machte – geraume Zeit in Hebron regiert hatte, in dem mutmaßlichen Kultzentrum des Südstämmebundes, und zwar als König über das Gebiet, das vordem grundsätzlich mit dem dieses Stämmebundes zusammenfiel. Hier sind anscheinend die Überlieferungen ursprünglich erzählt worden [137], bevor sie mit David nach Jerusalem kamen [138].

131. Kap. 23,19 ff., vgl. 26,2.
132. Kap. 23,25 ff., vgl. Kap. 25.
133. Vgl. 1. Sam. 25,2. 5. 7. 40, und Kap. 15,12, vgl. oben S. 47.
134. Judas Gaue unter Josia, 1925, in: Kleine Schriften II, S. 276 ff.
135. A. a. O., S. 286.
136. Nicht allein Kap. 25,3, sondern – und das ist von noch entscheidenderer Bedeutung – auch Abigails Sohn, der Name Kil'ab, legt dies nahe, vgl. oben S. 173.
137. Vgl. oben S. 178.
138. Die Entscheidung fällt schwer, ob die Höhlen-Tradition in Kap. 24 und die Feldlager-Tradition in Kap. 26 in Hebron oder erst in Jerusalem aufeinander eingewirkt haben (vgl. hierzu oben S. 169). Dagegen ist die Weiterüberlieferung der Kegila-Tradition (vgl. oben S. 155) schwerlich mit Hebron als Zwischenglied geschehen. Kegila stand – wie übrigens auch Socho und Aseka (Kap. 17,1) – nicht in Beziehung zum Stämmebund Juda (vgl. oben Kap. II; Anm. 41 und 42).

F. David flieht in das Land der Philister (Kap. 27,1-4)

Dieser kleine Abschnitt bildet den Abschluß des Gesamtberichts über Davids Aufenthalt in der Wüste Juda, dessen durchgängiges Thema die rastlose Jagd Sauls auf David ist. Das geht mit aller Deutlichkeit aus V. 4 hervor: ... und er, nämlich Saul, spürte (בקש) ihm nicht mehr nach, V. 4 b, vgl. auch V. 1. Um nicht eines schönes Tages durch die Hand Sauls umzukommen, flieht David mit seinen 600 Mann, deren Familien und seinen beiden Frauen ins Land der Philister und läßt sich bei König Achis von Gath nieder. Damit befindet sich David außerhalb israelitischen Gebietes (כל־גבול ישראל).

Ungeachtet dessen, ob die Perikope wirklich auf volkstümlicher Überlieferung beruht [139], oder hier eine Konstruktion von seiten des Verfassers vorliegt, jedenfalls motiviert sie Davids Übertritt zu König Achis: Er erfolgte aus Furcht davor, Saul würde David doch noch innerhalb des »Gebietes von ganz Israel« aufspüren. Die Gegend südlich von Hebron liegt demnach innerhalb der Grenzen des Reiches Sauls. Daß es sich hierbei um eine Verzeichnung der historischen Tatsachen handelt, dürfte völlig klar sein [140]. Damit hätten wir in der Tat wieder ein Biespiel für die in der ganzen Vorgeschichte deutlich spürbare Tendenz, das Königreich Sauls auch auf Gebiete auszudehnen, die historisch nie dazugehört haben.

Aus dem Grunde ist wohl auch der Beweggrund für Davids Überwechseln auf das Gebiet der Philister als solcher historisch anfechtbar. Der wahre Grund, oder die wahren Gründe, die ihn dazu bewogen haben, sind unterdrückt worden. Seine Flucht ist – ausschließlich – unter dem Aspekt des Konflikts mit König Saul gesehen worden, während in jedem Fall zweifellos (auch) andere Motive bestimmend gewesen sein können. So hat sich David in Juda kaum völlig sicher gefühlt, was ja auch die Überlieferungen aus Davids Wüstenzeit deutlich gemacht haben dürfen [141]. Darüber kann sein Überwechseln zum Erbfeind – aus israelitischer Sicht gesehen, denn bei den Judäern waren es die Amalekiter – ein Schachzug zielbewußter Politik gewesen sein, nämlich die Erlangung der Macht in Juda, die ihm wiederum den Weg auf den Thron Israels freimachen würde [142]. Doch sind die hier nicht ausgesprochenen Motive, die nicht zuletzt in Kap. 30,26 ff. schwach sichtbar werden [143], zu Gunsten des Persönlich-Menschlichen abgebaut.

139. Vgl. *Gressmann* (Die älteste Geschichtsschreibung, 1921, S. 107).
140. Selbst *Noth* ist der Meinung, daß diese Gegenden nicht mit zum Stämmebund Israel gehörten, vgl. Das System der zwölf Stämme Israels, S. 110.
141. Dieses Moment wird auch von *Buhl-Jacobsen,* Det israelitiske Folks Historie, S. 195, hervorgehoben.
142. Vgl. dazu *Noth,* Geschichte Israels, S. 166 f.
143. Vgl. unten S. 211.

Wie aber steht es um die Beziehung dieses sehr allgemein gehaltenen Schlußabschnitts zu Kap. 21,11 ff.? Es handelt sich hierbei nicht um zwei einander ausschließende »Quellenauszüge«, d. h. Parallelberichte im literarkritischen Sinn. Die beiden Perikopen haben einen völlig verschiedenartigen Ursprung. In Kap. 21,11 ff. lag wahrscheinlich ein historifizierter Mythos vor [144], Kap. 27,1 ff. ist dagegen ein reflektierender und zusammenfassender Abschluß der Schilderung über Davids Aufenthalt in der Wüste Juda, der zugleich das Übergangsstück bildet zu der Schilderung des Aufenthalts Davids im Land der Philister. Wenn man das Verhältnis zwischen 21,11 ff. und 27,1 ff. vom kompositorischen Standpunkt aus betrachtet, lassen sich die – scheinbaren – Gegensätze vereinigen: 21,11 ff. nimmt 27,1 ff. vorweg. Davids Flucht von Achis bereitet eindrucksvoll – und mit bitterer Ironie – seine Flucht zu ihm vor. Letztlich mußte er in seiner Not in einem feindlichen Land Zuflucht nehmen. Der endgültige Übertritt wird hinausgezögert [145]. Die jeweilige Situation hinter 21,11 ff. und 27,1 ff. hat man bei der Beurteilung der beiden Perikopen auch mit in Betracht zu ziehen. Im ersten Fall war die Flucht *nach* Juda das Entscheidende, im letzteren die Flucht *aus* Juda.

Oben deuteten wir die Alternative an: volkstümliche Überlieferung oder Konstruktion? Sicher kommt man der Wahrheit am nächsten, wenn man sagt: sowohl – als auch. Es wird auf volkstümlicher Überlieferung gebaut, nach der David sich kurze Zeit beim Philisterkönig in Gath, dessen Hauptstadt (עיר הממלכה, vgl. 27,5), aufgehalten hat. Später kommen wir darauf zurück und versuchen eine nähere Begründung für den Ursprung dieser volkstümlichen Überlieferung zu geben [146]. Die Überlieferung wollte für die unumstößliche Tatsache, daß David einmal in philistäischem Dienst gestanden hat, eine Rechtfertigung suchen, denn sie hätte ja seinem Ruf nur schaden können! So wie Kap. 27,1–4 gestaltet ist, hat man diese Verse im Zusammenhang mit der Komposition der ganzen Vorgeschichte zu verstehen. D.h. daß V. 1–4 vom Verfasser formuliert worden sind. Dafür spricht der besagte Zusammenhang des kleinen Abschnitts mit dem Vorhergehenden. Danach flieht David mit seinen zuvor erwähnten 600 Mann und seinen beiden Frauen, Ahinoam und Abigail. Die Flucht ist in Kap. 26,19 a–20 indirekt angedeutet. Die Kontinuität ist in bester Ordnung. Obwohl 27,1–4 als unmittelbare Fortsetzung von Kap. 26 etwas »unlogisch« wirken [147], ist es unnötig, eine andere Anknüpfungsmöglichkeit zu suchen[148].

144. Vgl. unten S. 145.
145. Vgl. oben Kap. III: Anm. 136.
146. Vgl. unten S. 189 ff.
147. Der Schluß von Kap. 26 hätte vielleicht eher David dazu ermutigen können, in Juda zu bleiben, ja, möglicherweise zu Saul zurückzukehren, als das Gegenteil zu bewirken!
148. Vgl. *Mowinckel,* GTMMM, II, S. 223, und *Koch,* Was ist Formgeschichte?, S.

163. Auf Grund der Annahme mehrerer durchgängiger Quellen knüpfen *Smith* (Komm., S. 234) an Kap. 23,19–28 und *Budde* (Komm., S. 172) an Kap. 25 an. *Eissfeldt* (Die Komposition, S. 17 f.) findet Spuren der beiden Erzählungsfäden I und II in Kap. 27,1–4, die er mit Kap. 24 bzw. Kap. 26 in Beziehung bringt, während III, der jüngste – und E entsprechende – Erzählungsfaden den Aufenthalt im Lande der Philister nicht erwähne. Ganz anders *Nübel* (a. a. O., S. 57, vgl. S. 42), der die Meinung vertritt, der B. habe auf der Grundlage von Kap. 27,8 f. (Gr.) und im Gegensatz zu Kap. 21,11 ff. die Geschichte mit Davids freundschaftlichem Verhältnis zu König Achis konstruiert!

KAPITEL V

David in Ziklag und seine Krönung zum König über Juda

(1. Sam. 27,5–2. Sam. 2,4)

A. Einleitung (Kap. 27,5-12)

Diese Perikope besteht aus drei Teilen, und zwar aus V. 5–6, V. 7 sowie V. 8–12. König Achis überläßt David Ziklag, das bis auf den Tag den Königen von Juda gehört, V. 5–6. David hält sich in dieser Stadt insgesamt 1 Jahr und vier Monate auf, V. 7. Von Ziklag als Operationsbasis aus unternimmt David Plünderungszüge u. a. gegen die Amalekiter. Zu Achis sagt er, die Unternehmungen gälten den Jerachmeelitern und Kenitern im Negeb, und um die Möglichkeit auszuschalten, von irgendjemand bei Achis verraten zu werden, läßt er keine Menschen am Leben und begnügt sich mit Beute in Form von Tieren und Kleidern. Achis freut sich darüber, daß sich David bei seinem eigenen Volk Israel ausgesprochen unbeliebt machen würde, V. 8–12.

In V. 5–6 liegt eine Ätiologie vor, die zu erklären beabsichtigt, warum Ziklag noch heute judäische Königsdomäne sei; das gehe darauf zurück, daß David diese Stadt vom Philisterkönig zum Lehen bekommen habe. Ganz gleich ob V. 5–6 ihre Entstehung der Erklärung für die Tatsache verdanken, daß Ziklag zu einem bestimmten Zeitpunkt judäisches Krongut war, oder V. 6 b erst später mit V. 5–6 a verbunden worden ist, das Entscheidende ist die Frage, auf welche Zeit sich V. 5–6 oder der V. 6 b für sich allein beziehen. Was heißt »noch bis heute«? Die Zeit, als David König war, kommt wohl schwerlich dafür in Frage; dazu würde der Ausdruck »Könige Judas« immerhin schlecht passen [1]; demgegenüber ist vielleicht an die Zeit nach der Teilung des Reiches gedacht, in der die Bezeichnung »Könige Judas« verständlich wäre (20 Jahre nach der Teilung lassen sich nicht weniger als fünf Könige von Juda aufzählen: David, Salomo, Rehabeam, Abia und Asa!). So könnte V. 6 b ohne große Schwierigkeit auf den Verfasser zurückgehen. Als die Vorgeschichte entstand, war Ziklag judäische Königsdomäne, und dieser Sachverhalt wird damit erklärt, daß David einst Ziklag vom Philisterkönig zum Lehen erhalten hatte.

1. LXX har den Sing.: τῷ βασιλεῖ τῆς Ἰουδαίας. »Könige von Juda« findet sich – abgesehen von der Wendung »Chronik der Könige von Juda« in den Königsbüchern – lediglich hier und an einigen wenigen Stellen in der historischen Literatur, 2. Kg. 18,5; 23,5. 11 f. 22.

Nach V. 5–6 a [2] teilt Achis David Ziklag als Lehen zu, weil David dem König gegenüber vorgibt, er wolle ihm die Belästung ersparen, die sich durch ihn und sein nicht unbedeutendes Gefolge (vgl. V. 3 ff.) unweigerlich in der Hauptstadt ergäbe [3]. David ist nämlich ein Schlaukopf, in Wirklichkeit geht es ihm selbst um größere Bewegungsfreiheit, über die er verfügt, wenn er außerhalb der Haupstadt lebt, vgl. V. 8 ff. Letzteres wird wohl, wie dem Zusammenhang zu entnehmen ist, der eigentliche Grund gewesen sein. Sieht man von diesem Zusammenhang in V. 8 ff. ab und hält sich statt dessen an die Begründung, die David König Achis nur so zum Schein gibt, um sich außerhalb der Stadt ansiedeln zu dürfen, wird eine frappante Ähnlichkeit zu Gen. 26, der ursprünglich simeonitischen Isaak–Abimelech-Tradition, sichtbar [4]. In Gen. 26,16 fordert Abimelech von Gerar Isaak auf, Gerar zu verlassen, weil er ihm zu mächtig geworden ist. Isaak war als Gast lästig geworden. Von der völlig unterschiedlichen Situation in Gen. 26 und 1. Sam. 27 sehen wir natürlich ab, auch davon, daß Isaak unfreundlich zum Abzug aufgefordert wird, während David selbst darum bittet. Das Wesentliche an dieser Gegenüberstellung ist, daß sowohl Isaak als auch David die Hauptstadt verlassen, in der sie sich als Gäste aufhielten, und dies – egal wer den Anstoß dazu gibt – deshalb geschieht, weil sie als Gäste lästig geworden waren. Isaak und David ziehen sich aus der Haupstadt zurück, verbleiben beide in dem entsprechenden philistäischen Gebiet, Isaak läßt sich im »Tal Gerar« nieder (Gen. 26,17. 19), während sich David nach Ziklag begibt. Und in beiden Fällen hören wir, daß die damit zu Erfolgen kamen. So wird Ziklag eine geradezu ideale Aus-

2. Daß es sich hier um eine volkstümliche Überlieferung handelt, könnte das sichtliche Fehlen des politischen Aspekts nahelegen. »Sie spielt das Politische auf das Persönliche hinüber und liebt den Kontrast zwischen dem schlauen David und dem dummen Achis.« (*Gressmann,* Die älteste Geschichtschreibung, 1910, S. 111). – Nach dem oben dargelegten Verständnis von V. 6 b (das ätiologische Element), der auf den Verfasser zurückgeht, hat die Ätiologie nicht notwendigerweise die Überlieferung V. 5–6 a hervorgebracht, vielmehr ist das »ätiologische« Moment vielleicht der volkstümlichen Überlieferung als eine Art »Bekräftigung« der »Zuverlässigkeit« der Überlieferung hinzugefügt worden, vgl. auch *Childs*' Verständnis von 27,5–7 (A Study of the Formula »unto this day«, JBL, 82, 1963, S. 287). Wenn *Childs* nach einer formkritischen Analyse der Abschnitte im AT, in denen עד היום vorkommt, das Fazit zieht, diese Formel habe selten eine ätiologische Funktion, »but in the great majority of cases is a formula of personal testimony added to, and confirming, a received tradition« (a. a. O., S. 292), so ist dem zu entgegnen, daß das eine das andere nicht ausschließt, es sei denn, man würde von einer Ätiologie nur dann sprechen, wenn die entsprechende Überlieferung ausschließlich *geschaffen* ist, um einen bestimmten Sachverhalt zu erklären.
3. Vgl. *Hertzberg,* Komm., S. 173 f.
4. Vgl. unten S. 189 ff.

gangsbasis für Streifzüge u. a. gegen die Amalekiter, die Erbfeinde des Stämmebunds Juda [5].

Damit sind wir im dritten Teil [6] von Kap. 27, nämlich V. 8–12. Die in Wirklichkeit belanglose Frage, ob V. 8–12 ursprünglich vor V. 5–6 gestanden haben, da in ihnen durchweg Gath als Aufenthaltsort Davids vorausgesetzt sei, vgl. ויבא אל אכיש in 9 b [7], lassen wir beiseite und wollen statt dessen V. 8–12 für sich allein unter die Lupe nehmen. In ihnen steht das Verhältnis Davids zu Juda und damit zu den Stämmen im Süden im Brennpunkt, nicht dagegen sein Verhältnis zu Saul und Israel. Freilich denkt der gutgläubige Achis, Davids Umtriebe würden ihn bei seinem Volk Israel verhaßt (הבאיש, eigentlich stinkend!) machen. Diese Bemerkung geht bestimmt auf den Verfasser zurück, der der Meinung ist, die Südstämme, also auch die Jerachmeeliter und Keniter (V. 10), gehörten zu Israel, dem Reich Sauls. Da sich also die V. 8–12 auf den Aufenthalt Davids im Süden konzentrieren und dies in entscheidendem Maße auch in Kap. 30 der Fall ist, darf man die Vermutung äußern, daß hier in 27,8–12 der Amalekiterfeldzug in Kap. 30 vorbereitet wird. In Kap. 30 werden auch die Jerachmeeliter und Keniter erwähnt, V. 29. Hinzu kommt, daß Davids Vorgehen in Kap. 30, alles Menschliche zu vernichten und sich durch Beutmachen zu bereichern, V. 17 und 20, das gleiche ist wie in Kap. 27,11. Dennoch besteht ein grundlegender Unterschied: In Kap. 27 erfährt sein Vorgehen – milde ausgedrückt – eine ganz mekwürdige Deutung. Dies alles tue David, um bei König Achis nicht verraten zu werden! Und es gelingt ihm in der Tat, das Vertrauen des naiven Achis zu gewinnen, der sich dessen gewiß ist, David sei ein »Gestank« in der Nase seines eigenen Volkes Israel! Wahrscheinlich rührt nicht nur V. 12 vom Verfasser her, son-

5. Vgl. oben S. 45 f. Bezüglich V. 8 b, vgl. Kap. 15,4. 7, siehe oben S. 50 ff.
6. V. 7 hat man als einen späteren redaktionellen Zusatz anzusehen, vgl. *Nowack,* Komm., S. 133; vielleicht ist die Notiz dtr. (vgl. *Nübel,* a. a. O., S. 57), entsprechend 2. Sam. 2,10 a. 11 und 5,4. 5., die *Noth* (Überlieferungsgeschichtliche Studien, S. 63) für dtr. hält. Im übrigen ist die Notiz hier in V. 7 sehr gut am Platze, da V. 5–6 ausgesprochen einleitenden Charakter haben.
7. *Ehrlich* (Randglossen, S. 262) möchte – unter Hinweis auf V. 11: להביא גת – statt ויבֹא lieber ויבֵא lesen (vgl. LXX), wodurch der Gegensatz zwischen V. 6 und V. 8–12 aufgehoben würde. In Wirklichkeit aber ist die Korrektur nicht erforderlich, da Davids Streifzüge selbstverständlich von Ziklag und nicht von Gath ausgegangen sind, und überdies darf man die Art und Weise, in der der Kontakt zwischen Lehnsmann und Lehnsherr in V. 9 ff. geschildert ist, nicht im Stil unserer modernen »Logik« beurteilen; vgl. z. B. *Budde,* Komm., S. 174, und *Hertzberg,* Komm., S. 173 f. D. h., es besteht kein berechtigter Anlaß zu der Annahme, daß hier eine Umstellung erfolgt sei (*Mowinckel,* GTMMM, II, S. 224), oder V. 7–12 sekundärer Charakter hätten (*Wellhausen,* Der Text . . ., S. 140, Anm.); auch liegen in V. 5–7 und V. 8–12 nicht zwei verschiedene Dokumente vor, die hier zusammengearbeitet worden sind (vgl. *Smith,* Komm., S. 235, und *Eissfeldt,* Die Komposition . . ., S. 19).

dern auch der gröste Teil von V. 8–12, wobei er eine Überlieferung von Ziklag, welche die Ausgangsbasis für Davids Plünderungszüge gegen die den Südstämmen gegenüber feindlich eingestellten Stämme enthält [8], mit Bestandteilen aus der alten, in Kap. 30 erhaltenen Tradition über seinen Feldzug gegen die Amalekiter kombiniert hat. Auf diese Weise gelingt es ihm, nicht nur in kompositorischer Hinsicht eine Einleitung zu Kap. 30 zu geben, sondern zugleich auch eine historische Begründung für den Angriff der Amalekiter auf Ziklag [9].

Noch auf einen anderen Punkt müssen wir zu sprechen kommen, der es nahezulegen scheint, daß der Verfasser für den größten Teil dieser Verse verantwortlich zu machen ist. In V. 10 wird erwähnt daß David Achis gegenüber vorgibt, er sei in den Negeb Judas sowie den der Jerachmeeliter und Keniter eingefallen. Schon die Formulierung (יהודה neben den Bezeichnungen ירחמאלי und קיני) deutet an daß hier etwas nicht stimmt. Es kann hier nicht an den Stamm Juda gedacht sein, da sich dessen Gebiet in vorstaatlicher Zeit nicht ganz bis zum Negeb erstreckt hat. Wahrscheinlich hat der Verfasser historisch das Reich Juda im Auge, wobei der Negeb der Jarashmeeliter und Keniter eine nährere Präzisierung des Negeb Judas wäre.

Oben [10] haben wir die Ähnlichkeit von Kap. 27,5 f. und Gen. 26 erörtert. Schon *S. A. Cook* [11] richtete sein Augenmerk auf das Verhältnis zwischen Isaak und Abimelech von Gerar [12] in Gen. 26. Wäre ein Zusammenhang zwischen den charakteristischen Merkmalen in Gen. 26 und der David–Achis-Erzählung denkbar? Auf die formalen Gemeinsamkeiten haben wir bereits hingewiesen. Isaak wie auch David kommen unter außergewöhnlichen Umständen zu einem Philisterkönig [13], in dessen Hauptstadt sie Zuflucht finden. In beiden Fällen ist ihr Aufenthalt von kurzer Dauer, danach lassen sich

8. V. 8, in dem nicht nur die Amalekiter, sondern auch zwei andere Völker erwähnt werden, die in Kap. 30 nicht vorkommen. Über diese Völker siehe die Komm. Bei beiden wird es sich um Völker oder Stämme im Süden handeln.
9. *Nübel* (a. a. O., S. 57, vgl. S. 43, 58) ist der Meinung, daß Kap. 27,8 a. 9 abα in der Gr. ursprünglich unmittelbar vor Kap. 30 gestanden und der B. eben von diesen Versen her als Gegenstück zu Kap. 21,11–16 die Geschichte von Davids Lehnsverhältnis zu König Achis geformt habe. Vgl. Kap. IV: Anm. 148.
10. S. 187.
11. Critical Notes to OT History, 1907, S. 8.
12. Nach *Alt* (Kleine Schriften, III, S. 408 f., vgl. auch 411 ff.) identisch mit tell esch-scheri'a, etwa 5 Km westlich von tell el-chuwelfe (= Ziklag, vgl. unten Anm. 21).
13. *Noth,* Überlieferungsgeschichte des Pentateuch, S. 170, macht geltend, daß das Motiv »Philister« in Gen. 26 eine Erfindung von J sei (Philister hat es ja zur Zeit Isaaks in Kanaan nicht gegeben!), während Gen. 20. 21 (E) Philister nur in sekundären Stücken hätten, 21, 32. 34.

sowohl Isaak als auch David in einem von dem philistäischen Stadtkönig beherrschten Gebiet nieder. Natürlich können diese formalen Gemeinsamkeiten rein zufällig sind; insofern ist es sicher eine gewagte Sache, sie zur Grundlage weiterer Überlegungen zu machen. Ungeachtet dessen wollen wir das im folgenden versuchen. Schon im AT ist das Verhältnis Isaak–Amimelech einerseit, und David–Achis andererseits verwechselt worden, vgl. Ps. 34,1, wobei es sich schwerlich um einen zufälligen Schreibfehler handeln wird [14]. Ist damit zu rechnen, daß hier ein überlieferungsgeschichtlicher Zusammenhang besteht? Durchaus, wenn es uns gelänge, eine Verbindung zwischen den Überlieferungskreisen zu ermitteln, in denen man ein besonderes Interesse an den beiden Erzählungen voraussetzen darf.

Damit wird die Frage akut, wo Ziklag eigentlich liegt [15]. Jos. 15,31 zufolge gehört Ziklag zum Gebiet Juda, nach Jos. 19,5 zu Simeon. Hierin liegt indes nur ein scheinbarer Gegensatz. So sieht *Alt,* nach dessen Meinung Jos. 15,21–62 ein Verzeichnis der Gaue im Königreich Juda zur Zeit des Königs Josia darstellt [16], unter Hinweis auf Kap. 19,1 ff. in dem Gau V. 21–32 den Kern des ursprünglichen Siedlungsgebiets des Stammes Simeon [17]. Nun ist es bemerkenswert, daß die Simeoniter in den Davidüberlieferungen der Samuelbücher überhaupt nicht erwähnt werden, und so lag der Schluß nahe, daß dieser Stamm in der Zeit unmittelbar vor der Staatenbildung nicht mehr existierte[18] oder bestenfalls jede selbständige Bedeutung verloren hatte [19].

Vorerst wird dieses Problem noch ungelöst bleiben. Was die ungefähre Lage Ziklags anbetrifft, dürften wir immerhin in Jos. 15, 21–32 einen Anhaltspunkt haben. Über die genaue Lage ist man sich – wie im Falle Gath [20] – jedoch nicht sicher. Das Problem besteht indessen darin, ob Ziklag mit den in Jos. 19,2 b–8 a, vgl. 15,28 ff., genannten Städten historisch als simeonitisch gelten darf. Nun ist der Wert von Jos. 19,2 ff. als historische Quelle insofern fragwürdig, als es durchaus möglich wäre, daß hier eine literarische Abhängigkeit von der Liste in Jos. 15,21 ff. vorliegt [21]. Doch muß man dann fra-

14. Vgl. *Cook,* a. a. O., S. 8.
15. Als ein Kuriosum soll wenigstens erwähnt werden, daß *Cook* (a. a. O., S. 7, Anm. 1) die Vermutung äußert, צקלג sei eine verderbte Form von Isaak (יצחק oder Isak-el יצחקאל).
16. Judas Gaue unter Josia, in: Kleine Schriften, II, S. 276–88. Vgl. auch *Cross-Wright,* The Boundary and Province-lists of the Kingdom of Judah, JBL, 75, 1956, S. 202 ff., wo das Verzeichnis früher datiert wird.
17. Kleine Schriften, II, S. 285 f.
18. Vgl. *E. Meyer,* Die Israeliten . . ., S. 410 f.
19. Vgl. *Noth,* Geschichte Israels, S. 58 f., und *E. Nielsen,* Shechem, S. 260 f.
20. Vgl. oben Kap. III: Anm. 120.
21. Vgl. *Alt,* Kleine Schriften, III, S. 417 ff., und *Noth,* Josua, S. 113. Jos. 19,2–8 taucht in 1. Chr. 4,28 ff. wieder auf, vgl. hierzu *Rudolph,* Chronikbücher, S. 39.

gen, was denn der Anlaß dafür gewesen sein könnte, Städte aus Jos. 15,28ff. in Kap. 19,2 ff. als simeonitisch zu bezeichnen. Hierauf entgegnen *Alt* und *Noth,* der andere Teil der Gauliste in Jos. 15,21–32 sei in Kap. 19,2 ff. herausgenommen worden, weil er auf Grund der in Ri. 1,17 berichteten Eroberung Hormas durch die Simeoniter als simeonistisch galt. Doch ist nicht so recht einzusehen, daß man bei dieser Heraustrennung derart mechanisch verfahren sein sollte, d.h. daß man sie auf Grund einer Nachricht über eine der hier aufgeführten Städte aus einer anderen Stelle (Ri. 1,17) vorgenommen hätte. Weitaus näher liegt gewiß die Vermutung, daß hinter der Liste in Jos. 19,2 ff. sich eine Überlieferung verbirgt, nach der die betreffenden Städte wirklich (einmal) simeonitisch waren [22]. Überhaupt erscheint die Auffassung *Alt*'s nicht ganz überzeugend, wenn er einerseits unter Berufung auf Jos. 19,1ff. der Meinung ist, Kern des »Gaues von Beerseba«, Jos. 15,21–32, sei das alte simeonitische Siedlungsgebiet, andererseits aber sehr stark die Abhängigkeit der in Kap. 19,1 ff. enthaltenen Liste von einem Teil der »kanonischen« Liste über Judas »Gaue« unter Josia am Ende des 7. Jahrhunderts betont und damit im Grunde zu erkennen gibt, daß es unhaltbar sei, Kap. 19,1 ff. zum Ausgangspunkt für eine Abgrenzung des alten simeonitischen Siedlungsgebiets zu machen. So ist *Alt* vom Inhalt in 1. Sam. 27 her – der Notiz über Ziklag als philistäisches Lehen und Ausgangsbasis für militärische Operationen im Süden sowie schließlich als späteres judäisches Krongut – der Ansicht, daß diese Stadt weder judäisch noch simeonitisch, sondern eine in Abhängigkeit zu den Philistern geratene, alte kanaanäische Stadt sei. Dazu wäre jedoch noch zu sagen, daß ebenso wie Horma [23] eine kanaanäische Stadt war, welche die Simeoniter eroberte, strenggenommen nichts im Wege stünde, daß gleiche auch von Ziklag anzunehmen.

Auf jeden Fall fällt auf, daß Ziklag, wie übrigens auch Horma, vgl. Kap. 30,30 – in den Davidüberlieferungen nicht als simeonitisch gilt. Oben wurde die Alternative aufgestellt: Entweder existierte der Stamm zu dieser Zeit unmittelbar vor der Staatenbildung nicht mehr oder hatte jede selbständige Bedeutung verloren. Daß Simeon vollständig verschwunden gewesen sein sollte, ist wohl eine vorschnelle Schlußfolgerung [24]. So heißt es denn auch bei *Noth* [25] in modifizierter Form, daß Simeon – mit Ruben und Levi – »in der Zeit, für die wir geschichtliche Nachrichten haben, schon so gut wie ver-

22. So hält *Cross-Wright* (a. a. O., S. 214 f.) die Liste in Kap. 19,2–7 für gänzlich von Kap. 15,26–32 unabhängig, vgl. auch *Kallai-Kleinmann,* The Town Lists of Judah, Simeon, Benjamin and Dan, VT, 8, 1958, S. 158 f.
23. Ziklag wird in Jos. 15,31, vgl. 19,4, unmittelbar nach Horma genannt.
24. Nach 1. Chr. 4,42 gab es zur Zeit Hiskias immer noch Simeoniter, was historisch kaum angezweifelt werden kann, vgl. *Alt,* Kleine Schriften, III, S. 416 f.; *Rudolph,* Chronikbücher, S. 40 f.; *Meyer,* Die Israeliten . . ., S. 411.
25. Die Welt des AT, S. 58.

schollen (ist)«. *Noth* weist darauf hin, daß diese Stämme in Gen. 49,5–7 mit Tadel und Fluch belegt werden und ihnen im »System der Stammesgrenzen« im Josuabuch ursprünglich kein Gebiet mehr überlassen wird. Simeon sei nach Meinung *Noth*'s in Jos. 19,2 ff. sekundär. Gen. 49,5 ff. zwingt aber nicht zu der Deutung, daß der Stamm Simeon im Süden so gut wie »verschollen« gewesen sei [26]; überdies läßt das Verständnis von Jos. 19,2ff. – wie oben bereits gezeigt – immerhin einiges zu wünschen übrig. Ferner könnte man anführen, daß sich das »System der Stammesgrenzen« in bezug auf Juda in Jos. 15 nach *Noth* [27] – wahrscheinlich mit Recht – auf »Gross-Juda« bezieht, den Südstämmebund, der als Ganzes eingegrenzt wird, ohne daß z. B. die besonderen Bebiete der Jerachmeeliter, Kalebiter oder Keniter – und folglich auch die der Simeoniter – berücksichtigt worden wären. *Noth*'s Mutmaßungen lassen also kaum die Schlußfolgerung zu, daß die Simeoniter so gut wie verschwunden gewesen wären. Daß andererseits die Simeoniter in der Zeit unmittelbar vor der Staatenbildung ihre selbständige Bedeutung eingebüßt haben sollen, d. h. daß dieser Stamm in Juda aufgegangen sei, ist wohl kaum anzunehmen. *Eduard Nielsen* [28] hat diese Annahme durch den Hinweis auf Ri. 1,1 ff. zu erhärten versucht, wonach Juda gegenüber Simeon ein übergeordnete Stellung einnimmt. Doch muß man erst einmal Klarheit darüber gewinnen, welches Ausmaß »Juda« in Ri. 1,1 ff. hatte. Keinesfalls kommt der Stamm Juda in Frage, der in vorstaatlicher Zeit sein Gebiet kaum so weit nach Süden ausgeweitet hat. Entweder steht hinter »Juda« der Stämmebund Juda, und dann sagt Ri. 1,1 ff. an und für sich nichts über den Stamm Juda aus, sondern *nur* etwas in der Richtung, daß die simeonitischen Überlieferungen vom Stämmebund Juda aufgenommen und offenbar am amphiktyonischen Heiligtum in oder im Umkreis von Hebron besonders in Ehren gehalten wurden. Oder »Juda« bezieht sich auf das Königreich Juda, und in dem Falle lassen sich für die Zeit vor der Staatenbildung keine Schlußfolgerungen ziehen.

Doch haben wir immer noch keine Erklärung dafür gefunden, warum die Simeoniter in den Davidüberlieferungen nicht erwähnt werden. Dies erklärt sich wohl aus dem Umstand, daß die Simeoniter, die einen Teil des Stämmebunds Juda ausmachten [29], unmittelbar vor der Staatenbildung (längst?) infolge ihrer territorialen Nähe zu den Philistern unter deren Herrschaft gekommen waren. Darüber hinaus deutet manches darauf hin, daß dieser Stamm in weit größeren Maße als die anderen Stämme im Süden – wie z. B. die Jerachmeeliter, Keniter usw., die noch im Nomadenstadium lebten, aber auch

26. Wenn diese Verse – wofür *E. Nielsen* (Shechem, S. 282) eintritt – nördlichen Ursprungs seien, würde das strenggenommen lediglich etwas über das Schicksal Simeons im Norden aussagen, vgl. Gen. 34!
27. Josua, S. 89.
28. Shechem, S. 260.
29. Vgl. *Noth,* Das System . . ., S. 107 ff.

die Judäer und Kalebiter – sein ursprüngliches Gesicht verloren hatte. So ist uns bezeugt, daß die Simeoniter kanaanäische Städte angegriffen haben – und zwar mit Erfolg; es sei dabei auf Horma im Süden (Ri. 1,17), Sichem (Gen. 34) und Besek im Norden (Ri. 1,4 ff., vgl. V. 3) hingewiesen – und allem Anschein nach trifft das auch für Ziklag zu. Dies hat unwillkürlich auch den Assimilierungsprozeß zwischen Simeonitern und Kanaanäern gefördert [30]. Außerdem hat man auch in Betracht zu ziehen, daß Teile dieses offensichlich expansiven Stammes nach Norden strebten (Vgl. Ri. 1, 1 ff.; Gen. 34) und somit den Stamm im Süden schwächten.

Selbst wenn also dieser Stamm nach dem oben Dargelegten in der Zeit unmittelbar vor der Staatenbildung weitesgehend seine selbständige Bedeutung eingebüßt zu haben scheint – was, wie gesagt, nicht heißen muß, daß der Stamm ausgestorben war – ist damit nicht gesagt, da dessen Stammestraditionen gänzlich verlorengegangen sein müssen. Ein indirektes Zeugnis hierfür läßt sich von allem in 1. Sam. 27 (28,1–2 und Kap. 29) anführen, wo das Verhältnis zwischen David und dem König von Gath in formaler Hinsicht gemeinsame Züge mit den Isaak-Traditionen in Gen. 26 aufweist. Denn daß in den spärlichen Isaak-Traditionen der Gen. simeonitischer Überlieferungsstoff enthalten ist, kann nach *Zimmerli*'s Abhandlung über die Beerseba-Traditionen kaum noch in Zweifel gezogen werden. Isaak ist »Stammvater« der Simeoniter [31].

Stellt man die Frage, wo zuerst über das Verhältnis zwischen David und dem König von Gath erzählt worden ist, so ist die Antwort zum Greifen nahe: in Ziklag, wo das simeonitische Element noch nicht ganz verlorengegangen war. Hier residierte David als philistäischer Vasall. Damit ist natürlich nicht gesagt, bei Kap. 27; 28,1–2; 29 handele es sich um eine zusammenhängende, aus Ziklag stammende Überlieferung über die Beziehungen zwischen David und König Achis von Gath. Aus Ziklag stammen in Kap. 27 wohl nur einzelne Stücke [32]. Und letztlich setzen die David-Stücke in 28,1–2 und Kap. 29 Sauls verhängnisvollen Entscheidungskampf gegen die Philister voraus (darüber später).

Demnach sind in Ziklag wahrscheinlich sehr bald – nachdem David von dort seine Residenz nach Hebron verlegt hatte – Erzählungen über David und

30. *Alt* (Kleine Schriften, III, S. 430) möchte u. a. in dem Umstand, daß Ziklag davidisches Krongut wurde, ein Anzeichen dafür sehen, daß Ziklag ursprünglich eine alte kanaanäische Stadt war (vgl. oben S. 191); doch anstatt Ziklag für eine kanaanäische Stadt zu halten, sollte man sie besser als kanaanäisch-simeonitisch bezeichnen. Ein Hinweis für eine kanaanäisch-simeonitische Infiltration findet sich auch in Gen. 46,10 und Ex. 6,15, wo der Simeoniter Saul als Sohn einer kanaanäischen Frau bezeichnet wird, vgl. 1. Chr. 4,24 ff.
31. Geschichte und Tradition von Beerseba im alten Testament, 1932, S. 31 ff.
32. Vgl. oben S. 187.

den Philisterkönig entstanden [33]. Nun erfahren wir jedoch, daß Gath – und damit sicher auch das zum Königreich Gath gehörige Gebiet – unter Rehabeam zum Königreich Juda gehört hat (vgl. 2. Chr. 11,8). Könnte man aus 1. Kg. 2,39 ff. schließen, daß Gath zu dieser Zeit ein selbständiges Königtum darstellte, wäre es erst am Ende der Regierungszeit Salomos Juda einverleibt worden. Hier haben wir vielleicht auch einen Anhaltspunkt dafür, wann die Überlieferungen von David und dem Philisterkönig Achis von Gath nach Jerusalem gelangt sind [34].

B. Sauls Niederlage und Tod im Kampf gegen die Philister (Kap. 28. 29. 31)

Under den Literarkritikern herrscht Einmütigkeit darüber, daß – abgesehen von Kap. 28,3–25 – in Kap. 28–31 ein »einheitlicher« Bericht vorliegt. Außerdem besteht die allgemeine Auffassung, daß wir in der Schilderung des letzten Kampfes Sauls gegen die Philister in Kap. 28 ff. einen weitaus festeren historischen Boden unter den Füßen haben als vordem in 1. Sam. 15–2. Sam. 5 [35].

Der Überlieferungsstoff in Kap. 28–29; 31 ist von besonderer Art. Er behandelt Sauls letzten Kampf gegen den Erbfeind Israels, die Philister, – sowie Davids Verhalten in diesem Kampf. Dagegen hören wir nicht über die Amalekiter [36]. Die Saul- und David-Traditionen lassen sich leicht voneinander trennen. So behandelt 29,1 b–2 das Verhältnis zwischen David und König Achis, was auch für Kap. 28,2–11 a gilt. Ganz offensichtlich hat die Gestalt des Achis mit den Saul-Überlieferungen nichts zu tun. Sauls Gegner sind schlechhin *die Philister*. Demgegenüber haben wir in Kap. 28,3–25 und Kap. 31 eine typische Saul-Tradition vor uns.

33. Auch in 1. Kg. 2,39 taucht ein König von Gath mit Namen Achis, Maachas (in 1. Sam. jedoch Maochs) Sohn, auf. Daß es sich um dieselbe Person handelt, wäre vielleicht nicht unmöglich (so *Wright,* The Biblical Archaeologist, 29, 1966, S. 82). Wahrscheinlicher ist jedoch, daß er diesen Namen von dem aus der Episode in 1. Kg. 2,39 ff. bekannten Gath-König bekommen hat, sei es nun schon in Ziklag oder erst in Jerusalem.
34. Ein Zeichen dafür, daß die Überlieferung nicht über Hebron nach Jerusalem gelangt ist, könnte sein, daß Ziklag, nachdem David seine Residenzstadt nach Hebron verlegt hatte, sicherlich weiterhin zum Gebiet des Königs von Gath gehört hat.
35. Vgl. z. B. *Eissfeldt,* der auf Kap. 28 ff. großes Gewicht legt, siehe Ein gescheiterter Versuch der Wiedervereinigung Israels, La Nouvelle Clio, 3, 1951, in: Kleine Schriften, III, S. 133.
36. Abgesehen von Kap. 28,17–18, siehe unten S. 195 f.

Der Aufriß in Kap. 28ff. ist gut erkennbar. In dieser Kapitel werden wir auf die schicksalschwere Schlacht im Bergland von Gilboa Kap. 31 vorbereitet. Das wird aus den Angaben in Kap. 28,1 a; 29,1. 11 b; 31,1 deutlich. Kap. 28–29 werden durch allgemeine Wendungen mit der Feststellung eingeleitet, daß die Philister »in jenen Tagen« ihr Heer sammelten (28,1 a), d. h. zu der Zeit, als sich David in Ziklag als Vasall des Königs Achis von Gath aufhielt, um gegen Israel zu kämpfen. Das mußte natürlich in höchstem Maße für David Folgen haben, der gezwungen war, seinem Lehnsherren Folge zu leisten (V. 1b–2). Wie aber darf man erwarten, daß die David geltende Verheißung noch länger aufrechterhalten bleibt, wenn er gezwungen wird, als Verräter gegen sein eigenes Volk zu kämpfen? Die Antwort erfolgt in V. 3–25: Die Überlieferung von Saul bei der Hexe in Endor zeigt, »dass es aber nicht mit ihm (d.h. David), sondern mit Saul dem Ende zugeht und dass die Verheißung für David in Kraft blieb.« [37] Das geschieht unmittelbar vor der schicksalhaften Schlacht auf dem Berg Gilboa, V. 4, vgl. auch מחר, 28,19. – Darauf folgt eine Daviderzählung, Kap. 29, die die Spannung löst. David wird doch nicht gegen die Seinen kämpfen!

Die Frage ist, welche Überlieferungen sich hinter Kap. 28–29. 31 verbergen und wie diese Überlieferungen als organische Bestandteile in dem Komplex 1. Sam. 15–2. Sam. 5 (die Vorgeschichte) Eingang gefunden haben. Als Ausgangspunkt für die Erörterung dieser Fragen mag Kap. 28,3–25, die Geschichte von Saul bei der Hexe in Endor, dienen. Denn hier hat der Verfasser unverkennbar seine Spuren hinterlassen. Und zwar betrifft das V. 17–18, deren Inhalt sichtlich auf Sauls Krieg gegen die Amalekiter in Kap. 15 anspielt [38]. Diese Beobachtung macht deutlich, daß der Verfasser die Überlieferung von Sauls Besuch bei der Hexe in Endor zu einem ganz bestimmten Zweck benutzt hat [39]. Es handelt sich hier nämlich zweifellos um eine ursprünglich unabhängige Tradition [40], die wahrscheinlich in Endor beheima-

37. *Hertzberg,* Komm., S. 176.
38. Kap. 15 gehört nach *Wellhausen, Nowack, Mowinckel* und mehreren anderen zu derselben Quelle wie Kap. 28,2–25; nach *Budde* (Komm., S. 174 f.) gehört jedoch 28,3–25 zu derselben Quelle wie der ganze Abschnitt Kap. 28 ff. – nur an einer verkehrten Stelle untergebracht –, da er die anstößigen V. 17–19 für einen überarbeiteten Einschub hält. Auch *Ward* (a. a. O., S. 120) sieht in V. 17–19 (a) eine Interpolation; *Ward* nimmt an, daß die Geschichte von »David's Rise« mit Kap. 16,14 beginnt (vgl. oben S. 25 Anm. 61).
39. Es ist abwegig – wie z. B. *Rost,* Die Überlieferung von der Thronnachfolge Davids, S. 133 – Kap. 28,3–25 aus der ursprünglichen »Geschichte von Davids Aufstieg« auszuscheiden.
40. Vgl. *Mowinckel,* GTMMM, II, S. 224; *Gressmann,* Die älteste Geschichtsschreibung, 1910, S. 115, behaupt dagegen, daß die Erzählung »niemals für sich allein umgelaufen sein kann«! In der Auflage von 1921 schreibt er jedoch, die Erzählung sei »in sich völlig geschlossen und stand ursprünglich für sich allein.« (S. 114).

tet war [41]. Interessant ist die ausdrückliche Erwähnung Davids in V. 17, die in Kap. 15,28 fehlt [42]. In der Zeit zwischen Sauls Krieg gegen die Amalekiter und seinem letzten Kampf mit den Philistern hat sich die Lage außerordentlich zugespitzt. Das Wort Samuels an Saul hier in Kap. 28,17f. macht deutlich, daß die Zeit für den Vollzug der Verwerfung gekommen ist.

In 28,(16)17 f. liegt – um es mit *Hertzberg* auszudrücken [43] – eine »nachgeschichtliche Erweiterung der ursprünglichen Erzählung« vor. Mit anderen Worten: Man kann also von diesen Versen her einen ursprünglichen Zusammenhang zwischen der Version der Verwerfung Sauls in Kap. 15 und dieser Erzählung in Kap. 28,3–25 nicht für möglich erachten. Dieser Zusammenhang ist »sekundär« [44].

In Kap. 28,3–25 werden wir in die Zeit unmittelbar vor der entscheidenden Schlacht versetzt, die Saul zum Verhängnis wurde. D. h., dieses »morgen« in V 19 a kann sehr wohl zu der ursprünglichen Überlieferung gehört haben [45], was jedoch nicht bedeutet, daß irgendein ursprünglich Überlieferungszusammenhang zu Kap. 31 bestanden haben müßte, geschweige denn eine quellenmäßig nachweisbare Verbindung! Freilich könnte man die Frage stellen, ob V. 4 mit seiner Bemerkung über die militärische Situation vor Sauls Besuch bei der Hexe in Endor ursprünglich dieser Überlieferung zugehört

41. Vgl. *Hertzberg,* Komm., S. 177. 179. Wenn auch *Ward* (a. a. O., S. 103) – gegen *Hertzberg*'s Auffassung der Erzählung über die Hexe in Endor als einer ursprünglich selbständigen Tradition – annimmt, Kap. 28,3–25 und Kap. 31,1–13 hätten einen Teil eines »complex dealing exclusively with Saul (whether written or oral cannot be determed)« ausgemacht, hindert das ja nicht daran, daß die Erzählung – bevor sie in diesen Komplex integriert wurde – eine selbständige Existenz gehabt haben könnte! Wie dem auch sei, die Stellung der Erzählung in ihrem Kontext geht auf den Verfasser der Vorgeschichte zurück.
42. Was Kap. 15,27 b–28 anbetrifft, vgl. oben S. 40 ff.
43. Komm., S. 177. *Herzberg* spricht von V. 17–19 aα, ohne jedoch diese konkrete Abgrenzung zu begründen. Angesichts der von uns in dieser Abhandlung verfochtenen These über die Vorgeschichte ist einer anderen Abggrenzung der Vorzug zu geben, nämlich V. 16 aβ–18. Denn V. 16 b, der für die Frage Sauls den Rahmen absteckt, geht – mit der dezenten Andeutung der Verwerfungserzählung in Kap. 15 (vgl. 16,14 a!) – auf den Verfasser der Vorgeschichte zurück. Über V. 19 a siehe Anm. 45.
44. Daß in der ursprünglichen Überlieferung von Sauls Besuch bei der Hexe in Endor nicht auf die Verwerfung in Kap. 15 Bezug genommen wird, deckt sich sichtlich mit der Tatsache, daß die Überlieferungen über die Verwerfung Sauls und seinen Amalekiterkrieg ursprünglich keine Verbindung zueinander hatten, vgl. oben S. 00.
45. Gegen *Hertzberg,* Komm., S. 176. – V. 19 bietet eine glänzende Fortsetzung von V. 16 aα. Vom Inhalt her besteht kein Grund dazu, die Zugehörigkeit von V. 19 a zur ursprünglichen Überlieferung anzufechten, da ja von den Philistern die Rede sit. Vielleicht sollte man allerdings גם weglassen (vgl. auch LXX), weil sich diese Partikel auf V. 17 f. beziehen könnte.

habe. Mit diesem Vers scheint die Chronologie in Kap. 28–29 in Unordnung zu geraten. Es wird die entscheidende Schlacht in Kap. 31 ins Auge gefaßt, doch paßt 28,4 nicht zu 29,1. Jedendalls liegt der Zeitpunkt in 29,1 eindeutig vor dem, der in Kap. 28,4 vorausgesetzt ist [46]. Erst in 29,1 ziehen nämlich die Philister ihr Heer in Aphek zusammen [47], während die Israeliten ihr Lager »an der Quelle bei Jesreel« aufgeschlagen haben [48]. Doch gerade die Störung dieser chronologischen Ordnung ist ja ein Zeichen dafür, daß V. 4 ein Bestandteil der Endor-Überlieferung darstellte, bevor diese Tradition ihren Platz in der Vorgeschichte bekam. Dazu kommt, daß V. 4 – mit den folgenden V. 5–6 – natürliche und unentbehrliche Voraussetzung für die im folgenden berichtete Handlungsweise Sauls ist.

Anders verhält es sich mit V. 3, der als Einleitung zum Folgenden nicht nur unangebracht erscheint, sondern auch unverständlich ist. Den Vers könnte man natürlich als eine redaktionelle, erklärende Einleitung zum Inhalt der Tradition von Saul bei der Hexe in Endor ansehen oder meinen, er sei vom Inhalt selbst her hier eingeflossen. Wie ging es zu, daß Saul den verzweifelten Ausweg suchen mußte, den Geist Samuels gespenstisch heraufzubeschwören? Weil Samuel tot *war,* V. 3 a! Der Grund für Sauls Handlung ist allerdings in V. 6 hinreichend deutlich gemacht, daß er keiner Ergänzung bedurft hat [48 a]. Noch dazu haben wir schon früher von Samuels Tod und Begräbnis gehört, vgl. Kap. 25,1 a [49]. Offenbar war dem Verfasser an der Erwähnung des Todes und »panisraelitischen« Begräbnisses Samuels, der dritten Hauptfigur in der Vorgeschichte, gelegen, und die Gelegenheit dazu ergab sich für ihn in Kap. 25,1 a und 28,3 a. Der zweite Halbvers in V. 3, die Erwähnung Sauls einstiger Ausrottung der dem Wesen Jahwes entgegenstehenden Orakelpraktiken, soll V. 9 vorbereiten, doch ist V. 3 b auch aus diesem

46. Sunem in V. 4 = das heutige Solem südlich von Tabor, vgl. Jos. 19,18.
47. Identisch mit tell el-muchmar, ca. 4 km nordwestlich von ras el–'ain, siehe *Alt,* PJB, 22, 1926, S. 69. Das würde also heißen, im südlichsten Teil der Ebene Saron, vgl. Jos. 12,18; 13,4; 1. Sam. 4,1. Vgl. jedoch *Simons,* Geographical and Topographical Texts, S. 308, wo Aphek mit tell ras–'ain identifiziert wird.
48. Über den strategischen Hintergrund siehe *Bright,* A History of Israel, S. 173 f.
48 a. Mit Recht macht *Ward* (a. a. O., S. 101) darauf aufmerksam, daß zwischen Kap. 28,3–25 und Kap. 30 in der Hinsicht eine Gegensatz besteht, daß David in Kap. 30 »overtakes the Amalekites with the aid of the oracle. But the failure of Saul's oracle in the following episode (xxviii 3–25) drives the king to the medium of Endor in despair.« (*Ward* schließt sich *Budde* (Komm., S. 175) an, der auf Grund der oben erwähnten chronologischen Anordnung annimmt, daß 28,3–25 im ursprünglichen Text hinter Kap. 30 gestanden habe.)
49. Vgl. oben S. 179.

Vers abgeleitet worden [50]. Einen wirklich beabsichtigten Zusammenhang zwischen V. 3 a und b zu finden, ist kaum möglich [51].

In Kap. 31 folgt der Bericht über das tragische Ende Sauls und seiner Söhne auf dem Berg Gilboa. Die Einleitung in V. 1 stammt vom Verfasser, der mit V. 1 a den Faden von Kap. 29,11 b wieder aufnimmt und mit V. 1 b dem Ausgang des Philisterangriffs vorgreift, vgl. V. 8. Nach 2. Sam. 21,11–14 wurde die Leiche Sauls (und die seiner Söhne), welche die Jabeschiter von der Stadtmauer in Beth-Schean (vgl. 31,10 b) entfernt und nach Jabesch Gilead gebracht hatten, unter David weggeholt und im Grab von Sauls Vater Kis in Zela in Benjamin beigesetzt. Diese Nachricht legt nahe, daß die Überlieferung oder der Überlieferungskomplex in 31,2–13 als Grabtradition im Umlauf war. Ob der textkritisch schwierige V. 7 [52] mit zu dieser Grabtradition gehört hat, ist schlecht zu entscheiden. Der Umstand, daß es in V. 2–13 ausgesprochen um das Schicksal Sauls und seiner Söhne geht, deutet wohl darauf hin, daß V. 7 mit seinen Ausführungen über die militärpolitischen Folgen [53] ursprünglich nicht zur Grabtradition gehört hat. Was V. 2–13 als Ganzes anbetrifft, so ist der Gedanke geradezu verlockend, die einzelnen Bestandteile und deren Reihenfolge im Blick auf den Überlieferungsprozeß zu rekonstruieren: Die Überlieferung über den Tod Sauls und seiner Söhne (V. 2–6), die möglicherweise aus Beth-Schean stammt (vgl. V. 8–12), ist über Jabesch Gilead (V. 11–13) nach Zela in Benjamin gewandert (vgl. 2.

50. Vgl. die beiden Ausdrücke אבות und ידענים; V. 9 – und damit auch V. 3 b – verbürgt sicher historische Realitet. Da Saul allem Anschein nach durchaus unter Samuels Einfluß gestanden hat (hinsichtlich seines Verhaltens gegenüber den Gibeonitern vgl. Kap. I: Anm. 107), ist es nicht unwahrscheinlich, daß Sauls Maßnahmen gegen die in V. 9 (und 1 b) erwähnten Orakelformen auf Betreiben Samuels zurückzuführen sind, der damit eine amphiktyonische Rechtsvorschrift auslegte, vgl. Dt. 18,11 (z. St. siehe *Noth,* Die Gesetze im Pentateuch, 1940, in: Gesammelte Studien zum AT, S. 39).
51. Allzu phantasievoll ist die Auffassung *Eissfeldt's* die darauf hinausläuft, Saul hätte nach dem Tode Samuels die אבות und ידענים aus Angst davor ausgerottet, »dass seine Gegner, vor allem David, den Geist des toten Samuels gegen ihn mobil machen könnte.« (Die Komposition, S. 18).
52. אשר בעבר העמק ואשר בעבר הירדן in V. 7 a hat Schwierigkeiten bereitet. Ohne sich übrigens auf die alten Übersetzungen berufen zu können, vermutet *de Boer* (Research, S. 99), ואשר בעבר הירדן sei eine erklärende Glosse zu העמק אשר בעבר. Indes hat man wohl kaum Veranlassung, den MT anzutasten, vgl. *Driver,* Notes, S. 229. Vielleicht abgesehen von der Wiederholung von אשר בעבר, vgl. den Syr.
53. Aus V. 7 geht hervor, daß die Philister die Gebiete nördlich der Jesreelebene und (einen Teil) jenseits des Jordans besetzt (und nach dem Sieg beherrscht) hatten, dazu natürlich Benjamin und Ephraim, was grundsätzlich ganz Israel (also mit Ausnahme Judas) bedeuten würde. Man vergleiche mit 2. Sam. 2,9, vgl. unten S. 226 f.

Sam. 21,11–14). Zuletzt ist Kap. 31,2–13 in den jetzigen Zusammenhang durch V. 1 aufgenommen worden, der die Verbindung zum vorhergehenden Kap. 29,11 b [54] herstellt und den Ausgang der Entscheidungsschlacht vorwegnimmt, vgl. V. 8.

Bemerkenswert – und wenn die Überlieferung benjaminitisch ist, auch verständlich – ist die ausgesprochen positive Einstellung zu König Saul. Zudem verrät die Überlieferung – in der Haltung des Waffenträgers – eine tiefe Ehrfurcht vor der Person des Königs. Es besteht kein Grund, daran zu zweifeln, daß sich hier ein alter und echter Zug bewahrt hat [55], der von der Einstellung der Israeliten zu ihrem König Zeugnis ablegt.

Noch aus steht die Untersuchung der David-Stücke in Kap. 28–29; 31, d. h. 28,1 b–2; 29. Die Schilderung des Verhältnisses zwischen David und Achis in Kap. 27 hat – wie oben vermutet [56] – Züge aus der Überlieferung von Isaak und Abimelech entlehnt. Aus Kreisen in Ziklag können jedoch 28,1 b–2 und Kap. 29 nicht stammen, da diese Stücke die Kenntnis der Überlieferungen von Sauls letztem Kampf gegen die Philister voraussetzen. Diese Stücke lassen sich – im Gegensatz zu dem Kern in 27,5–12 – also nicht aus dem größeren Zusammenhang herauslösen, der Saul zum Thema hat. Es drängt sich der Schluß auf, daß 28,1 b–2 und Kap. 29 erst in diesem Zusammenhang entstanden sind. Daß es sich um eine Rekonstruktion ohne Überlieferungszusammenhang handelt, wird schon durch den Inhalt bestätigt, dessen Ziel es ist, zu zeigen, daß David durch die Gunst Jahwes verschont blieb, an der Niederlage und dem Tode König Sauls beteiligt gewesen zu sein. Im vorhergehenden ist uns mehrmals aufgefallen, wie sehr der Darstellung in Kap. 28 – 2. Sam. 2,4 daran gelegen war, Sauls Niederlage und Tod als maßgebende Voraussetzung dafür hinzustellen, daß David zum König über Juda gewählt werden konnte und somit die erste Station auf dem Wege zur Königsherrschaft über Israel erreichen würde. Nun wußte der Verfasser – und seinen Zeitgenossen war es wohl auch bekannt –, daß David unmittelbar vor seiner Krönung in Hebron als Lehnsmann in Ziklag in Abhängigkeit zu den Philistern gestanden hatte. Wie aber war das damit in Einklang zu bringen, daß im selben Zeitraum Saul seine vernichtende Niederlage erlitt? Denn David war natürlich als philistäischer Lehnsmann verpflichtet, im Kriegsfall den Philistern beizustehen. Wie konnte mit Erfolg vermieden werden, David als Verräter, als Mitschuldigen an der Vernichtung des Reiches bloßzustellen, dessen König er werden sollte? Wie ließ sich der Gedanke verdrängen, daß David am Tode des Königs, dessen Nachfolger er werden sollte, mitschuldig sein könnte?

54. Nicht Kap. 28,4, vgl. oben S. 197.
55. Vgl. ferner Kap. 24,7. 11; 26,9. 11. 16. 23, vgl. oben S. 170.
56. Vgl. oben S. 189 ff.

Die Antwort wird offensichtlich in 28,1 b–2 und Kap. 29 gegeben.

Zunächst Kap. 28,1 b–2: Ohne seine innere Verfassung preiszugeben, verspricht David, im Kampf gegen Israel sein Bestes zu geben. Achis macht ihn daraufhin zum Chef seiner eigenen Leibwache [57]. Kurz und knapp wird die Situation umrissen. Noch hält die Spannung an. In Kap. 29 befinden wir uns wieder bei den Philistern, die in Aphek eine Musterung des Heeres abhalten. Dabei widersetzen sich die Philisterfürsten [58] dem, was König Achis mit David vorhat, indem sie auf dessen Vergangenheit im Dienste König Sauls hinweisen, V. 2–5. Achis sieht sich daher gegen seinen Willen und mit vielen entschuldigenden Worten genötigt, den heftig protestierenden David nach Ziklag zurückzuschicken, V. 6–11.

In 29,1 haben wir es wohl mit einem Traditionsfragment benjaminitisch-israelitischer Herkunft zu tun, das der Verfasser den David-Stücken vorangestellt hat und zu denen es als Auftakt wirklich ausgezeichnet paßt; darüber hinaus hat dieses Fragment auch Stoff für V. 11 b geliefert: Nachdem sich David endlich mit seinen Männern auf den Heimweg nach Ziklag begeben hatte, konnten nun die Philister – befreit von der Last, die er für sie war – von Aphek nach Jesreel ziehen [59].

Daß hier in Kap. 29 – wie in 28,1 b–2 – ein konstruierter Bericht vorliegt, wird schon dadurch nahegelegt, daß der Inhalt sich so ausgesprochen in die in Kap. 28 f. verherrschende Tendenz einfügt. David soll vor allem aus seiner höchst peinlichen Lage befreit werden. Man erbaut sich an Davids berechnender Klugheit und Achis' unglaublicher Naivität! Außerdem sei darauf aufmerksam gemacht, daß die Philister – ebenso wie in Kap. 21,12 – auf das Siegeslied aus Kap. 18,7 hinweisen. An und für sich wäre es denkbar, daß das Vorhandensein der Bezeichnung העברים für David und seine Männer in V. 3 a auf einer Überlieferung über seine Abhängigkeit von den Philistern basiert [60]. Andererseits ist – da ansonsten in Kap. 29 nichts absolut

57. Vgl. Kap. 22,14!
58. Die Bezeichnungen סרנים, V. 2. 6. 7, und שרים, V. 3. 4. 9, scheinen nebeneinander im Gebrauch zu stehen. Auf Grund dieser beiden Bezeichnungen zwei Quellen herauszuschälen (vgl. z. B. *Eissfeldt,* Die Komposition, S. 20), ist völlig abwegig.
59. Hier ist vielleicht – im Gegensatz zu V. 1 b – an die Ebene gedacht.
60. Oder noch genauer ausgedrückt: ʿibrim wird hier in 29,3 – im Munde der Philister in geringschätziger Weise – für David und seine Männer als Rebellen gegen die philistäische Oberhoheit gebraucht. (Nach *Alt* (Kleine Schriften, I, S. 229 f.) haben sich die Philister im 11. Jahrhundert selbst als die rechtmäßigen Erben der Vorherrschaft in ganz Palästina verstanden.) Während *M. Weippert* (Die Landnahme der israelitischen Stämme, 1967, S. 89) geneigt ist, die ʿibrim in V. 3 in dieser Weise zu verstehen, möchte *K. Koch* (VT, 19, 1969, S. 45 ff.) hier – wie überhaupt in 1. Sam., wo ʿibrim im Munde der Philister auftaucht – diesen Ausdruck als die übliche (und nicht geringschätzige) Be-

dafür spricht – diese Annahme nicht notwendig, insofern die Bezeichnung aus den alten Saul-Überlieferungen übernommen sein könnte, in denen auch von den ʿibrim die Rede ist, die sich in Abhängigkeit von den Philistern befanden [61].

C. Davids Krieg gegen die Amalekiter und seine Krönung zum König über Juda (Kap. 30; 2. Sam. 1; 2,1-4 a)

Nach seiner Heimkehr nach Ziklag erfährt David, daß die Stadt abgebrannt und alle Frauen und Kinder weggeführt seien. Aus Verzweiflung darüber wollen ihn seine Männer steinigen, doch David findet Stärke in Jahwe (V. 1–6). Auf ein günstiges Orakel hin nimmt David mit 400 seiner Leute die Verfolgung der Plünderer auf, während 200 am Wadi-Besor zurückbleiben. Unterdessen findet man einen Mann krank auf dem Felde liegen, einen Ägypter in amalekitischen Diensten. Dieser berichtet, daß amalekitische Horden ihr grausames Spiel getrieben hätten, und verspricht, ihnen den Weg zu weisen. David holt die Amalekiter ein, die gerade aus Anlaß der großen Beute ein Fest feiern. Die Amalekiter werden von David völlig überrumpelt und – bis auf 400 Mann, die sich auf ihren Kamelen retten können – vernichtet (V. 7–20). Als David beim Rückzug wieder an das Wadi-Besor kommt, entsteht ein Streit, inwieweit die zurückgebliebenen Männer an der Beute beteiligt werden sollen. David macht dem Streit ein Ende, indem er bestimmt, diejenigen, die am Kampf teilgenommen hätten, sollten mit den beim Troß zurückgebliebenen teilen (V. 21–25). Nach der Ankunft in Ziklag sendet David den Ältesten Judas in eine Reihe von Städten einen Anteil von der Beute (V. 26–31).

In Kap. 30 hat sich eine ursprünglich selbständige Tradition [62] erhalten, die der Verfasser in den jetzigen Zusammenhang gestellt hat. Vermutlich ist diese Überlieferung in den Zusammenhang mit dem Vorhergehenden durch V. 1 a eingefügt worden: und es geschah, als David und seine Männer am dritten Tage nach Ziklag kamen ... Andererseits könnte V. 1 a auch zur Überlieferung gehört haben, indem wir in dem Fall nichts darüber erfahren, von woher er zurückkam, sondern lediglich, *daß* er nach Ziklag zurückkehrte. Daß er weg war, geht ja unmittelbar aus dem Folgenden hervor. Wenig ergiebig ist jedenfalls die Überlegung, ob David die Strecke von Aphek bis

zeichnung der Philister für die – einbezogen die israelitischen – Bewohner im palästinensischen Bergland ansehen.

61. Vgl. Kap. 14,11. 21. Die Bezeichnung »Hebräer« findet sich im dtr. Geschichtswerk außer hier und den eben genannten Stellen lediglich in 1. Sam. 4,9; 13,3. 7. 19. vgl. Dt. 15,12; in bezug auf das Vorkommen der ʿibrim in 1. Sam. soll lediglich auf die in der vorigen Anmerkung genannte Abhandlung von *Koch*, S. 44–50, verwiesen werden.
62. Vgl. *Mowinckel*, GTMMM, II, S. 228.

Ziklag wirklich in drei Tagen zurüchgelegt haben konnte. Höchstens könnte man mit *Mowinckel* [63] ins Feld führen, die große Entfernung (ca. 150 Km) spreche dafür, daß die Überlieferung in Kap. 30 ursprünglich keine bunden gewesen sei. Wahrscheinlich besteht ein Zusammenhang zwischen Beziehung zu Kap. 29 gehabt habe und auch ursprünglich nicht mit ihm ver- ביום השלישה in V. 1 a [64] und V. 12 f., wo berichtet wird, daß David und seine Leute – bei der Verfolgung der Amalekiter – auf einem Feld einen amalekitischen Sklaven fanden, der drei Tage und drei Nächte (שלשה ימים ושלשה לילות) krank dagelegen hatte. In dem Fall zog David – nach der ursprünglich selbständigen Tradition – eben an dem Tage von einem seiner sicher häufigen Streifzüge heimwärts (vgl. 27,8 und 2. Sam. 3,22), als die Amalekiter ihren Angriff auf Ziklag unternahmen – dagegen von Aphek, falls in V. 1 a eine überleitende Passage vorliegt. Wenn man nicht überhaupt darauf verzichten sollte, das »am dritten Tag« wörtlich zu nehmen und statt dessen vielmehr einen Ausdruck dafür zu sehen hätte, daß es in Eile vor sich ging. »Die Sorge treibt heim«, wie *Budde* so treffend formuliert [65].

Der Bericht über Davids Sieg über die Amalekiter trägt im bestehenden Zusammenhang nicht nur gleiche Züge mit der Niederlage Sauls im Kampf gegen die Philister, Kap. 31, sondern – im weiteren Sinne – auch mit dem in Kap. 15 behandelten Sieg Sauls über die Amalekiter. Die Konturen in Kap. 30 werden erst richtig sichtbar, wenn es Kap. 15 gegenübergestellt wird. Saul siegte über die Amalekiter – und wurde verworfen. David siegt über dieselben Feinde – und wird erhöht. Daß dieser Zusammenhang da ist, läßt sich durch den unmittelbaren Hinweis auf die Verwerfung Sauls in Kap. 28,17 f. erhärten [66].

63. ebd.
64. Man beachte den wirkungsvollen Effekt, daß die Zuhörer – vor David und seinen Männern – den richtigen Sachverhalt erfahren: die Amalekiter haben ihre Hände im Spiel, V. 1 b–2; V. 3 wiederholt V. 1 a.
65. Komm., S. 186. – Vielleicht ist der Ausdruck »am dritten Tage« mytischen Ursprungs, siehe *H. G. May,* The Fertility Cult in Hosea, AJSL, 48, 1932, S. 85; *Hvidberg.* Weeping and Laughter, 1962, S. 127 ff.
66. Vgl. oben S. 40 ff. – Somit spielt Kap. 30 im Blick auf die Komposition der Vorgeschichte eine maßgebliche Rolle. Es wirkt darum merkwürdig, daß *Mildenberger* (a. a. O., S. 115) nicht nur nicht wahrhaben will, daß dieses Kapitel zur »Geschichtsschreibung von Saul und David« gehört hat (vgl. oben in der Einleitung: S. 27 ff.), sondern auch nicht zustimmt, daß es vom Bearbeiter (»N«) eingefügt sein soll! Immerhin hat *Mildenberger* ein Gespür dafür, daß Kap. 30 im Zusammenhang eine »Einfügung« darstelle, doch da die »Geschichtsschreibung« des Verfassers ein literarisches Werk, eine geschlossene, »einheitliche Gestaltung« sei (vgl. oben S. 27 ff.), habe eine »Einfügung« hier keinen Platz, und da Kap. 30 keine für N. charakteristischen Züge enthalte, könne das Kapitel auch nicht von ihm stammen!

Wir wollen von den V. 26–31 ausgehen, die eine Liste von einer Reihe von Städten im Süden enthalten, und übrigens scheint diese Liste ziemlich alt zu sein [67]. Entscheidend ist jedoch, in welcher Beziehung die Liste zum übrigen Teil von Kap. 30 steht. In ihr werden außer den Städten der Jerachmeeliter und Keniter, die nicht namentlich genannt werden, zehn Städte aufgeführt. Dazu an letzter Stelle in V. 31 »Hebron und alle Orte, wo David mit seinen Männern aus- und eingegangen war«. Dem Zusammenhang nach (vgl. V. 26) hat David wohl den Ältesten der in der Liste V. 27 ff. verzeichneten Städte einen Beuteanteil geschickt.

Die *erste* der erwähnten Städte ist Beth(u)el (V. 27), die selbstverständlich nicht die bekannte ephraimitische Stadt ist, sondern die Stadt, die in Jos. 19,4 (vgl. 1. Chr. 4,30) als simeonitisch bezeichnet wird [68]. Damit ist die ungefähre Lage der Stadt im Negeb festgelegt [69]. Die *zweite* Stadt, Ramoth Negeb, wird in Jos. 19,8 [70] auch als simeonitisch gekennzeichnet. Die *dritte* Stadt, Jattir, die Jos. 15,48 zufolge im Bergland Juda liegt, ist von *Alt* [71] mit dem heutigen chirbet ᶜattir, ca. 25 Km SSW von Hebron, identifiziert worden. Die *vierte* Stadt, Aroer (V. 28) wird wohl mit Adada in Jos. 15,22 (falsche Lesung für Arara) im Negeb gleichzusetzen sein; die Stadt ist nach *Alt* [72] das heutige birᶜarᶜara südlich von Horma. Die *fünfte* Stadt, Siphmoth, wird lediglich hier erwähnt. Die *sechste* Stadt, Eschtemoa, wird auch in Jos. 15,50 genannt und liegt nach V. 48 – ebenso wie Jattir – im Bergland Juda [73]. Die *siebente* Stadt (V. 29) wird Rachel genannt (vgl. auch die syr. Übersetzung); daß es sich in Wirklichkeit um Karmel (vgl. LXX) handelt, wird von dem weitaus größten Teil der Ausleger für sicher angesehen. An *achter* und *neunter* Stelle in der Reihenfolge werden Städtegruppen aufgeführt, und zwar die Städte der Jerachmeeliter und Keniter. Die *zehnte* ist die nach Ri. 1,17 von den Simeonitern eroberte Stadt Horma, vgl. auch Jos. 19,4, wo die Stadt geographisch auf simeonitischem Gebiet liegt, während sie in Jos. 15,30

67. Vgl. *Alt,* Kleine Schriften, III, S. 418; nach *Alt* stammt diese Liste mitsamt dem jetzigen Zusammenhang der Erzählung, also der Geschichte von Davids »Aufstieg« (vgl. hierzu Kleine Schriften, II, S. 15, Anm. 3), entweder aus der Zeit Davids oder etwas später; »als Zeugnis für den Siedlungsbestand Südjudäas in einem so frühen Stadium hat sie besonderes Gewicht.«
68. In Jos. 15,30 entspricht sie der Reihenfolge nach der anderenorts nirgends erwähnten Stadt Kesil.
69. Siehe *Simons,* Geographical and Topographical Texts, S. 152 f.
70. In Jos. 19,8 Ramath Negeb. Da sich diese Stadt in der Liste Jos. 15,21 ff. nicht findet, ist *Noth* (Josua, S. 114) der Meinung, daß diese Stadt von 1. Sam. 30,27 her hineingekommen sei. *Noth* überbewertet jedoch sicher – auch in literarischer Hinsicht – die Beziehung der Listen in Jos. 15 und 19 zueinander.
71. Vgl. *Noth,* Josua, S. 97.
72. Vgl. Josua, S. 93.
73. Vgl. *Noth,* S. 97: das heutige es-semuʿa.

im Negeb Juda lokalisiert wird. Die *elfte* Stadt ist Bor-Aschan [74]; diese Stadt ist identisch mit Aschan, die nach Jos. 19,7 für simeonitisch gehalten wird. Der Name ist mit chirbet ᶜasan in Verbindung gebracht worden, einige Km nördlich von Beerseba [75]. Nun gibt es nach Jos. 15,42 auch eine Stadt mit dem Namen Aschan im Tiefland von Juda (V. 33: שפלה), also weiter nördlich, im vierten josianischen »Gau«, doch ist hier wohl schwerlich an dieselbe Stadt zu denken [76]. Die *zwölfte* Stadt ist Athak [77].

In der Aufzählung der oben in Kap. 30,27ff. behandelten Städte ist irgendeine Systematik schwer zu erkennen. Wenngleich die genaue Lage der Städte in den meisten Fällen unsicher ist – von den Städten läßt sich Ramoth Negeb

74. LXX liest Beerseba, was man in gewisser Weise auch hätte erwarten können; *Mowinckel* (GTMMM, II, S. 231) schlägt zwei Fliegen mit einer Klappe, indem er statt בור עשן lieber בארשבע עשן liest.
75. Vgl. *Noth*, Josua, S. 113.
76. So sieht *Grollenberg* (Atlas, S. 143) in Jos. 15,42 und 19,7 zwei verschiedene Städte, ebensowie er (S. 149) der Meinung ist, daß es sich bei Ether, die im Jos. 15,42 und 19,7 zusammen mit Aschan genannt wird, nicht um ein und dieselbe Stadt handele, sondern um zwei verschiedene, von denen die eine (15,42) mit dem heutigen chirbet el-ʻater, nordöstlich von Lachis, identisch sei, während man die andere vielleicht mit Athak, der in 1. Sam. 30,27 ff. an zwölfter Stelle erwähnten Stadt, gleichsetzen könne. Von der Textkritik her wäre hiergegen allerdings einzuwenden, daß die LXX(B) in Jos. 15,42 statt Ether Athak (Ιθακ) liest, wohingegen LXX(B) und (A) in Jos. 19,7 Ether bewahrt haben. Daß zwei Städte gleichen Namens immerhin ziemlich dicht beieinander gelegen haben sollen, ist – wie oben schon erwähnt – recht unwahrscheinlich. Näher liegt die Vermutung, daß die Textüberlieferung in Unordnung geraten ist. Hält man daran fast, daß Aschan einige Km nördlich von Beerseba, also auf simeonitischem Gebiet, zu lokalisieren ist, und Ether ebenfalls mit ziemlicher Wahrscheinlichkeit geographisch an einer Stelle nordöstlich von Lachis festzulegen ist, liegt die Schlußfolgerung nahe, daß Aschan ursprünglich in Jos. 15,42 nicht neben Ether hingehört habe, dessen Lokalisation bestens zum vierten »Gau« (vgl. *Noth*'s Kartenskizze in Josua, S. 91) paßt, und daß Ether in Kap. 19,7 nicht neben Aschan gestanden haben könne, dessen Lage man unbedingt im ersten »Gau« zu suchen hat. So ist es durchaus möglich, daß die Textrezensionen LXX(A) und (B) in 15,42 den richtigen Text wiedergeben, wenn sie Aschan nicht erwähnen. Darüber hinaus bliebe zu überlegen, ob nicht *Noth*'s Annahme (Josua, S. 110 f.) richtig ist, daß ursprünglich in Kap. 19,7 statt Ether neben Aschan Athak gestanden habe (vgl. auch *Rudolph,* Chronikbücher, S. 40). *Noth* weist auf den Umstand hin, daß LXX^{MSS} θαακ haben und in 1. Chr. 4,32, der von Jos. 19,7 abhängig sei, תכן steht. Dagegen emptfiehlt es sich kaum, mit *Noth* anzunehmen, daß der MT Ether in Jos. 19,7 von 15,42 übernommen habe; das dürfte aus dem oben Dargelegten deutlich werden. Andererseits ist es möglich, daß Athak, das ursprünglich einmal in Jos. 19,7 stand, sich von hier aus in LXX(B) 15,42 eingeschlichen habe. Mehr läßt sich über das schwierige textkritische Problem in bezug auf Jos. 15,42 und 19,7 nicht sagen.
77. Vgl. vorige Anmerkung.

also nur außerordentlich ungenau lokalisieren, während Siphmoth, Rachel und Athak nur hier in der Liste vorkommen –, ist es dennoch möglich, das Gebiet einigermaßen einzugrenzen, in dem man die Städte zu suchen hat. Alle liegen im Gebiet südlich und südwestlich von Hebron, also im Negeb. Zwar wird in Jos. 15,48 und 50 angegeben, die Städte Jattir und Eschtemoa lägen im Bergland Juda, doch braucht uns das insofern nicht anzufechten, als die geographische Einteilung in Jos. 15 – Negeb, V. 21, Schephela, V. 33, Bergland, V. 48, und Wüste, V. 61 – sicherlich schematisch ist. Immerhin liegen diese beiden Städte, wenn sie richtig lokalisiert sind, in der Gegend, wo Berg- in Steppenland ineinander übergehen [78].

Vor allem der Umstand, daß die in V. 27–30 genannten Städte – auch die der Jerachmeeliter und Keniter – zweifellos alle geographisch auf den Negeb beschränkt bleiben, deutet auf einen Zusammenhang mit dem Vorhergehenden hin. So heißt es in V. 1 b, daß die Amalekiter einen Einfall in den Negeb unternahmen, wo auch Ziklag liegt. Das wird durch die Aussage des Sklaven in V. 14 näher ausgeführt: in den Negeb der Krether und den Negeb, der zu Juda gehöre, sowie den Negeb Kalebs [79].

Wenn also V. 26 ff. ursprünglich mit zur Überlieferung von Davids Amalekiterfeldzug gehört haben, läge die Vermutung äußerst nahe, daß die in V. 26 ff. erwähnten Städte – wie Ziklag – mit unter die von den Amalekitern verwüsteten zu rechnen sind. Dies ist um so wahrscheinlicher, als diese Städte auf der Plünderungsroute der Amalekiter gelegen haben werden, deren Endstation – nach der Überlieferung zu schließen – Ziklag gewesen sein wird [80]. Wenn aber in V. 14 berichtet wird, die Amalekiter wären in den krethischen und kalebitischen Negeb eingefallen, würde man mit Recht erwarten, daß sich unter ihnen – sofern die in V. 26 ff. genannten Städte wirklich mit zu den verwüsteten gehörten – auch Städte befänden, die man als krethisch oder kalebitisch ansprechen könnte. Was Kaleb angeht, wird freilich in der Liste keine Stadt genannt, die in dem anscheinend in seinem Kern kalebitischen »Gau«, Jos. 15,52–54, gelegen hätte [81]. Dagegen kommen immerhin die beiden Städte

78. Vgl. *Noth,* Zur historischen Geographie Südjudäas, JPOS, 15, 1935, S. 37 f.
79. Die Meinung, ועל אשר ליהודה sei in Teil des Negeb, der zum (Stamm) Juda gehöre, klingt nicht überzeugend. Nirgendwo hören wir davon, daß dieser Stamm so weit im Süden Gebiete gehabt haben soll. Wahrscheinlich handelt es sich hier um einen Einschub des Verfassers, der bei Juda das Königreich Juda im Auge hat (vgl. 2. Sam. 24,7). Dieselbe Wendung findet sich in Kap. 17,1, vgl. Kap. II: Anm. 42.
80. So grenzt *Alt* (Kleine Schriften, III, S. 431, Anm. 2) das Gebiet der in V. 26 ff. genannten Städte ab, daß es die »ganzen Buchten von bīr es-seba' und wadi el-milh sowie einen breiten Rand des nördlich angrenzenden Gebirges« umfaßt. Daß die Amalekiter auf diesem Wege gekommen sein müssen, ist klar.
81. Vgl. *Alt,* Kleine Schriften, II, S. 286, und *Noth,* Josua, S. 97 f.

Jattir und Eschtemoa vor, die nach Jos. 15,48–51 zu dem in seinem Kern ursprünglich kenissitischen [82] »Gau« angehörten. Kaleb wird indessen in Jos. 14,6. 14 als kenissitisch bezeichnet, und so könnte es sich bei dem Gebiet, das so weit südlich auf der Höhe der Städte Jattir und Eschtemoa liegt, möglicherweise um einen Teil des Negeb Kaleb gehandelt haben [83].

Schwieriger gestalten sich die Dinge im Blick auf den Negeb der Krether. Ungeachtet dessen, wie man sich auch die Beziehung zwischen Krethern und Philisteren vorzustellen hat, in Kap. 30 sind diese beiden Bezeichnungen offensichtlich miteinander identisch, vgl. V. 16 b, wo »Land der Philister« vorkommt [84]. Ist nun aber eine Begrenzung des Negeb der Krether überhaupt möglich? Daß man an das südliche Gebiet der Philister zu denken habe [85], wird durch den Zusammenhang in Kap. 30 kaum bestätigt, jedenfalls nicht, wenn es sich bei den in V. 26 ff. erwähnten Städten um die von den Amalekitern geplünderten handelt; keine von ihnen hat man so weit im Westen zu suchen. Die Amaleiter haben ihr Zerstörungswerk schwerlich so weit im Westen getrieben. Eher noch kommt *Hertzberg* [86] der Wahrheit näher mit seiner – im übrigen unbewiesenen – Vermutung, unter dem Negeb der Krether habe man sich das südliche Palästina vorzustellen. Wie aber ließe sich die Wahrscheinlichkeit dieser Vermutung erhärten? Zunächst sei hervorgehoben, daß Ziklag, das David von den Philistern zum Lehen bekam, sehr wahrscheinlich im Negeb der Krether liegt. An dieser Stelle müssen wir uns daran erinnern, daß das simeonitische Stammeselement – in irgendeiner Form – offenbar in dieser Stadt noch weiter lebendig war [87]. Bemerkenswert ist ferner, daß eine überraschend hohe Anzahl der in V. 26 ff. genannten Städte grundsätzlich als simeonitisch anzusprechen ist. Das gilt für Beth(u)el, Ramoth Negeb, Horma, Bor-Aschan und möglicherweise auch Aroer [88], demnach für einen beachtlichen Teil der Städte! Ginge man also zu weit, wenn man vermutete, daß diese Städte – wie Ziklag – in der Tat innerhalb des Gebiets lagen, das in V. 14 als Negeb der Krether bezeichnet wird! Das wieder-

82. ebd.
83. Der Kenissiter Othniel wird in Ri. 3,9 als Kalebs jüngere Bruder bezeichnet.
84. Land der Philister steht in V. 16 neben Land Juda (ארץ יהודה), in der historischen Literatur eine seltene Bezeichnung. Schon früher in Kap. 22,5 sind wir auf diesen Ausdruck gestoßen, vgl. oben S. 130 und 152 f. Hier in Kap. 30,16 bezieht sich ארץ יהודה in Wirklichkeit auf das die Juda-Amphiktyonie umfassende Gebiet, vgl. unten S. 210.
85. Vgl. z. B. *de Vaux,* Les livres de Samuel, S. 132, sowie die überwiegende Anzahl Komm. und Karten.
86. Komm., S. 185.
87. Vgl. oben S. 192 f.
88. Der Kern des 1. »Gaues«, Jos. 15,21–32, wo auch Aroer (Adada, V. 22) erscheint, wird von *Alt* (Kleine Schriften, II, S. 285) als das alte Siedlungsgebiet des Stammes Simeon bezeichnet.

um würde besagen, daß diese Städte – ebenso wie Ziklag – zu dieser Zeit in die Machtsphäre der Philister einbezogen waren [89].

Wir haben versucht, zwischen dem Negeb der Krether, V. 14, und den in der Liste V. 27 ff. erwähnten, allgemein als simeonitisch charakterisierten Städten einen Zusammenhang herzustellen. Ist an dieser Gleichsetzung etwas dran, so hat *Hertzberg*'s Abgrenzung des Negeb der Krether an Wahrscheinlichkeit gewonnen. Außerdem lassen sich die Städte Jattir und Eschtemoa, wie oben erwähnt, ohne allzu große Schwierigkeit im Negeb der Kalebiter lokalisieren, V. 14. Auf dieser Weise werden jedenfalls sieben der in der Liste namentlich genannten Städte [90] im Rahmen der Überlieferung von Davids Amalekiterfeldzug verständlich. Noch übrigbleiben dann die Städte der Jerachmeeliter und Keniter in V. 29. Eigenartigerweise liegen uns hier keine namentlich genannten Städte vor, während dies bei den Städten in der Liste an sich der Fall ist. Sie werden ganz einfach als Städte der Jerachmeeliter und Keniter gekennzeichnet. Zwischen dem Negeb der Jerachmeeliter und der Keniter, vgl. 27,10 – Bezeichnungen, die unmittelbar denen in Kap. 30,14 entsprechen – muß dann wohl irgendeine Verbindung zu den Städten der Jerachmeeliter und Keniter in 30,29 bestehen. Die Nennung des Negeb der Jerachmeeliter und Keniter in 27,10 ist wohl durch 30,14 (Negeb!) und 30,29 (Stammesnamen!) diktiert. Das heißt also, dem Verfasser, der grundsätzlich hinter 27,5–12 [91] steht, haben Kap. 30,14 und 29 als Bestandteile des Berichts über Davids Amalekiterfeldzug vorgelegen.

Nun ist es vielleicht nicht so schrecklich verwunderlich, daß die Städte der Jerachmeeliter und Keniter nicht namentlich genannt werden. Der Grund dafür, daß es *Städte* der Jerachmeeliter und Keniter – und nicht nur die Jerachmeeliter und Keniter – heißt, liegt wahrscheinlich darin, daß die Liste allgemein den Charakter einer Städteliste hat. Jedenfalls haben wir im AT keine Kunde darüber, daß die Jerachmeeliter zu dieser Zeit (teilweise) ansässig gewesen wären. Dieser Stamm hat also kaum feste Wohnsitze gehabt [92]. Die Stammtafel Jerachmeels in 1. Chr. 2,25–33 enthält – im Gegensatz zu der Kalebs in V. 42–49 – mit Sicherheit auch keinen einzigen Städtenamen [93]. In bezug auf die Keniter ist die Sache komplizierter. In Jos. 15,55–57 haben wir vielleicht – vgl. hak-Kain in V. 57 – ein Zeugnis für das Siedlungsgebiet der Keniter [94]. Doch könnte man geltend machen, diese Städteliste beziehe sich

89. Vgl. oben S. 192.
90. Die nicht lokalisierbaren Städte Siphmoth, Rachel und Athak müssen in diesem Zusammenhang außer Betracht bleiben.
91. Vgl. oben S. 188 f.
92. Zu dem Vergleich mit dem Ausdruck Stadt Amaleks in Kap. 15,5 siehe oben S. 51.
93. Vgl. *E. Meyer,* Die Israeliten, S. 405 f.; *Rudolph,* Chronikbücher, S. 18.
94. Vgl. *Alt,* Kleine Schriften, II, S. 286; *Noth,* Josua, S. 98.

auf eine viel spätere Zeit, die Zeit um die Regierung Josias. Daß sich die Keniter schon vor dem Königtum Davids hier festgesetzt hatten, dürfte doch kaum ernsthaft in Zweifel gezogen werden [95]. Die Frage ist nur die, ob die Amalekiter auf ihrem Plünderungszug so weit nach Nordosten bis in das kenitische Gebiet gelangt sind, was in Jos. 15,55ff. bezeugt ist, also bis an die Städte wie Maon, Karmel, Siph und Jesreel heran. Gemäß der Überlieferung in Kap. 30 scheint ansonsten das Gewicht auf den Gebieten weiter im Westen zu liegen. Jedoch ist es keineswegs gesagt, daß *alle* Keniter in ihr späteres Siedlungsgebiet südöstlich von Hebron abgewandert waren. Vielmehr wird uns ja in Kap. 15,6 – also im Bericht über Sauls Amalekiterfeldzug – berichtet, daß die Keniter den Amalekitern untergeben oder mit ihnen verbündet gewesen seien [96]. D. h., ihr Gebiet hat man laut Kap. 15,6 weiter im Süden zu suchen, vermutlich in der Wüste Arad, vgl. Ri. 1,16. Von hier aus, so muß man sich vorstellen, sind dann einige – aber nicht alle! – nach Norden in die Gegend südöstlich von Hebron vorgestoßen. Selbst wenn also Ri. 1,16 in zeitlicher Hinsicht Verhältnisse im Auge hat, die denen, die sich Jos. 15,55 ff. entnehmen lassen, voraus liegen, und auch in bezug auf die Überlieferungen von Davids Aufenthalt in der Wüste Juda, wie erwähnt, kenitische Städte vorkommen, muß das nicht zugleich auch heißen, daß die Wüste Arad später von Kenitern unbewohnt war. Das bedarf der besonderen Hervorhebung, denn auch die Keniter können Opfer des in der Überlieferung in Kap. 30 erwähnten Plünderungszugs der Amalekiter gewesen sein. Das gilt ebenfalls für die Jerachmeeliter, die wir vielleicht etwas weiter im westlichen Negeb zu suchen haben.

Somit steht grundsätzlich der Annahme nichts mehr im Wege, daß die in der Liste genannten Städte zu denen gehören, die von den Plünderungen der Amalekiter betroffen worden waren. Das in Mitleidenschaft gezogene Gebiet, oder besser die Gebiete, die in 30,14 genannt werden, vgl. auch V. 16, sind durch vier oder fünf Städte vertreten, die irgendwie mit Simeon in Verbindung stehen; es handelt sich um Städte, die geographisch im Negeb der Krether (Philister) festzustellen sind, und um zwei kalebitische. Außerdem werden noch besonders jerachmeelitische und kenitische Städte angeführt. D. h., von den nach *Noth* [97] zum Südstämmebund gehörenden Stämmen sind zwei Drittel durch die Plünderungen in Mitleidenschaft gezogen, nämlich 4 von 6 Stämmen. Juda und Othniel fehlen. Daß der Stamm Juda nicht erscheint, ist von seiner geographischen Lage her verständlich. Dagegen hätte Othniel erwartungsgemäß in der Städteliste mit vertreten sein müssen. Die Frage ist jedoch, inwieweit Othniel neben Kaleb eine selbständige Stellung eingenommen hat, vgl. Ri. 1,13 und Jos. 15,17.

95. Vgl. übrigens oben S. 182.
96. Vgl. oben S. 51 f.
97. Das System. . ., S. 107.

Dürfen wir jedoch erwarten, daß der Südstämmebund als ganzer in der Städteliste in V. 27–30 vertreten ist? Ja, mit größter Wahrscheinlichkeit, denn in V. 26, der V. 27 ff. mit dem Vorhergehenden verbindet, heißt es: »Als David nach Ziklag kam, sandte er von der Beute (מהשלל) an die Ältesten Judas (לזקני יהודה) und zwar an seine »Freunde« [98], und ließ ausrichten: »Hier ist eine Gabe (ברכה) für euch von der Beute von Jahwes Feinden (איבי יהוה).« Die in V. 27 ff. genannten Städte müssen dem Zusammenhang nach die Städte sein, welche die hier erwähnten »Ältesten Judas« repräsentieren. Dies ist insofern bedeutungsvoll, als diese im Negeb liegenden Städte nach V. 26 also zu Juda gehören. Nur kann mit diesem Juda allerdings nicht der Stamm Juda gemeint sein, vielmehr muß es sich um eine viel umfassendere Größe handeln. Hier haben wir demnach einen der wichtigsten Belege für die Existenz eines ausgedehnten Gebietes mit dem Namen Juda *vor* David und seinem Königtum, das denselben Namen trägt. Und dieses umfassende Gebiet im Süden stellte gerade das Gebiet des Stämmebundes dar [99], das für David die Grundlage für das Königtum Juda bildete.

Nun ließe sich gegen diese Behauptung der Einwand erheben, V. 26 wäre vielleicht späteren Datums, so daß man von diesem Vers nicht auf Verhältnisse zu einem derart frühen Zeitpunkt schließen dürfe. Und darüber hinaus könnte der Zusammenhang von V. 26 und 27 ff. immerhin sekundär sein. Hiergegen ist jedoch zu sagen, daß sich die Städteliste in V. 27 ff. ohne Schwierigkeit in die Überlieferung von Davids Amalekiterfeldzug in Kap. 30 eingliedern läßt, was – und das ist das Entscheidende – auch für V. 26 gilt. Was in diesem Vers, der allerdings nicht unbedingt die Fortsetzung in V. 27 ff. verlangt, berichtet wird, ist eine ausgezeichnete Fortsetzung des vorhergehenden Textes, in dem das entscheidende Ereignis eben die Erlangung einer außergewöhnlich reichen Beute (שלל) war, vgl. V. 17 ff., besonders V. 20 [100]. Aber etwas anderes zeigt noch deutlicher, daß V. 26 ein ursprünglicher Bestandteil der Überlieferung von Davids Amalekiterfeldzug ist. Dabei denken wir an den bemerkenswerten Ausdruck »Feinde Jahwes«. Die Amalekiter waren ja die Feinde Jahwes schlechtin! Dies ging auch eindeutig aus Kap. 15,2 hervor [101]. Wichtiger ist jedoch, daß der Ausdruck »Feinde Jahwes« unwillkürlich an Ex. 17,8 ff. erinnert, das die Überlieferung einer entscheidenden Niederlage enthält, die den Amalekitern von den »Israeliten« bei Kadesch

98. Weitaus der größte Teil der Forscher korrigiert mit *Klostermann* (Komm., S. 126) in לעריהם, was zwar ausgezeichnet zu dem Folgenden passen würde, aber nichtsdestoweniger keinen Anhalt in den Textzeugen hat.
99. Vgl. auch ארץ יהודה in V. 16, siehe oben Anm. 84.
100. Auch in Sauls Amalekiterfeldzug spielte das Beute-Motiv eine gewichtige Rolle, dort jedoch im negativen Sinn und unter einem ganz anderen Aspekt, vgl. oben S. 57 ff.
101. Vgl. oben S. 45 ff.

zugefügt worden ist. In Ex. 17,16 heißt es folgendermaßen: Jahwe führt Krieg mit Amalek von Geschlecht zu Geschlecht [102]. Der Verfasser des vorliegenden Buches hat versucht nachzuweisen, daß die Überlieferung in Ex. 17,8 ff. ursprünglich im Südstämmebund beheimatet war [103]. Manches deutet in bezug auf die Überlieferung in Kap. 30 in die gleiche Richtung. Man beachte: Die Ereignisse finden im südlichen Palästina statt, und der Hauptfeind sind die Amalekiter. Diese Überlegungen haben jedoch auch gezeicht, daß die Stämme dieses Bundes in der Städteliste in V. 27 ff. vertreten sind. Hinzu kommt ferner, daß der Begriff Israel völlig außer Betracht fällt.

So wie der größte Teil der Überlieferungen von Davids Aufenthalt in der Wüste Juda wahrscheinlich in Hebron (weiter-)überliefert worden ist [104], liegt die Vermutung nahe, daß dies auch bei der Überlieferung der Fall gewesen sein könnte, die einen von den *Amalekitern* [105] gegen Städte der *Mitglieder* des Stämmebundes *Juda* unternommenen Plünderungszug und Davids Strafexpedition gegen die frechen Plünderer – sowie Davids großzügige Gabe bzw. Rückgabe der Beute an die betroffenen Städte – zum Inhalt hat. Wo könnte man sich die Bewahrung einer solchen Tradition besser vorstellen als am Kultzentrum dieses Stämmebundes in *Hebron?* Und damit kommen wir schließlich auf V. 31 zu sprechen, den wir bisher noch nicht in unsere Überlegungen miteinbezogen hatten. In ihm wird Hebron ausdrücklich genannt – »nebst allen Orten, wo David mit seinen Männern umhergezogen war«. Daß V. 31 b nicht mit zur ursprünglichen Überlieferung gehört haben kann, dürfte klar sein. Die Formulierung ist allzu allgemein gehalten [106]. Dieser Vers knüpft an die vorhergehenden Überlieferungen von Davids Aufenthalt in der Wüste Juda an, vgl. Kap. 23 ff. Darum geht dieser Halbvers natürlich auf den Verfasser zurück, der ja die Einzelüberlieferungen zu einem Komplex zusammenfügte. Seine Absicht wird wohl die gewesen sein, daß diese nicht namentlich genannten Orte etwas von der Beute als Dank für das David entgegengebrachte Wohlwollen und die ihm gewährte Hilfe während seines Auf-

102. In diesem Zusammenhang wäre auch auf Kap. 25,28 hinzuweisen, wo Abigail sagt, daß David die »Kriege Jahwes« führe, vgl. oben S. 174 f. David führt in seinem Kampf gegen die Amalekiter den heiligen Krieg des Südstämmebundes. – Es ist nicht völlig auszuschließen, daß *J. Mauchlin* recht hat, wenn er in den Brüdern Judas Gen. 49,8 die Kenissiter, Kalebiter und Simeoniter (nebst Levi?), und in dem Feind Amalek (und die Philister?) erkenne möchte. Später – nachdem der Abschnitt über Juda in den jetzigen Kontext gestellt worden war – habe man die anderen »israelitischen« Stämme zu den Brüdern gemacht (Gilead and Gilgal, VT, 6, 1956, S. 23).
103. Studia Theologica, 18, 1964, S. 31 ff.
104. Vgl. oben S. 182.
105. Vgl. den Ausdruck הגדוד הזה über die Amalekiter in V. 8 und 15.
106. Treffend bezeichnet *Budde* (Komm., S. 190) V. 31 b als einen »Freibrief für Ergänzungen der Liste.«

enthalts in der Wüste Juda abbekamen [107]. Doch haben die Überlieferungen von Davids Aufenthalt in der Wüste allerdings zur Genüge gezeigt, daß David in den Städten in der Wüste südöstlich von Hebron – und das galt sicher auch für Kegila weiter im Norden, vgl. 23,1 ff. – nicht gerade übermäßige oder ungeteilte Freundlichkeit entgegengebracht worden war, geschweige denn daß er durch sie Unterstützung erfahren hätte. Diese Städte können wahrhaftig kaum als seine »Freunde« (רעהו, V. 26) bezeichnet werden.

Wie aber verhält es sich dann mit der Nennung Hebrons in V. 31 a? An und für sich paßt Hebron gut zu der Liste in V. 26–30, da in ihr – wie oben erwähnt – besonders von solchen Städten die Rede war, die zum Stämmebund mit seinem amphiktyonischen Mittelpunkt in Hebron gehörten. Darüber hinaus kann man schwer die Verbindung übersehen, die zwischen Davids erfolgreichen Kämpfen gegen die Amalekiter, seiner Gabe (Rückgabe) der Beute an die von diesen Horden geplünderten Städte in den Stämmen innerhalb des Bundesgebietes im Süden, und seiner späteren Königskronung in Hebron besteht. Aus diesem Grunde wäre es – historisch – durchaus denkbar, daß David auch diese Metropole mit einem Beuteanteil bedacht hatte. Trotzdem spricht manches dagegen, daß V. 31 a mit zur ursprünglichen Überlieferung gehört. Zunächst was die Form anbetrifft: Die Erwähnung Hebrons hinkt der Reihe der Städteaufzählung in V. 26–30 merkwürding hinterher. Und dann: Die Erwähnung Hebrons steht in dem Bericht in Kap. 30 außerhalb der aktuellen Situation; die Stadt lag ganz oben im Bergland Juda, also außerhalb der Reichweite der Amalekiter auf ihren Raubzügen [108]. Darüber hinaus soll V. 31 a sicherlich die Erwähnung Hebrons in 2. Sam. 2,1ff. vorbereiten. Das würde also bedeuten, daß sowohl V. 31 a als auch V. 31 b vom Verfasser stammen, da mit diesen Halbversen jeweils der Zusammenhang mit dem Vorhergehenden (31 b) und Folgenden (31 a) hergestellt wird.

Nachdem wir uns über Kap. 30,26–31 und die Beziehung dieser Verse zum voraufgegangenen Bericht über den Kampf Davids gegen die Amalekiter Klarheit verschafft haben, soll im folgenden dieser Bericht selbst näher ins Auge gefaßt werden. Dabei erscheint es zweckmäßig, von V. 21–25 auszugehen, der Episode auf dem Heimweg beim Wadi-Besor [109]. Zu diesem Abschnitt müssen allerdings auch V. 9–10 hinzugenommen werden, denn zwischen V. 21–25 und V. 9–10 besteht eine deutliche Entsprechung. Nach V. 10 b bleiben, als David und seine Männer während der ausgesprochen hastigen Ver-

107. Vgl. *Kirkpatrick* (Komm., S. 229).
108. Deshalb ist es zwecklos, mit *J. de Groot* (BZAW, 66, 1936, S. 193) darüber nachzugrübeln, warum Bethlehem in der Liste nicht genannt wird, denn diese Stadt lag ja völlig abseits des Schauplatzes in Kap. 30!
109. Diese geographische Lage ist gänzlich ungewiß; jedenfalls könnte man sich denken, daß sie südlich von Ziklag gelegen hat.

folgungsjagd auf die Amalekiter ans Wadi-Besor kommen, 200 Mann zurück, weil sie – wie es heißt – zu erschöpft waren, um den Bach überqueren zu können. Das stimmt mit V. 21 bestens überein. Dagegen scheint aus V. 24 b hervorzugehen, daß die 200 nicht infolge ihres ermatteten Zustands zurückgelassen werden, sondern weil sie den Befehl bekamen, beim Troß zu bleiben (הכלים) [110]. Nun wäre es natürlich denkbar, daß gerade die Ermatteten beim Troß zurückgelassen würden [111]. Das ist jedoch ziemlich unwahrscheinlich, denn es mutet in der Tat eigenartig an, daß ausgerechnet 200 ermatteten! Man kommt schwer umhin, festzustellen, daß in V. 21–25, vgl. V. 9 f., zwei einander ausschließende Motive vorliegen. Auf die Frage, welches der beiden Motive wohl das beherrschende sei, muß man zweifellos sagen: das Ermattungs-Motiv. Doch von daher hegt man auch den Verdacht, daß das Ermattungs-Motiv später dazugekommen ist, d. h. daß dieses Motiv diese führende Rolle auf Kosten des Troß-Motivs erlangt hat.

Auf dem Heimweg kommt David mit seinen Männern zu den am Bach Besor Zurückgebliebenen, und es entsteht zwischen letzteren und denen, die am Kampf teilgenommen hatten, ein Streit. Unter den aktiven Kämpfern sind einige [112] der Meinung, die Zurückgebliebenen sollten an der Beute nicht beteiligt werden. Der Streit setzt voraus, daß die Zurückgebliebenen auf Grund ihrer Ermattung zurückgeblieben waren. Wenn sie nämlich zurückgeblieben waren, um im Fall einer Niederlage im Kampf gegen die Amalekiter den Rückzug zu decken, – anders kann man sich den Befehl, beim Troß zurückzubleiben, nicht erklären – hätte dem Streit der Stoff gefehlt. Also ist der Streit ohne das Ermattungs-Motiv kaum denkbar.

Nun mündet der Abschnitt in einer zweifellos alten [113] Gesetzesregel aus: Die in den Kampf ziehenden und die beim Troß Zurückbleibenden sollen den gleichen Anteil erhalten (V. 24 b). So ist es seit der Zeit geblieben, denn – wie in V. 25 b weiter ausgeführt wird – machte David das zum Gesetz und Recht (לחק ומשפט) für Israel bis auf den Tag. Es unterliegt kaum einen Zweifel, daß V. 21 ff. den Hintergrund schaffen sollen für V. 24b f., die Davids energische Entscheidung in dieser Auseinandersetzung enthalten. Hier hat man David einen ohne Zweifel sehr alten militärischen Rechtsgrundsatz zugeschrieben, den er in der V. 21 ff. berichteten konkreten Situation in Kraft setzte. Das ätiologische Motiv wird besonders deutlich in dem עד היום הזה in V. 25 b.

110. Das gleiche geht – trotz V. 10 b – auch eindeutig aus der Konstruktion in V. 9 f. hervor.

111 Vgl. *Budde,* Komm., S. 187.

112. Diese werden insofern hart verurteilt, als sie als איש רע ובליעל bezeichnet werden.

113. *Smith* (Komm., S. 249) betont, die Gesetzesvorschrift weise eine rythmische Form auf.

In V. 25 b handelt es sich offenbar um einen stehenden Ausdruck חק ומשפט, der auch in Ex. 15,25; Jos. 24,25; 1. Kg. 8,58, vgl. 3,14, vorkommt (an der vorletztgenannten Stelle in umgekehrter Reihenfolge, den beiden letzten Stellen im Plural), sowie Dt. 4,8 (auch im Plural). Nun hat schon *G. Beer* [114] dafür plädiert, daß man die Wendung in Ex. 15,25 dem Dtr. zuschreiben müsse [115]. Dies wird zudem die Tatsache bekräftigt, daß sich der Ausdruck sonst nur im dtr. Geschichtswerk findet [116]. Daß Kap. 30, 25 b in jedem Fall nicht zur ursprünglichen Überlieferung gehört haben kann, dafür spricht auch das Vorhandensein des Begriffs Israel in dieser Verhälfte. Entweder kann der Dtr. einen ihm von woandersher bekannten Rechtsgrundsatz [117] auf David zurückgeführt haben, und zwar eine Gesetzesregel, deren Ursprung anhand der in V. 21 ff. konstruierten Episode eine (ätiologische!) Erklärung erfährt. Oder es kann sich in V. 21–25 a um einen in den Bericht über Davids Amalekiterfeldzug vor dem Dtr. hineingekommenen Einschub handeln, veranlaßt durch die Gesetzesregel in V. 24 b, der die in dem Einschub enthaltenen Episode als Erklärung dienen soll, vgl. V. 25 a [118]. In beiden Fällen gehören V. 21–25 kaum als ursprünglicher Bestandteil zur Überlieferung des Amalekiterfeldzug mit hinzu.

So bilden V. 26 ff. auch die natürliche Fortsetzung von V. 20. Aus den letzten Worten des sichtlich verderbten V. 20 [119] geht jedenfalls klar hervor, daß die Beute David gehört; daher ist er auch in der Lage, Anteile in die in V. 27 ff. aufgezählten Städte zu schicken. Der Bericht über den Sieg Davids über die Amalekiter würde nicht den geringsten Schaden erleiden, wenn man von V. 21–25 absähe. Im Gegenteil liegt der Schwerpunkt oder Höhe-

114. Exodus, 1939, S. 82. 86.
115. Ihm schließt sich *Noth,* Überlieferungsgeschichte des Pentateuch, S. 32, Anm. 108, an.
116. *E. Nielsen* (Shechem, S. 118 ff.) tritt dafür ein, daß die Wendung in Ex. 15,25 b eine »Entlehnung« aus Jos. 24,25 sei, da der Dtr. die Wendung in Ex. 15,25 b mit der Absicht eingeschoben habe, um den Tetrateuch mit dem dtr. Geschichtswerk zu vereinen (S. 121).
117. Er wird im dtr. Geschichtswerk nicht ausdrücklich erwähnt, geschweige denn im Dt. In seiner elementarsten Form kann man ihn wohl in 2. Kg. 11,5 ff. erfassen, doch geht es dort um einen anderen Sachverhalt. Demgegenüber könnte man – und das geschieht in der Tat in allen Kommentarwerken – auf Num. 31,27 hinweisen, wo die Situation der hier nahezu entspricht. Anstelle derer, die beim Troß bleiben, steht in Num. 31,27 allerdings die »Gemeinde« (העדה); jedoch muß hinzugefügt werden, daß die stilistische Eigenart erheblich abweicht, so daß eine literarische Abhängigkeit nicht in Frage kommt.
118. In beiden Fällen kann man vielleicht mit *L. Koehler* (Der hebräische Mensch, 1953, S. 152) davon sprechen, daß die Gesetzesregel in die »Form von Präzedenzfällen« gekleidet sei.
119. Es ist in diesem Zusammenhang bedeutungslos, einen Versuch der Rekonstruktion des Verses vorzunehmen.

punkt des Berichts am Schluß, in V. 26–30. Das Wesentliche an dem Bericht ist demnach nicht so sehr der Sieg, als vielmehr dessen Auswirkungen [120]. In V. 21–25 wird jedoch dieser Höhepunkt abgeschwächt, und er verliert somit seinen Effekt. Der Schwerpunkt liegt auf etwas, was der Bericht gar nicht unbedingt zum Ausdruck bringen will. Auch der Inhalt von V. 21–25 widerspricht V. 20. 26 ff. Hier ist daran gedacht, daß David sowohl den am Kampf Beteiligten als auch den beim Troß Zurückgebliebenen einen Anteil von der Beute gegeben hat, d.h. allen seinen Männern. Einmal befindet sich das im Gegensatz zu V. 20 (vgl. die Worte seiner Männer: !זה שלל דוד), daß einige seiner Männer das Verfügungsrecht über die Beute hätten. Zum anderen ist zu betonen, daß die Beute – selbst wenn sie außerordentlich groß ausgefallen wäre, vgl. V. 17 ff. – kaum so umfassend gewesen ist, daß sie für David, seine 600 Männer und eine ansehliche Zahl von Städten ausgereicht hätte! Schließlich muß daran erinnert werden, daß die Beute einen anderen Charakter hatte als die in Kap. 15. Dort wurden die Amalekiter ihres *eigenen* Hab und Guts beraubt, hier in Kap. 30 wegen des Hab und Guts *anderer,* das sie auf ihren Plünderungszügen an sich gerissen hatten, vgl. V. 18 f. Das läßt vor allem den Beuteanteil der Männer Davids illusorisch erscheinen (sie erhielten ja das Ihrige zurück!), während dagegen der Anteil der in V. 27 ff. erwähnten Städte selbstverständlich ist.

Nicht nur in V. 21 ff., sondern auch in V. 9 f. findet sich das Ermattungs-Motiv. Nun sind V. 9–10 unter den Auslegern stets umstritten gewesen. Von den zahlreichen Auffassungen sollen hier nur zwei angesprochen werden, und zwar die von *Wellhausen* [121] und *Hertzberg* [122]. Ersterer betrachtet die Worte והנותרים עמדו, V. 9 b, als eine Glosse zu V. 10 b, die auf ein »Rechentalent« zurückzuführen sei, »welches ermittelte, das 200 = 600 ÷ 400« ist! *Hertzberg* meint, V. 9 b solle mit V. 10 b den Platz tauschen. Keiner dieser beiden Vorschläge, so einfach und wenig den Text selbst antastend sie auch sein mögen, ist jedoch befriedigend. Die Ironie im ersteren ist denn doch zu billig, in dem anderen Vorschlag wird keine Erklärung für den Austausch der beiden Halbverse beigefügt wenn der Sinn zuvor in Ordnung war. Die alten Übersetzungen, von denen man sich eventuell noch Hilfe erhofft hätte, zeigen dasselbe Bild, handelt es sich doch hier um »Emendationen« des MT [123]. Vom textkritischen Befund her läßt sich der MT kaum anfechten. Dagegen scheint sich vom überlieferungsgeschichtlichen Standpunkt her eine Möglichkeit der Klärung anzubieten. Das Motiv, daß einige Männer Davids auf Grund einer militärischen Vorsichtsmaßnahme beim Troß zurückgelassen werden, ist

120. Hierüber später, vgl. unten S. 125.
121. Der Text . . ., S. 144.
122. Komm., S. 183.
123. Vgl. *de Boer*'s Registrierung, Research . . ., S. 90.

gänzlich verdrängt. Es mußte unwillkürlich dem Ermattungs-Motiv weichen. Doch woher weiß man, daß hier ursprünglich das Troß-Motiv gestanden haben muß? In den oben gemachten Ausführungen sollte die Antwort hierauf bereits gegeben sein. Darüber hinaus könnte auch noch angeführt werden, daß der Umstand, daß hier die Gesetzesvorschrift in V. 24 b mit dem Bericht verknüpft wurde, ein Zeichen dafür ist, daß eben vorher etwas dagewesen sein muß, an das man anknüpften konnte!

Als V. 21 ff. – mit dem Ermattungs-Motiv – eingeschoben wurden, mußte dieses Motiv im vorhergehenden vorbereitet werden. Dies ist in V. 10 b geschehen. In bezug auf das, worum es ursprünglich in V. 9 f. gegangen sein muß, kommt uns 25,13 b zu Hilfe [124]. Nach althergebrachter Gewohnheit blieb – am Bach Besor, einem strategisch günstigen Punkt – ein Drittel des Heeres beim Troß zurück, also 200 Mann (vgl. V. 10 b), während der Rest, also 400 (vgl. V. 10 a), mit David die Verfolgung des Feindes fortsetzte.

Sieht man nun von V. 10 b. 21–25 ab, so scheint deutlich zu sein, daß der in der Überlieferung enthaltene Bericht als Höhepunkt V. 26ff. gehabt haben muß: Nach dem ungemein erfolgreichen und einträglichen Feldzug schickt David Anteile der Beute in Städte, die – neben Ziklag – von der Plünderung dieser amalekitischen Horden betroffen waren. In Kap. 30 haben wir dem Zusammenhang nach ein Beispiel des »heiligen Krieges« vor uns, dessen Führung laut Kap. 25,28 b ausdrücklich in die Hand Davids gelegt worden war [125]. Zum heiligen Krieg gehört die häräm-Institution, die in 27,11 eine bis zur Unkenntlichkeit entstellte Umdeutung erfahren hat [126], in 30,17 aber deutlich zu erkennen ist. Es ist also nicht unwahrscheinlich, das למחרתם eine verderbte Fassung von להחרמם ist [127]. Zwar ist das Phänomen des Bannens nicht so stark ausgeprägt wie in Kap. 15, denn es schließt nicht die

124. Vgl. oben S. 171.
125. Was den Zusammenhang mit Kap. 25 anbetrifft, siehe oben S. 171, 174. Hinsichtlich der Erwähnung der beiden Frauen Davids in 30,5. 18 b muß man allerdings festhalten, daß sie in V. 5 recht unpassend erscheint und daher von den meisten Auslegern für eine Glosse gehalten wird (vgl. *Budde*, Komm., S. 186; *Gressmann*, Die älteste Geschichtsschreibung, 1921, S. 109 f.; *Mowinckel*, GTMMM, II, S. 229). Dagegen urteilt man vorschnell, daß dies auch in V. 18 b der Fall sei, hat man doch den Eindruck, daß die Erwähnung an dieser Stelle durchaus verständlich ist. Richtig ist wohl die Annahme, daß die Glosse in V. 5 hineingekommen ist, um V. 18 b vorzubereiten.
126. Vgl. oben S. 188.
127. Vgl. den überwiegenden Teil der Ausleger, die mit *Wellhausen*, Der Text . . ., S. 144; *Ehrlich*, Randglossen, S. 266 ff., in ויחרמם verbessern. Der Syr. hat מאחריהם gelesen, vgl. *de Boer*, Research, S. 92.

Beute mit ein. In diesem Zusammenhang muß jedoch daran erinnert werden, daß ja die Beute in den ausgeplünderten Gegenden gemacht worden war, das Beutegut also nicht dem Feind gehörte!

Die Überlieferung von Davids Amalekiterfeldzug ist in Hebron, der Hauptstadt der Juda-Amphiktyonie, überliefert worden. Von dort aus ist sie zu der Zeit, als David seine Residenz nach Jerusalem verlegte, mitgewandert, und hier hat der Verfasser sie aufgenommen. Es ist nicht ausgeschlossen, daß V. 21–25 im wesentlichen auf jerusalemische Tradentenkreise zurückgehen. Ein sicheres Zeichen für einen Eingriff des Verfassers dürfte die Rolle Ebjathars in V. 7 sein.

Nach der Niederlage und dem Tode König Sauls [128] – und nach dem Siege Davids über die Amalekiter – kommt ein Mann aus dem geschlagenen Heer Israels mit der Botschaft über den Ausgang der Schlacht. Der Mann, ein Amalekiter, habe sich – so erzählt er – zufällig auf dem Berg Gilboa befunden, als der König vom Feind bedrängt wurde, und auf Geheiß des Königs habe er diesem den Todesstoß versetzt. Der Amalekiter nahm darauf das Diadem und die Armspange des Königs an sich, die er nun David überbringt. David und seine Männer beklagen Sauls und Jonathans Tod (v. 1–12). David läßt den Amalekiter wegen seiner Untat töten (V. 13–16), und er stimmt über Saul und Jonathan einen Klagesang (קִינָה) an (V. 17–27). Das ist der Inhalt von 2. Sam. 1.–

Während Saul in Kap. 31 Selbstmord beging, und sein Waffenträger der ihn nicht zu töten wagte, ein gleiches tat, tötet den König nach Kap. 1 auf sein Geheiß hin ein amalekitischer »Fremder« (גר, V. 13) [129]. Diese außerordentliche Gegensätzlichkeit zwischen Kap. 31 und 2. Sam. 1 in der Frage, wie Saul zu Tode gekommen ist, hat natürlich zu Quellenscheidungen Anlaß gegeben. Auf den ersten Blick finden sich von vornherein drei Lösungsversuche: *1.* Kap. 31 und 2. Sam. 1 stellen zwei verschiedene Quellen

128. Die Überleitungsformel ויהי אחרי כן findet sich auch in Jos. 1,1 und Ri. 1,1. Daß es sich hier um eine dtr. Überleitungsformel handeln solle, wie *R. A. Carlson* (David the Chosen King, S. 41) annimmt, muß nicht unbedingt zutreffen. Ebensogut könnte Vor-Dtr. vorliegen, was *Carlson* auch nicht ausschließt; vgl. ebenfalls *Schildenberger,* Zur Einleitung in die Samuelbücher, Studia Anselmiana, 27, 1951, S. 141 ff.

129. Übrigens geht aus Kap. 1 hervor, daß Saul vorher verwundet war. Diesbezüglich wäre nicht nur auf השבץ in V. 9 hinzuweisen, dessen Bedeutung jedoch unsicher ist (vgl. *Driver*'s Erörterung des Wortes in Notes . . ., S. 232), sondern auch auf die Verbalform מות, pil., die erkennen läßt, daß er verwunden gewesen ist (vgl. *Gesenius-Buhl*). In 1. Sam. 31 dagegen wurde Saul vorher nicht verletzt.

dar [130]. *2.* Kap. 1 wird aur zwei verschiedene Quellen verteilt [131]. *3.* Kap. 31 und Kap. 1 gehören derselben Quellen an [132]. Von vornherein wäre die Möglichkeit nicht ausgeschlossen, daß wir es hier in Kap. 31 und Kap. 1 mit zwei selbständigen *Überlieferungen* zu tun haben (vgl. die erste literarkritische Auffassung). Da die Überlieferung in Kap. 31 deutlich nördliche Herkunft verrät, könnte die David in den Mittelpunkt rückende Überlieferung südlichen (judäischen) Ursprungs sein. Andererseits ist es nicht unmöglich, daß Kap. 1 teilweise von Kap. 31 abhängig wäre. Eigentlich sind auch nur in bezug auf die Art und Weise, wie Saul ums Leben kam, die Abweichungen besonders fühlbar. Demgegenüber bestehen im Blich auf die Tatsache, daß die Israeliten geschlagen und Saul und seine Söhne getötet worden sind, keine ernstlichen Unstimmigkeiten. (Ein Vergleich von 31,3 und 1,6 [133] deutet jedenfalls an, daß der Bericht in Kap. 1 jünger, d. h. sekundär ist, da die Verwendung von Kampfwagen in einer Schlacht in gebirgiger Gegend eigenartig anmutet; erst in späterer Zeit ist der Einsatz von Kampfwagen auch im Gebirge bezeugt [134]. Auch der Umstand, daß in Kap. 31,2 die drei Söhne Sauls genannt werden, während in Kap. 1 lediglich von Jonathan die Rede ist, spricht für den Primat von Kap. 31.) Kap. 1 könnte also möglicherweise aus Elementen der Überlieferung in Kap. 31 (bis Kap. 1,7?) aufgebaut und durch eine mit Kap. 31 unvereinbare, selbständige Tradition über die Todesart Sauls ergänzt worden sein (also eine Variante der zweiten der oben dargelegten literarkritischen Auffassungen). Eine derartige Annahme ist jedoch kaum empfehlenswert. Sie hätte nicht nur zur Voraussetzung, daß Kap. 31 und Kap. 1 insgesamt miteinander unvereinbar wären, sondern schlösse auch den Umstand mit ein, daß Kap. 1 gegensätzliche Elemente in sich vereinigte.

Wirkt der Bericht in 2. Sam. 1 als einheitliches Stück nicht doch gut verständlich? Sich daran zu klammern (vgl. *Budde*), daß der Überbringer der Botschaft in V. 2 איש genannt wird, in V. 6 dagegen נער, ist übertriebener Formalismus. Die Wahrnehmung eines Gegensatzes zwischen ממחנה ישראל נמלטתי,

130. Vgl. *Smith,* Komm., S. 254 f., und *de Vaux,* Les livres de Samuel, S. 137. *Smith* ist der Meinung, Kap. 1 sei eine Fortsetzung von Kap. 30, da der Hinweis auf den Tod Sauls in 1,1 auf »the editor« zurückgehe. Der Amalekiter wird nach *Smith* nicht als Betrüger hingestellt.
131. Vgl. *Budde,* Komm., S. 193 f.; *Gressmann,* Die älteste Geschichtsschreibung, 1921, S. 118 ff.; *Eissfeldt,* Die Komposition, S. 22; *Mowinckel,* GTMMM, II, S. 232; *Kirkpatrick,* Komm., S. 16; *Nowack,* Komm., S. 148 f.; *Cook,* Notes on the Composition of 2 Samuel, AJSL, 1900, S.146.
132. Vgl. *R. H. Pfeiffer,* der (Introduction to the OT, 1941, S. 348 f.) geltend macht, daß Kap. 1 keineswegs Kap. 31 inhaltlich zu widersprechen brauche (vgl. auch *Nübel,* a. a. O., S. 65); vielmehr seien die beiden Kapitel vom selben Verfasser abgefaßt, wobei Kap. 1 »the falsehood of the Amalekite report« zeigen solle.
133. הרכב ובעלי הפרשים V. 6, vgl. Kap. 31,3: המורים אנשים בקשת.
134. Vgl. *Nowack,* Komm., S. 150, wo auf 1. Kg. 22,38; 2. Kg. 7,14; 9,21 ff.; 10,2. 15 ff. verwiesen wird.

V. 3, und dem in V. 6 und 8 Berichteten wird einfach den stilistischen Möglichkeiten des Erzählers nicht gerecht. Daß Davids Frage an den Boten nach seiner Herkunft in V. 13 von einem Redaktor stammen müßte, da dieser bereits in V. 8 diese Frage beantwortet hätte, ist keineswegs überzeugend. David wollte sich offenbar seiner Herkunft noch einmal vergewissern, ehe er seine Hinrichtung wahrmachte! Hinzu kommt Folgendes: Während die Frage in V. 8 wohl neutral gehalten ist, läßt sich das bei V. 13 nicht behaupten; es entsteht nämlich der Eindruck, der Erzähler möchte gleichsam besonders betonen, daß man von einem Amalekiter eigentlich nichts anderes hätte erwarten können! Daß ein Mann solcher Herkunft auf den Gedanken verfiel, Hand an den Gesalbten Jahwes zu legen, dürfte nicht überraschen! Und wenn man aus Kap. 4,10 schließt, auch »J« habe über die Hinrichtung des Amalekiters berichtet, und zwar nicht wegen eines Mordes, erscheint das völlig abwegig. Die Aussage in Kap. 4,10 hat man im Zusammenhang zu betrachten, und da ist ja nun gerade von Mord die Rede! Hinzu kommt schließlich – und darin hat man vom literarkritischen Standpunkt aus eine schwache Stelle zu sehen –, daß die von *Budde* [135] rekonstruierten »E«-Fragmente – um *Smith* zu zitieren [136] – »continue nothing that precedes, and they prepare for nothing that follows« [137].

Nein, nicht bloß der Gang der Handlung in Kap. 1 wirkt bei näherem Zusehen ganz einhellig, sondern darüber hinaus liegt zwischen Kap. 31 und 2. Sam. 1, als Ganzes gesehen, nicht unbedingt eine Diskrepanz vor. Natürlich hat man – was die Art und Weise angeht, auf die Saul ums Leben kam – historisch zwischen zwei Berichten zu wählen. Zweifelsohne würde die Wahl dann auf den Bericht in Kap. 31 fallen. Doch ist die Wahl nicht absolut notwendig, denn die Botschaft des Amalekiters könnte ja auf Unwahrheit beruhen [138]! Davids Reaktionen, seine Trauer über den Tod Sauls sowie seine Bestrafung des Mörders, wirken wirklich »echt«. David schenkt den Worten des Amalekiters sichtlich »Vertrauen«. Damit ist natürlich nicht gesagt, daß der Verfasser des Berichts das auch tat. Jedenfalls kann es derjenige, der Kap. 1 an Kap. 31 anschloß, nicht getan haben [139]!

135. Vgl. oben Anm. 131.
136. Vgl. oben Anm. 130.
137. Anstatt V. 1–4 die Etikette E beizulegen, sollte man besser mit *Nowack* (Komm., S. 149) von einem »jüngeren Nachtrieb zu J« sprechen.
138. Vgl. *Pfeiffer* (siehe oben Anm. 132). Auch *Eissfeldt* (La Nouvelle Clio, 3, 1951, S. 112) spricht davon, daß der Amalekiter – in Hoffnung auf Belohnung – die Tatsachen verdreht habe, vgl. auch *Ward* (a. a. O., S. 128 f.).
139. Gerade weil der Erzähler des Berichts in Kap. 1 der Ansicht ist, daß sich die Berichterstattung des Amalekiters gegenüber David von erfolgversprechendem Gewinn leiten ließ, ist es sicher falsch – so wie *E. Nielsen* es tut (Grundrids af Israels Historie, 1960, S. 71) – den Waffenträger in Kap. 31 mit dem Amalekiter in Kap. 1 zu identifizieren.

Anstatt nach ursprünglichen Zusammenhängen zu forschen – oder über das Fehlen solcher überrascht zu sein – gehen wir davon aus, daß der Zusammenhang nicht sich aus den einzelnen Elementen, sondern aus dem Ganzen ergibt. Als Ausgangsbasis dient uns dabei die Auffassung, daß uns die ursprüngliche Überlieferung über die Todesumstände Sauls in Kap. 31 erhalten ist. Das rückt vielleicht Kap. 1 in ein neues Licht.

Dieses Kapitel hat man im Zusammenhang mit dem in Kap. 30 und 31 Berichteten zu sehen, da hier der »Kontakt« zwischen David und Saul, zwischen den in Kap. 28 ff. enthaltenen David- und Saul-Stücken wiederhergestellt wird. David erhält die Nachricht über Sauls Niederlage und Tod. Dies gibt David zu dem außerordentlich bedeutsamen Schritt Anlaß, nach Hebron zu ziehen, um sich zum König über das Haus Juda krönen zu lassen, Kap. 2,1 ff. Kap. 1 stellt also kompositorisch im Ablauf der Ereignisse ein bedeutendes Bindeglied dar.

Aus welchem Grunde spielt eigentlich ausgerechnet ein Amalekiter eine so beachtliche Rolle? Hier hilft uns wiederum die Komposition der Kap. 28 ff. weiter. Die Amalekiter spielen nicht nur bei der Erwähnung der Verwerfung Sauls eine führende Rolle, Kap. 28,17 f. (vgl. Kap. 15!), sondern auch bei den Voraussetzungen für Davids Erhöhung, Kap. 30. So ist es ein Amalekiter, der hier in Kap. 1 als Bindeglied zwischen Sauls Verwerfung und Davids Erhöhung dient. Wie Kap. 28,17 f. die Saul-Geschichte mit der von David verband, so verbindet Kap. 1 die David-Geschichte mit der Sauls.

In der soeben dargelegten Weise bietet sich die Möglichkeit, vom Ganzen, vom Komplex 1. Sam. 15–2. Sam. 5 her, Klarheit in Kap. 1 zu bringen. Kap. 1 soll mit zur Legitimation des Anspruchs Davids auf den Thron Judas und seiner späteren Erlangung der Königswürde über Israel beitragen. Gewichtige Gründe weisen also in die Richtung, daß der Verfasser an der Abfassung der Erzählung von dem Amalekiter und David in Kap. 1 beteiligt ist. »Und ich nahm [140] das Diadem (הנזר), das auf seinen Haupte war, und die Armspange [141], die um seinen Arm lag, und bringe sie hier zu meinem Herrn«, läßt der Erzähler in V. 10 b den Amalekiter zu David sagen. An dieser Stelle kommt die Grundintention: David als Sauls legitimer Erbe, konkret zum Vorschein [142]. Ob König Saul ein Diadem auf dem Haupt gehabt

140. Daß der Amalekiter von der Leiche Sauls Diadem und Armspange entfernte, muß nicht unbedingt zur Leichenplünderung durch die Philister nach der Schlacht (Kap. 31,8 f.) im Widerspruch stehen, die ja am Tage darauf erfolgt ist. Natürlich wird darauf nicht aufmerksam gemacht, um die Historizität des Inhalts von Kap. 1,10 b zu verteidigen, sondern lediglich deshalb, um die Vereinbarkeit mit Kap. 31,8 f. zu betonen.

141. אצעדה (Armspange) korrigieren die meisten mit *Wellhausen* (Der Text ..., S. 150) in das sicher synonyme צעדה.

142. Mit Recht schreibt *Gressmann,* Die älteste Geschichtsschreibung, 1921, S. 119,

hat, ist in diesem Zusammenhang zweitrangig. Wichtiger ist, daß die davidischen Könige in Jerusalem ein Diadem trugen. Dafür lassen sich Ps. 89,40 und 132,18 sowie die Erwähnung des Diadems in Verbindung mit der Kleidung des nachexilischen Hohenpriesters anführen [143]. Es sei ferner auch auf das judäische Krönungsritual hingewiesen, wie es uns in 2. Kg. 11,12 überliefert ist, wo Joas vom Oberpriester Jojada das Diadem (הנזר) aufgesetzt und das »Zeugnis« (העדות [144]) ausgehändigt bekommt. Aus alledem könnte man folgern, daß das in Jerusalem benutzte Krönungsritual den Verfasser in V. 10 b zu der Überbringung des Diadems an David durch den Amalekiter veranlaßt hat. David wird sozusagen »proleptisch« zum König von Israel »gekrönt«! Mit der von dem Amalekiter gleichzeitig David überreichten Armspange ist wohl die *persönliche* Spange des toten Königs gemeint, und die Überbringung dieser Spange würde weiter hervorheben, daß David als Nachfolger *Sauls* »gekrönt« wird. Bei dieser Handlung, die durch einen verachtungswürdigen Amalekiter vollzogen wird, gibt Jahwe zu erkennen, was er mit David vorhat. Eigentümlicherweise richtet David erst in V. 13 ff. wirklich seine Aufmerksamkeit auf den Amalekiter. Es ist wohl vom Verfasser beabsichtigt, daß sich David erst nach spontaner Trauer auf die Einzelheiten der Berichterstattung des Boten besinnt. Warum aber har der Erzähler den Amalekiter nicht einfach nur als Boten dargestellt, der die Nachricht vom Schlachtfeld überbringt? Ein solcher Auftrag wäre für einen Amalekiter zu würdig! David war ja gerade von einer Strafexpedition gegen die Amalekiter, die im Negeb geplündert, geraubt und gebrandschatzt hatten, zurückgekehrt. Die Voraussetzungen waren also gegeben, daß der Bote zum Königsmörder wird [145]! Die Vorstellung, daß der Gesalbte Jahwes heilig ist, findet sich an mehreren Stellen, vgl. Kap. 24,7. 11; 26,11. 23. Und der Gedanke, daß derjenige, der auf dem Thron Israels sitzt und damit in Wirklichkeit David im Wege steht, ermordet und der Mörder hingerichtet wird, kehrt in 2. Sam. 4 wieder. Doch dessen nicht genug! In Kap. 1 wie in Kap. 4 ist die Voraussetzung für Davids Thronbesteigung ein

in diesem Zusammenhang, daß »David im voraus zum Nachfolger Sauls bestimmt wird.«

143. Vgl. *Noth,* Amt und Berufung im AT, 1958, S. 11 f.

144. Seit *Wellhausen* hat sich ziemlich durchgesetzt, dieses Wort in הצעדה (nach 2. Sam. 1,10 b) zu korrigieren (siehe oben Anm. 141). Das jedoch zu Unrecht. So hat *von Rad* (Das judäische Königsritual, 1947, in: Ges. Studien, S. 205 ff.) – unter Hinweis auf das ägyptische Krönungsritual – העדות als Anspielung auf ein judäisches »Königsprotokoll« verstehen wollen, das die Verheißungen Jahwes für den König enthalten habe, vgl. auch *E. Nielsen,* VT, Suppl., 7, 1960, S. 73 f.

145. »Amalekiter bleiben Amalekiter«, wie *Hertzberg* schreibt (Komm., S. 193). Daß der Amalekiter als Fremdling bezeichnet wird, macht sein Verbrechen nicht geringer, er hätte wissen müssen, daß der Gesalbte Jahwes heilig war, vgl. *Nowack,* Komm., S. 151.

Königsmord, das erste Mal, als er in Hebron König über Juda wird (Kap. 2,1 ff), das zweite Mal am selben Ort, aber über Israel (Kap. 5,1 ff.) [146].

Erst in V. 17–27 folgt Davids Klagelied über Saul und Jonathan. Unwillkürlich hätte man dieses Klagelied unmittelbar nach V. 11 f. erwartet. Daher ist *Nübel* [147] der Auffassung, daß V. 13–16 (vom B.) zwischen Klageritus und -lied eingeschoben seien. Nun haben wir aber oben gesehen, daß sich der Inhalt von V. 13–16 nicht nur in den Vorstellungsrahmen der Vorgeschichte, sondern auch in den Bericht in Kap. 1 gut einfügen läßt; deshalb ist es völlig abwegig, diesen Abschnitt als sekundär auszuscheiden. Dagegen hätte man von vornherein geneigt sein können, V. 17–27 im jetzigen Zusammenhang anzufechten. Das Klagelied kommt merklich zu spät.

Woher stammt das Klagelied? V. 18 b gibt die Antwort: Siehe, es steht geschrieben im »Buch der Aufrechten« (ספר הישר). Diese Quellenangabe als Glosse [148] zu streichen, ist methodisch nicht richtig, denn wozu hat man denn hier den Hinweis auf das »Buch der Aufrechten« gerade gegeben? Dieser Quellennachweis findet sich außer hier nur in Jos. 10,13 und 1. Kg. 8,13 LXX; die letzte Stelle ist jedoch etwas unsicher [149]. *E. Nielsen* [150] hält das »Buch der Aufrechter« für eine Sammlung von Liedern, »apparently of Southern, Judaean origin«, die mündlich überlieferte poetische Stücke enthalte. Nun ließe sich immerhin in Zweifel ziehen, ob der Inhalt dieser Sammlung insgesamt wirklich judäischen Ursprungs ist, denn von ihrem Inhalt ist uns nur ein verschwindend kleiner Teil bekannt. Vielmehr ist *J. Dus* der Meinung, Jos. 10,12 sei ephraimitischen Ursprungs, da der in der Tat rätselhafte Inhalt dieses Verses ursprünglich auf einen im Heiligtum zu Bethel ergangenen Bannspruch gegen die Götter in den kanaanäischen Heiligtümern in Gibeon und Ajalon Bezug nehme [151]. Wie die Dinge auch liegen mögen, das Klagelied hier in 2. Sam. 1,19 ff. ist zweifellos in Jerusalem überliefert worden. Wenngleich es kaum von David selbst verfaßt sein dürfte, ist es ihm doch in den Mund gelegt und darf auch nur so verstanden werden.

Der Inhalt des Klageliedes V. 19–27 hätte an und für sich ursprünglich in diesem Teil der Vorgeschichte einen guten Platz gehabt. Das gilt auch für die »Überschrift« in V. 18 a. Abgesehen davon, wie man das קשת dieses rätselhaften Halbverse aufzufassen hat, ist der Sinn des Halbverses einigermaßen

146. Über das Verhältnis zwischen Kap. 1 und Kap. 4 vgl. unten S. 242 f.
147. A. a. O., S. 65.
148. Vgl. z. B. *Smith,* Komm., S. 259 f.
149. LXX hat ἐν βίβλιῳ τῆς ᾠδῆς, doch hält man שיר (ᾠδη) für eine verderbte Form von ישר. In der LXX sind V. 12–13 V. 53 (a) vorangestellt, vgl. dazu *Montgomery-Gehman,* A Critical and Exegetical Comm. on the Books of Kings, S. 190 f., und *J. Dus,* VT, 10, 1960, S. 361 ff.
150. Oral Tradition, S. 51 f.
151. A. a. O., S. 353 ff. u. 359 f.

klar. David befiehlt, die Judäer (בני יהודה) etwas zu lehren; was sie lernen sollen, ist das nachstehenden Klagelied. »Die Bekanntschaft und die Verbreitung des Liedes ist also höheren Ortes gewünscht worden. Das Volk sollte um die in dem Liede bezeugte Gesinnung des Königs wissen, wie das ähnlich bei Abners Tod der Fall ist.« So versteht *Hertzberg* [152] den Zusammenhang des Gedichtes mit dem Vorhergehenden. Dennoch scheint es nicht unbedingt günstig zu sein, wenn man annimmt, durch V. 18 a werde hier ein ursprünglicher Zusammenhang hergestellt. Zunächt spricht die Zitationsformel im zweiten Halbvers dafür, daß der Dtr. seine Hand im Spiel hat; bekanntlich wimmelt es im dtr. Geschichtswerk von Zitationsformeln. Zudem verrät V. 18 a selbst dtr. Herkunft. Das למד ist für die Rahmenstücke des Dtr. bezeichnend [153]; wir haben in Dt. 31,19 eine Formulierung, die der hier in V. 18 a nahezu völlig entspricht [154]. Aus dem Grunde ist V. 18 a – ebenso wie V. 18 b – wahrscheinlich auch dtr. Dasselbe gilt möglicherweise auch für V. 17, so daß der Dtr. mit Hilfe von V. 17–18 das von ihm im »Buch der Aufrechten« gefundene Klagelied Davids über Saul und Jonathan an dieser Stelle eingefügt hat [155].

Mit Kap. 2,1–4 a folgt schließlich die erste entscheidende Station auf dem Wege Davids zur Königsherrschaft über Israel. Nach Einholung eines Jahweorakels zieht David mit seinen beiden Frauen, seinen Männern und deren Familien (בית) nach Hebron. Hier setzt er sich fest, während sich seine Männer in den Städten im Umkreis von Hebron (ערי חברון) niederlassen. Die Männer Judas kommen nach Hebron und salben David zum König über das »Haus Juda«.

David hat freilich noch nicht den Thron Israels eingenommen, doch die Herrschaft über Juda, einen Teil des Reiches König Sauls, angetreten. Dies erfolgte unmittelbar nach dem Tode Sauls (Kap. 1), vgl. אחרי כן in V. 1 a. Nimmt man die Perikope in V. 1–4 a [156] näher unter die Lupe, so wirkt sie in ihrer Knappheit nicht nur blass und konstruiert, vielmehr ist sie auch in ihren Formulierungen bisweilen nicht ganz eindeutig und mit ziemlich allgemein gehaltenen Wendungen behaftet. Überhaupt fehlen konkrete Merkmale, die sonst einer echten Überlieferung eigen sind. Die Existenz der Philister wird völlig

152. Komm., S. 195.
153. Oral Tradition, S. 49.
154. Dt 31,19: את השירה הזאת ולמדה את בני ישראל
V. 18: ללמד בני יהודה קשת
155. *Carlson* (David the Chosen King, S. 47 ff.) nimmt dagegen an, indem er auf das Klagelied über Abner in Kap. 3 hinweist, daß das Klagelied hier »an authentic element in the pre-deuteronomic epic of David« gewesen sei.
156. V. 4 b–7 unterscheidet sich insofern von V. 1–4 a, als der Blick hier auf das nächste Ziel, den Thron Israels, gerichtet wird, vgl. unten S. 226 f.

übergangen. Ganz deutlich handelt es sich ausschließlich darum, Davids Schritt als Ausdruck des Willen Jahwes darzustellen. Daher die einleitende Jahwebefragung, die Davids wichtigen Schritt legitimieren soll. Etwas gewollt wird durch die erste Orakelfrage (Soll ich in eine der Städte Judas hinaufsteigen?) das Hebron in der Antwort Jahwes vorbereitet. Abermals [157] werden die beiden Frauen Davids genannt. Unklar und ohne Parallele ist der Ausdruck »Städte Hebrons«. An welche Städte kann hier gedacht sein? Ist er durch das »Städte Judas« in V. 1 nahegelegt? Hat man bei dem Ausdruck »Städte Judas« und »Städte Hebrons« and die in Kap. 30,27 ff. erwähnten Städte zu denken? Aus welchem Grund ließen sich Davids Männer nicht in Hebron selbst nieder – wie sie sich vordem mit David in Ziklag niederliessen [158]? Die Schilderung der Salbung Davids in V. 4 a fällt wegen ihrer Kürze auf. So wird nicht einmal das Heiligtum Mamre außerhalb Hebrons erwähnt, in dem David offenbar zum König über die Juda-Amphiktyonie gesalbt wurde [159]. Außerdem hätte man wohl anstatt der nicht ganz eindeutigen »Männer Judas« das konkretere »Älteste Judas« erwarten können (vgl. Kap. 5,3).

Jedenfalls erweckt Kap. 2,1–4 a nicht den Eindruck, daß es sich hier um eine alte Überlieferung oder ein Überlieferungsfragment handelt, das dem Verfasser vorgegeben gewesen wäre. Im Gegenteil sieht es so aus, als wäre dieser Abschnitt vom Verfasser konstruiert worden. Dafür spricht die deutliche Hervorhebung, daß sich in Davids Aufstieg zum Hebron und seiner Salbung zum König der Wille Jahwes ausdrückte und die unabdingbare Voraussetzung für die Salbung Davids der Tod Sauls und damit der leere Thron war [160]. Dafür sprechen nicht zuletzt die auffallende Kürze der Perikope, ihre z. T. nachweisbare Unklarheit sowie manchmal unklaren Formulierungen. Diese Merkmale werden um so verständlicher, als Davids Salbung zum König in Hebron über das Haus Juda ja nur eine Station auf seinem Wege darstellt.

157. Betreffs Kap. 27,3 und Kap. 30,5 siehe oben Anm. 125.
158. *Smith* (Komm., S. 266) korrigiert den Plural ערי in den Singular עיר, was jedoch kaum empfehlenswert erscheint. Mit Recht macht er freilich darauf aufmerksam: Wenn bei ערי חברון an die »Städte« zu denken sei, die »in the district of which Hebron was the centre« liegen, hätte man חצרי חברון (vgl. die Städtelisten im Josuabuch) oder »Töchter« erwartet.
159. Vgl. *Noth,* Geschichte Israels, S. 167 f., und *E. Mader,* Mamre, 1957, S. 203. – Nach Meinung *B. Mazar*'s (VT, Suppl., 7, 1960, S. 197) hat die hebronitische Stammesgruppe der Kohaniter (vgl. 1. Chr. 6,2. 18; 26, 30 ff.) bei der Krönung Davids in Hebron eine entscheidende Rolle gespielt.
160. Soweit uns bekannt ist, ist *Nübel* (a. a. O., S. 67) der einzige, der schon früher zu bedenken gab, daß David vielleicht schon zu Sauls Lebzeiten zum König über Juda in Hebron gekrönt worden war. *S. A. Cook,* der überhaupt keine historische Verbindung zwischen Saul und David wahrhaben will, lassen wir hier außer Betracht. Eine solche Auffassung steht allerdings entschieden im Widerspruch zu den Überlieferungen in den Samuelbüchern.

Weitaus wichtiger ist in der Vorgeschichte die Verheißung, daß er einst den Thron Israels besteigen wird [161]. Der Verfasser hatte offenbar in diesem Zusammenhang verhältnismäßig geringes Interesse an Davids Verhältnis zu den Stämmen im Süden. Ob er überhaupt irgendeine Überlieferung über Davids Thronbesteigung in Hebron über das Haus Judas [162] gekannt hat, läßt sich natürlich nicht entscheiden. Sicher is jedoch, daß die historische Voraussetzung für Kap. 2,1–4a darin besteht, daß David eine Zeitlang König von Juda war, bevor er nach der Ermordung Eschbaals König über Israel wurde, vgl. Kap. 4 und 5.

161. Vgl. auch *Ward*, a. a. O., S. 144.
162. *Noth* (vgl. System . . ., S. 107 f. und Geschichte Israels, S. 56 ff.) nimmt an, daß der Ausdruck »Haus Juda« terminus technicus für den Stämmebund im Süden sei, indem dieser Ausdruck mit »Haus Joseph« parallel gehe. Der Ausdruck »Haus Israel« sei nach *Noth* bei der Zuordnung der Staaten Israel und Juda nach dem Vorbild des »Hauses Juda« entstanden. Diese Hypothese ist jedoch schwer zu beweisen. So findet sich der Ausdruck »Haus Juda« im dtr. Geschichtswerk nur hier in 2. Sam. 2 und taucht erst in 1. Kg. 12,21. 23 wieder auf, wo »Haus Juda« und »Haus Israel« ohne Zweifel für den jeweiligen Staat stehen. Hinzu kommt, daß »Haus Juda« besonders häufig bei den Propheten Jeremia und Hesekiel vorkommt.

KAPITEL VI

David wird König über Israel mit Jerusalem als Residenzstadt

(2. Sam. 2,4 b–5,10)

A. Der Bruderkrieg zwischen Juda und Israel (Kap. 2,4b-3,1)

Dieser Abschnitt läßt sich in folgende Bestandteile zergliedern: V. 4 b–7; V. 8–11; V. 12–3,1. V. 4 b–11 bilden die Einleitung zum Hauptstück in V. 12–3,1. Der Abschnitt stellt in sich ein zusammenhängendes Ganzes dar. Wird es David wirklich schaffen, König eines geeinten Reiches zu werden? Davids Anstrengungen, Israel auf »diplomatischem« Wege für sich zu gewinnen, schlagen fehl, da Eschbaal, König Sauls Sohn, zum König gemacht wird (V. 4 b–11). Um die Macht in einem geeinten Reich bricht ein zermürbender Bruderkrieg aus (V. 12–3,1).

Der Zusammenhang zwischen Davids Salbung zum König über Juda in Hebron (V. 1–4a) und Davids Entsendung von Boten nach Jabesch Gilead dürfte einleuchten. Die Krönung zum König über Juda ist nur ein Durchgangsstadium. Von der Komposition her wird deutlich, daß V. 1–4 a über 4 b–7 auf das in Kap. 5 erreichte Ziel zustreben: den Thron Israels. In V. 4 b–7 tritt David als »rechtmäßiger Erbe seines Schwiegervaters Saul« auf [1]; die edle Geste der Jabeschiter gegenüber ihrem König bei dessen Begräbnis (vgl. 1. Sam. 31,11–13) har selbstverständlich zur Folge – und darin liegt auch Davids Absicht –, daß sie daraufhin die in V. 1–4 a erwähnte Initiative der Judäer aufgreifen (vgl. V. 7 b) und David als den rechtmäßigen Erben des toten Königs anerkennen!

Obwohl der Inhalt von V. 4b–7 sichtlich mit der Grundintention der Vorgeschichte konform geht, könnte doch dahinter eine Überlieferung stehen, eventuell ein Überlieferungsfragment [2]. Andererseits wäre es möglich, daß V. 4 b–7 – eben auf Grund der sichtbaren Konformität mit der Grundintention der Vorgeschichte – vom Verfasser konstruiert worden sind, und zwar auf der Grundlage von Kap. 31,11–13 (vgl. 2,4 b!). Ein unmittelbarer Zusammenhang zwischen V. 4 b–7 und der folgenden Perikope wird hergestellt durch (die Einfügung von) V. 7 b und 10 b. So stellen V. 4 b–7 ein eindrucksvolles

1. *Mowinckel,* GTMMM, II, S. 236.
2. *Budde,* Komm., S. 202, meint, die Antwort der Jabeschiter sei von der »Redaktion« gestrichen worden, weil sie zu »schnöde« wirkte, vgl. auch *Mowinckel,* S. 236.

Gegenstück zu V. 8–11 dar, und wie sich V. 7 b am erreichten Endziel der Vorgeschichte orientiert, so auch V. 10 b. Zugleich erteilen V. 8–11 indirekt an Davids Bitte in V. 4 b–7 eine Absage.

Wie ist es zu dem in V. 12–3,1 näher ausgeführten Konflikt gekommen? Hat man ihn *ausschließlich* als Auswirkung des (legitimen) Machtanspruchs Davids zu verstehen? Wohl kaum, denn nach V. 12 ff. zu urteilen erheben beide Könige Anspruch auf die Macht in *ganz* Israel, im Israel Sauls. Wenn Abner nach V. 8–11 Eschbaal zum König über *ganz* Israel macht, d. h. über das Reich Sauls, ohne Einbeziehung Judas (V. 9, vgl. auch V. 10 b [3]), so hat man sich dies vom Zusammenhang her bestimmt als etwas Vorläufiges vorzustellen. Juda gehörte ja auch – und das ist die Auffassung in der ganzen Vorgeschichte – zum Reiche Sauls.

Somit bilden V. 4 b–11 die Einleitung zu der folgenden Darstellung des Bruderstreites. In dieser Einleitung werden ganz kurz die Gründe, die zu diesem Streit geführt haben, dargelegt [4]. In V. 9 wird das Reich, über das Eschbaal zum König gemacht wird, näher bezeichnet, nämlich bestehend aus Gilead, Asser [5], Jesreel (Stadt oder Ebene?), Ephraim und Benjamin. Diese nähere Bezeichnung muß unbedingt einen konkreten Bezug gehabt haben. Doch worin dieser besteht, darüber sind sich die Gelehrten nicht einig. Hat man V. 9 so zu verstehen, daß die genannten Gebiete an Eschbaal fielen, als allmählich die Philister von den Israeliten besiegt wurden? Dies vermutet *Auerbach* [6]. Hinter dieser Auffassung verbirgt sich bestenfalls eine gewagte Konstruktion von Ereignissen, deren Historizität sich jeder Überprüfbarkeit entzieht. *Hertzberg* [7] folgert aus V. 9, der mittlere Teil Palästinas, also Ephraim (einschließlich Manasse) und Benjamin sowie das Ostjordanland (Gilead), wären nach dem Tode Sauls von philistäischen Besetzung verschont geblieben, während die philistäischen Besetzungsgebiete, Galiläa (Asser) und die Jesreelebene, Eschbaal von den Philistern zum Lehen gegeben wurden. *Hertzberg*'s Auffassung enthält allerdings so viel ungelöste Probleme, daß man ihr schwer zu folgen vermag. Wieso blieb Gibea nicht weiterhin die königliche Residenzstadt? Weshalb ließ sich Eschbaal in Mahanajim nieder, wenn das Innere Israels überhaupt nicht vom Feind besetzt worden war [8]?

3. V. 10 a und 11 sind dtr., vgl. *Noth,* Überlieferungsgeschichtliche Studien, S. 63.
4. Dies hat besonders *Eissfeldt* (Nouvelle Clio, 3, 1951, S. 124) hervorgehoben.
5. Der MT האשורי kann jedenfalls nicht ursprünglich sein. Es liegt ganz offensichtlich ein Anachronismus vor. Die meisten Forscher halten den Targ. האשרי für ursprünglich. Wahrscheinlich ist der MT zu der Zeit entstanden, als der nördliche Teil von Israel bereits assyrisch war, vgl. *Hertzberg,* Komm., S. 204.
6. Wüste und gelobtes Land, S. 221.
7. Komm., S. 214.
8. Nach *Nübel* (a. a. O., S. 68) geht V. 9 a auf die Gr. zurück, wo das reale Herrschaftsgebiet Eschbaals angegeben werden, während der B. mit V. 9 b

Bemerkenswert ist die Tatsache, daß Eschbaals Erhebung zum König als ein Akt dargestellt wird, den der mächtige Abner ausführt. Die Echtheit dieser Nachricht zu bezweifeln, dafür liegt gewiß kein Grund vor. Eschbaal wird also nicht vom Volke gewählt – geschweige denn von Jahwe dazu bestimmt. Von vornherein scheint sein Königreich in der Luft zu hängen [9]. Das israelitische Reich Eschbaals beruht demnach sicher auf einer ausgesprochen illusorischen Grundlage. Einigen Gebieten in V. 9 – sei es aus historischen oder literarkritischen Erwägungen heraus – vorzugsweise konkretere Bedeutung beimessen zu wollen, dürfte von daher kaum empfehlenswert sein. In V. 9 ist lediglich der Machtanspruch Eschbaals ausgedrückt, und zwar unmittelbar und klar umrissen; zudem geht aus dem Zusammenhang hervor, daß er mit seinem Anspruch nicht allein steht. Der Anspruch seines Nebenbuhlers David kommt in V. 4 b–7 unmittelbar zum Ausdruck.

Woher stammt eigentlich die auffallend genaue Bezeichnung der von Eschbaal – oder richtiger von Abner für diesen – beanspruchten Gebiete? An sich hätte man etwa nur »Israel«, »seines Vaters, Sauls Reich« oder Ähnliches erwartet. Nun betrachtet *Alt* [10] gerade die Liste in V. 9 »als den eisernen Bestand des Reiches Israel im Zeitalter seines Werdens«. In dieser Liste zeigten sich die gleichen charakteristischen Merkmale wie in der Statistik über die Stadtstaaten in Ri. 1: ein Israel, das aus israelitischen Stämmen und deren Gebiete besteht, ausgenommen die nicht-israelitischen Stadtstaaten [11]. *Alt*'s Auffassung hat viel für sich, wie wenig Beachtung sie auch gefunden zu haben scheint. In diesem Vers steckt eine wertvolle Aussage über den Umfang des Reiches Sauls, das territoriale Ausmaß von *ganz* Israel (ישראל כלה), des ganzen damaligen Israels; diese Aussage ist indessen vom Verfasser durch V. 10 b nuanciert oder korrigiert worden – nur das Haus Juda folgte David! Dagegen sagt V. 9 über das Ausmaß des Reiches des Sohnes Sauls und »Nachfolers« nichts aus [12].

Dem Verfasser hat also allem Anschein nach in V. 9 – und auch in V. 8 – eine alte und historisch wertvolle Überlieferung zur Verfügung gestanden.

seine Machtansprüche geltend mache. Abgesehen von der Fragwürdigkeit einer Aufteilung von V. 9 auf zwei Quellenschriften – für die im wesentlichen der Gebrauch von על und אל in a bzw. b ins Feld geführt wird – wirkt es doch überraschend, daß Eschbaal nach der Gr. wirklich über Jesreel herrschen sollte.

9. Treffend bezeichnet *Bright* (A History of Israel, S. 175) seine Regierung als »a refugee government«.
10. Kleine Schriften, I, S. 116 f.
11. Was die Liste über die nicht eroberten Städte in Ri. 1 anbetrifft, siehe *Aharoni,* The Land of the Bible, S. 212 ff.
12. Gegen *Alt,* der annimmt, diese Gebiete hätten nach dem Tode Sauls Eschbaal anerkannt.

Wenn sich somit die Gebiete in V. 9 auf das Reich Sauls beziehen [13], als es noch als Reich Bestand hatte [14] – und also grundsätzlich in keinem Zusammenhang mit den Verhältnissen nach dem Untergang dieses Reiches (vgl. 1. Sam. 31) stehen, geschweige denn mit Eschbaals Reich – wird die in der vorliegenden Abhandlung vertretene Auffassung, daß das Reich Sauls Juda im Süden nicht mit umfaßt hat, bestätigt. Historisch gesehen ist der Konflikt zwischen Eschbaal/Abner und David vermutlich durch letzteren ausgelöst worden, und zwar auf Grund der Ambitionen Davids in Richtung Norden, während Eschbaals Machtanspruch Juda nicht miteinbezog.

Wie die Darstellung des Bruderkrieges zwischen Eschbaal und David in K. 2, 12–3,1 zeigt, entwickelt sich aus einem Kampfspiel (V. 14–16) ein regulärer Kampf (V. 17 a), in dessen Verlauf Abner und die Männer Israels (אנשי ישראל) in die Flucht geschlagen werden. Die Verfolgung dieser Geschlagenen, bei der ein Sohn Zerujas, Asael, von Abner getötet wird, dauert bis zum Sonnenuntergang, wo sie schließlich auf Abners Anordnung hin abgebrochen wird (V. 18–28). Die beiden Heere ziehen sich danach nach Mahanajim bzw. Hebron (V. 29. 32 b), d. h. auf ihre Ausgangspositionen zurück (vgl. V. 12–13). Der Krieg zieht sich in die Länge, doch gewinnt David immer mehr die Oberhand (Kap. 3,1).

Scheinbar handelt es sich hier um einen konkreten Kampfbericht, der in trefflicher Weise Davids zunehmende militärische Überlegenheit erkennen läßt (vgl. die Verlustliste in V. 30 f.), vgl. 3,1 b. Konkrete Angaben über den Fortgang dieser Kämpfe, vgl. 3,1 a [15], werden im folgenden nicht gemacht, wo man nur etwas über gewisse Verhältnisse während dieser Kämpfe erfährt, vgl. 3,6 [16]. Der in 3,22 erwähnte Streifzug (גדוד) ist nicht gegen Eschbaal gerichtet, sondern wahrscheinlich gegen die Beduinenstämme im Süden.

Budde [17] sowie *Mowinckel* [18] schreiben V. 12–3,1 der Quelle »J« zu. Ihrer Meinung nach hätten wir hier im ganzen ein einheitliches Stück vorzu-

13. Vielleicht haben wir in 2. Sam. 2,9 ein Zeugnis für eine (beginnende) Provinzeinteilung unter König Saul? Wollte man das bejahen, so läge hier die Keim für Salomos Provinzeinteilung, 1. Kg. 4,7 b–19. Gilead, vgl. 1. Kg. 4,13; *Alt* korrigiert in V. 19 in Gad (Kleine Schriften, II, S. 83), während *Albright* von zwei Gilead-Distrikten spricht (JPOS, 5, 1925, S. 34 f.), vgl. auch *Montgomery-Gehman,* Kings, S. 121 f. Asser, vgl. 1. Kg. 4,16. Jesreel wird in 1. Kg. 4 nicht erwähnt, dagegen Isaschar, V. 17. Ephraim, vgl. 1. Kg. 4,8. Benjamin, vgl. 1. Kg. 4,18.
14. Jesreel in V. 9 bezeichnet nach der hier vertretenen Auffassung nicht die Ebene, was sozusagen einstimmig von den Auslegern angenommen wird, sondern die Stadt Jesreel, die nach Jos. 19,18 zum Gebiet Isaschars gehörte, vgl. *Alt,* Kleine Schriften, I, S. 116.
15. Vgl. 1. Kg. 14,30.
16. Vgl. unten S. 235.
17. Komm., S. 200 f., 204 ff.

liegen [19]. *Mowinckel* ist sich jedoch des unheitlichen Charakters des Berichts durchaus bewußt, wenn er die Traditionsgrundlage für J ausfindig zu machen sucht. So möchte er hier zwei miteinander verkoppelte Überlieferungen erkennen, eine Kampfspiel-Tradition in V. 14–16[20] und eine Tradition in V. 18 ff., die ebenfalls ein Kampfspiel zum Thema zu haben scheint, diesmal jedoch in der Form eines Wettlaufs, bei dem es darum geht, sich dem Gegner zu nähern und ihm seine Rüstung (חלצה) abzunehmen, V. 21 a [21]. Interessant ist die ausdrückliche Betonung *Mowinkel's*, der Bericht nach J deute nicht auf einen regulären Krieg hin. Wie bereits erwähnt, kann jedenfalls nur in Kap. 2,17 ff. von einem regulären Krieg zwischen Eschbaal und David die Rede sein (vgl. doch unten). Ansonsten erfahren wir im folgenden nichts Derartiges.

V. 14–16 behandeln – wie gesagt – ein Kampfspiel (vgl. וישחקו [22]). *Y. Sukenik,* der überraschend neues Licht in den Inhalt von V. 14 ff. gebracht hat [23], spricht von einem Kampf um »life-and-death«. Der Ausgang des Kampfes der Zwölf sei entscheidend für den Ausgang des Streites zwischen den beiden Parteien, die sie vertreten. Die Zwölf kämpfen stellvertretend [24].

Es wird konkret um die Macht im geeinten Reich gekämpft, was unzweifelhaft aus der Zahl der Kämpfenden deutlich wird [25]. Doch geht das Kampfspiel unentschieden aus. Alle bleiben auf der Strecke liegen. Daraufhin kommt es zu einem richtigen Kampf, V. 17. Jedenfalls wird dies durch den jetzigen

18. GTMMM, II, S. 235 f.
19. Diese Einheitlichkeit wird besonders von *Eissfeldt,* Nouvelle Clio, 3, 1951, geltend gemacht.
20. Nach *Budde* stellt das »Kampfspiel« in V. 14–16 eine den Gang der Handlung störende Episode dar, und V. 17 ff. hätten ursprünglich wohl eher unmittelbar hinter V. 13 gestanden.
21. *C. H. Gordon* hat in seiner Abhandlung »Belt-wrestling in the Bible World«, HUCA, XXIII, 1950–51, S. 132, nachgewiesen, daß mit חלצה nicht eine »Rüstung« gemeint sein könne, sondern das im AT und sonst im damaligen Orient bekannte »Gürtelreißen« (»wrestling-belt«), »the most prized of heroic trophies«.
22. *Hertzberg,* S. 205 f., vgl. auch *Eissfeldt,* a. a. O., S. 118 ff., der für die Bedeutung »Fechten« eintritt; übrigens ist dieser Vorschlag schon von *Thenius,* Komm., S. 164 gemacht worden.
23. Vgl. Let the Young Men, I Pray Thee, Arise and Play before Us, JPOS, 21, 1948, S. 110–116. *Sukenik* weist u. a. auf ein Relief von tell halaf hin, auf dem zwei Krieger zu sehen sind, die sich gegenseitig an den Kopf greifen und sich die Schwerter in die Seiten stechen. Eine überzeugende Illustration zu V. 16!
24. Vgl. *Sukenik,* a. a. O., S. 114 f. *Sukenik* stellt einen Vergleich mit dem David–Goliath-Kampf, Kap. 17,8 f. an. »These fights between picked warriors were not supposed to be a cruel entertainment *before* the battle, but were meant to come *instead* of the battle.«
25. Vgl. *Eissfeldt,* a. a. O., S. 126 f.

Zusammenhang nahegelegt. Denn etwas deutet darauf hin, daß V. 17 ursprünglich nicht zu der Überlieferung in V. 14–16 gehört hat [26]. In V. 14–16 haben wir nämlich eine Ortssage, eine volksetymologische Legende, vgl. חלקת הצרים [27]. Nach dem volksetymologischen Motiv erwartet man auch nichts mehr [28].

Demnach stellt V. 17 wahrscheinlich ein Bindeglied zwischen den beiden ursprünglich selbständigen Überlieferungen in V. 14–16 und V. 18 ff. dar. Mit V. 18 setzt nämlich, gemessen an V. 17, etwas anderes ein. Natürlich sieht man in dem in V. 18 ff. Berichteten eine Episode, die sich auf der Flucht der Männer Israels nach ihrer Niederlage zugetragen habe, V. 17. So hat auch der Erzähler den Zusammenhang von V. 17 mit V. 18 ff. aufgefaßt. Dennoch unterscheidet sich V. 18 ff. wesentlich von V. 17. In V. 17 ist nämlich von der Flucht nach einer regulären Schlacht die Rede, wohingegen die Verfolgung in V. 18ff. nicht unbedingt den Eindruck macht, daß sie in der »üblichen« Weise vonstatten ging. Immerhin liegt in V. 17 der Akzent auf regulär kämpfenden *Heeren,* während in V. 18 ff. die Einzelpersonen im Brennpunkt stehen. In V. 18ff. wird Joab als einer der Zerujasöhne erwähnt, sonst tritt er in V. 12–32 als Heerführer in Erscheinung. Wichtiger ist jedoch, daß der Inhalt von V. 18 ff. nicht den Eindruck einer Episode erweckt, die sich während einer regulären Flucht abgespielt hätte, sondern auf die Beschreibung eines Kampfspieles hinzuweisen scheint. So kommt es einem bei

26. Vgl. schon *Budde,* Komm., S. 200.
27. Über die Schwierigkeit, die Lesart חלקת הצרים aus der Episode in V. 14 ff. volksetymologisch herzuleiten, besteht kaum ein Zweifel. Es gibt viele Korrekturvorschläge, vgl. *Driver,* Notes, S. 242 f. Am einleuchtendsten ist bestimmt הצדים unter Hinweis auf בצד, V. 16 a. – *L. W. Batten*'s Ansicht über die Etymologie kann man nicht teilen, da sie auf einer falschen Deutung der Episode in V. 14 ff. beruht (Helkath Hazzurim, ZAW, 26, 1906, S. 90 ff.). Die Benjaminiter hätten nämlich – gegen die Spielregeln – ihre Schwerter versteckt (vgl. den linkshändigen, benjaminitischen Ehud, Ri. 3,12 ff.), die sie dann in die Männer Davids hineinstießen, die samt und sonders zu Boden gingen. (Das Spiel endete also nicht unentschieden! Und die Stätte wäre חלקת הצֻּרִים, »the field of the treacherous fellows« (vgl. LXX: μερις τῶν ἐπιβούλων) genannt worden. Eins der Argumente läuft darauf hinaus, daß die Kämpfer, wenn sie sich – wie es heißt – gegenseitig an den Kopf griffen, natürlich unbewaffnet gewesen sein müssen. Dieses Argument ist allerdings durch *Sukenik*'s oben in Anmerkung 23 erwähnte Untersuchung entkräftet worden. Daher besteht kein Grund dazu, in diesem Zusammenhang Ehud heranzuziehen!
28. V. 12–13 sind wahrscheinlich – ebenso wie V. 29 und V. 32 b – vom Verfasser formuliert, da diesem bekannt war, daß Hebron die Residenzstadt Davids und Mahanajim die Eschbaals waren. Hinzu kommt, daß der Verfasser offenbar gewußt hat, daß der Ort in V. 16 b am Teich Gibeons lag (Über diesen Teich siehe *Pritchard,* Gibeons History, VT, Suppl., 1960, S. 9). Somit kann Kap. 2,12–3,1 nicht als unmittelbar historische Quelle gelten. (*Eissfeldt* freilich hält sie für eine solche, Nouvelle Clio, 3, 1951, S. 124 ff.)

der Verfolgung Asaels von Abner eher vor, als handele es sich hier um die Verfolgung bei einem Wettlauf und nicht nach einer Niederlage. Wäre nämlich letzteres der Fall gewesen, hätte sich Abner kaum geweigert, seinen Verfolger zu töten. Trotz des Unmutes, Blutschuld auf sich zu laden, und seiner Aufforderung, Asael möge einen חלצה von einem der Krieger nehmen – anstelle seines eigenen, was für Abner unehrenhaft gewesen wäre – beharrt Asael darauf und wird getötet. Um Blutrache zu nehmen, verfolgen die beiden anderen Zerujasöhne Abner; dieser wird jedoch von seinen Leuten gerettet, die auf einer Anhöhe einen Kreis um ihn bilden. Auf diese – für Joab und Abisai völlig erfolglose – Weise endet die Episode. Also wie in V. 14–16 unentschieden [29]!

Soviel läßt sich aus der Episode in V. 18–25 schließen. Es handelt sich um ein Kampfspiel in der Art eines Wettlaufs, wobei es gilt, dem Gegner den Gürtel zu entreißen. Natürlich ist das kein Sport nach unseren heutigen Begriffen, aber auch kein regulärer Kampf. Ob Abners Mord an Asael zu rechtfertigen ist oder nicht, läßt sich aus dem Bericht selbst nicht entnehmen [30]. Die Anzahl der am Kampfspiel Beteiligten ist ebenfalls aus dem Bericht nicht ersichtlich. Möglicherweise handelt es sich – wie in V. 14 ff. – auch um eine (mit Gibeat-Amma, das östlich von Gia auf dem Wege in die Wüste Geba liegt, verbundene) Lokalüberlieferung [31].

Sollte unsere soeben vorgenommene Deutung von V. 14–16 und V. 18–25 richtig sein, so hat der Verfasser zwei ihm bekannte Überlieferungen über im Gebiet Benjamin [32] stattgefundene Kampfspiele zwischen Eschbaals und Davids Leuten dazu benutzt, um einen regulären Kampf zwischen Juda, oder besser Davids Leuten, und Israel um die Herrschaft in einem geeinten Reich zu illustrieren. Diese beiden Überlieferungen sind durch V. 17 miteinander verknüpft worden: Die in V. 18 ff. enthaltene Episode wurde so gedeutet, daß in ihr die Leute Davids die Männer Israels, die in einem als Folge des unentschieden ausgegangenen Kampfspieles (V. 14–16) entstandenen erbitterten Kampf besiegt und in die Flucht geschlagen werden, verfolgen. Aus alledem ergibt sich die Unklarheit des ganzen Berichts, in dem das Kampfspiel-

29. Was V. 26–27 angeht, vgl. unten S. 233 f.
30. Unbedingt betont werden muß, daß »sport and bloodshed were not mutually exclusive«, *Gordon,* a. a. O., S. 132, Anm. 6.
31. Bezüglich dieser Orte siehe *Dalman,* Fluchtweg Abners von 2. Sam. 2, PJB, 8, 1913, S. 14 f. Geba statt Gibeon, siehe Komm.
32. Den Ort in V. 16 b har man zweifellos in unmittelbare Nähe Gibeons zu suchen, vgl. oben Anm. 28. Weshalb trafen Davids und Eschbaals Leute gerade hier aufeinander? Vielleicht weil es hier einen Durchgang zwischen Süden und Norden gab. Sauls Unterwerfung dieser Stadt verfolgte vor allem den Zweck, in den Ring der Städte eine Bresche zu schlagen, die die Südstämme von den Nordstämme trennte, vgl. *Auerbach,* Wüste und gelobtes Land, S. 185 ff.

Motiv dem Kampf-Motiv untergeordnet und von ihm umgeformt worden ist, vgl. V. 17. 28 und Kap. 3,1; diese Verse bilden sozusagen das Gerüst des Berichts. Da in der Tat das Kampf-Motiv dem ganzen Bericht seinen Charakter verleiht und ihn zugleich gliedert, liegt wohl die Schlußfolgerung sehr nahe, daß man dieses Motiv auf den Verfasser zurückführen hat.

Läßt sich nun auf noch andere Weise unsere Auffassung über das Zustandekommen des in Kap. 2,4 b–Kap. 3,1 enthaltenen Berichts zusätzlich begründen und ergänzen? Dabei möchten wir darauf aufmerksam machen, daß auch im Blick auf die Benennung von Eschbaals Leuten Unklarheit besteht [33]. Die Bezeichnung »die Leute Eschbaals, des Sohnes Sauls« in V. 12 wird in V. 15 durch »Benjamin« ersetzt, vgl. ferner V. 31 (neben »Abners Leuten«) und V. 25 (בני בנימין). Hinzu kommt, daß es in V. 17 »Männer Israels« und in V. 28 einfach »Israel« heißt. Wieso wechseln die Bezeichnungen für die Männer Eschbaals [34]? Das Problem hat man sicher von der Zielsetzung des Berichts her anzupacken: Wer wird letzten Endes König über das Israel Sauls werden? Werden die beiden Reiche, Israel und Juda, wieder unter einem König – wie zur Zeit Sauls – vereinigt werden? Kommt dafür eine Dynastie Sauls oder David in Frage, vgl. Kap. 3,1? Wenn dies das bereits in der Einleitung V. 4b–9. 10 b angeschnittene Hauptthema ist, wird einem klar, daß man überall dort, wo Israel als Bezeichnung für den Gegner der Leute Davids gebraucht wird, von vornherein die Hand des Verfassers zu sehen hat, dem wir den Bericht als solchen zu verdanken haben. Dies könnte kaum besser zu dem oben Dargelegten passen, denn gerade in den Versen 17 und 28, welche die Schilderung der Verfolgung der in die Flucht Geschlagenen einleiten bzw. abschließen, kommt die Bezeichnung »Israel« für den Gegner der Leute Davids vor.

Beachtenswert ist ferner, daß sich die Bezeichnung »Benjamin« für Eschbaals Leute ausgerechnet in den beiden Kampfspiel-Überlieferungen findet, und zwar in V. 15 und V. 25 [35]. Problematisch ist allerdings das Vorkommen von »Benjamin« in V. 31, also eindeutig in Verbindung mit dem Kampf-Motiv. Die Verlustliste in V. 30f. kann sich angesichts der hohen Zahl der Gefallenen in den Reihen des Feindes nur auf Verluste in einem regulären Krieg beziehen! Wenn man zu entscheiden hat, wann es zu diesen

33. Dagegen taucht der Ausdruck »Leute Davids« später in dem Bericht wieder auf, vgl. V. 15. 17 sowie V. 30; in V. 32 findet sich der Ausdruck »Joab und seine Männer«, was V. 29: »Abners und Eschbaals Männer«, entspräche.

34. Merkwürdigerweise ficht *Budde* (Komm., S. 200 f.) der Wechsel der Bezeichnungen nicht an, auch *Nübel* nicht, der dem Abschnitt 2,12–3,1 nur ca. 3 Zeilen einräumt! (A. a. O., S. 68 f.).

35. Als historisch ansehen darf man, daß nicht Juda und Israel in ihrer Gesamtheit einander gegenübergestanden haben, sondern die Leute Davids und Eschbaals (vgl. V. 12 f.) wobei letztere mit den Benjaminitern, Eschbaals Gefolgschaft (vgl. 1. Sam. 22,7!), identisch sind.

Verlusten gekommen sein könnte, dann läßt uns der Bericht allerdings darüber im unklaren. Vor oder während der Verfolgung? Ersteres dürfte angesichts der in V. 17 zum Ausdruck gebrachten Härte des Kampfes am nächstliegendsten sein. Anderes spricht jedoch für, daß auch bei der Verfolgung selbst mit Verlusten zu rechnen ist. So findet sich in V. 30 Asael unter den Gefallenen. Auch wird die Verfolgung unverkennbar wie die eines geschlagenen Heeres aufgefaßt, vgl. V. 17 und 28. Schließlich sei noch auf V. 26–27 hingewiesen, besonders auf V. 26 a: Soll das Schwert ewig verzehren? Wenn also die Bezeichnung »Benjaminiter« für Eschbaals Leute in der Verlustliste in V. 31 auftaucht [36], die sich auf die Gefallenen bei der unmittelbar zuvor geschilderten Verfolgung bezieht, ist das gewiß ein plausibler Grund dafür, daß hier diese Bezeichnung, wenngleich in Verbindung mit dem Kampf-Motiv, für Eschbaals Leute gebraucht wird.

Hoffentlich ist es uns gelungen, den Beweis dafür zu erbringen, daß der Wechsel in der Bezeichnung für die Leute Eschbaals in V. 12–32 nicht zufällig ist, sondern wohl dem Charakter des ganzes Berichtes entspricht [37]. So bedürfen eigentlich nur noch V. 26–27 der Erwähnung. Daß diese Verse nicht zur Kampfspiel-Überlieferung in V. 18 ff. gehören können, geht schon daraus hervor, daß Joabs Bereitschaft, auf Abners Anraten hin die Verfolgung angesichts der Blutschuld, die Abner auf sich geladen habe, einzustellen, unverständlich wirkt. Vom Vorhergehenden her gesehen, ergäben V. 18–25 auch ohne V. 26–27 ein durchaus gutes Verständnis. Übrigens geht es in V. 26–27 um die Beziehung zwischen zwei Heeren und nicht um die zwischen Abner und den Zerujasöhnen. Es handelt sich um die zwischen diesen beiden Verbänden bestehende Beziehung, die von Abner als ein Bruderverhältnis gekennzeichnet wird – und von Joab Zustimmung erfährt (vgl. V. 26 b und 27 b). Nun setzt diese Bruderverhältnis selbstverständlich voraus, daß Juda, dem Davids Leute angehören, und Israel zu Sauls Reich gehört haben. Diese Auffassung entspricht aber nicht der historischen Wirklichkeit. In ihr drückt sich wiederum die Tendenz der ganzen Vorgeschichte aus. Tatsächlich sind die Verhältnisse zur Zeit Davids vorausgesetzt, als Süden und Norden unter einem König vereint wurden. Trotzdem erhebt sich die Frage, ob sich das Bruderverhältnis nur auf Juda und Israel schlechthin bezieht. Bemerkenswert ist nämlich, daß die Episode, an die sich der in V. 26 f. wiedergegebene Wortwechsel zwischen Abner und Joab anschließt, von Abner handelt, der von seinen Stammesgenossen, den Benjaminitern, umringt wird, V. 25. Das deutet darauf

36. Natürlich kann man aus der Verlustliste in V. 31 – vgl. V. 30 – nicht die historische Folgerung ziehen, daß ein regulärer Kampf stattgefunden habe. Historisch etwas auf diese Zahlen zu geben, sei – so *Gressmann* (Die älteste Geschichtsschreibung, 1921, S. 129) – ein Wagnis.

37. So hat *S. A. Cook* grundsätzlich recht, wenn er die Israel- und Benjaminstücke zwei verschiedenen »Quellen« zuweist, AJSL, 16, 1900, S. 146. 149 f.

hin, daß sich das Bruderverhältnis zugleich und in erster Linie auf das Verhältnis zwischen den Leuten Davids, also den Judäern, und den Benjaminitern bezieht. Ist dies richtig gesehen, so haben wir auch hier ein Merkmal, das die Intention der ganzen Vorgeschichte deutlich werden läßt – und von dieser deutlich gemacht wird: den *Judäer* David als legitimen Erben des *Benjaminiters* Saul vor Augen zu führen. Das wiederum würde bedeuten, daß V. 26–27 von dem herrühren, der hinter der Vorgeschichte steht [38].

B. Abners Tod (Kap. 3,2-39)

Nach einer Liste über Davids Söhne (V. 1 b–5) wird berichtet, daß Abner, als König Eschbaal ihm vorwarf, sich mit Sauls Nebenfrau Rizpa eingelassen zu haben, David melden läßt, er wolle von jetzt ab auf seiner Seite stehen (V. 7–11). David indes fordert Sauls Tochter Michal zurück, was denn auch auf Eschbaals Veranlassung hin geschieht (V. 12–16). Abner gewinnt die Sympathie der Ältesten Israels und der Benjaminiter, danach kommt er nach Hebron (V. 17–21). Von Joab wird er aus Rache für den Tod seines Bruders Asael getötet (V. 22–27). David erklärt sich in feierlicher Weise am Tode Abners für unschuldig und verbannt Joab und sein Geschlecht mit scharfen Worten. Landestrauer wird ausgerufen und Abner in Hebron begraben (V. 28–39).

Die Parteien in diesem Konflikt sind nicht nur die beiden Könige, sondern in Wirklichkeit die beiden Königshäuser, das Haus Sauls und das Haus Davids [39]. Das kommt in Kap. 3 deutlich zum Ausdruck. Das Kampf-Motiv ist hier gänzlich aufgegeben, der Konflikt zwischen den beiden Königshäusern bewegt sich auf »diplomatischer« Ebene. Von literarkritischer Seite [40] möchte man freilich unter Hinweis auf die LXX das בית vor דוד in Kap. 3,1 a und 6 a streichen. Das sieht sehr nach Willkür aus. Der Ausdruck »Haus Davids« ist nämlich gerechtfertigt durch die dazwischen gestellte Liste der David in Hebron geborenen Söhne, Kap. 3,2–5. Diese aus dem offiziellen Staatsarchiv stammende Liste [41] wird im allgemeinen für ein späteren Einschub gehalten [42]. Dies vermag kaum zu überzeugen. Die Liste bildet, wie gesagt, die

38. In VT, 15, 1965, S. 428, argumentiert der Verfasser vorliegendes Buches für einen Zusammenhang zwischen V. 26–27 und 1. Kg. 12,22 ff.; vgl. auch *H. Seebass,* Zur Königserhebung Jerobeams I, VT, 17, 1967, S. 329. Hiergegen jedoch *Noth,* Könige, S. 279.
39. Vgl. Kap. 2,12 f., wo von Eschbaals und Davids Leuten die Rede ist.
40. Vgl. *Budde* (Komm., S. 208), *Mowinckel* (GTMMM, II, S. 238 f.); *Wellhausen* (Der Text . . ., S. 157).
41. Vgl. *Jacob,* La Tradition historique, S. 48 ff.
42. *Noth* (Überlieferungsgeschichtliche Studien, S. 63, Anm. 3) ist der Meinung, daß der Einschub – gemeinsam mit V. 6 a »als Überleitung« – nicht erst

Grundlage für den Ausdruck »Haus Davids« in V. 1, da in ihm die Familie Davids in Hebron, seine Frauen und Söhne aufgezählt werden [43].

V. 1 wird nach der Liste V. 2 ff. in V. 6 wieder aufgenommen [44]. Infolge des Bruches zwischen Abner und Eschbaal tritt der Konflikt zwischen den beiden Königen um die Herrschaft in ganz Israel, V. 12 [45], in eine ganz neue Phase. Über den Krieg (oder eine Fortsetzung desselben) erfahren wir nichts. Das Neue hingegen zeichnet sich in einer Hofintrige in Mahanajim [46] ab. Eigentümlicherweise erfreut sich Abner großer Sympathie. Das wird in Kap. 3 noch stärker sichtbar als im vorigen Kapitel. Das trifft übrigens nicht nur für den Schlußteil des Abschnitts, V. 28–39, zu, wo sie ganz offensichtlich ist, sondern sie beherrscht auch den Anfang des Berichts. So dürfte die Reaktion König Eschbaals Abner gegenüber nach der damaligen Lage der Dinge ganz natürlich und gerechtfertigt sein [47]. Der Erzähler hat offenbar versucht, die wirklichen Verhältnisse zu verschleiern. Er läßt Abner, der nicht mit dem Thronprätendenten in Hebron [48] über einen Leisten geschlagen

vom Dtr. vorgenommen worden sie, sondern zu einem früheren Zeitpunkt, als die Geschichte von »Davids Aufstieg« mit der Thronfolgegeschichte zusammengefügt wurde.

43. Charakteristisch ist folgender Sachverhalt: Während die Hälfte der Namen der Söhne in Kap. 3,2–5 Jahwenamen sind, findet sich unter den Namen der in Jerusalem geborenen Söhne ein einziger. Dies ist ein Beweis dafür, daß in kultisch-religiöser Beziehung von Davids Zeit in Hebron bis zu seiner jerusalemer Zeit eine Entwicklung stattgefunden hat; vgl. dazu *Nyberg,* Studien zum Religionskampf im AT, Archiv für Religionswissenschaft, 1938, S. 373 f.
44. Das Verständnis von מתחזק bereitet Schwierigkeiten. Entweder ist der Sinn der, daß Abner im Hause Sauls immer mehr Macht bekam (die Mehrzahl der Ausleger), oder daß Abner das Haus Sauls tatkräftig unterstützte (vgl. z. B. *Nowack,* Komm., S. 160; *Koehler-Baumgartner*). In sprachlicher Hinsicht sind wohl beide Auffassungen möglich, doch als – eine Art negativer – Überschrift zum Folgenden erscheint letztere Auffassung am sinnvollsten. Im folgenden wird nämlich deutlich, wie verhängnisvoll sich Abners fehlende Unterstützung erweisen sollte. Das geht auch aus Kap. 4,1 hervor, wo berichtet wird, daß Abners Tod bei Eschbaal ein Verlieren des Mutes verursacht und ganz Israel in Erschrecken gerät.
45. כל ישראל kommt in dem Schlußabschnitt der Vorgeschichte, Kap. 2,4 b–5,10, verhältnismäßig oft vor; und zwar in 2,9 – hier jedoch ישראל כלה –; 3,12. 21. 37; 4,1. Diese Stellen in der umfassenden Bedeutung = Israel und Juda.
46. Daß Eschbaals Residenz bis zu seinem Tode Mahanajim war, geht aus Kap. 4,7 hervor, vgl. auch Kap. 2,29.
47. Vgl. 2. Sam. 16,22; 1. Kg. 2,13 ff.
48. ראש הכלב hat man wahrscheinlich mit »Hundskopf« zu übersetzen, vgl. LXX: κεφαλη κυνός, eine ungemein geringschätzige Bezeichnung Davids, der ja dann offenbar das gleiche Ziel verfolgt, das Eschbaal Abner zum Vorwurf macht. Was die unterschiedlichen Auffassungen über ראשהכלב anbetrifft, siehe

werden möchte, sich maßlos entrüstet fühlen und die Sache als Bagatelle abtun. Außerdem sei darauf aufmerksam gemacht, daß das, was Abner in V. 12–21 treibt, nur als schändlicher Verrat bezeichnet werden kann. Zu einem solchen Urteil kommt der Erzähler jedoch nicht, im Gegenteil wird Abner gerühmt, und zwar auf Kosten Joabs, Davids treuen Feldherrn, der übrigens, wenn es um die Rächung des Todes seines Bruders geht, mit der Tötung Abner nur seiner Pflicht nachkommt, V. 27 b [49].

Warum diese positive Einstellung zu Abner? Und die entsprechende Mißbilligung Joabs und der übrigen Zerujasöhne? Die Antwort hat man u.a. im Ablauf des Geschehens selbst zu suchen. Abner brachte David – eine Zeitlang – dem endgültigen Ziel näher: dem Thron Israels (vgl. V. 10 b!), während Joab die Verwirklichung wieder in ungewisse Zukunft rücken ließ. Mit größtem Eifer arbeitete Joab für David während der ganzen Zeit seiner Regierung, oft mit Fanatismus und Grausamkeit (vgl. 2. Sam. 18,5 ff.; 20,8 ff.). Zum Verhängnis wurde ihm jedoch, daß er auf das falsche Pferd gesetzt hatte, auf Adonia und nicht auf Salomo, vgl. 1. Kg. 1,7 [50]. Mit der Thronbesteigung Salomos kommt es zur endgültigen Liquidierung des Einflusses der »judäischen Partei«[51] in Jerusalem. Dieser Umstand gibt in bezug auf die Abfassung der Vorgeschichte einen Fingerzeig für den terminus ante quo. Die Vorgeschichte ist erst nach der Thronbesteigung Salomos nach David denkbar. Und die Kreise, in denen man ihre Entstehung vermuten darf, sind vornehmlich jerusalemische Kreise, die gegen die Judäer Front machen. Die ungeheure Abneigung gegen Joab – und die Zerujasöhne – ist also nicht ausschließlich persönlich gegen Joab gerichtet, sondern gegen Juda ganz allgemein. Die anti-

D. W. Thomas, Kalebh »dog«: its origin and some usages of it in the OT, VT, 10, 1960, S. 417–23. *Thomas'* eigene Auffassung ist »a dog-faced baboon« (vgl. Symmachus: κυνοκέφαλος), von Abner auf sich selbst bezogen, vgl. a. a. O., S. 421 ff. Siehe übrigens unten Anm. 69.

49. V. 30 mit dem unmittelbaren Bezug auf Kap. 2 könnte eine später eingeschobene »Entschuldigung« für Joab sein, womit betont werden soll, daß Joab (und Asael) ihre Pflicht taten.

50. Übrigens ist es eigenartig, daß die Liquidierung Joabs durch Salomo in der Thronfolgegeschichte im letzten auf den Willen Davids auf dem Totenlager zurückgeführt wird, 1. Kg. 2,28 ff., vgl. 2,5: Joab hat in *Friedenszeit* im *Kriege* vergossenes Blut gerächt. In bezug auf die Tötung Abners würde dies gar nicht übel zu 2. Sam. 3,19 ff. passen, obwohl Kap. 3 aufs Ganze gesehen im Zeichen des Krieges steht, V. 6.

    Selbst wenn die Vorgeschichte älter sein sollte als die Thronfolgegeschichte (vgl. Einleitung: Anm. 11), braucht die oben erwähnte Analogie nicht gleich zu bedeuten, daß die Thronfolgegeschichte (1. Kg. 2,5) von der Vorgeschichte (2. Sam. 3,19 ff.) abhängig sei.

51. Zu diesem Ausdruck siehe *Bentzen,* Studier over det zadokidiske Præsteskabs Historie, S. 17 f.

judäische Tendenz läßt sich auch anderen Stellen in der Vorgeschichte abspüren [52].

Kap. 3 ist also ganz von dem Endziel des umfassenden Strebens Davids beherrscht: der Königsherrschaft über ein einheitliches Israel. Wer David diesem Ziel näher bringt, wird gepriesen, wer sich ihm in den Weg stellt, wird verurteilt. In diesem Licht hat man das Rühmen Abners und die Verurteilung Joabs zu sehen. In Wirklichkeit heiligt der Zweck derart hartnäckig die Mittel, daß dabei am Ende die Anerkennung eines Verräters und die Verurteilung eines Helden herauskommt. Wenn man darüber hinaus noch historische Überlegungen miteinbezieht – und das erscheint gewissermaßen unumgänglich, da der Erzähler die von ihm benutzten Überlieferungen in so starkem Maße geprägt hat, daß sie sich aus seiner Darstellung nicht herauskristallisieren lassen – kann man sicher auf indirektem Wege Folgendes ermitteln: Abner, der ursprünglich durch seine Verbindung mit Sauls Nebenfrau die Macht an sich zu reißen beabsichtigte, später wahrscheinlich aber von diesem Vorhaben wieder Abstand nahm, hatte Verhandlungen mit David in Hebron eingeleitet. Diese Verhandlungen wurden jedoch dadurch abgebrochen, daß Joab durch die Ermordung Abners den Tod seines Bruders rächte – und so Davids Hoffnungen zunichte machte.

Eine andere Verdrehung der historischen Tatsachen läßt sich in V. 12–16 belegen. Aus dem Zusammenhang ergibt sich sinngemäß, daß Abner seine Fühler zu David ausstreckt, um zu prüfen, ob dieser an seinen Plänen interessiert sei. Als Bedingung für die Verhandlung fordert David indessen seine Frau Michal zurück. Erst als diese Bedingung erfüllt ist, leitet Abner in Hebron persönliche [53] Verhandlungen ein, V. (17)20 ff. [54]. Schon früher [55]

52. *Cook* (AJSL, 16, 1900, S. 146 ff.) ordnet die Stellen in Kap. 1–4, welche die Tendenz einer Verquickung der Erzählungen über David und dem Hause Sauls zeigen, die Davids guten Willen gegenüber dem Hause Sauls betonen und zugleich seinen bitteren Haß gegen die Zerujasöhne kundtun, der Quellen E zu, d. h. nach *Cook* einer ephraimitischen Quelle. Abgesehen davon, daß es verdienstvoll ist, wenn *Cook* somit die pro-saulische und anti-zerujanische Tendenz in Kap. 1–4 unterstreicht, muß doch der Einwand erhoben werden, daß die daraus gezogene Schlußfolgerung nicht stichhaltig ist. Von ephraimitischer Seite ist man keineswegs sanft mit Saul und seiner Person umgegangen, im Gegenteil hat man gerade in verstärktem Maße auf ephraimitischer Seite die Opposition gegen Saul und sein Königreich zu suchen. Zudem bietet sich für die Abneigung gegen die Zerujasöhne eine durchaus erwägenswertere Erklärung an, vgl. oben.
53. תחתו in V. 12 a hat den Auslegern erhebliche Kopfschmerzen bereitet; die meisten halten sich an lukianische Fassung חברון. (Zu den verschiedenen Lösungsversuchen vgl. die Kommentare.) Entgegen den zahllosen Auffassungen, die durchweg Eingriffe und Umstellungen vornehmen, empfiehlt es sich, das qere תַּחְתָּו beizubehalten und es mit V. 20 abzustimmen: erst sendet Abner Stellvertreter, Boten, »an seiner Stelle«, später findet er sich persönlich ein.
54. Sicher wird es bei dem in V. 20 für Abner veranstalten Gastmahl, da ja nun

sind gegen die Historizität einer frühen Ehe Davids mit Sauls Tochter Michal Zweifel erhoben worden. Zweierlei steht in diesem Zusammenhang unumstößlich fest: daß Michal mit einem gewissen Paltiel verheiratet war, und daß sie, als David die Bundeslade nach Jerusalem brachte, mit David verheiratet war (2. Sam. 6,20–23). Offenbar haben sich schon frühzeitig Legenden um David und Michal gebildet, deren Liaison bis in die Zeit des jungen David am Hofe König Sauls zurückdatiert wird (vgl. 1. Sam. 18f.). Nun greift V. 14 b ausdrücklich auf 1. Sam. 18,27 zurück, was wiederum zeigt, daß dieser Halbvers auf den Verfasser zurückgeht. Sieht man freilich von V. 14 ab, so bleibt grundsätzlich nur übrig, daß David Anspruch auf die Tochter des toten Sauls, Michal, erhob und dieser Forderung entsprochen wurde. Erst bei der hier genannten Gelegenheit erhielt David Michal zur Frau. Diese Tatsache, die historisch anzuzweifeln keine Veranlassung besteht, hat man natürlich unter dem Aspekt des endgültigen Zieles Davids zu sehen: der Königsherrschaft über Israel. Darüber hinaus ist damit eine Bekräftigung des Anspruches Davids auf den Thron Israels beabsichtigt. Doch tritt in V. 14 ff. überraschend Eschbaal in Erscheinung. Es wirkt durchaus außergewöhnlich, daß Eschbaal diese (Wieder)vereinigung zwischen David und Michal, deren Absicht immerhin eindeutig war, billigt und sogar – wenn man das V. 15 f. entnehmen darf – Abner gestattet, Davids Forderung zu erfüllen [56]. Hier liegt offenbar wieder eine tendenziöse Verzeichnung der wirklichen Verhältnisse vor: Um die Verbindung zwischen David und der Königstochter zusätzlich zu legitimieren, hat der Erzähler es so hingestellt, als sei sie von König Eschbaal sanktioniert worden!

Die Verhandlungen zwischen Abner und David sind wohl ohne Eschbaals Wissen erfolgt. In Wirklichkeit ist es also kaum zwischen Eschbaal und Abner zu einem *offenen* Bruch gekommen. Wie erklärt sich dann aber das Wort Abners in V. 9, das unweigerlich einen offenen Bruch zur Folge gehabt haben muß? Abner gibt doch freimütig zu erkennen, daß er nicht mehr länger auf seiten Eschbaals stehen wolle, sondern in Zukunft auf Davids. Nun läßt sich allerdings aus der Tendenz der ganzen Vorgeschichte eindeutig folgern, daß V. 9 vom Verfasser stammen wird. Der Ausspruch in V. 9 mit dem Hinweis auf den Willen Jahwes mit David liegt nämlich auf der gleichen Ebene mit dem, was früher schon von Abigail ausgesprochen wurde (1. Sam. 25,30); ein solcher Hinweis auf Jahwes Weissagung kehrt wieder in V. 18 und Kap.

nach der Rückgabe Michals die Möglichkeit dazu offen stand, zu dem Bund zwischen David und Abner gekommen sein. In V. 20 handelt es sich also um ein Bundesmahl und nicht um Michals und Davids Hochzeitsfeier (vgl. *Marquart,* der freilich in seiner Abhandlung »Fundamente israelitischer und jüdischer Geschichte«, S. 24, daran festhält, der Bund wäre bei der Hochzeitsfeier geschlossen worden).

55. Vgl. oben S. 108 f.
56. Eschbaals Handlungsweise dürfte auch für den Fall, daß es zwischen ihm und Abner nicht zum Bruch gekommen wäre, ungewöhnlich sein!

5,2 [57]. Dort wird auf Davids Salbung Bezug genommen und nicht auf Kap. 22,10. 13 [58], ja nicht nur auf Davids Salbung, sondern auch auf das negative Pendant, die Verwerfung Sauls, vgl. 1. Sam. 15,28 f. und 28,17 [59]. »Von Dan bis Beerseba« bezieht sich auf das gesamte Gebiet von Israel und Juda, also auf den Umfang der beiden unter David in Personalunion stehenden Reiche. Wie man also das Wortpaar Israel und Juda von den staatsrechtlichen Verhältnissen unter David und Salomo her zu verstehen hat, so auch den Ausdruck »von Dan bis Beerseba« [60]. Israel und Juda nebeneinander sind gleichbedeutend mit »ganz Israel«, V. 12.

Ein Anzeichen für den Eingriff des Verfassers findet sich auch in Abners Worte an die Ältesten Israels in V. 17 f. Charakteristisch ist in dem Zusammenhang, daß Jahwe mit David die gleiche Absicht verfolgt wie mit Saul: Er soll Jahwes Volk aus der Hand der Philister befreien, V. 18, vgl. 1. Sam. 9,16. Das Bild von David ist also sichtlich dem Sauls nachgestaltet. Dem Willen Jahwes entspricht der des Volkes, das ja seit langem David zum König haben will [61]. Es fehlt nur noch die Erfüllung dieses Wunsches, V. 18 a. Es sei Sache der Ältesten – sagt Abner – der Designation Davids von seiten Jahwes die Akklamation des Volkes hinzuzufügen [62], was denn auch in Kap. 5,1 ff. geschieht, also erst nach Eschbaals Tod, Kap. 4. Ebenfalls zielt V. 21 – Abners Wort an David in Hebron – auf Kap. 5 ab, vgl. V. 3.

Nun könnte man die Frage stellen, ob der zwischen Kap. 3,17 f. und Kap. 5 – wie es scheint – unmittelbar bestehende Zusammenhang auf das dem Verfasser zur Verfügung stehende Überlieferungsgut zurückgeht. Die Frage läßt sich nur schwer beantworten, sie ist vielleicht sogar ohne besondere Bedeutung. Übrigens ist der ganze Abschnitt Kap. 2–5,1 ff. in derart starkem Maße vom Verfasser, seiner Tendenz und Aufgliederung geprägt, daß sich seine

57. Vgl. oben S. 175. Siehe auch *Nübel,* a. a. O., S. 69, und *Hertzberg,* Komm., S. 211.
58. *Budde,* Komm., S. 210.
59. Oben S. 63 f. wurde Kap. 15,29 mit Ps. 110,4 in Verbindung gebracht. Einen Anklang an das Ritual der Königsinthronisation kann man vielleicht der Tatsache entnehmen, daß hier in Kap. 3,9 b das Verb שבע verwendet worden ist.
60. In Verbindung mit dem Reich Davids findet sich die Wendung in 2. Sam. 17,11 כל ישראל; 24,2 כל שבטי ישראל, vgl. V. 1 (Israel und Juda); 1. Kg. 5,5 (Salomos Reich); 2. Chr. 30,5 (Kultversammlung anläßlich des Passafestes zur Zeit Hiskias).
61. Hierbei wird natürlich Bezug genommen auf das, was schon während Davids Aufenthalt am Hofe Sauls erzählt worden ist, 1. Sam. 18 f.
62. Der Beweggrund für die Einsetzung Davids als König ist zweifacher: seine Popularität (V. 17 b–18 a) und seine Gunst bei Jahwe (V. 18 b), vgl. auch Kap. 5,2. Hierin liegt nichts Widersprüchliches, vielmehr ist dieser doppelte Aspekt für die Vorgeschichte konstitutiv. *Nübel*'s Behauptung (a. a. O., S. 69 f.), V. 17 b–18 a gehörten zur Gr., V. 18 b dagegen zum B., kann man deshalb nicht akzeptieren.

Quellen nicht greifbar herauskristallisieren lassen. Hierin unterscheiden sich Kap. 2–5 wesentlich von der übrigen Vorgeschichte [63]. Wir bewegen uns – was den Hergang der Dinge angeht – in weit größerem Ausmaß als früher auf historischem Boden. Aus diesem Grunde war es in diesem Zusammenhang auch ungleich mehr geboten, historische Fragestellungen mit einzusetzen. Natürlich standen dem Verfasser Überlieferungen, Quellenmaterial, zur Verfügung; doch hat er sich dies alles nach seinen Vorstellungen zurechtgelegt, oft verdreht, damit es zur Intention der Vorgeschichte paßte. Rein historisch gesehen, besteht gewiß kein Zweifel darüber, daß Abner im Zusammenhang mit Davids Erlangung der Königsherrschaft eine maßgebliche Rolle gespielt hat. Dem Verfasser war es jedoch darum zu tun, das ganze Geschehen als Ausdruck des Willens Jahwes mit David und seiner ihm geltenden Verheißung der Königsherrschaft über Israel darzustellen. Davids Schicksal war schon mit seiner Salbung in 1. Sam. 16 entschieden. Wenn Abner also David »hilft«, so tut er das in Wirklichkeit als Werkzug Jahwes. Überdies ist die Tendenz spürbar, Abners Hilfe keine sonderliche Bedeutung beizumessen, z. B. in Verbindung mit der Erwähnung Michals. Es ist ja nicht bloß Davids gutes Recht, seine Frau zurückzufordern, vielmehr erhält diese Forderung – und deren Verwirklichung – eine offizielle, königliche Bestätigung. Insofern ist es aufschlußreich, dem Zusammenhang zwischen Kap. 3 (Abners Einsatz für David in Israel) und Kap. 5,1 ff. (Davids Salbung zum König durch Israel) Aufmerksamkeit zu schenken. Es sieht so aus, als wäre die Bedeutung des Todes Eschbaals für den Gang der Handlung belanglos, zumindest aber zweitrangig. Das gilt eigentlich auch für die Rolle Abners. Wenn man sich einmal vorstellt, weder Abner noch Eschbaal wären getötet worden, hätten nicht schon Abners aktiven Anstrengungen genügt, um den Weg für Davids Machtübernahme in Israel frei zu machen? Eschbaal war ja allem Anschein nach als König von den Ältesten oder Stämmen Israels nicht anerkannt worden. Aus diesem Grunde spielte sein Tod für das Verhältnis zwischen David und Israel auch keine Rolle.

Es hat sich also herausgestellt, daß sich nur auf der Folie von Kap. 3 die historischen Ereignisse, die der Salbung Davids zum König über Israel in Hebron vorausgingen, im Umrissen erkennen lassen; zugleich ist deutlich geworden, daß sich in geringerem Maße – als sonst in der Vorgeschichte – Anhaltspunkte finden, um das benutzte Überlieferungsmaterial rekonstruieren zu können. Nach Kap. 3 – so wie dieses Kapitel aufgebaut ist – kommt man unbedingt zu dem Ergebnis, daß die Verhandlungen Abners mit David als gescheitert angesehen werden müssen, da Abner zu Tode gekommen war. David hatte es also nicht Abner zu verdanken, daß er später sein Ziel erreichte. Daß über eine Verenigung von Juda und Israel verhandelt worden ist, läßt sich kaum bezweifeln. Das gleiche gilt auch für die Bemerkung, daß Abner

63. Vgl. auch *Alt,* Kleine Schriften, II, S. 15.

für diesen Plan die Älteste aus Israel gewonnen haben soll [64]. *Hertzberg* [65] spricht im Zusammenhang mit der Erwähnung der »Ältesten in Israel« an dieser Stelle und in Kap. 5,3 von einem »aus den Stammesältesten hervorgegangenen Gremium«, das mit Abner verhandelt habe. Wo diese Verhandlung stattgefunden hat, läßt sich nicht sagen [66].

Weshalb wird in V. 19 Benjamin [67] besonders erwähnt [68]? Benjamin gehörte ja mit zu Israel! Könnte das bedeuten, Abner habe mit den Benjaminitern besondere Verhandlungen geführt, und sogar mit positivem Ergebnis? Handelt es sich hier um die im Gebiet Benjamins angesiedelten Benjaminiter, oder um die Benjaminiter, die Eschbaal in sein Exil nach Mahanajim gefolgt waren, wie offenbar die beiden Mörder in Kap. 4? Die Fragen lassen sich unmöglich beantworten. Vielleicht sollte man eher annehmen, der Verfasser habe absichtlich Benjamin unter den Stämmen Israels hervorgehoben, um besonders durchblicken zu lassen, daß der eigene Stamm des Hauses Sauls Abners Plan, mit David Verhandlungen aufzunehmen, guthieß. Dies entspräche auch dem Geist der Vorgeschichte, der ausgesprochen pro-benjaminitisch ist. Mit der Verdammung der Zerujasöhne erfolgt, wie vordem angedeutet, eine versteckte Verdammung der Judäer überhaupt, was aus der jerusalemischen Sicht der Vorgeschichte verständlich wirkt [69]. Und in der ungewöhnlichen

64. Daher kann in der Tat in der Zahl 20, V. 20, eine historisch zuverlässige Mitteilung vorliegen; die 20 Leute, die Abner mit hat, repräsentieren in dem Fall die 10 Stämme Israels, 2 Repräsentanten für jeden Stamm; durch ihre Gegenwart bekunden sie die Stichhaltigkeit der Verhandlungsgrundlage Abners. (Vgl. oben Anm. 54).
65. Komm., S. 212.
66. *Hertzberg* schlägt das Heiligtum in Sichem vor, doch ist dies lediglich eine Mutmaßung. Wenn man nun schon raten soll, würde man eher an Gilgal zu denken haben, das wahrscheinlich das amphiktyonische Kultzentrum des Stämmebunds Israel vor – und möglicherweise noch unter – König Saul war.
67. בית בנימין, vgl. auch 1. Kg. 12,21.
68. Das zweimalige גם kann sich nicht auf אבנר – also das folgende Wort wie in Kap. 19,24 – beziehen (vgl. *Nübel*, a. a. O., S. 70), sondern geht unbedingt auf die Verben וידבר und וילך zurück. *Ehrlich* (Randglossen, S. 280) versteht – wobei er auf Gen. 3,6 hinweist, wo die Partikel auch nachgestellt ist – die Konstruktion folgendermaßen: »Abner tat beides, er sprach . . . und ging.«
69. Bei dem Scheltwort ראש הכלב, V. 8, das im Munde Abners auf David geht (vgl. oben Anm. 48), kann es sich um ein Wortspiel zwischen כלב, Hund und כלב, Kaleb, handeln; ein ebensolches Wortspiel fanden wir in 1. Sam. 25,3 (siehe Kap. IV: Anm. 76 und 87). Beide Stellen geben indirekt die geringschätzige Meinung des Jerusalemiten über die Kalebiter im Süden zu erkennen. – Die meisten Ausleger halten אשר ליהודה für eine späte Glosse (die also in der LXX fehlt). Die gleiche Wendung findet sich in 1. Sam. 17,1 (vgl. Kap. II: Anm. 42) und Kap. 30,14 (vgl. Kap. V: Anm. 79). Hier in 2. Sam. 3,8 wird wahrscheinlich auch das Königreich gemeint sein, und die Wendung geht sicher auf den Verfasser zurück, der hat deutlich machen wollen, daß mit

Verherrlichung Abners steckt ebenfalls eine verborgene Wertschätzung der Benjaminiter, deren Held und Feldherr er war, und des Benjaminiters Saul, Abners toten Herrn.

C. Eschbaals Tod (Kap. 4)

Als Eschbaal von Abners Tod erfährt, wird er mutlos. Bald sollte Eschbaal den Tod erleiden. Er wird von zwei seiner eigenen Stammesgenossen umgebracht; diese bringen sein abgeschlagenes Haupt zu David. Für ihre Untat läßt David die Mörder hinrichten.

In Kap. 4 findet sich ein umittelbarer Hinweis auf Kap. 1 – in V. 10. Die Parallelität der in diesen beiden Kapiteln geschilderten Situationen ist also dem Erzähler vollauf bewußt. Beide Könige, Saul wie auch Eschbaal, sterben durch Mörderhand, wobei die Mörder das gleiche verdiente Schicksal erleiden. Der Bericht in Kap. 4 zergliedert sich in zwei Teile, eine Schilderung, wie der König starb (V. 1–7), und die Überbringung der Todesnachricht (V. 8–12). In kompositorischer Hinsicht haben wir es in Kap. 1 mit einem Produkt des Verfassers zu tun, der den Tod Sauls (1. Sam. 31) mit der Salbung Davids zum König über Juda in Zusammenhang bringen wollte [70]. Im Gegensatz zu der Überlieferung vom Tode Sauls ist die Überlieferung vom Tode Eschbaals allerdings eindeutig. Hinzu kommt, daß sich im Zusammenhang mit dem Tod der Mörder auffallend konkrete Züge finden, vgl. V. 12. Das deutet darauf hin, daß hinter Kap. 4 eine solide Überlieferung steht. Nicht ganz abzuweisen ist die Frage, ob nicht der Verfasser bei der Abfassung von Kap. 1 – was den Inhalt anbetrifft – durch Kap. 4 angeregt worden sei: Saul sollte – ungeachtet der Überlieferung in 1. Sam. 31 – einem Mord zum Opfer fallen, und den Mörder ließ David einen Kopf kürzer machen. Genau wie in Kap. 4!

Kap. 1 stellt ein Bindeglied dar zwischen der Niederlage und dem Tode Sauls auf der einen und Davids Salbung zum König über Juda auf der anderen Seite. Kap. 4 dagegen scheint zwischen Kap. 3 und 5 in der Luft zu hängen. Die Nachricht über Eschbaals Tod bildet durchaus keine unmittelbare Voraussetzung für die Salbung Davids zum König über Israel [71]. Die Initiative geht nämlich anscheinend nicht – wie in Kap. 2,1 ff. – von David, sondern von Israel aus, was auch Kap. 3 zu entnehmen ist. Die Schilderung, wie David die Botschaft vom Tode Eschbaals aufnimmt, und der Salbung Davids stehen also in keinem unmittelbaren Zusammenhang. Natürlich hat der Verfasser in gewis-

ראש הכלב auf David angespielt sei. (Würde man אשר ליהודה streichen, vgl. LXX, ginge etwas von dieser abwertenden Anspielung auf David verloren.)

70. Vgl. oben S. 216 ff.

71. So wird Kap. 5 auch nicht – wie Kap. 2 – mit einem ויהי אחרי כן eingeleitet.

ser Weise zwischen dem Tode Eschbaals und der Salbung Davids eine Verbindung gesehen [72], doch die von ihm in Kap. 4 verfolgte Absicht war in erster Linie eine andere. Er wollte – ebenso wie in Kap. 3 – David von Anschuldigungen, an dem Mord beteiligt gewesen zu sein, reinhalten [73]. Davids Anteil am Tode Eschbaals – wie dem Abners – wäre strenggenommen nicht ganz unwahrscheinlich, zumal diese ja beide in Hebron begraben wurden.

Unter diesen Umständen liegt wahrscheinlich in Kap. 4 eine vom Verfasser übernommene Überlieferung vor, deren wesentlicher Inhalt: der Mord an Eschbaal und die Bestrafung der Mörder, erhalten geblieben ist. Was eventuell vom Verfasser herrühren könnte, wäre die Beteuerung der Unschuld Davids [74]. Während die Aburteilung des »Mörders« von Abner grundsätzlich eine Gruppe betraf, also auch gegen Joabs Stammesgenossen gerichtet war, ja gegen Juda schlechthin, trifft die Verurteilung der Mörder in Kap. 4 den einzelnen und ist also nicht gegen die Stammesgenossen, die Benjaminiter, gerichtet (V. 2).

Es lohnt sich, einmal zu vergleichen, was für eine Beurteilung König Saul und dessen Sohn in Kap. 1, bzw. Kap. 2 zuteil wird. Saul ist Jahwes Gesalbter (vgl. 1,14), während Eschbaal »lediglich« als ein »rechtschaffener Mann« gilt. (Bezeichnend ist auch, daß Saul in einer Schlacht ums Leben kommt, sein Sohn dagegen während seines Mittagsschlafes!) Die Ehrerbietung gegenüber Saul hat man auf den Sohn nicht übertragen; der Mord an Eschbaal wird mit anderen Worten nicht in dem Sinn als Königsmord dargestellt. Diese Besonderheit kann sehr wohl aus der ursprünglichen Tradition herrühren. In Wirklichkeit ist – und das wird nicht nur hier in Kap. 4, sondern auch in Kap. 2–5 schlechthin sichtbar – David – und nicht Eschbaal – Sauls legitimer Erbe. D. h., daß David als König in Israel (Nordreich) nicht der Nachfolger Eschbaals, sondern Sauls ist. Die Haltung des Verfassers gegenüber Eschbaal ist dementsprechend ziemlich zurückhaltend. Das geht aus V. 1 hervor, der als Verklammerung der Schilderung von Abners und Eschbaals Tod zweifellos auf den Verfasser zurückgeht. Eschbaal ist schlicht »Sauls Sohn« [75].

72. Das geht bereits aus V. 4 hervor, hierüber unten.
73. Dieses Motiv dagegen fehlt in Kap. 1, da dort bereits an früheren Stelle darauf hingewiesen ist, daß David an der entscheidenen Schlacht zwischen Philistern und Israeliten überhaupt nicht teilnahm!
74. David hat sich natürlich deshalb leichter der »Hilfe« der beiden Mörder entziehen können, weil er nicht auf die angewiesen war. Israel zu gewinnen ist ihm offenbar wichtiger gewesen, als den schwachen Eschbaal aus dem Weg zu räumen!
75. Die Mehrzahl der Ausleger möchte hier mit der LXX ein »Eschbaal« einschieben, das eventuell auf Grund der Ähnlichkeit zwischen (אשבעל) אשבשת und וישמע weggefallen sein könnte, vgl. *Driver*, Notes . . ., S. 252. Hiergegen mit Recht *Ehrlich* (Randglossen, S. 282 f.), der unterstreicht, daß ein Mann, wollte man ihn verächtlich machen, nur »Sohn von N. N.« genannt wird, also

Die schwerverständliche Schilderung des Mordes an Eschbaal (V. 5–7) braucht nicht unbedingt behandelt werden. Diese Verse müssen einer exegetischen Untersuchung vorbehalten bleiben. Dagegen ist es notwendig, auf die Probleme hinsichtlich V. 2 b–3 und V. 4 einzugehen. V. 2b–3 werden nahezu einmütig [76] und V. 4 durchweg als Zusätze angesehen, wobei V. 2 b–3 eine in ihrem Zusammenhang verständliche Glosse darstellten [77], während die Einfügung von V. 4 ohne jede Bedeutung sei [78].

Zunächst zu V. 2 b–3. Hier wird eine Erklärung dafür gegeben (vgl. כי), daß ein Beerothiter unter die Benjaminiter (בני בנימין) zu rechnen sei. Dies überrascht, da nach Jos. 9,17 Beeroth – neben Kephira, Gibeon und Kirjath Jearim – augenscheinlich einen kanaanäischen Vier-Städte-Bund bildeten. Die Erklärung besteht indessen aus zwei Gliedern; V. 2b reicht nämlich als Erklärung nicht aus, denn eine Zugehörigkeit Beeroths zu Benjamin besagt ja noch nicht unbedingt, daß die Bewohner der Stadt Benjaminiter waren [79]. V. 2 b hat man fraglos im Zusammenhang mit V. 3 zu sehen: Die ursprüngliche kanaanäischen Einwohner von Beeroth waren nach Gittajim geflüchtet, wo sie bis heute noch wohnen (עד היום הזה). V. 2 b–3 sollen als Ganzes erklären, daß ein Benjaminiter in der Tat aus Beeroth, einer ursprünglich kanaanäischen Stadt, stammen könne. So läßt sich auch V. 2 b–3 unmöglich entnehmen, daß der Vater der beiden Bandenführer – obgleich er in V. 2 a recht deutlich als Benjaminiter bezeichnet wird – in Wirklichkeit der ursprünglichen Bevölkerung Beeroths angehörte. Aber wann sind die Kanaanäer aus Beeroth geflohen? Und aus welchem Grunde? Sie müssen sich zu einem bestimmten Zeitpunkt bedroht gefühlt haben. Da wir aus 2. Sam. 21,1 ff. wissen, daß eine Stadt des Vier-Städte-Bundes, Gibeon, von König Saul unterworfen wurde, könnte dies auch mit Beeroth der Fall gewesen sein, nur mit dem Unterschied, daß sich die Beerothiter Saul durch die Flucht entziehen konnten. So stellt *Auerbach* [80] die ernst zu nehmende Vermutung an, die Beerothier hätten sich während Sauls Philisterkrieg kaum loyal verhalten; das wird durch den

unter Auslassung seines Eigennamens. In der Vorgeschichte kann man diesbezüglich verweisen auf 1. Sam. 20, 30. 31; 22,7. 8. 9. (12.) 13, wo Saul David voller Verachtung בן ישי nennt.

76. Eine Ausnahme ist *Nowack,* Komm., S. 165.
77. *Budde* zufolge (Komm., S. 215) eine alte Glosse. *Herzberg* hält V. 2 b–3 für einen »nachgeschichtlichen Zusatz«. (Komm., S. 215).
78. V. 4 hätte ursprünglich in den Zusammenhang von Kap. 9 gehört. Nach *Nübel* (a. a. O., S. 72) gehört Kap. 9 mit zur Geschichte von »Davids Aufstieg«, da er die Meinung vertritt, daß V. 4 Kap. 9 vorbereite und somit der Vers kein Zusats sein könne.
79. Jos. 9 setzt nur einen Bund voraus zwischen den Israeliten, d. h. den Benjaminitern, in deren Gebiet die in Jos. 9,17 erwähnten kanaanäischen Städte liegen, und u. a. Beeroth (vgl. Jos. 18,25 ff.).
80. Wüste und gelobtes Land, S.186.

Umstand bekräftigt, daß die Beerothiter nach Gittajim flüchteten, das man in einem von Philistern beherrschten Gebiet zu suchen hat [81]. Wiederum müssen wir hier – wie bei der Unterwerfung Gibeons [82] – annehmen, daß Sauls Schritt durch eine von eifrigen Ephraimitern ausgehende Feindseligkeit gegenüber nicht-israelitischen Elementen veranlaßt worden ist. So hat man die ätiologische Überlieferung in Jos. 9, die hinter die Zweckmäßigkeit eines Bundes zwischen »Israel« und dem kanaanäischen Vier-Städte-Bund ein Fragezeichen macht, in dem – vorherschend ephraimitischen – Gilgal zu lokalisieren [83]. Ob V. 2 b–3 mit zu der ursprünglich vom Verfasser übernommenen Überlieferung gehört haben oder erst vom Verfasser hinzugefügt worden sind, läßt sich

81. Nur an zwei Stellen im AT wird eine Stadt namens Gittajim genannt, und zwar hier in 2. Sam. 4,3 und Neh. 11,33. *Alt* (Gitthaim, PJB, 35, 1939, S. 100 ff.) hat es als wahrscheinlich hingestellt, daß es sich an diesen beiden Stellen um denselben Ort handelt, und den er mit Gath, 1. Chr. 8,13 identifiziert (a. a. O., S. 103). – *J. Strange* (The inheritance of Dan, ST, 20, 1966, S. 123) identifiziert Gittajim mit Gath-Rimmon, Jos. 19,45 (vgl. 21,24). *Strange* stellt nämlich die Hypothese auf, daß in 2. Sam. 4,2–3 eine ursprünglich selbständige, im jetzigen Kontext umgedeutete ätiologische (vgl. עד היום הזה!) Legende vorläge, die eine Erklärung dafür abgeben sollte, warum eine Stadt (Gath oder Gittajim) den aus offiziellen Listen (vgl. Jos. 19,45) bekannten Namen Gath-Rimmon erhalten habe. »The original story probably told how the Canaanite clan Bene Rimmon were expelled from Beeroth by the tribe of Benjamin and found sanctuary in Gath-Rimmon or perhaps even founded it.« Die Bene Rimmon waren nach *Strange* eine kanaanäische Sippe, denn er nimmt – wahrscheinlich zu Recht – an, daß der Personenname Rimmon, der nur hier im AT vorkommt, mit dem von anderen Stellen her bekannten kanaanäisch-aramäischen Gott in Verbindung zubringen sei. Den unmittelbaren Anstoß zu dieser scharfsinnigen Auffassung über V. 2–3 hat man darin zu sehen, daß *Strange* zielstrebig der Frage nachgegangen ist, ob zwischen dem Personennamen Rimmon und dem Ortsnamen Gittajim ein unmittelbarer Zusammenhang bestehen könnte, was er tatsächlich nachzuweisen versucht. Wenn hier indes wirklich eine Verbindung bestanden haben sollte – und das is keineswegs unwahrscheinlich, auch von der jetzigen Abfassung der Verse und vom Kontext her gesehen – könnte diese *indirekt* gewesen sein: Ein *benjaminitischer* Clan (Bene Rimmon) hat womöglich seinen Namen nach einem Gott gehabt, der von den ursprünglich in Beeroth wohnenden, später aber nach Gittajim vertriebenen Kanaanäern verehrt worden war. Es gibt ja nicht wenig Zeugnisse über eine Symbiose der Benjaminiter mit den Kanaanäern (vgl. oben S. 66 und Kap. I: Anm. 107). Es dürfte aufs Ganze gesehen kein ernsthaften Hindernisgrund bestehen, daran festzuhalten, daß wir in V. 2–3 – oder besser V. 2 b–3 – die originale Formulierung vor uns haben; deshalb kann es auch nicht verkehrt sein, auf Grund dieser Verse historisch nach Beeroth und dem Schicksal aller in dieser Stadt – und nicht nur einer einzelnen Sippe (vgl. *Strange*) – unter der Herrschaft König Sauls zu fragen (vgl. daraufhin *Alt,* a. a. O., S. 100 ff., und PJB, 22, 1926, S. 19, Anm. 1).
82. Vgl. oben Kap. I: Anm. 107.
83. Vgl. *Noth,* Josua, S. 53.

schwer entscheiden [84]. Jedenfalls darf man sicherlich aus V. 2 b–3, ja bereits aus V. 2 a, schließen, daß Eschbaals Mörder zu dessen eigenem Stamm gehört haben, d.h. daß unter Eschbaals eigenen Leuten durchaus keine völlige Zufriedenheit über die Zustande geherrscht haben wird. Diese Tatsache kam dem Verfasser bestimmt auch nicht ungelegen, der vor allem durch die Hervorhebung Benjamins in Kap. 3,19 ausdrücklich deutlich machen wollte, daß sogar Benjaminiter die Meinung vertraten, David müßte ihr König werden. Deshalb ist die Vermutung wohl schon richtig, daß die Notiz in V. 4 wie Jonathans Sohn durch ein trauriges Ereignis lahm wurde, in diesem Zusammenhang auf den Verfasser zurückzuführen ist. Zwar wird der Gang der Handlung in der Tat unterbrochen, aber dennoch ist der Inhalt von V. 4 in Zusammenhang alles andere als bedeutungslos. Von vornherein wird geltend gemacht, daß das Haus Sauls nicht mehrere Königsanwärter anzubieten hatte. Also wieder ein Zeugnis mehr dafür, daß Davids Antwartschaft auf die Königherrschaft auf einer soliden Grundlage ruht.

D. David wird König über Israel und macht Jerusalem zu seiner Residenz (Kap. 5)

Diesem Kapitel, das den Abschluß der ganzen Vorgeschichte bildet, merkt man unwillkürlich seinen bruchstückhaften Charakter an. Der historisch-sachliche Zusammenhang dieser Bruchstücke ist außerordentlich schwer, ja fast unmöglich zu erfassen.

Die Bestandteile dieses Abschnitts sind wie folgt abzugrenzen: Davids Salbung zum König über Israel (V. 1–5). Die Eroberung Jerusalems und die Wahl dieser Stadt als Davids Haupstadt (V. 6–16). Zwei entscheidende Siege über die Philister (V. 17–25). In der Perspektive der Vorgeschichte hat man die Salbung Davids zum König über Israel als den Höhepunkt anzusehen, auf den die Vorgeschichte zustrebte. Seine Salbung zum König über Juda war nur eine Station auf dem Wege dorthin, nunmehr wird er König über das Reich Sauls, das – nach der Vorgeschichte – auch Juda umfaßt hat. Endlich hat nun David sein Ziel erreicht. Als König von Juda war er nur König über das südliche Gebiet des Reiches Sauls, jetzt fällt ihm das ganze Reich zu.

Hinsichtlich der Bezeichnung »Israel« in Kap. 5,1 ff. ist es also von entscheidender Bedeutung, den Gesamtrahmen der Vorgeschichte vor Augen zu haben. Würde man nämlich diese Verse ausschließlich im Zusammenhang mit Kap. 2,1 ff. betrachten, d. h. der Salbung Davids zunm König über Juda, könnte man geneigt sein, »Israel« in seiner engeren Bedeutung anzunehmen,

84. *Alt* (PJB, 35, 1939, S. 200) hält es nicht für unmöglich, daß V. (2–)3 ursprünglich zur Geschichte von »Davids Aurstieg« dazugehört haben.

also ohne Juda. Aus der Sicht der Vorgeschichte kann jedoch keine Zweifel darüber bestehen, daß sich Israel in Kap. 5,2 auf das Reich Sauls bezieht, d. h. Israel einschließlich Juda. Das geht aus der Formulierung selbst deutlich hervor: Mit Israel ist das Israel gemeint, das David als Krieger – während er sich noch am Hofe Sauls aufhielt – im Kampf gegen die Philister angeführt hat. David wird, wie Saul es vor ihm war, König über Israel, vgl. 1. Sam. 15,1. Indessen sind in Kap. 5,1 und 2 in bezug auf den Geltungsbereich des Begriffs »Israel« eigenartigerweise beide Aspekte anzutreffen. In V. 1 scheint Israel nämlich in seiner *engeren* Bedeutung zu stehen, da »alle Stämme Israels«, die zu David nach Hebron kommen, vom Zusammenhang her die Judäer nicht einschließen. Zugleich ist es aber doch wohl so, daß diese Israeliten in Wirklichkeit David zum König über Israel im *weitere*n Sinne, über das Reich Sauls, salben, das ja in der Sicht der Vorgeschichte auch Juda umfaßt. Dieser doppelte Aspekt im Begriff Israel ist überhaupt für den ganzen Abschnitt 2. Sam. 2–5 charakteristisch. Der Grund dafür läßt sich leicht finden. Einmal wurde – nach dem Urteil des Verfassers – das Königreich Sauls nach dessen Tod zweitweilig in Juda und Israel mit König David (Kap. 2,1 ff.) bzw. König Eschbaal (Kap. 2,8 ff.) an der Spitze aufgespalten. Schließlich war das Reich Davids nach dem Tode König Salomos in zwei Reiche zerrissen, was vielleicht in Kap. 3,10 b angedeutet wird (vgl. oben).

Das Reich Sauls wurde also (vorübergehend) in zwei Teile gespalten. So ist – außer in Kap. 2,9 – in 2,17. 28; 3,12. 37; 4,1 Israel im engeren Sinne gemeint. Die zweifache Bedeutung wird besonders in 3,12 (vgl. V. 21) deutlich, wo Israel – sieht man vom Zusammenhang ab – enger gefaßt ist, während der Zusammenhang (vgl. V. 10) eine umfassendere Bedeutung nahelegt (= Israel und Juda, das Reich Sauls). In Kap. 3,37 steht »ganz Israel« neben »das ganze Volk«, das sich vom Zusammenhang her (vgl. V. 32ff.) auf Juda bezieht. Der Verfasser möchte gewissermaßen jede Konfrontation von Israel und Juda vermeiden (vgl. auch Kap. 3,17. 28); in Wirklichkeit hält er den Kampf zwischen den beiden Reichen für einen verkappten Streit um die Dynastie. Die Spaltung sei eigentlich unnatürlich und daher nur vorübergehend.

Die in V. 6 ff. behandelte Eroberung Jerusalems stellt anscheinend auf den ersten Blich etwas Neues im Rahmen der Vorgeschichte dar. Andererseits ist der Name Jerusalem untrennbar mit David (= Stadt Davids, V. 7 und 9) und seinem Reich verbunden. Übrigens ist doch, wenn man den Entstehungsort der Vorgeschichte in Betracht zieht, die Erwähnung der Eroberung Jerusalems ganz selbstverständlich. Auch die Niederlage der Philister, die in V. 17 ff. erörtert wird, könnte auf den ersten Blick für den Zusammenhang der Vorgeschichte belanglos erscheinen. Der Höhepunkt ist doch schließlich mit der Salbung Davids zum König über Israel erreicht. Dessen ungeachtet lassen sich V. 17 ff. im Blick auf das in ihnen berichtete Geschehen von der Salbung Davids zum König Israels her ausgezeichnet begreifen, vgl. V. 17 a (darüber später). Hinzu kommt in diesem Zusammenhang etwas sehr Entscheidendes, wenn man grundsätzlich die Frage klären möchte, ob V. 6 ff. und 17 ff. ursprünglich zur Vorgeschichte gehört haben: Die alten Erzähler ließen einen Bericht nicht mit einem Höhepunkt ausklingen. Man schloß nicht abrupt ab, das Moment der Entspannung spielte hierbei eine Rolle [85].

Da es sich um einen *abschließenden* Abschnitt handelt, hat man damit zu rechnen, daß die Intention von Kap. 5 vornehmlich auf davorliegende Gesichtspunkte und Ereignisse gerichtet ist. Diese Feststellung muß man beherzigen, wenn im folgenden untersucht werden soll, inwieweit Kap. 5 in seiner jetzigen Gestalt – aus der Sicht der Vorgeschichte, aber auch von der Struktur des Kap. 5 her gesehen – sekundär erweitert worden ist. Denn obwohl das Kapitel als Ganzes Bruchstückcharakter zeigt, enthällt es faktisch in seiner jetzigen Gestalt Elemente, die später anzusetzen sind als die Vorgeschichte als solche. So werden wir im folgenden nachweisen, daß hier am Schluß – wie am Anfang – der Vorgeschichte der Dtr. recht erhebliche Eingriffe vorgenommen hat.

Das zeichnet sich bereits im ersten Teil, V. 1–5, deutlich ab, wo V. 4–5 sicherlich auf den Dtr. zurückzuführen sind. Diese Verse hat man im Zusammenhang mit Kap. 2,10 a. 11 zu sehen, indem der Dtr. in Kap. 5,4–5 die »volle Einführungsformel« für David bringt [86]. In Unterschied zu Kap. 2,1 ff. zeichnen sich V. 1–3 in bezug auf ihren Inhalt durch bemerkenswert konkrete Züge aus. Natürlich hat man von literarkritischer Seite die Doppelheit: in V. 1–2 (die Ankunft aller Stämme Israels in Hebron) und in V. 3 (die Ankunft aller Ältesten Israels) auf eine Kombination zweier Quellen durch einen Redaktor zurückgeführt [87]. Hiergegen wendet *Hertzberg* [88] jedoch ein, daß man sich die Handlung wirklich in zwei Akten vorzustellen habe: zunächst die inoffizielle Vorverhandlung, dann das Erscheinen der Ältesten »als höhere Instanz und officielles Gremium« [89]. Mit größerer Wahrscheinlichkeit sind

85. Vgl. *Schulz,* Erzählungskunst . . ., S. 33.
86. Vgl. *Noth,* Überlieferungsgeschichtliche Studien, S. 63. – In 5,5 steht Israel in der engeren Bedeutung, was aus einem einfachen Vergleich mit V. 4 in bezug auf die Anzahl der Regierungsjahre hervorgeht. Auch in Kap. 2,10 a, vgl. V. 11, hat Israel diese Bedeutung, ebenfalls 2,10 b, der in der Vorgeschichte ursprünglich auf V. 9 folgt (vgl. oben S. 226 und Anm. 3).
87. Vgl. z. B. *Mowinckel,* GTMMM, II, S. 243. *Budde* (Komm., S. 218), der natürlich diese Doppelheit auch aufmerksam im Auge hat, ist dagegen der Meinung, daß sie auf eine spätere Redaktion, eventuell die dtr., zurückzuführen sei, die V. 3 aα eingefügt habe, weil man es für unmöglich hielt, daß David mit einer so formlosen Masse wie dem Volk einen Bund schloß.
88. Komm., S. 218.
89. *Nübel* (a. a. O., S. 74) nimmt an, daß die Reihenfolge umgekehrt war, d. h., daß die Ältesten die Absprache trafen, worauf die Stämme gekommen wären, um David zu salben!

V. 1–2 – ebenso wie Kap. 2,1 ff. [90] – vom Verfasser konstruiert, der die Salbung Davids zum König über Israel ausführlicher dargestallt hat als seine Salbung zum König über Juda, was von der Zielsetzung der ganzen Vorgeschicht her unmittelbar verständlich wäre.

Die Auffassung, daß V. 1–2 vom Verfasser [91] konstruiert seien, findet durch eine eingehendere Analyse des Inhalt ihre Bestätigung. Bemerkenswert ist, was »alle Stämme Israels« vor David zum Ausdruck bringen. Sie weisen einmal hin auf Davids militärische Führungstätigkeit schon unter Saul und zum anderen auf die Verheißung Jahwes. Ersteres wird man inhaltlich sowie der Form nach von 1. Sam. 18 her zu verstehen haben, wo Hauptthema Davids führende Position im Kriege gegen die Philister während seines Aufenthalts am Hofe sowie die sich daraus ergebende Popularität im Volke ist. David führte Israel in den Kampf und wieder heim (המוציא והמביא את ישראל), vgl. Kap. 18,5 f. 16 [92]. Und was die Verheißung Jahwes anbetrifft, so geht sie letztlich auf die Salbung Davids durch Samuel in Kap. 16,1 ff. zurück. David war schon – als Saul noch König war – der »designierte« König, der verborgene »Messias«. Das befindet sich in völliger Übereinstimmung damit, daß David nach der Verwerfung Sauls (vgl. Kap. 15) von Samuel zum König über Israel gesalbt wurde (Kap. 16,1 ff.).

Daß David – da Juda ja nach Meinung des Verfassers zum Reiche Sauls gehörte – auch als Israelit bezeichnet wird, geht u. a. aus 1. Sam. 27,12 hervor [93]. Hier in Kap. 5,1 b läßt der Verfasser »alle Stämme Israels« noch einmal zum Ausdruck bringen: Wir sind dein Fleisch und Blut (עצמך ובשרך אנחנו). Bezeichnend ist, daß diese Wendung in 2. Sam. 19,12 f. ausdrücklich im Hinblick auf die Judäer gebraucht wird, denen David durch das Band des Stammes verbunden sei [94].

Diese Analyse von V. 1–2 hat hoffentlich die Vermutung ernsthaft nahegelegt, daß die Schilderung der Ankunft »aller Stämme Israel« in Hebron und die Abfassung ihrer Rede unbedingt auf den Verfasser zurückzuführen sind. Wer sonst hätte die Stämme Israels vertreten können, als eben die Ältesten [95], über deren Ankunft und Bundesschluß mit David (vor der Salbung!)

90. Vgl. oben S. 222 ff.
91. Nach *Mildenberger* gehen V. 1–2 auf den Bearbeiter zurück (vgl. oben S. 27 f.), der zu zeigen bemüht sei, »dass das Königtum Davids nicht auf einer freien Vereinbarung der Ältesten Israels mit David beruhte, wie das aus V. 3 hervorgeht, sondern vielmehr in einem Wort Jahwes begründet war, welche schon früher an David erging.« Dem muß man jedoch entgegnen, daß keinerlei Veranlassung dazu besteht, in der Hinsicht V. 1–2 gegen V. 3 auszuspielen.
92. Vgl. oben S. 84.
93. Vgl. oben S. 188.
94. Vgl. Gen. 29,14 und Ri. 9,2, wo sich die Wendung ebenfalls auf Geschlechts- oder Stammesbande bezieht.
95. *Hertzberg* (Komm., S. 218) unterscheidet merkwürdigerweise zwischen »aktiven und verantwortungsbewußten Männern« aus den Stämmen und den Ältesten.

in V. 3 berichtet wird? In bezug auf diesen Vers könnte man indes allen Ernstes in Erwägung ziehen, ob nicht in ihm – angesichts des konkreten Inhalts dieses Verses – in der Tat Überlieferungsstoff vorläge, den der Verfasser übernommen und durch V. 1–2 ergänzt hat; später kamen dann die vom Dtr. stammenden V. 4–5 hinzu. Dafür würde *erstens* sprechen, daß die Ältesten auch in dem Bericht über die Salbung Davids durch Samuel [96] und in Verbindung mit Abners Verhandlungen in Kap. 3,17 erwähnt werden. *Zweitens* wird das zwischen David und den Ältesten zustande gekommene Verhältnis konkret in einem Bund, einem Vertrag, festgehalten. Über die Bedingungen dieses Bundes wird jedoch nichts mitgeteilt [97]. *Drittens* wird zum Ausdruck gebracht, daß der Bund vor Jahwe geschlossen wird (לפני יהוה), was auf die heilige Stätte in Hebron (Mamre?) hindeuten würde. Diese drei konkreten Merkmale, die in Kap. 2,4 [98] fehlen, sind ein Zeichen dafür daß die Schilderung der Salbung Davids zum König über Israel auf eine konkrete Überlieferungsgrundlage zurückgeht.

Bevor wir den zweiten und dritten Unterabschnitt, V. 6–16 und V. 17–25, analysieren, erhebt sich die Frage, ob die jetzige Reihenfolge ursprünglich ist. Man ist längst dahintergekommen, daß V. 17 unmittelbar auf V. 1–3 Bezug nimmt [99]. Mit Recht nimmt man an [100], daß hier eine Umstellung vorgenommen worden sei und diese auf das Konto des Dtr. gehe. Wie wir schon zuvor zu verstehen gaben, hat der Dtr. in diesem Schlußabschnitt der Vorgeschichte – wie im ersten Abschnitt, Kap. 15 – deutliche Spuren hinterlassen. In erster Linie läßt V. 17 mit dem unmittelbaren Hinweis auf V. 1–3 die vorgenommene Umstellung erkennen. Daß V. 17 a, der den Bericht über die beiden Siege über die Philister mit dem Bericht über Davids Salbung verbindet, vom Verfasser herrührt, zeigt das hier benutzte »Verfolgungs-Motiv« [101]; treffend hebt *Hertzberg* [102] hervor, wenn die Philister losziehen,

96. Vgl. Kap. 16,4, siehe von allem oben S. 71.
97. *Noth,* Gesammelte Studien zum AT, S. 26 f., vermutet – unter Hinweis auf 1. Kg. 12,3 ff. –, daß die Ältesten gewisse Bedingungen gestellt hätten, auf die David vor der Salbung eingehen sollte. Mit größerer Wahrscheinlichkeit spricht indessen die Formulierung dafür, daß David bei dem Bund der Tonangebende ist, vgl. *Herzberg,* Komm., S. 218. In Kap. 3,21 legt die Formulierung nahe, daß David die Bundesbedingungen gestellt bekommt. Vgl. hierzu *Fohrer,* Vertrag zwischen König und Volk in Israel, ZAW, 71, 1959, S. 1 ff.
98. Vgl. oben S. 223.
99. Vgl. *Noth,* Überlieferungsgeschichtliche Studien, S. 63, Anm. 5, sowie *Wellhausen,* Die Composition . . ., S. 256.
100. Vgl. *Noth,* ebd.; *Weiser,* Einleitung, S. 135.
101. Vgl. oben Kap. IV.: Anm. 35. בקש hat man mit »aufspüren«, »nachjagen« »absuchen«, oder dergl. zu übersetzen, nicht – wie *Caspari* (Komm., S. 451) annimmt – »zur Rechenschaft ziehen.«
102. Komm., S. 224.

um David »aufzuspüren«, »dann ist in ihren Augen David immer noch der kleine Mann aus der Wüste Juda. Sie haben sich schwer geirrt!«

Doch nicht nur V. 17 läßt erkennen, daß die vom Verfasser getroffene Anordnung in Kap. 5 durcheinander geraten ist. Es besteht nämlich auch zwischen V. 1 ff. und V. 17ff. ein innerer Zusammenhang. Auf Grund der Tatsache, daß David zum König Israels gesalbt wurde, erwartet man natürlich mächtige Taten, den Sieg über die Philister als dem Erbfeind des Reiches [103]. Zum Salbungsritual gehört die Verheißung des Sieges über die Feinde des Reiches (vgl. Ps. 2!). Der Gesalbte empfängt den Geist Jahwes, um großartige Taten vollbringen zu können. Zudem deutet in V. 17–25 – wie auch in V. 6–16 – nichts darauf hin, daß diese Verse als Abschluß geeignet wären; darum passen sie als Abschluß von Kap. 5 – geschweige denn der Vorgeschichte! – schlecht [104].

103. Dies findet seine Bestätigung in Kap. 3,17–18 (vgl. oben S. 239). Im übrigen darf man in diesem Zusammenhang darauf hinweisen, daß eine Erwähnung des Sieges Davids natürlich, ja, unbedingt, mit in den Abschluß der Vorgeschichte hineingehört. Dieser Sieg ist das notwendige positive Gegenstück zu der in 1. Sam. 31 berichteten Niederlage König Sauls durch die Philister.

104. V. 17–25 bilden also nicht den Abschluß der Vorgeschichte, vielmehr das Vorspiel zu dem formalen Abschluß in V. 6 ff. – *Alt* (Zu II Samuel 8,1, ZAW, NF, 13, 1936, S. 149 ff.) plädiert dafür, daß Kap. 8 Kap. 5,25 fortsetze, da der Zusammenhang von Kap. 5 und Kap. 8 durch die sekundär eingeschobenen Kap. 6 f. abgebrochen worden sei. Danach gehört nach *Alt* Kap. 8 zur Geschichte von Davids »Aufstieg«, denn dieses Kapitel gebe dem Werk »einen allerletzten Abschluss noch über sein eigentliches Ziel hinaus, das schon mit den Sätzen über Davids Salbung zum König über Israel in II Sam 5,1–3 erreicht ist. Man wird es dem Autor nachfühlen können, dass er das Schreibrohr an diesem Punkt nicht weglassen mochte.« (a. a. O., S. 152). Abgesehen davon, daß damit der Rahmen der Vorgeschichte gesprengt wird, ist *Alt*'s Verständnis von Kap. 8 keineswegs überzeugend. *Alt* faßt 8,1 folgendermaßen auf: Die Eingangsworte von ויהי bis פלישתים seien eine Wiederholung der letzten Worte aus 5,25 unter Auslassung der Ortsangaben, die auf den zurückgingen, der Kap. 6–7 eingeschoben habe. Der Rest von 8,1 sei eine unmittelbare Fortsetzung von 5,25 und gebe eine »Skizze der gründlich veränderten politischen Situation, die sich daraus (d. h. aus den Siegen über die Philister in Kap. 5,17–25) ergab.« (a. a. O., S. 150 f.). Gegen *Alt* ist entschieden einzuwenden, daß Kap. 5,17–25 ganz bestimmt ursprünglich *vor* V. 6 ff. gestanden und folglich in der originalen Fassung nicht den Schluß von Kap. 5 (siehe oben) gebildet hat; und darüber hinaus muß betont werden, daß Kap. 5,10 letztlich Kap. 5 – und damit die Vorgeschichte – in angemessener Weise zum Abschluß bringt. Kap. 8 wird am besten verständlich, wenn man in ihm eine vom Dtr. verfaßte Übersicht über Davids außenpolitische Wirksamkeit sieht (vgl. *Noth,* Überlieferungsgeschichtliche Studien, S. 65). Der Dtr., der Kap. 6–7 unmittelbar hinter Kap. 5 eingefügt hat, nimmt mit Hilfe von Kap. 8,1 den Faden von Kap. 5,25 wieder auf (vgl. *Alt*). Übrigens scheint auch *Alt* selbst über die Fragwürdigkeit seiner Auffassung im klaren zu sein, wenn

Wenn also V. 17–25 ursprünglich auf V. 1–3 gefolgt sind, muß man sich natürlich fragen, aus welchem Grunde dem Dtr. an einer Änderung gelegen war [105]. Vielleicht läßt sich die Frage von dem dtr. Einschub V. 4–5, in dem Jerusalem erwähnt wird, her beantworten. Um die Erwähnung Jerusalems zu rechtfertigen, hat der Dtr. so schnell wie möglich über die Eroberung Jerusalems berichten wollen und darum V. 6 ff. vorgezogen und vor V. 17 ff. gestellt. Doch ist damit sicherlich noch nicht alles gesagt; erst das Ergebnis einer Analyse von V. 17 ff. und V. 6 ff. kann die Beweggründe aufhellen und zu einer wirklichen Lösung des Problems beitragen.

Mit V. 17–25 wollte der Verfasser die Reaktion der Philister auf die Salbung Davids zum König über Israel zum Ausdruck bringen, vgl. V. 17 a. Die beiden hier erwähnten Schlachten haben nach Darstellung des Verfassers unmittelbar nacheinander stattgefunden. Beide Schlachten beginnen damit, daß die Philister das Tal Rephaim südvestlich von Jerusalem besetzen [106], eine wirksame Maßnahme, da dieses Tal nach Jos. 15,8 (vgl. 18,16) gerade die Grenze zwischen Juda und Benjamin bildet, was wiederum hieße, zwischen Juda und Israel, den beiden Reichen Davids. Nun könnte man allerdings fragen, ob V. 22 – in dem von einer erneuten Besetzung des Rephaim-Tales die Rede ist – mit der Schilderung dieser zweiten Schlacht zu vereinbaren ist, die – und das kann man wohl V. 25 entnehmen – bei Gibeon (oder in unmittelbarer Nähe dieser Stadt) stattgefunden hat [107]. Gibeon scheint nämlich zu weit vom Rephaim-Tal entfernt zu liegen, als daß die Verfolgung erst hier hätte einsetzen können [108]. Diese Schwierigkeit läßt sich jedoch dadurch beheben, daß man V. 22 als ein vom Verfasser eingefügtes Verbindungsstück zwischen beiden Überlieferungen ansieht. Denn in V. 17–25 steckt unverkennbar echtes Überlieferungsgut. Hinter der Darstellung der ersten Schlacht verbirgt sich eine ätiologische Lokalüberlieferung, vgl. V. 20 b [109]. Die zweite Schlacht geht wohl auch auf eine Lokalüberlieferung zurück, vgl. V. 24, der Ortskenntnis verrät.

er Kap. 8 als den »allerletzten Abschluß« charakterisiert. – Siehe übrigens oben Einleitung: Anm. 89.

105. *Noth* läßt es mit dieser Feststellung bewenden.

106. עמק רפאים = das heutige el-baka^{c}a, vgl. *Noth,* Josua, S. 89, und *Simons,* Geographical and Topographical Texts, S. 78 ff. – *Vincent*'s Auffassung, das Rephaimtal habe man ursprünglich mit einem Tal nördlich von Jerusalem in Verbindung zu bringen (Jérusalem, Tome I. Jérusalem antique, 1912, S. 120; vgl. *Grollenberg*'s Eckkarte, Atlas of the Bible, S. 96), hat kein Echo gefunden (vgl. *Simons,* a. a. O., S. 14, 80. 331).

107. Statt גבע hat man sicher גבעון zu lesen (siehe 1. Chr. 14,16), vgl. *Driver,* Notes . . ., S. 265. So wird in Jes. 28,21 eine Schlacht bei Gibeon erwähnt, wo allen Anschein nach eben auf diese Schlacht angespielt wird, vgl. *Bentzen,* Jesaja, S. 227.

108. Vgl. *Smith,* Komm., S. 291.

109. *Hertzberg* (Komm., S. 224) nimmt an, daß der Charakter der Schlacht zu

V. 17–25 liegt also wahrscheinlich ein Überlieferungskern zugrunde. Doch erfolgte die Formulierung von V. 17–25 als Ganzes offenbar durch den Verfasser, der nicht nur die beiden Philisterbegegnungen (vgl. V. 22), sondern auch V. 17–25 mit V. 1–3 (vgl. V. 17 a) kombiniert hat. Wie erhält es sich indessen mit V. 17 b? Was hat das המצודה, Zufluchtsstätte, zu bedeuten? Aus dem unmittelbaren Zusammenhang heraus dürfte das nicht unbedingt klar ersichtlich sein [110]. Nun sind wir schon vordem in der Vorgeschichte auf den Ausdruck מצודה in Verbindung mit der Höhle Adullam gestoßen, vgl. 1. Sam. 22,1–5. Die Analyse von Kap. 22,1–5 hatte ergeben, daß die in diesem Stück enthaltenen Fragmente, die Davids Aufenthalt in der Höhle Adullam in den Anfängen seiner Freibeuterzeit in der Wüste behandeln, sich in Wirklichkeit hier auf diesen Aufenthalt Davids unmittelbar vor (oder nach) der Eroberung Jerusalems bezögen, so wie dies in der Heldenanekdote 2. Sam. 23,13 f. bezeugt wird [111]. Insoweit paßt der Aufenthaltsort Höhle Adullam hier ausgezeichnet, da anzunehmen ist, daß Kap. 5 und 2. Sam. 23,13 ff. in den gleichen Zeitraum fallen [112]. Trotzdem wirkt die Verbindung von

dem Namen Baal-Perazim Anlaß gegeben habe. Eher verhält es sich umgekehrt! Diese Schlacht bei Baal-Perazim findet – wie die Schlacht bei Gibeon – auch in Jes. 28,21 Erwähnung. Diese beiden Schlachten hat man in der Folgezeit offenbar als ausgesprochen entscheidend angesehen, vgl. *Bentzen,* a. a. O., unter Anm. 107.

110. Der Dtr. hat mit המצודה in V. 17 b an Jerusalem gedacht, vgl. V. 7 und V. 9. Das läßt sich aus der Änderung der Reihenfolge der Abschnitte durch den Dtr. schließen. Diese Umstellung paßt indes schlecht zu וירד, V. 17 b. (In der ursprünglichen Reihenfolge – V. 17 ff. unmittelbar nach V. 1–3, also vor V. 6 ff. – bezieht sich וירד auf das »Herabsteigen« Davids vom Hebron in das tiefer gelegene Adullam.)

W. E. Barnes (David's »capture« and the Jebusite »Citadel« of Zion, The Expositor, 8. Ser., 7, 1914, S. 29 ff.) hält eine mögliche Umstellung der Abschnitte in Kap. 5 nicht für erwägenswert, sondern geht davon aus, daß es sich in V. 7. 9 und 17 um dieselbe Lokalität handele, nämlich Jerusalem, und das וירד in V. 17 b in Wirklichkeit ausgezeichnet in den Zusammenhang passe. Wenn David nämlich *hinunter*geht »to the hold of Zion«, sei dies durchaus verständlich, da »the hold was a hiding-place and not a commanding citadel« (S. 33). *Barnes* kommt nach Umdeutungen und Textkorrekturen zu dem Ergebnis, daß Kap. 5,6–9 nicht über eine militärische Eroberung einer befestigten Stadt berichtet werde, sondern über die Übernahme des derzeitigen kannanäischen Heiligtum durch David. Hier – oder richtiger in den darunter befindlichen Gewölbegang (הצנור, V. 8) – stieg David *hinunter* und versteckte sich. Es dürfte auf der Hand liegen, daß die Auffassung *Barnes*' etwas Hypothetisches an sich hat, und so hat sie auch keinen Anklang gefunden.

111. Vgl. oben S. 147 f.

112. *Mowinckel* (GTMMM, II, S. 246 ff.) vermutet sogar, daß Kap. 5,17–25; 21, 15–22; 23,8–17 ursprünglich zusammengehört hätten; doch ist das schon aus dem Grunde unwahrscheinlich, weil wir in Kap. 5,17 ff. keine Heldenanekdote, sondern die Schilderung einer regulären Schlacht von uns haben.

V. 17 b mit V. 17 a, die nach dem Vorhergehenden auf den Verfasser zurückgeht, weitaus natürlicher als die Verknüpfung von V. 17 b mit der folgenden Kampfschilderung. Mit anderen Worten: Der Aufenthaltsort Höhle Adullam ist als unzugänglicher Ort, an dem sich der von den Philistern gesuchte (vgl. V. 17 a: לבקש) David aufhält, weit besser verständlich als eine Art Operationsbasis für David bei seinen Kämpfen gegen die Philister. In diesem Zusammenhang wäre auch noch zu sagen: Der Dtr., der nach unseren obigen Ausführungen für die Umstellung von V. 6 ff. und V. 17 ff. verantwortlich zu machen ist, muß demnach Jerusalem als Operationsbasis für die in V. 17 erwähnten Philisterschlachten Davids angesehen haben. Und namentlich diese Auffassung des Dtr., Jerusalem habe David als Operationsbasis gedient, ist möglicherweise – neben dem vom Dtr. eingeschobenen Abschnitt V. 4–5 (siehe oben) – mit die Ursache dafür gewesen, daß der Dtr. V. 6ff. (die Eroberung Jerusalems) V. 17 ff. vorangestellt hat.

Hinsichtlich des Orakelmotivs in V. 19f. und 23 f. ist festzuhalten, daß dieses Motiv immerhin in der Vorgeschichte eine wesentliche Rolle spielt [113]. In Anbetracht dessen ist man freilich in Versuchung, von vornherein in Zweifel zu ziehen, ob dieses Motiv als ursprünglicher Bestandteil der *beiden* zugrundeliegenden Lokaltraditionen in V. 17–25 angesehen werden darf. Damit ist aber nicht gesagt, daß das Motiv hier unbedingt auf den Verfasser zurückgeführt werden müsse, so wie das in Kap. 2,1 der Fall ist [114]. Ein wenig merkwürdig kommt es einem doch vor, daß das Orakelmotiv ursprünglich in beiden hinter V. 17–25 liegenden – einst selbständigen – Überlieferungen vorhanden gewesen sein soll, zumal nichts zu der Annahme Veranlassung gibt, daß dieses Orakelmotiv schlechthin die beiden Traditionen miteinander verknüpft hätte. Überhaupt nimmt das Orakel in V. 17–25 eine derart überragende Stellung ein [115], daß man sich des Eindruckes nicht erwehren kann, die Schilderung der Siege Davids über die Philister sei bewußt diesem Motiv untergeordnet worden. Von diesen Überlegungen her scheint auch die Vermutung nicht unbegründet, daß auf jeden Fall der Verfasser hinter V. 19 steht, zumal die Formulierung an dieser Stelle mit der in Kap. 23,2. 4 übereinstimmt [116].

Somit sind wir bei V. 6–12 angelangt [117], die sich weitaus besser geeignet

113. Vgl. oben S. 154 und Kap. V: Anm. 48 a.
114. Vgl. oben S. 222 f.
115. Vgl. im übrigen *Nübel,* a. a. O., S. 75.
116. Darauf aufmerksam gemacht werden muß auch, daß zwischen V. 17–25 und 1. Sam. 28 ein Gegensatz besteht: David besiegt die Philister als Folge eines günstigen Orakels, während Saul sich vergeblich um ein positives Orakel bemüht und eine totale Niederlage erleidet (Kap. 31); vgl. *Carlson,* David the Chosen King, S. 57.
117. V. 13–16 kann man vorbehaltlos in der Originalfassung der Vorgeschichte als Fremdkörper ausscheiden. Die Liste mit Davids in Jerusalem geborenen Söhnen

hätten, nicht nur den Abschluß von Kap. 5, sondern auch der Vorgeschichte überhaupt zu bilden. Allerdings sind V. 6–12 in ihrem Aufbau auffallend fragmentarisch und summarisch. Über ein so wichtiges Ereignis, wie das der Eroberung Jerusalems, hätte man sicher mehr zu erzählen gewußt. Aber offenbar war dem Verfasser daran gelegen, nur das Allernötigste zu berichten. Der eigentlich Höhepunkt der Vorgeschichte ist ja erreicht. Warum wird dann überhaupt noch etwas über die Eroberung Jerusalems erzählt? Wahrscheinlich weil das Königtum Davids in Israel (= Israel und Juda) und dessen Residenzstadt Jerusalem sehr schwer voneinander zu trennen sind. Eben von dieser Stadt aus herrscht David über seine zwei Reiche, Israel und Juda; verständlicherweise hat gerade hier »Israel« seine weitgefaßte, ideale Bedeutung (= Israel und Juda) bekommen [118]. Daher wäre es merkwürdig gewesen, wenn die Geschichte von Davids Aufstieg zur Königsherrschaft ohne die Erwähnung Jerusalems, der Stadt Davids, ihr Ende gefunden hätte. Doch erfolgt dies – aus der Sicht der Vorgeschichte durchaus verständlich – in alle Kürze. Das Wichtigste war offenbar, *daß* David Zion eroberte (V. 7) und *daß* er diese Stadt zu seiner Hauptstadt machte (V. 9 [119]). Eine eingehendere Darstellung darüber zu geben, wie David Jerusalem erobert und er sie sich als Residenzstadt eingerichtet hat, lag nicht in der Absicht der Verfasser – und kann ihm auch nicht am Herzen gelegen haben [120].

nach V. 12 ist ganz bestimmt nachträglich angehängt worden. Man geht wohl recht in der Annahme, daß diese Liste – wie auch die ihrem Inhalt nach an Annalen erinnernden V. 4–5 – auf den Dtr. zurückgehen. Der Dtr. hat demnach V. 6–12 mit statistischem Material eingerahmt, V. 4 f. und V. 13 ff. *Noth* (Überlieferungsgeschichtliche Studien, S. 63, Anm. 3) vermutet, daß V. 13–16 vor dem Dtr. im Hinblick auf die sich anschließende Thronfolgegeschichte hinzugefügt seien. Im übrigen besteht in der Forschung praktisch Einmütigkeit darüber, daß V. 13–16 ursprünglich mit zu der Liste in Kap. 3,2–5 gehört hätten, doch steht dem die unterschiedliche sprachliche Ausdrucksweise der beiden Listen entgegen. Zu 3,2–5 siehe oben S. 234 f.

118. Vgl. *Grønbæk,* ST, 18, 1964, S. 30 f.

119. In V. 7 a und V. 9 a wird Jerusalem als המצודה bezeichnet. Oben haben wir nachzuweisen versucht, daß המצודה in V. 17 a vom Dtr. durch eine Umstellung von V. 6 ff. und V. 17 ff. auf Jerusalem bezogen wurde. Von daher ist man natürlich in der starken Versuchung, anzunehmen, daß auch in V. 7 a und V. 9 a der Dtr. Jerusalem als מצודה charakterisiert hat. Eine derartige Bezeichnung für Jerusalem findet sich auf der anderen Seite an keiner anderen Stelle im AT. *Barnes* hat wahrscheinlich recht, wenn er in seiner oben in Anm. 110 angeführten Abhandlung (S. 30 ff.) behauptet, daß mit »the hold« (המצודה) in Verbindung mit einer »citadel« überhaupt schwer etwas anzufangen ist.

120. Ob der übrigens problematische V. 9 b zur Vorgeschichte gehört hat, läßt sich nur sehr schwer entscheiden. Wenn nicht, könnte die kurze Notiz über Davids Befestung Jerusalems eine vom Dtr. vorgenommene Einfügung von 1. Kg. 11,27 sein (vgl. *Gressmann,* Die älteste Geschichtsschreibung, 1921, Textkritische Anm., S. 8), die entweder durch das in die Zukunft gerichteten

In V. 6 und V. 8 liegt offenbar eine Überlieferung, oder wenigsten Bruchstücke einer Überlieferung vor, die der Verfasser gekannt und für seine Darstellung ausgewertet hat. Dafür spricht die Wendung »David und seine Männer«, die sicherlich den historisch bedeutsamen Nachweis erbringt, daß die Stadt nicht – wie der Chronist 1. Chr. 11,4 annimmt – durch ein militärisches Aufgebot aus Israel und Juda erobert wurde [121], wie es beim Sieg über die Philister war, den man sich eigentlich gar nicht ohne militärischen Einsatz von Israel und Juda vorzustellen vermag. Jerusalem wurde mit Hilfe von Davids eigenen Söldnern eingenommen. V. 7 hat kaum mit zu dieser Überlieferung von der Eroberung Jerusalems gehört, sondern scheint auf den Verfasser zurückzugehen, der damit festhalten wollte, daß die Eroberung als solche das Entscheidende sei. Die aufgenommenen Überlieferungsbruchstücke dienen lediglich zur besonderen Hervorhebung der Eroberung: Diese nach allgemeiner Auffassung uneinnehmbare Stadt (V. 6!) har David, offensichtlich durch einen Handstreich (V. 8), erobert und sie zu seiner Residenzstadt gemacht, V. 9. Gerade diese auffallende Kürze, wo doch noch soviel Einzelheiten hätten erzählt werden können (darauf deuten schon V. 6 und V. 8 hin!), läßte erkennen, daß der Verfasser auf das Ende seiner Geschichte hindrängt.

Damit stehen wir bei V. 10–12, die wohl – als Ganzes [122] oder teilweise – den formalen Abschluß der Vorgeschichte gebildet haben. Nun kommen diese drei Verse, so wie sie jetzt hintereinander dastehen, als Abschluß nicht in Frage; dafür sind sie zu lose aneinandergereiht, viel zu zusammenhanglos. Nur unschwer kann man sich der Frage entziehen, ob V. 11 – in dem von König Hiram von Tyrus die Rede ist, der Boten zu David schickt mit Zedernholz und Handwerkern – in diesem Zusammenhang wirklich von Bedeutung ist. Diese Erwähnung könnte natürlich Bezug nehmen auf das, was in V. 9 über Davids Wahl (und Einrichtung) Jerusalems als Residenzstadt berichtet wird, und darüber hinaus könnte die Tatsache, daß der mächtige König

Moment in V. 10 (Voraussetzung für Davids zunehmende Macht war seine Befestigung Jerusalems) veranlaßt worden ist, oder unter dem Einfluß von V. 17 ff. steht (ein befestigtes Jerusalem bot die Voraussetzung dafür, daß man den Kampf mit den Philistern aufnehmen konnte).

121. Es würde hier zu weit führen, wollte man auf alle mit der Eroberung Jerusalems durch David verbundenen Probleme eingehen. Deshalb sei besonders verweisen auf *Simons,* Jerusalem in the OT, 1952, S. 165 ff., und auf *Stoebes* Übersicht in seiner Abhandlung »Die Einnahme Jerusalems und der Sinnôr«, ZDPV, 73, 1957, S. 73–99. Daß es sich bei sinnôr in V. 8 um den sogenannten jebusitischen Schacht handelt, darf als gesichert angesehen werden (vgl. *Simons,* a. a. O., S. 168 ff.). Früher war man allerdings der Meinung, dieser Schacht würde außerhalb der jebusitischen Stadtmauer ausmünden, doch haben Ausgrabungen in Ofel in den Jahren 1961 und 1962 den Beweis erbracht, daß sich die Mündung in Wirklichkeit innerhalb der Stadtmauer befand (vgl. *K. M. Kenyon,* Jerusalem, 1967, S. 22 ff.).

122. Vgl. *Alt,* Kleine Schriften, II, S. 15, Anm. 3.

von Tyrus eine Abordnung zu David schickt, als Auswirkung seiner zunehmenden Macht gewertet werden, V. 10. Dennoch fallen die ausgesprochen konkreten Angaben in V. 11 im Blick auf den Abschluß der Vorgeschichte gänzlich aus dem Rahmen [123]. Dieser Vers würde weit besser in den Zusammenhang von Kap. 8,9–11 passen [124]. Da Kap. 8 in seiner jetzigen Fassung wahrscheinlich dem Dtr. anzulasten ist [125], wird offenbar auch den Dtr. V. 11 in den jetzigen Zusammenhang gestellt haben, gerade auf Grund der oben erwähnten sachlichen und formalen Verbindung zu V. 9–10. Damit ist jedoch sicher noch nicht der eigentliche Beweggrund des Dtr. deutlich gemacht, warum er V. 11 ausgerechnet in den ursprünglichen Abschluß der Vorgeschichte eingefügt hat. Den wahren Grund hat man sicherlich darin zu sehen, daß der Inhalt von V. 11 die Beziehung zu Kap. 7 wieder aufnehmen soll, vgl. Davids Worte an Nathan, V. 2: Siehe, ich habe ein Haus aus Zedernholz (בית ארזים); man vergleiche mit V. 11: עצי ארזים und בית· In dem Fall hat hier der Dtr. V. 11 eingefügt, um die Vorgeschichte mit der Nathansweissagung in Kap. 7 in Beziehung zu bringen.

Bleiben also noch V. 10 und V. 12 übrig, die jedenfalls einander völlig ausschließen, wenn das »Bindeglied« V. 11 im Schlußabschnitt der Vorgeschichte als sekundär ausgeschieden wird [126]. Der in die Zukunft weisende Aspekt in V. 10 – so diskret er auch formuliert sein mag – stößt sich merklich an dem abschließende Charakter von V. 12 und »transzendiert« ihn. Notfalls hätte man V. 10 hinter V. 12 erwartet, doch hat man zu einer solchen Umstellung keinerlei Berechtigung. Nun läßt sich V. 12 freilich im Rahmen der Vorgeschichte überhaupt anfechten [127]. V. 12 legt natürlich – wie bei V. 11 – eine Verbindung zu Kap. 7 nahe. Wenn es in V. 12 heißt, David war nun bewußt geworden, daß Jahwe ihn als König über Israel »bestätigt« (הכינו) und sein Königtum (ממלכתו) um Jahwes Volk willen erhöht hatte, gehen die Gedanken unwillkürlich auf die Nathansweissagung in Kap. 7 zurück, vgl. V. 12 b (הכינתי את ממלכתו) und V. 13 b [128]. Im Bereich der Nathansweissagung ist ganz eindeutig auf die Sicherung der Daviddynastie

123. Wenig sinnvoll wäre es auch, wenn die in V. 12 angeführte Überzeugung Davids, Jahwe habe sein Königtum fest gegründet, primär auf die Reaktion Hirams auf Davids zunehmende Macht zurückgehen sollte, V. 11!
124. So *Noth,* Überlieferungsgeschichtliche Studien, S. 65.
125. Vgl. oben Anm. 104.
126. Gegen *Weiser* (Einleitung in das AT, S. 135), der die Vorgeschichte mit V. 10. 12 enden läßt.
127. Wenn *Noth,* Überlieferungsgeschichtliche Studien, S. 64, Anm. 1, gegen die Ursprünglichkeit von V. 12 geltend macht, daß die umfassendere Bedeutung von »Israel« nicht mit der engeren Bedeutung in V. 1–3 im Einklang stehe, ist einzuwenden, daß »Israel« in V. 2 in überzeugender Weise auch in der weitgefaßten Bedeutung steht!
128. Vgl. *Carlson,* David the Chosen King, S. 57. 123.

Bezug genommen, wohingegen die Vorstellung von einer Daviddynastie in der Vorgeschichte keine ausdrückliche [129] Rolle spielt. Die Tendenz der Vorgeschichte besteht in erster Linie in der Legitimation Davids als Nachfolger und Erbe König Sauls, nicht aber in einer Legitimation der David*dynastie* [130]. Das heißt mit anderen Worten: Nicht allein V. 11 lenkt die Aufmerksamkeit auf die Nathansweissagung in Kap. 7, vielmehr ist das sowohl bei V. 11 als 12 der Fall. Der Dtr. hat also in eindrücklicher Weise den ursprünglichen Schluß der Vorgeschichte mit dem Vorsatz zu beeinflussen versucht, daß sich die Vorgeschichte mit anderem Stoff seines umfassenden Geschichtswerkes zusammenfügte.

Der noch verbleibende V. 10 mit seinem im ersten Halbvers diskret und allgemein formulierten, in die Zukunft weisenden Aspekt (Davids zunehmende Macht [131]) und eine in der Vorgeschichte zentral gebrauchte Wendung (Jahwe Zebaoth [132] war mit ihm [133] im zweiten Halbvers bringen die Geschichte von Davids Aufstieg zur Königsherrschaft über Israel in glanzvoller Weise zum Abschluß.

129. Eine Ausnahme ist 1. Sam. 25,28, siehe oben S. 174.
130. Vgl. oben S. 33.
131. Vgl. Kap. 3,1, wo auch von der zunehmenden Macht Davids die Rede ist, hier jedoch in Gegenüber zum Hause Sauls, das immer schwächer wurde.
132. Zum Gottesepitheton Zebaoth siehe Kap. I: Anm. 37.
133. Vgl. 1. Sam. 16,18; 17,37; 18,12; 18,14; 18,28; 20,13; vgl. oben S. 79.

Schlussfolgerungen

Im Ergebnis hat die durchgeführte Analyse von 1. Sam. 15–2. Sam. 5 gezeigt, daß wir in diesem Überlieferungskomplex eine geschlossene Darstellung der Ereignisse von uns haben, die schließlich zur Inthronisation Davids als Nachfolger König Sauls in Israel führten: Ein nicht namentlich genannter Verfasser hat – mit größer Wahrscheinlichkeit – nach der Spaltung des Reiches in Israel und Juda in der Hauptstadt Davids, in Jerusalem, anhand des ihm zur Verfügung stehenden Überlieferungsstoffes den Gang der Ereignisse unter einem ganz bestimmten Gesichtspunkt zusammengearbeitet. Wenngleich er natürlich von vornherein an diesen Überlieferungsstoff gebunden war, hat er doch zugleich aus einer bestimmten Intention heraus, die er mit dem Bericht verfolgte, diesen Stoff dem Ablauf des Geschehens anzugleichen versucht. Es bedarf der ausdrücklichen Erwähnung, daß es sich wirklich um eine Zeitspanne handelt, in deren Rahmen die Ereignisse in chronologischer Aufeinanderfolge koordiniert worden sind. So gesehen liegt uns hier ein Stück »Geschichtsschreibung« vor. Der recht mosaikartige Aufbau der Vorgeschichte ergibt sich vor allem aus dem ihr zugrundeliegenden verschiedenartigen Überlieferungsmaterial.

Diese Bestandteile haben wir in der Vorgeschichte besonders herauszuarbeiten versucht. Wir waren bestrebt, mit Hilfe der Traditionsanalyse (-kritik) den Stoff herauszukristallisieren, den der Verfasser für seine Komposition benutzt hat, sowie diesen abzugrenzen und zu bestimmen. Wo wir es für das Verständnis der Funktion des Überlieferungsstoffes im vorliegenden Zusammenhang der Vorgeschichte für notwendig erachteten, gingen wir zugleich der Frage nach, welche überlieferungsgeschichtliche Entwicklung dieser Stoff vor seiner Eingliederung in die Vorgeschichte gehabt haben könnte, sowie der Frage nach seinem – möglicherweise lokalen – Ursprung und seiner ursprünglichen Zweckbestimmung, bevor er in dem neuen Rahmen der Intention der Vorgeschichte angepaßt wurde.

Diese traditionsanalytische (-kritische) und überlieferungsgechichtliche Untersuchung ging von der Überzeugung aus, daß die klassische literarkritische Methode die Besonderheit und das Wesen der Texte nicht hat zu ihrem Recht kommen lassen. Bei dem Bestreben, parallele und zusammenhängende Quellen zu ermitteln, wird nämlich das Entscheidende unberücksichtigt gelassen – das Überlieferungsmaterial. Trotzdem ist bei der Analyse – und nicht aus bloßem forschungsgeschichtlichem Interesse – auf die literarkritische Behandlung der entsprechenden Texte Bezug genommen, da sich bei diesen Forschern – das gilt in Sonderheit für *Budde* – viele und richtige Beobachtungen finden. Auf die grundsätzliche literarkritische Betrachtungsweise, die wir vor allem durch *Budde* – und in jüngster Zeit *Nübel* – zu Wort kommen ließen, haben wir dann verzichtet, wenn die Problematik der Vorgeschichte einer gründlichen Untersuchung unterzogen werden sollte. Es erwies sich – wie die Analyse gezeigt hat – als unmöglich, der Meinung beizupflichten, die in einem »literarischen« Werk (wie hier der Vorgeschichte) vorhandenen »Unebenheiten«, »Widersprüche«, »Wiederholungen« oder dergl. müßten unweigerlich zu dem Schluß führen, daß in ihm mehrere »Quellen« oder »Ausgaben« vorlägen. Wo sich »Unebenheiten« erkennen lassen – und das ist im übrigen keineswegs so oft der Fall, wie von den Literarkritikern angenommen – gehen diese meistens darauf zurück, daß die dem Verfasser vorgegebenen Überlieferungen miteinander kollidierten oder mit dem nicht ganz in Einklang zu bringen waren, wozu der Verfasser sie sich zunutze machen wollte, also mit seiner Grundintention, unter der er sie zusammenarbeitete und einordnete.

In ihrer Grundintention will die Vorgeschichte »dokumentieren«, daß David als legitimer Nachfolger König Sauls König von Israel wurde. Der Hauptakzent liegt entschieden auf der Person Davids in seinem persönlichen Verhältnis zu König Saul und dessen Haus. Mit Recht vermutet *Alt,* »dass diese Schrift geradezu aus dem Bedürfnis entstanden ist, die Berechtigung des Übergangs der israelitischen Königswürde auf David historisch nachzuweisen.« [1]. Selbstverständlich ist die Vorgeschichte nicht aus einem theoretischen historischen Interesse erwachsen! Der Verfasser hat sich von einem »praktischen« Gesichtspunkt leiten lassen. Das wird einen auch deutlich, wenn man in Betracht zieht, daß die Vorgeschichte nicht unmittelbar nach den geschilderten Ereignissen, sondern irgendwann nach dem Schisma zwischen Süden und Norden durch den Tod Salomos entstanden ist. Insofern besteht auch ein charakteristischer Zusammenhang zwischen der Zeit nach dem Tode König Sauls und der nach der Teilung des Reiches infolge des Todes Salomos [2]. In beiden Fällen zerfiel das Reich in zwei Teile. Ihr Anliegen ist die Legitimation der Königsherrschaft Davids über *ganz* Israel, sowohl Juda als auch Israel, und damit zugleich eine Festigung des Anspruchs seiner Nachkommen auf beide Gebiete. Die Vorgeschichte verfolgt also eine gegen Jerobeam in Israel (dem Nordreich) gerichtete polemische Absicht nach der Reichsteilung.

1. Die Staatenbildung der Israeliten, 1930, in: Kleine Schriften, II, S. 38 f., Anm. 4.
2. Vgl. oben S. 247.

Dies wird noch deutlicher, wenn man berücksichtigt, daß die Vorgeschichte eine Vertrautheit mit dem Ahiakomplex verrät (siehe unten). Entscheidend jedoch ist dabei, daß diese polemische Ausrichtung nur indirekt (aber darum nicht weniger deutlich) zum Ausdruck kommt. Das Gewicht liegt auf der Person Davids und Davids Verhältnis zu König Saul und seinem Haus (insbesondere zu seinem Sohn Eschbaal) auf seinem Weg zur Königsherrschaft über Israel. David übernahm auf legitime Weise die Macht in ganz Israel. Auf Grund dieser zeitgeschichtlich bedingten Sicht mit der polemischen Adresse an die Machthaber im Nordreich, als das Reich Davids mit dem Tode seines Sohnes Salomo in zwei Teile zerfallen war, unterscheidet sich die Vorgeschichte grundsätzlich von der kultisch begründeten Verheißung über die Davidsdynastie in 2. Sam. 7, die sozusagen zeitlos ist. Dieses Kapitel kann u. a. aus dem Grunde nicht als Bestandteil – geschweige denn als Schlußstein – der Vorgeschichte angesehen werden, die ihren angemessenen Abschluß in Kap. 5 findet [3].

Durch die ganze Vorgeschichte zieht sich wie ein roter Faden, daß König Saul der Verworfene und David der Auserwählte ist und letzterer von Jahwe ausdrücklich als Nachfolger des verworfenen Saul auserwählt wurde. Das geht bereits aus dem *ersten Hauptabschnitt,* 1. Sam. 15,1–16,13, hervor [4]. Die Vorgeschichte wird eingeleitet durch den Bericht über die Verwerfung König Sauls von Israel, Kap. 15. In diesem Bericht sind Saul und Samuel die schlechthin handelnden Figuren. Auf die wirkliche Hauptperson, David, wird jedoch in V. 28 hingedeutet; er ist derjenige, dem das Reich Sauls zufallen soll. Auf diese Tatsache ist der ganze Bericht über die Verwerfung Sauls ausgerichtet. Daß dem so ist, wird deutlich in dem unmittelbar folgenden Bericht über die Salbung Davids, Kap. 16,1–13. Die Verwerfung Sauls verfolgt in ihrem negativen Ergebnis den Zweck der Vorbereitung der Salbung Davids. Der Skopus des Berichts über die Verwerfung steckt also in den V. 27–28 [5]. Bemerkenswerterweise hat der Verfasser die Verwerfung Sauls mit einem Kampf gegen die Amalekiter in Verbindung gebracht und diesen Kampf als Hintergrund für die Verwerfung verwendet. Damit wird auch der Bericht über Davids Feldzug gegen die Amalekiter in Kap. 30 ins Auge gefaßt. Wie Sauls (siegreicher!) Amalekiterkrieg ihn zu Fall brachte, so wurde er für David der Anfang seiner Erhöhung. Einzelne Züge in der Darstellung des Amalekiterfeldzuges Sauls unterstreichen die Richtigkeit der Annahme, daß dieser dem Amalekiterfeldzug Davids im wesentlichen entspricht. Der Verfasser hat nämlich über Sauls Feldzug gegen die Amalekiter kaum mehr gewußt, als daß er stattgefunden hat [6],

3. Vgl. oben S. 32 ff.
4. Vgl. oben Kap. I, S. 37–76.
5. Vgl. oben S. 40 ff.
6. Vgl. oben S. 47 f.

und so hat er ihn durch Züge aus der Überlieferung über Davids Amalekiterkrieg ergänzt [7]. Ferner gab der Verfasser der Darstellung in Kap. 15 konkreteres Profil durch die Einführung der Gestalt des Agag [8].

Der folgende Bericht über die Salbung Davids (Kap. 16,1–13) bildet, wie bereits erwähnt, die unmittelbar durch 15,27 f. vorbereitete Fortsetzung des vorigen Berichts. Derselbe Samuel, der auf Befehl Jahwes David salbt, fällt über Saul das Verwerfungsurteil Jahwes. Damit ist bereits die Tendenz der Salbungsgeschichte zum Ausdruck gebracht. Sie soll Davids Anspruch auf den Thron Israels als den von Jahwe für König Saul auserwählten Nachfolger legitimieren. Im Ergebnis der Analyse von 16,1–13 stellten wir fest, daß diese Perikope vom Verfasser unter Zugrundelegung der Überlieferung von der Salbung Sauls und auf dem Hintergrund der jerusalemischen Königsideologie verfaßt worden ist.

Kap. 15,1–16,13 stellen insgesamt die Einleitung der Vorgeschichte dar. Die beiden Hauptpersonen treten jeder für sich auf, Saul im negativen Sinn als der von Jahwe Verworfene, David im positiven Licht als der von Jahwe Auserwählte. Das beide Verbindende ist die von Jahwe durch Samuel ausgesprochene Willenserklärung. Im Lichte dieser Einleitung hat man auch die übrige Vorgeschichte zu sehen: Saul ist nun einmal der Verworfene und David als sein Nachfolger ausersehen. Die Vorgeschichte ist nicht nur die Geschichte von Davids »Aufstieg«, sondern auch von Sauls »Abstieg«.

Des öfteren wird im folgenden auf die Erwählung Davids Bezug genommen. Er ist der »Designierte« Jahwes, sein nagid [9], der »verborgene« Messias. Unter dem Aspekt der Erwählung Davids hat man später in der Vorgeschichte Aussagen, wie Kap. 25,30; 2. Sam. 3,9. 18; 5,2, aufzunehmen, Aussagen, die samt und sonders auf früher von Jahwe ausgesprochene Verheißungen der zukünftigen Königswürde Davids hinweisen [10].

Von grundlegender Bedeutung für die Komposition ist 2. Sam. 5,2, wo die in Hebron Versammelten als Begründung für die Wahl Davids zum König über Israel sowohl auf Davids Funktion als Heerführer schon zu Zeiten König Sauls als auch seine Erwählung zum nagid über Israel zurückkommen. Bei dieser Erwählung (V. 2 b) ist an seine Salbung zum König Israels in Kap. 16,1 ff. gedacht. (2. Sam. 3,10 greift unmittelbar zurück auf Kap. 15,1–16,13.) V. 2 a bezieht sich indes auf den *zweiten Hauptabschnitt,* 1. Sam. 16,14–19,17, der den Aufenthalt Davids am Hofe König Sauls behandelt. Während dieser Zeit vollbrachte David im Kriege an der Spitze der Krieger Sauls Heldentaten, die beim ganzen Volk Bewunderung hervorriefen (vgl. z. B. Kap. 18,16!). Somit kommt Kap. 16,14–19,17 für die Komposition der Vorgeschichte eine wesent-

7. Vgl. oben S. 50 f.
8. Vgl. oben S. 53 f.
9. Dieser Ausdruck findet sich vielleicht schon in Kap. 16,6, vgl. oben S. 70.
10. Vgl. oben S. 175 ff.

liche Bedeutung zu [11]. Davids Rolle als Kriegsheld ist – neben seiner Auserwählung – der Grund für seine Wahl zum König von Israel als Nachfolger Sauls (2. Sam. 5,2). In diesem Abschnitt kann man beobachten, wie die in der Vorgeschichte erzählten Begebenheiten um Saul und David auf dem in Kap. 15,1–16,13 gezeichneten Hintergrund entfaltet werden: Saul ist der Verworfene, von Gott Verlassene, während David als der Auserwählte gilt, mit dem Jahwe ist (vgl. 16,18; 17,37; 18,12). Sauls Geistesgestörheit erfährt im Licht – und als Folge – der Salbung Davids eine eigenartige Deutung und bringt damit zugleich die subjektive Seite seiner Verwerfung zum Ausdruck: Saul leidet an Depression und erhält Linderung durch das Harfenspiel des herbeigerufenen Davids. Die Einleitung, Kap. 16,14–23, trägt ausgesprochen idyllische Züge. Gleichzeitig wird David als ein erprobter Krieger (V. 18) und Hirte (V. 19) charakterisiert. In dieser Einleitung ist der folgenden Darstellung des Aufenthalts beim König die Boden bereitet. Alles sieht vielversprechend aus, findet aber doch ein jähes und dramatisches Ende. Die Darstellung des weiteren Geschehens vollzieht sich in einer Entfaltung der in Kap. 16,14–23 angeklungenen Motive: In Kap. 17 tritt David als ein – in Kriegsdingen ganz unerfahrener – Hirtenjunge auf; in Kap. 18,10 und 19,9 bildet die Szene, wo David mit seinem Spiel die Schwermut des Königs zu lindern sucht, den Rahmen für den Versuch Sauls, David zu töten. Und der Beweggrund für Sauls Zornesausbruch sind schlechterdings die Erfolge Davids in seiner Eigenschaft als Krieger und Feldherr. In Kap. 17, wo eine jerusalemitische Legende von David und den Riesen Goliath mit einem Philisterkampfbericht kombiniert worden ist, sieht alles noch recht gut aus. Doch der aufmerksame Leser nimmt trotzdem schon den Konfliktsstoff wahr: Schon bei dieser Gelegenheit spielt David – als ein im Krieg unerfahrener Hirte – dem König gegenüber eine überlegene Rolle. Saul ist machtlos, von seinem Charisma ist nicht viel übriggeblieben. Davids Tat hat man im Zusammenhang mit der Geistverleihung bei der Salbung zu sehen, wobei offenbar wird, daß Sauls Ohnmacht eine Folge seiner Verwerfung ist. Kap. 17 spielt aber noch eine andere, ebenso entscheidende Rolle, als es die Voraussetzung und die Veranlassung für den Bundesschluß Jonathans mit David schafft, Kap. 18,1–4 [12].

Mit Kap. 18,5 erfolgt spürbar eine weitere Verarbeitung der in der Einleitung vorhandenen Motive. Wie Kap. 17 – unter anderem – die Antwort darauf gibt, wie David in Sauls Dienst kam (vgl. 18,2), so berichtet Kap. 18,5–19,17, wie sich Davids Dienst bei Saul gestaltete: er war nicht von langer Dauer. Der Verfasser hat Kap. 18,5–19,17 aus der Perspektive der Vorgeschichte heraus mit Hilfe des spärlich fließenden Überlieferungsmaterials komponiert, das ihm eben zur Verfügung stand. Davids erfolgreiche Wirksam-

11. Vgl. oben Kap. II, S. 77–113.
12. Vgl. oben S. 84 f.

keit als Feldherr und die sich daraus ergebende Popularität motivieren den Versuch Sauls, ihn zu töten, während er ihm auf seiner Harfe gerade vorspielt. Die beiden Motive, David als Krieger und Harfenspieler, aus Kap. 16,14 ff. sind miteinander kombiniert worden [13]. Saul fühlt, daß sein Thron bedroht ist (V. 8), er hat Angst vor David, weil Jahwe mit ihm ist (V. 12). Zuletzt muß David Hals über Kopf fliehen, um dem Tode zu entgehen. Saul mach David zum Anführer einer Tausendschaft [14] und hofft, daß David – dem zuerst die älteste Tochter des Königs, später deren jüngere Schwester als Frau in Aussicht gestellt wird (V. 17 ff., 20) – im Krieg gegen die Philister fallen würde. Doch Jahwe ist ständig mit David (V. 28), und er erlangt noch größeren Ruhm. Nachdem Jonathan für kurze Zeit Saul mit David versöhnt hatte, Kap. 19,1–7 [15], unternimmt der König einen erneuten Versuch, David zu töten; dieser aber vermochte schließlich doch – durch die Hilfe seiner Frau Michal – aus der allernächsten Reichweite des Königs zu fliehen.

Das ganze Geschehen in dem Abschnitt legitimiert Davids spätere Königswürde. Er wird des Königs Schweigersohn [16], er ist auf Grund seiner Taten ein Volksheld. Im *dritten Hauptabschnitt,* 1. Sam. 19,18–22,23 [17] wird weiter geschildert, wie David – nach seiner Flucht – von Samuel (Kap. 19,18–24), dem ältesten Sohn des Königs, Jonathan, (Kap. 20) und dem Priester in Nob (Kap. 21–22) weitere Hilfe erfährt. Saul steht in seinem Widerstand gegen David einsam und verlassen. Der Verfasser hat diesen Hauptabschnitt in sehr übersichtlicher Weise gestaltet [18]. Jeder Unterabschnitt wird durch ויבא eingeleitet (vgl. Kap. 19,18 a; 20,1 b; 21, 2 a und 11 b). Auf diese Weise kristallisieren sich automatisch vier Abschnitte heraus, hinter denen sich offenbar ursprünglich selbständige Einheiten verbergen, die der Verfasser miteinander verband.

Der erste Abschnitt, Kap. 19,18–24: Die Flucht zu Samuel nach Rama, ist vom Verfasser durch eine tendenziöse Verdrehung der Saultradition in 1. Sam. 10,10ff. konstruiert [19]. In Kap. 10 war die Geistbegabung eine Manifestation der Salbung Sauls, gleichbedeutend mit Tat und göttlicher Aktivität, hier ist sie Ausdruck der Verwerfung Sauls, gleichzusetzen mit Lahmlegung und Passivität. Der zweite Abschnitt, Kap. 20, fußt auf einem überlieferten Bericht, den der Verfasser mit der Flucht Davids in Zusammenhang gebracht

13. Vgl. oben S. 101.
14. Kap. 18,13 bereitet V. 17 ff. vor, vgl. oben S. 103 f.
15. Vgl. oben S. 111 ff.
16. Der tendenziöse Abschnitt Kap. 18,17–19 geht auf den Verfasser zurück. Im Goliathbericht ist er durch Kap. 17,25 vorbereitet, vgl. oben S. 106.
17. Vgl. oben Kap. III, S. 114–51.
18. Vgl. oben S. 114.
19. Vgl. oben S. 116 f.

hat [20]. Er ist »positiv« durch Kap. 19,1–7 vorbereitet: Erneut versucht Jonathan – dieses Mal auf Davids Bitte hin – zu vermitteln. Doch ohne Erfolg! Weder David noch Jonathan haben sich etwas vorzuwerfen. Doch hat Kap. 20 auch eine positive Absicht. Wie die Verwerfung Sauls in Kap. 19,18 ff. bekräftigt wird, so erfolgt die Zusicherung, daß David König werden wird, erstmalig direkt aus dem Munde des »Kronprinzen«, vgl. V. 13 b–17. Hier liegt ohne Zweifel das Grundanliegen des Berichts, sein Skopus. Inmitten der tiefen Erniedrigung wird David als Nachfolger Sauls auf dem Thron Israels legitimiert, vgl. V. 13b: Jahwe sei mit dir, wie er mit meinem Vater gewesen ist . . .!

Nob paßt als letztes Stadium auf Davids Fluchtweg in Benjamin außerordentlich gut (K. 21,2 a). Die Analyse ergab, daß die Frage der Überlieferung in Verbindung mit Kap. 21–22 verwickelt ist [21]. Die ursprüngliche Nob-Überliererung hat der Verfasser durch den Einschub der Erzählung von Davids Flucht zu König Achis von Gath, Kap. 21,11–16 [22], und die Schilderung seiner schließlichen Ankunft im Land Juda, Kap. 22,1–5 [23], in zwei gesonderte Teile zerlegt. Darüber hinaus hat der Nob-Bericht in der Vorgeschichte einen neuen Skopus bekommen, Kap. 22,20–23: Das Blutbad an der Priesterschaft hat positiv im Gefolge, daß ein Vertreter dieser Priesterschaft bei David als Orakelpriester Anstellung fand. David übernahm also Sauls Priester! [24] Durch diese Zielsetzung paßt der überlieferte Bericht über David und Nob vortrefflich zum Hauptabschnitt Kap. 19,18–22,23, der Davids Fluchtweg in Benjamin behandelt, bis er sichereren – doch keineswegs sicheren! – Boden in seinem eigenen Stammesgebiet unter die Füße bekommt.

Wie bereits erwähnt, unterbricht der Verfasser den Gang der Ereignisse in der überlieferten Nob-Erzählung durch den Einschub von Kap. 21,11–22,5. Die Flucht nach Gath soll teils das endgültige Überwechseln Davids zum König der Philister, Kap. 27,1ff., vorbereiten (in 21,11–16 handelt es sich lediglich um einen kurzen Besuch!), teils dem Aufenthalt Davids in der Wüste Juda vorgreifen, dessen wesentliches Motiv: Jahwes schützende Hand über dem gedemütigen, »verborgenen« Messias, mit dem theologischen Inhalt von Kap. 21,11–16 übereinstimmt [25]. Der aus Bruchstücken zusammengesetzte Bericht in Kap. 22,1–5 bildet – zeitlich gesehen – den Abschluß der Flucht Davids vom Hofe Sauls. Seine Ankunft im Land Juda wird in V. 5 a ange-

20. Vgl. oben S. 122 f.
21. Vgl. oben S. 127–43.
22. Kap. 21,11–16 ist vorbereitet worden durch die Erwähnung von Goliaths Schwert in V. 9 im selben Kapitel, vgl. oben S. 143.
23. Kap. 22,1–5 hat für Sauls Anschuldigung gegen Ahimelech einen neuen Rahmen abgesteckt, vgl. Kap. 22,6 a und 8. Vgl. oben S. 147 ff.
24. Vgl. oben S. 135 f.
25. Vgl. oben S. 146 f.

zeigt, der auf Kap. 23,3 anspielt, wo das Eintreffen Davids im Lande Juda vorausgesetzt ist.

Im *vierten Hauptabschnitt,* Kap. 23,1–27,4 ist David der unaufhörlich Gehetzte, der zu guter Letzt in Feindesland Zuflucht suchen muß [26]. Ob wirklich noch irgendeine Chance besteht, am Ende König von Israel zu werden? Saul ist auf Davids Kopf aus, und nicht einmal unter seinen eigenen Genossen im Süden kann sich David in Sicherheit wiegen. Doch inmitten dieser Erniedrigung, in seiner Lage als ein vom König Gehetzter – und darin liegt die Pointe – wird Jahwes Zusage, ihn zu erhöhen, durch den Königssohn (Kap. 23,17) und den König selber (Kap. 24,21) laut. Nicht zufällig findet sich in der Zeit Davids in der Wüste Juda, der Zeit seiner Erniedrigung, erstmalig ein direkter Hinweis auf seine künftige Königswürde. Kap. 23,16–18 hat man natürlich im Gesamtzusammenhang von Kap. 18,1 ff.; 19,1 ff. und Kap. 20 zu sehen. Auch Kap. 24,21 (Ich wußte, du wirst König werden ...) wird schon weiter zurück in der Vorgeschichte angedeutet. Man bekommt den Eindruck, als sei in der Haltung Sauls gegenüber David ein Fortschritt zu verzeichnen – von der Ahnung (Kap. 18,8) zur Gewißheit (Kap. 24,21). Diese innere Bewegung hat man unter dem Aspekt der Einleitung der Vorgeschichte Kap. 15,1–16,13 zu sehen: Saul ist nun einmal der von Jahwe Verworfene, David der an seiner Stelle Auserwählte.

Die Schilderung des Aufenthaltes Davids in der Wüste Juda wird durch eine Episode eingeleitet, Kap. 23,1–13, nach der David dadurch, daß er der von den Philistern belagerten Stadt Kegila zu Hilfe kommt, offenbar Bundesgenossen zu gewinnen sucht [27]. Grundsätzlich wird hier eine echte Überlieferung wiedergegeben, die der Verfasser in Kap. 22,5 a – David hält sich nun in Juda auf – und in Kap. 22,20 ff. durch die Gestalt des Ebjathar vorbereitet, die – wie in Kap. 30,7 – angesichts der Wichtigkeit der Situation hier eingefügt wurde. Davids Tat weist auf seine spätere Funktion als König hin, wie sie jedoch auch gleichermaßen auf seine Wirksamkeit während des Aufenthalts bei Saul Bezug nimmt.

In der folgenden Schilderung der Denunziation Davids durch die Siphiter, Kap. 23,14–18, die sowohl die schmachvolle Lage Davids deutlich macht, als auch den Rahmen für die Verheißung seiner Erhöhung absteckt (V. 16–18!), hat der Verfasser den ursprünglichen Schluß des überlieferten Berichts durch eine ätiologische Sage ersetzt, V. 24 b (25)–26. 28 b [28], und außerdem V. 27–

26. Vgl. oben Kap. IV, S. 152–85.
27. Bemerskenswert ist, daß Kap. 27,8 ff. und 2. Sam. 2,4 b ff., die ebenso wie Kap. 23,1 ff. einer vorwärtsstrebenden Politik Davids Ausdruck geben, auch in kompositorischer Hinsicht in der Vorgeschichte Davids eine neue Phase einleiten, bevor er sein endgültiges Ziel: den Thron Israels, erreicht. Vgl. oben S. 188 f. 225.
28. Vgl. oben S. 160 ff.

28a (und 24,2 a?) als Übergangsstück zum Bericht in Kap. 24 eingefügt. Der Bericht über Saul und David in der Höhle von Engedi ist der Grundtendenz der Vorgeschichte völlig untergeordnet worden, vgl. V. 5 b–6 und 21–23 a [29]. Die Episode wird in der Optik der Tatsache gesehen, daß David wirklich Nachfolger von König Saul wird. Eine andere, im Prinzip der Überlieferung in Kap. 24 sehr ähnliche Tradition, hat der Verfasser mit Kap. 26, der Episode im Lager Sauls in Gibeath-Hachila, aufgenommen. Diese Überlieferung, die zwar auch – wenngleich in geringerem Maße – den Stempel der Vorgeschichte aufgedrückt bekommen hat, versah der Verfasser mit einer aus Bruchstücken der Siphitertradition zusammengearbeiteten Einleitung [30].

Als Zwischenstück für die beiden gedanklich-inhaltlich in derselben Weise geprägten Episoden in Kap. 24 und 26 findet sich die hübsche Erzählung über Abigail, Kap. 25. Während die Überlieferungen in Kap. 24 und 26 im Zeichen der verzweifelten Situation Davids stehen, ununterbrochen vom König gejagt zu werden, zeigt der Bericht in Kap. 25 einen ganz anderen Charakter. In ihm wird deutlich, daß sich David in ausgesprochen stabilen Verhältnissen befindet. Den Skopus der Erzählung hat man in dem Wort Abigails an David in V. 28–30 zu suchen. Diese Worte greifen im größeren Rahmen zurück auf Davids Salbung in Kap. 16,1–13 und weisen – man beachte die Worte über Davids Funktion in den Kriegen Jahwes – schon auf Davids Wirken in Ziklag (als philistäischer Lehnsmann) und in Hebron (als König von Juda) hin. Daraus erklärt sich wohl auch, weshalb die Atmosphäre in Kap. 25 von der in den übrigen Erzählungen von der Wüstenzeit so stark abweicht.

Mit Kap. 27,1–4 endet schließlich die ganze Schilderung des unbeständigen Lebens Davids in der Wüste Juda. Diese durchweg vom Verfasser gestaltete Perikope [31], die durch Kap. 26,19–20 a, und noch weiter zurück, Kap. 21,11 ff. vorbereitet ist, soll den schicksalsschweren Schritt Davids motivieren, in feindlichem Land Zuflucht zu suchen.

Im *fünften Hauptabschnitt,* 1. Sam. 27,5–2. Sam. 2,4 a, finden sich – so wie der Abschnitt abgefaßst ist – die beiden Hauptereignisse: Sauls Niederlage und Tod im Krieg gegen die Philister sowie Davids Thronbesteigung in Hebron als König von Juda [31 a]. Damit ist die erste Etappe auf dem Wege Davids zur Königsherrschaft über Israel erreicht; die wichtigste Voraussetzung hierfür ist nach der Darstellung ganz eindeutig der tragische Tod Sauls, als Vorbereitung der Thronbesteigung wird jedoch Davids Sieg über die Amalekiter geschildert.

Die Funktion eines Verbindungsstückes zwischen Kap. 23,1–27,4 und 27,5–2. Sam. 2,4 a hat Kap. 27, dessen V. 1–4 den Abschluß des Voraufgegan-

29. Vgl. oben S. 164 ff. und Kap. IV: Anm. 74.
30. Vgl. oben S. 157 f. 180 f.
31. Vgl. oben S. 183 ff.
31 a. Vgl. oben Kap. V, S. 186–224.

genen und die Voraussetzung für V. 5–12 bilden: David erhält – nachdem er beim König von Gath Zuflucht gesucht hatte – Ziklag als Lehnen zugewiesen und benutzt diese Stadt als Ausgangsbasis für Raubzüge u. a. gegen die Amalekiter. V. 5–12, die in gleicher Weise wie V. 1–4 weitesgehend vom Verfasser geprägt sind, bilden ferner eine Einleitung zu der folgenden Darstellung, die vom Geschehen um Saul und David handelt, als letzterer philistäischer Vasall ist, Kap. 28,1–2. Sam. 2,4 a. Durch diese Einleitung bekommen sowohl der nachfolgende Bericht die innere Spannung, als auch die in ihm geschilderten Ereignisse ihre Zielrichtung. In Kap. 28,1–2. Sam. 2,4 a sind zwei Gesichtspunkte, zwei Ereignisreihen, miteinander verbunden: der Kamp gegen *die Philister,* der König Saul die Niederlage bringt, und der Kampf gegen *die Amalekiter,* der David zum Sieg führt. Der Kampf gegen die Philister ist ursprünglich aus *israelitischer* Sicht gesehen, der gegen die Amalekiter aus *judäischer.* Im vorliegenden Zusammenhang der Vorgeschichte jedoch werden beide Kämpfe von dem Standort aus betrachtet: Wie David Israelit sei, so müsse Juda als ein Teil vom Israel Saul gelten, vgl. 27,12. Wie man Kap. 27,5–12 entnehmen kann, hat David es wirklich klug eingefädelt, daß er – als Vasall der Philister – in die Lage versetzt wurde, gegen die Amalekiter, den Erbfeind Judas, zu kämpfen. Dies schafft in kompositorischer Hinsicht den Hintergrund für den Angriff der Amalekiter auf Ziklag in Kap. 30. Wie jedoch will David dem Verdacht des Verräters entgehen, wenn Saul seinen entscheidenden Kampf mit den Philistern, Israels Erbfeind, bis zum Letzten führt?

In Kap. 28 ff. ist der Bericht über das tragische Ende Sauls und Davids steigende Karriere eindrucksvoll miteinander verflochten. Dadurch, daß sich in der Darstellung die Ereignisse um David und Saul abwechseln, nimmt die Spannung zu, bis sie sich in Kap. 29 entlädt: David wird nicht auf seiten der Philister gegen Saul kämpfen müssen! Die Saul- und Davidpartien sind scharf von einander getrennt. Von der Gesamtkonzeption der Vorgeschichte her gesehen, ist von vornherein klar, daß den Saulpartien, selbst wenn sie größeren Raum einnehmen, doch nicht die gleiche Bedeutung zukommt, wie den von David handelnden Abschnitten. Sauls letzter, verhängnisvoller Krieg gegen die Philister schafft die Voraussetzung für den ersten Schritt Davids auf dem Wege zur Königsherrschaft über Israel: die Erlangung der Königsgewalt über Juda. Die Niederlage Sauls ist eine Folge der Verwerfung, die wiederum erst die Voraussetzung für die Erwählung Davids darstellt. Das wird mit aller Deutlichkeit sichtbar in dem Wort des »Geistes« Samuels in Endor in Kap. 28,17 f., das unmittelbar auf den Bericht über die Verwerfung Sauls in Kap. 15 zurückgreift [32].

Während sich die Berichterstattung über Saul und David in Kap. 28 f. sowie Kap. 31 sozusagen in parallel laufenden Serien von Ereignissen vollzieht, ist

32. Vgl. oben S. 196.

das in Kap. 30; 2. Sam. 1,1–2,4 a nicht der Fall. Die beiden Ereignisserien laufen hier zusammen und schneiden sich in 2. Sam. 1; die Mitteilung über den Tod Sauls wird hier als der unmittelbar entscheidende Anstoß für den Schritt dargestellt, den David in 2. Sam. 2,1–4 a unternimmt, sich nämlich nach Hebron zu begeben, um sich dort zum König über Juda salben zu lassen. In dem ganzen Abschnitt Kap. 28,1–2. Sam. 2,4 a herrscht – und das wird in Kap. 30; 2. Sam. 1,1–2,4 a ganz deutlich – ein ausgesprochenes »Durcheinander der Motive«. In der Sicht der zweifellos auf benjaminitischen Ursprung zurückgehenden Saulüberlieferungen bilden die Voraussetzung für Davids Königskrönung in Hebron die Niederlage und der Tod Sauls im Kampf gegen die Philister. Demgegenüber kommt nach den Davidstücken (und besonders Kap. 30, das judäischer Herkunft ist) nur Davids Sieg im Kampf gegen die Amalekiter dafür in Betracht. Auf die Frage, welches der Motive sich in der Darstellung die vorrangige Stellung erobert hat, muß man ohne weiteres zur Antwort geben: das erstgenannte. Aus dem Grunde ist der Bericht, wie David die Nachricht vom Tode Sauls (2. Sam. 1) aufnahm, dem Bericht über die Salbung Davids zum König über Juda in Hebron (Kap. 2,1 ff.) unmittelbar vorangestellt worden.

Die Darstellung vom Sieg Davids über die Amalekiter in Kap. 30, die auf einer ursprünglich selbständigen Überlieferung beruht, ist durch Kap. 28,1–2 und 29 mit Sauls Niederlage und Tod im Kampf gegen die Philister historisch in Zusammenhang gebracht worden. In nächster Umgebung ist das in der Gedankenführung und Zusammensetzung ganz auf Kap. 15 (siehe oben) zurückgehende Kap. 30 vom Verfasser in Kap. 27,8–12 vorbereitet. In Kap. 30,31 weist die Erwähnung Hebrons auf die künftige Salbung in 2. Sam. 2,1 ff. hin, während der Rest des Verses auf den Aufenthalt Davids in der Wüste Bezug nimmt.

Der Bericht darüber, wie David die Nachricht von Sauls Tod und der Vernichtung Israels aufnimmt, stammt sowohl seiner Tendenz als auch Funktion nach sicherlich vom Verfasser. Nach dem Tode Sauls gehen in den Worten des amalekitischen Boten Ereignisse um Saul und David wiederum ineinander über. David wird proleptisch als Nachfolger Sauls zum König über Israel gekrönt, V. 10 [33]. Mit der vom Verfasser eigenartig kurz gehaltenen Perikope in 2. Sam. 2,1–4 a [34] findet der ganze Abschnitt schließlich seinen Abschluß.

Im *sechsten und letzten Haupabschnitt,* 2. Sam. 2,4 b–Kap. 5, hören wir endlich, wie David König von Israel wird[35]. Zu der in Kap. 2,12–3,1 enthaltenen Schilderung des Zusammenstoßes zwischen den Heeren König Eschbaals von Israel und König Davids von Juda, also des Konfliktes um die Macht

33. Vgl. oben S. 219 f.
34. Vgl. oben S. 222 ff.
35. Vgl. oben Kap. VI, S. 225–258.

in einem geeinten Israel, hat der Verfasser in Kap. 2,4 b–11 eine Einleitung gebildet und den Hintergrund gezeichnet [36]. Der Konflikt ist allerdings in ein Konzept gefaßt, das nicht unmittelbar aus dem vorhandenen Überlieferungsmaterial hervorgeht. Die erste Phase des Krieges wird mit dem Hinweis auf das Bruderverhältnis, das zwischen den streitenden Parteien bestehe, abgebrochen [37]. Obwohl Kap. 3,1 und 6 eine Fortsetzung des Krieges andeuten, hört man im folgenden nichts mehr davon.

Was darüber hinaus über die Zeit vor der Wahl Davids zum König über Israel (Kap. 5,1 ff.) berichtet wird, liegt auf einer ganz anderen Ebene. Hinzu kommt, daß die Ereignisse unmittelbar vor Davids Thronbesteigung in Israel in einer derart retouchierten Fassung wiedergegeben worden sind, daß die Thronbesteigung Davids einen würdigen Rahmen bekommt. Abners Tat in Kap. 3,7 ff. wird bagatellisiert; die Rückgabe von Davids Frau Michal an David [38] erfolgt mit Einwilligung König Eschbaals; Abners aktives Eintreten für David wird ganz und gar annulliert. Statt dessen wird Jahwes Vorhaben mit David herausgestrichen [39]. Aus welchem Grunde der Bericht in Kap. 3 überhaupt in die Vorgeschichte hineingekommen ist, wo doch die entsprechenden Ereignisse für den Ablauf des Geschehens keine unbedingt positive Rolle spielen, ist nicht so schwer einzusehen. Den Akzent hat man im letzten Abschnitt, Kap. 3,28–39, zu suchen, also im Negativen. Dieser Abschnitt will die Unschuld Davids am Tode Abners energisch unter Beweis stellen.

Die Plazierung des Berichtes über den Tod König Eschbaals, Kap. 4, überrascht. Vom Zusammenhang her gibt der Tod dieses Königs zur Salbung Davids zum König über Israel Anlaß. D.h., der Tod Eschbaals wäre in der Abfolge des Geschehens die Voraussetzung dafür, daß David das von Jahwe verheißene Ziel erreichen konnte: die Königherrschaft über Israel. In Wirklichkeit hat man den Eindruck, daß Kap. 4 im Zusammenhang ziemlich beziehungslos dasteht, was wohl auch der Tatsache entspricht, daß der Tod Eschbaals historisch als notwendige Voraussetzung für Davids Krönung zum König über Israel kaum ins Gewicht gefallen ist [40].

Weshalb hat der Verfasser in zwei Fällen den Tod eines Königs als Voraussetzung für die Salbung Davids zum König über Juda, bzw. Israel für erforderlich gehalten? Er wollte auf die Weise David legitimieren – in Kap. 1 als Sauls Erbe in einem Teil dessen Reiches, in Kap. 4 als den des gesamten Reiches. Gleichwie David ja erst König über den südlichen Teil vom Israel Sauls nach dessen Tod wurde, so wird er nach dem Tode seines Sohnes Eschbaal König über den nördlichen Teil und damit das ganze Reich.

36. Vgl. oben S. 226 ff.
38. Kap. 3,14, der auf Kap. 18,27 Bezug nimmt, stammt vom Verfasser, vgl. oben S. 238.
39. Vgl. oben S. 240.
40. Vgl. oben S. 242 ff.

Mit dem Bericht in Kap. 5 über die Wahl Davids zum König, seinen Sieg über die Philister und seine Eroberung Jerusalems findet die Vorgeschichte ihren Abschluß. Diesen Abschnitt hat der Verfasser komponiert, indem er die drei eben bezeichneten Elemente zusammenfügte, wobei jedes für sich allein in erheblichem Umfang von ihm selber geprägt worden ist [41]. Kap. 5 macht ausgesprochen den Eindruck, als handele es sich hier wirklich um den Abschluß. Die Berichterstattung ist kurz und bündig sowie konzentriert. Das Fehlen einer ausführlichen Erzählungsweise hängt vornehmlich damit zusammen, daß der Abschnitt abschließenden Charakter hat; in dem Bericht wendet sich der Blick noch einmal zurück auf die voraufgegangenen Geschehnisse, deren Endziel in Kap. 5 festgehalten ist.

Erwartungsgemäß hat in dem Schlußteil der Vorgeschichte vor allen Dingen der Dtr. nicht unerhebliche Eingriffe vorgenommen. Der stärkste Eingriff ist die Umstellung von V. 17–25, die ursprünglich unmittelbar auf V. 1–3 folgten. Bei der Aufnahme der Vorgeschichte in das dtr. Geschichtswerk ist durch diese Umstellung der Abschlußcharakter von Kap. 5 in den Hintergrund gedrängt worden, um den Zusammenhang mit den folgenden Partien des dtr. Geschichtswerkes deutlicher ins Auge fallen zu lassen. Ferner hat der Verfasser versucht, das Zukünftige in die Gegenwart einzubeziehen, indem er V. 11 und 12 einschob. Wie die umgestellten V. 17–25 auf Kap. 8 abzielen und in V. 1 dieses Kapitels wiederaufgenommen werden, berührt sich V. 11 auch mit Kap. 8, während V. 12 auf Kap. 7 verweist [42]. In Kap. 5 gehen V. 4–5 und V. 13–16 auf den Dtr. zurück. Allein diese dtr. Durchdringung des Kap. 5 ist ein Zeichen dafür, daß dieses Kapitel ursprünglich in dem vom Dtr. vorgefundenen Traditionskomplex 1. Sam. 15–2. Sam. 5 am Schluß gestanden hat. Nicht ganz so viele dtr. Eingriffe sind im ersten Abschnitt der Vorgeschichte, Kap. 15, zu verzeichnen. Hier fanden wir Spuren des Dtr. lediglich in V. 2 und V. 6 [43]. Ansonsten sind die dtr. Eingriffe in die Vorgeschichte recht vereinzelt, so Kap. 30,21–25 – vielleicht – [44], 2. Sam. 1,17–27 [45] und Kap. 2,10 a. 11.

David wird also nach vielen Komplikationen letztlich doch König von Israel als Nachfolger König Sauls. Und David nahm – wie es in dem allgemein formulierten und ziemlich vorsichtig auf das Zukünftige hin ausgerichteten Schlußsatz heißt – an Stärke zu, denn Jahwe Zebaoth war mit ihm (Kap.

41. Vgl. im übrigen die Analyse S. 246–58.
42. Vgl. oben S. 257 f. *Wenn* die Verwendung des Wortes Jahwe Zebaoth in V. 10 auf den Dtr. zurückginge, *könnte* es möglich sein, daß hier Kap. 6 vorgegriffen würde (vgl. V. 2. 18). Vgl. ferner Kap. I: Anm. 37.
43. Vgl. oben S. 46. 52.
44. Vgl. oben S. 213.
45. Vgl. oben S. 221 f.

5,10). Diese Wendung (Jahwe war mit David) darf man zu Recht aus der Sicht der Vorgeschichte als eine Legitimationsformel bezeichnen: Jahwe stand hinter den Ereignissen, die David zur Königsherrschaft über Israel verhalfen. Übrigens hat der Verfasser diese Formel, die sich ganz ausgezeichnet als Schlußstein der Vorgeschichte eignet, auch schon früher König Saul in den Mund gelegt (Kap. 17,37), ja ebenfalls Jonathan (Kap. 20,13: Wie Jahwe einst mit König Saul war, wird er nun mit seinem Auserwählten David sein!). Das Gegenteil davon – und zugleich die Voraussetzung dafür –, daß Jahwe mit David ist, ist sein Abrücken von Saul; deshalb die – berechtigte! – Angst König Sauls vor David (Kap. 18,12, vgl. V. 28). Daß Jahwe mit David war, hat seine Ursache in der Erwählung Davids, der Kehrseite der Verwerfung Sauls (Kap. 15,1–16,13). Diese Tatsache beherrscht die ganze Vorgeschichte. Jahwe riß das Königtum von Saul, verwarf ihn, um David als seinen Nachfolger zu erwählen (Kap. 15,27 f.). Und wie Samuel durch eine symbolische Handlung die Verwerfung Sauls demonstrierte, so tat dies auch David eigenhändig in Engedi (Kap. 24,5 b–6). Saul ist von Jahwe verlassen, er ist machtlos (Kap. 19,18 ff.), und zuletzt begriff er selber, daß David in der Tat König über Israel werden würde (Kap. 24,21 ff.). In Kap. 28,17 ff. bestätigt der von der Hexe in Endor heraufbeschworene Geist Samuels – unter direktem Hinweis auf die Verwerfungsepisode in Kap. 15 –, daß Saul unwiderruflich der Verworfene sei, der im Kampf gegen die Philister seinen Untergang erleben werde, und daß David als sein von Jahwe auserwählter Nachfolger gelte. Und schließlich verspricht Abner in seinem Wort in 2. Sam. 3,9, noch mit dazu beizutragen, daß das Haus Sauls die Macht verliere und David statt dessen Israels König werden solle.

Wie seinerzeit Saul zum nagid über Israel gesalbt wurde (1. Sam. 10,1), so hat der Verfasser David nicht allein diesen Titel beigelegt, sondern auf ihn – nota bene – auch die damit verbundenen Vorstellungen von einem von Jahwe berufenen Führer, einer charismatischen Rettergestalt übertragen [46]. Allerdings wird in der Vorgeschichte nicht klar zwischen nagid und melek unterschieden – der nagid-Titel kommt nur in Kap. 25,30 und 2. Sam 5,2 vor –, doch ist gleichzeitig offenkundig, daß Davids Funktion als Heerführer, als Held, bei seiner Legitimation als künftiger König eine entscheidende Rolle gespielt hat. Bei seiner Salbung zum König (Kap. 16,1 ff.) wird er von Jahwe mit Kraft und Stärke ausgerüstet, um Heldenstaten zu vollbringen. Insofern besteht ein innerer Zusammenhang zwischen Kap. 16,1 ff. und Kap. 17, sowie Davids Taten im Kriege während seines Aufenthalts bei König Saul, die die Bewunderung des ganzen Volkes weckten (vgl. Kap. 18,16. 28) – und dem König Schrecken – einflößten. Unter dem Aspekt der Erwählung hat man das Wort Abigails in Kap. 25,30 (seine Einsetzung als nagid als Erfüllung der Ver-

46. Vgl. oben S. 175 ff.

heißung Jahwes) zu verstehen, ebenso Abners Wort in 2. Sam. 3,18 (Jahwes Zusage an David, daß dieser Israel von seinen Feinden retten würde) und die Worte der Ältesten in 2. Sam. 5,2 (Jahwes Verheißung an David, daß er – der schon zur Zeit König Sauls Israel in den Kampf führte – nagid über Israel sein würde). David führte den heiligen Krieg zunächst für König Saul (Kap. 18,17) und später in der Wüste Juda (Kap. 25,28; 30).

Die Personen, mit denen David in Verbindung trat, bevor er Israels König wurde, wiesen – in Wort und Tat – auf seine Thronbesteigung hin. Somit legitimierten sie alle seinen Schritt nach vorn. Das gilt für Samuel, die letzte große Gestalt der Israel-Amphiktyonie, der Jahwes Auserwählung Davids vermittelte, indem er ihn salbte (Kap. 16,1 ff.); und später bestätigte er den Willen Jahwes (Kap. 19,18 ff.; 28). Jonathan, Sauls Sohn, besiegelte sein Verhältnis zu David durch einen Bundesschluß (Kap. 18,1 ff.) und sah in ihm, dem er im Konflikt mit seinem Vater die Stange hielt, den künftigen König (Kap. 20,13 ff.; 23,16 ff.). Der König hatte David seine älteste Tochter Merab als Frau versprochen, doch bekam er (nur) Michal zur Frau, die David liebte und ihm zur Flucht verhalf (Kap. 18,17 ff. 20 ff.; 19,11 ff.). Der Nob-Priester Ebjathar wird Davids Orakelpriester (Kap. 22,20 ff.). Abigail kündigt Davids künftige Königswürde an (Kap. 25,28 ff.). Ja, sogar der verachtenswerte amalekitische Bote vom Schlachtfeld macht David zum König als Nachfolger des toten Königs (2. Sam. 1,10). Abner, Sauls Vetter und General, stellt sich auf die Seite Davids bei dessen Streben nach der Königsherrschaft über Israel (2. Sam. 3,8 ff. 17 ff.) gegen Eschbaal, der seinerseits indirekt mitbeteiligt ist, David den Weg frei zu machen (Kap. 3,15).

Doch hinter alledem steht der Wille Jahwes. Unter diesem Aspekt hat man die besonders hervorgehobene Bedeutsamkeit des Orakels für David zu sehen, vgl. Kap. 22,10. 15; 23,1 ff.; 30, 7 f.; 2. Sam. 2,1; 5,19. 23. David hat niemals ein Jahweorakel mit negativem Ausgang erhalten, Saul gegenüber aber schwieg Jahwe (Kap. 28!).

David wurde von den Ältesten Israels als Nachfolger Sauls zum König von Israel gewählt. Das ist das Endziel der Vorgeschichte, und das ist die Vorgeschichte auch zu legitimieren bemüht. Das Israel, über das David König wird, ist das gleiche wie das Israel Sauls, das – wie überall deutlich wird – sowohl den Süden als auch den Norden umfaßte. David war König Sauls Untergebener, er war selber ein Israelit (vgl. Kap. 18,18; 27,12; 2. Sam. 5,1). Als David in den Süden, nach Juda, floh, floh er also nicht aus Israel, sondern in abgelegene Gegenden des Reiches Sauls, wo er darum auch nicht auf die Dauer vor den Nachstellungen des Königs sicher sein konnte (vgl. Kap. 23,3). Aus dem Grunde mußte er auch seine Familie in Bethlehem in Moab in Sicherheit bringen (Kap. 22,3 f.). Aber auch ganz im Süden, in der Wüste Juda, konnte er sich freilich auf die Dauer nicht in Sicherheit wiegen. Es blieb ihm nichts anderes übrig, als bei den Philistern Zuflucht zu suchen, so daß der König seine Suche nach ihm auf israelitischem Boden einstellen mußte (Kap. 27,1). Das Reich Sauls umfaßte also sowohl (das eigentliche) Israel als auch Juda. Es stellt das *ganze* Israel dar, Kap. 17,11; 18,16; 19,5; 24,3; 25,1; 28,3. Im letzten Hauptabschnitt der Vorgeschichte taucht »ganz Israel« besonders häufig auf [47]. Freilich gestalteten sich die Verhältnisse nach dem Tode Sauls wesentlich anders als in der Zeit davor, denn mit der Wahl Davids zum König über Juda und Eschbaals über Israel zerbrach das Reich Sauls in zwei Stücke. Deshalb läßt sich für diese Zeit im Gebrauch des Begriffes Israel, wo er in 2. Sam. 2–5 vorkommt, eine eigenartige doppelte Verwendung erkennen. Im Rahmen der hier geschilderten Zeitspanne (im vorhergehenden war David König von Juda geworden) steht Israel scheinbar in seiner engeren Bedeutung, aus der Sicht der Vorgeschichte – und des Umfangs des Reiches König Sauls – jedoch ist Israel im weiteren Sinne zu fassen. Alle Stämme Israels, die in Kap. 5,1 zu David kommen, machen – obgleich man sich kaum vorzustellen vermag, daß unter diesen auch Judäer vertreten waren – immerhin David zum König über ganz Israel, das frühere saulinische Reich, von dem David schon vorher König über den südlichen Teil geworden war [48].

Der Verfasser der Vorgeschichte projeziert die beiden Reiche Davids, Juda und Israel, in die Zeit Sauls und unmittelbar nach dessen Tod zurück. Das geht aus Kap. 15,4; 17,52; 18,16; 2. Sam. 3,10 hervor. Man darf auch als sicher ansehen, daß mit »Juda« in Kap. 17,1; 30,14 und 2. Sam. 3,8 das spätere Königreich gemeint ist. Der Verfasser hat die Zweigespaltenheit des Reiches Davids (= Israel und Juda) in das Reich Sauls, das Schisma zwischen Süden und Norden (Juda und Israel) nach dem Tode Salomos in die Zeit nach Saul zurückprojeziert. So erklärt es sich, daß die Größe des Reiches Sauls (= Israel und Juda) in der Vorgeschichte der des Reiches Davids entspricht. Im Blick auf das Königtum Davids in Israel besteht also eine ausgesprochene Kontinuität bis auf Saul zurück. Saul wurde verworfen, und David nahm seinen Platz ein. Schon von daher erklärt sich (von der Tatsache, daß er verworfen wurde, abgesehen!) die wohlwollende und positive Haltung gegenüber Saul. Die auf die (ephraimitische) Gilgal-Tradition zurückgehende Schärfe des Verwerfung scheint sogar abgemildert zu sein [49]. Die Schilderung, wie David König wurde, hatte die Königwerdung Sauls zum Vorbild. David behandelte Saul zu dessen Lebzeiten – trotz der Verwerfung – in scharfem Kontrast zu dem amalekitischen Boten (2. Sam. 1,14) als »Gesalbten Jahwes« (Kap. 24,7. 12 (vgl. auch V. 9) und Kap. 26,9). Dieser Königsmörder wird nicht belohnt, sondern hingerichtet (vgl. später die Mörder Eschbaals, Kap. 4), David beklagt den Tod des Königs.

47. Vgl. hierzu oben Kap. VI: Anm. 45.
48. Vgl. oben S. 246 f.
49. Vgl. oben S. 62 f. (1. Sam. 15,10 f. 24–31).

Auffällig in diesem Zusammenhang ist die ausgesprochene Abneigung gegen Davids Verwandte und die ihm treu zur Seite stehenden Zerujasöhne. Abisai wollte an den Gesalbten Jahwes Hand anlegen (Kap. 26,9)! Die Abneigung gegen diese Zerujasöhne kommt besonders im letzten Hauptabschnitt der Vorgeschichte zum Ausdruck. Vom Zusammenhang her hat dieser Unmut darin seine Ursache, daß die Zerujasöhne in Wort und Tat die Person Davids und dessen rechtmäßig und würdig eingeleiteten Bemühungen, den Willen Jahwes zu vollbringen, d. h. daß er Sauls Nachfolger wurde, verunglimpften. Wie David am Bruch mit König Saul, geschweige denn an dessen Tod (er war kein Landesverrater, vgl. Kap. 27,1 ff.), keine Schuld traf, so war er auch am Mord an Abner völlig unschuldig. Mit Abner starb ein Held, ein großer Mann, Joab dagegen war ein schändlicher Kerl, dem man viele Untaten anlasten konnte (2. Sam. 3,38 f.). Es leuchtet ein, daß David in der Vorgeschichte mit reinen Händen dasteht. Ihn traf keine Schuld an den seiner Thronbesteigung voraufgegangenen gewalttätigen Begebenheiten.

Saul war Benjaminit, ebenso Jonathan, Abner und Eschbaal. Bemerkenswert ist, daß in der Vorgeschichte über diese – wie überhaupt über die Benjaminiter – keine unbedingt abfälligen Äußerungen laut werden. Im Gegenteil! Das war natürlich etwas für die Ohren eines Benjaminiters! Nicht nur die Tatsache, daß der Verfasser von benjaminitischem Überlieferungsstoff reichlich Gebrauch gemacht hat, sondern überhaupt – ja besonders – die überaus positive Einstellung zu allem Benjaminitischen läßt erkennen, daß zur Zeit der Abfassung der Vorgeschichte zwischen Juda und Benjamin ein enges Verhältnis bestanden haben muß. Es war ja auch der *Benjaminiter* Saul, dem der *Judäer* David auf dem Thron nachfolgte. In Sonderheit im letzten Hauptabschnitt der Vorgeschichte tritt diese enge Verbindung zwischen Benjamin und Juda deutlich zutage. Wie bereits oben betont, besteht zwischen der Darstellungsweise der Zeit nach dem Tode Sauls und dem, was später im dtr. Geschichtswerk über die Teilung des Reiches nach dem Tode König Salomos berichtet wird, eine sichtliche Übereinstimmung. Beide Perioden stehen im Zeichen der Spaltung: Beide Male kam es zu einer Teilung des israelitischen Reiches in ein Juda und ein Israel. Die Benjaminiter und Judäer werden als Brüder betrachtet, vgl. Kap. 2,26 f. [50], was damit zusammenhängt, daß Benjamin an Rehabeam nach dessen Vaters Tod festhielt [51].

In der Vorgeschichte wird nicht unbedingt Wert darauf gelegt, das gute Verhältnis zwischen Benjamin und Juda zu festigen, schon gar nicht Judas (gerechten) Anspruch auf Benjamin zu untermauern. Nein, der Anspruch umfaßt ganz Israel, und zwar das ganze Reich, das seinerzeit David – so berichtet die Vorgeschichte – von König Saul übernahm, dessen Kerngebiet ja in Benja-

50. Vgl. oben S. 233 f.
51. Vgl. oben Kap. I: Anm. 30.

min lag, das nach der Teilung des Reiches mit dem Tode Salomos an Juda festhielt.

Israel (= die Zentral- und Nordstämme) fielen von Rehabeam ab und wählten den Ephraimiter Jerobeam zum König (1. Kg. 12). Und »Rehabeam und Jerobeam lagen ständig im Krieg miteinander« (1. Kg. 14,30, vgl. im übrigen 2. Sam. 3,1. 6!). Im allgemeinen ist man sich darüber einig, daß es sich hierbei um Grenzstreitigkeiten auf dem Gebiet Benjamins gehandelt habe. Diese Streitigkeiten hielt an unter Rehabeams Sohn Abia (1. Kg. 15,7, vgl. auch 2. Chr. 13,19), und ferner unter dessen Sohn Asa, unter dem ein gewisser Baesa aus dem Stamm Isaschar König in Israel wurde (1. Kg. 15,17. 22, vgl. auch 2. Chr. 16,1. 5 f.). Danach scheinen sich in dieser Beziehung die Verhältnisse einigermaßen beruhigt zu haben. Aus welchem Grunde sind diese Streitigkeiten zwischen Juda und Israel nach dem Schisma entstanden? Kaum weil Israel Anspruch auf Juda erhob [52]! (Im Norden griff man offenbar auf das Wahlkönigtum aus der Zeit Sauls zurück, während Juda (und Benjamin) an der davidischen Dynastie festhielt.) Höchstens hat auf seiten Israels der Wunsch bestanden, Benjamin zurückzuerobern. Dagegen darf man davon ausgehen, daß sowohl Rehabeam als auch seine nächsten Nachfolger den Anspruch auf Israels ständig aufrechterhielten und den abgefallenen Teil des Reiches zurückzuholen bestrebt waren. Das hat Rehabeam nicht nur vergeblich(!) durch Waffengewalt versucht, vielmehr hat man offenbar nach dem Schisma diesen Anspruch auch »ideologisch« durch die Geschichte vom Aufstieg Davids zur Königsherrschaft bekräftigt.

In diesem Zusammenhang sei noch erwähnt, daß dem Verfasser zur stärkeren Hervorhebung des Anspruchs auf Israel wohl als wirksames Mittel der Ahiakomplex gedient hat. Der Verfasser hat demnach zur Illustration der Verwerfung Sauls, Kap. 15,27 f. [53], einen Ausschnitt aus diesem Komplex benutzt (1. Kg. 11,29 ff., vgl. auch 14,7 ff.). In 1. Kg. 11,29 ff. gelten Ahias Wort und Handlung dem Ephraimiten Jerobeam, der jedoch später verworfen wird (1. Kg. 14,7 ff.). Mit dieser Motiventlehnung aus dem Ahiakomplex hat der Verfasser indirekt seine Geschütze gegen den Ephraimiter Jerobeam aufgefahren. Dadurch, daß er die Jerobeams Auserwählung umrahmende symbolische Handlung bei der Darstellung der Verwerfung Sauls ins Negative verkehrte, hat der Verfasser wahrscheinlich auch auf Jerobeams eigene Verwerfung anspielen wollen. Nicht Jerobeam ist der legitime König in Israel (in Kap. 14,8 wird er als Davids Gegenspieler geschildert!), er ist von Jahwe verworfen. Rehabeams Anrecht auf den Thron Israels dagegen beruhe auf der Auserwählung und den Verdiensten seines Großvaters David.

Eine polemische Spitze gegen Israel (Ephraim) nach Salomos Tod hat si-

52. Dieser Sachverhalt entspricht den Verhältnissen nach Sauls Tod, vgl. oben S. 228.
53. Vgl. oben S. 40 ff.

cher auch die ausdrückliche Hervorhebung Samuels als den, der Jahwes Auserwählung Davids vermittelt hat [54]. Zudem deutet manches darauf hin, daß hinter Benjamins Anschluß an Juda nach dem Abfall Israels (Ephraims) anscheinend eine alte benjaminitische Feindschaft gegenüber dem vorherrschenden ephraimitischen Nachbarstamm im Norden gestanden hat [55]. Daher geht die versteckte Polemik gegen Ephraim in der Vorgeschichte völlig konform mit der Meinung, welche die Benjaminiter von Ephraim hatten. Die Abneigung der Ephraimiter gegen den Benjaminiter Saul, die in den in der Vorgeschichte benutzten ephraimitischen Überlieferungen (besonders der Gilgal-Tradition) deutlich wird, ist auch gedämpft [56].

Alles soeben Angeführte geht also in die Richtung, daß man die Vorgeschichte in die Zeit nach der Teilung des Reiches unter Rehabeam zu datieren hat. Da die Grenzstreitigkeiten zwischen Juda und Israel indes unter Baesa von Israel ein Ende gefunden zu haben scheinen, haben wir mit der Regierungszeit dieses Königs (906–883 v. Chr.) wahrscheinlich den terminus ad quem. Dies ließe sich vielleicht noch dadurch erhärten: Die polemische Ausrichtung in der Vorgeschichte scheint nämlich im besonderen Maße gegen das ephraimitische Element im Nordreich (Israel) gerichtet zu sein; Baesa gehörte indessen nicht – wie Jerobeam und dessen Sohn Nadab – zum Stamm Ephraim, sondern zum Stamm Isaschar.

Wer der Verfasser der Vorgeschichte ist, entzieht sich unserer Kenntnis [57]. Immerhin ist der Vorgeschichte mit Sicherheit zu entnehmen, daß er in Jerusalem gewohnt haben muß. Dafür spricht schon, daß der Name Davids untrennbar mit dieser Stadt verbunden ist. Darüber hinaus wird in der Vorgeschichte auch der Einfluß des Tempelkults und dessen Kultlyrik spürbar [58]. Noch anderes wäre zu nennen: In Jerusalem hat der Verfasser charakteristische Zuge aus dem Ahiakomplex entnommen [59]. Hier ist die Legende von David und Goliath überliefert worden [60]. Hier hat der Verfasser die Josephsnovelle vorgefunden, die ebenfalls eine enge Verbindung von Juda und Benjamin widerspiegelt [61]. Die nachdrücklich beteuerte Freundschaft zwischen Jonathan und David knüpft wahrscheinlich an ein beliebtes

54. Übrigens steht das Bild von Samuel als Prophet scheinbar unter dem Einfluß der Gestalt des Ahia.
55. Siehe besonders Kap. I: Anm. 107.
56. Vgl. oben S. 62 f.
57. Die Auffassung *Rost*'s, daß es sich um Ebjathar handelte, kann nur als eine Mutmaßung gelten, vgl. Die Überlieferung von der Thronnachfolge Davids, in: Das kleine Credo, S. 246; *Sellin/Rost*, Einleitung, S. 91.
58. Vgl. oben S. 63 f. 75. 79 f. 94. 125. 145. 220. 251.
59. Vgl. oben S. 42 ff.
60. Vgl. oben S. 94 f.
61. Vgl. oben S. 96 ff.

jerusalemisches Motiv an [62]. Die Überlieferung vom Schicksal der Priesterschaft von Nob scheint ebenfalls in jerusalemischen Kreisen gestaltet worden zu sein [63]. Hinzu kommt, daß die Erwähnung der Eroberung Jerusalems natürlich in den Schlußteil der Vorgeschichte mit hineingehört.

Der Verfasser muß engen Kontakt zum Hof in Jerusalem gehabt haben. Dafür sprechen die Verherrlichung Davids und die Intention der Vorgeschichte überhaupt. Dabei soll in der Vorgeschichte auch das Vorhandensein eines Ansatzes zu anti-judäischer Haltung nicht verschweigen werden. Der Verfasser kann kein Judäer gewesen sein. Besonders ins Auge fällt die Abneigung gegenüber den Zerujasöhnen. Diese Abneigung ist nämlich nicht allein aus dem Zusammenhang der Vorgeschichte zu begreifen, sie muß auch einen zeitgeschichtlichen Hintergrund gehabt haben. So ergriff Joab – neben Ebjathar – während der Streitigkeiten um die Thronfolge in Davids letztem Lebensjahr für Adonia Partei und mußte dies mit seinem Leben bezahlen, 1. Kg. 1–2 [64]. Doch richtet sich der Unwille nicht nur gegen die judäischen Zerujasöhne, den Judäern gegenüber macht sich allgemein eine herablassende Haltung bemerkbar. Es sind Anzeichen dafür, daß David während seines Aufenthalts in der Wüste Juda auch Unfreundlichkeit seitens der dort lebenden Stammesgruppen entgegengebracht worden ist [65]. Schließich wäre in diesem Zusammenhang daran zu erinnern, daß Absaloms Aufruhr (2. Sam. 15 ff.) gerade von der judäischen Landbevölkerung ausgegangen war.

62. Vgl. oben S. 126.
63. Vgl. oben S. 142.
64. Vgl. oben S. 236.
65. Zur Rolle der Siphiter in Kap. 23 und Kap. 26 vgl. oben S. 156 ff.; vgl. im übrigen S. 171 f. (Kap. 25).

Abkürzungen

AJSL	American Journal of Semitic Languages and Literatures
ATD	Das Alte Testament Deutsch (Hrsg. Herntrich und Weiser)
BASOR	Bulletin of the American Schools of Oriental Research
BWANT	Beiträge zur Wissenschaft vom Alten und Neuen Testament
BZAW	Beihefte zur Zeitschrift für die alttestamentliche Wissenschaft
DTT	Dansk teologisk Tidsskrift
FRLANT	Forschungen zur Religion und Literatur des Alten und Neuen Testaments
HAT	Handbuch zum Alten Testament (Hrsg. Eissfeldt)
HUCA	Hebrew Union College Annual
ICC	The International Critical Commentary on the Holy Scriptures of the Old and New Testament
JBL	Journal of Biblical Literature
JPOS	The Journal of Palestine Oriental Society
JThS	The Journal of Theological Studies
GTMMM	Det gamle Testamente oversatt av S. Michelet, S. Mowinckel og N. Messel, I–IV, 1929–63
OTS	Oudtestamentische Studien
PJB	Palästinajahrbuch des Deutschen Evangelischen Instituts für Altertumswissenschaft
SBU	Svenskt Bibliskt Uppslagsverk, I–II, 1962–63
SEÅ	Svensk exegetisk Årsbok
ST	Studia Theologica cura ordinum theologorum scandinavicorum
VT	Vetus Testamentum
ZAW	Zeitschrift für die alttestamentliche Wissenschaft
ZDPV	Zeitschrift des Deutschen Palästina-Vereins

Literaturverzeichnis

Aharoni, Y.: The Land of the Bible. A Historical Geography, 1967.

Ahlström, G. W.: Psalm 89. Eine Liturgie aus dem Ritual des leidenden Königs, 1959.

– Profeten Nathan och tempelbygget, SEÅ, 25, 1960, S. 5–22. (Später in VT, 11, 1961, S. 113–27).

Albright, W. F.: The Administrative Divisions of Israel and Judah, JPOS, 5, 1925, S. 17–54.

Allegro, J. M.: The Dead Sea Scrolls. The story of the recent manuscript discoveries and their momentous significance for students of the Bible, 1956. (A Pelican Book).

Alt, A.: Israels Gaue unter Salomo, Alttestamentliche Studien Rudolf Kittel zum 60. Geburtstag dargebracht, 1913, S. 1–19. (= Kleine Schriften zur Geschichte des Volkes Israel, II, 1953, S. 76–89).

– Judas Gaue unter Josia, PJB, 21, 1925, S. 100–116. (= Kleine Schriften, II, S. 276–288).

– Die Landnahme der Israeliten in Palästina, Reformationsprogramm des Universität Leipzig, 1925. (= Kleine Schriften, I, 1953, S. 89–125).

– Die Staatenbildung der Israeliten in Palästina. Reformationsprogramm der Universität Leipzig, 1930. (= Kleine Schriften, II, S. 1–65).

– Beiträge zur historischen Geographie und Topographie des Negebs, II. Das Land Gari, JPOS, 12, 1932, S. 126–141. (= Kleine Schriften, III, 1959, S. 396–409).

– Beiträge zur historischen Geographie und Topographie des Negebs, III. Saruhen, Ziklag, Horma, Gerar, JPOS, 15, 1935, S. 294–324. (= Kleine Schriften, III, S. 409–435).

– Zu II Samuel 8, 1, ZAW, NF, 13, 1936, S. 149–152.

– Gitthaim, PJB, 35, 1939, S. 100–104.

– Das Königtum in den Reichen Israel und Juda, VT, 1, 1951, S. 2–22. (= Kleine Schriften, II, s. 116–134).

Amsler, S.: David, Roi et Messie. La tradition davidique dans l'Ancient Testament, 1963. (Cahiers Theologiques, 49).

Anderson, G. W.: A Critical Introduction to the Old Testament, 1959.

Auerbach, E.: Wüste und gelobtes Land, I. Geschichte Israels von den Anfängen bis zum Tode Salomos, 1936.

Barnes, W. E.: David's »Capture« of the Jebusite »Citadel« of Zion (2 Sam. v. 6–9), The Expositor, 8. Ser., 7, 1914, S. 29–39.

Barthélemy, D. and J. T. Milik: Discoveries in the Judaean Desert, I: Qumran Cave I, 1955.

Batten, L. W.: Helkath Hazzurim, 2. Samuel 2, 12–16, ZAW, 26, 1906, S. 90–94.

Beer, G.: Exodus, 1939. (HAT, 1. Reihe, 3).

Bentzen, Aa.: Studier over det zadokidiske Præsteskabs Historie, 1931. (Københavns Universitets Festskrift, 1931).

– Forelæsninger over Indledning til de gammeltestamentlige Salmer, 1932.

– Fortolkning til de gammeltestamentlige Salmer, 1939.

– Jesaja, I–II, 1943–44.

– Tre Cultic Use of the Story of the Ark in Samuel, JBL, 67, 1948, S. 37–53.

– Messias. Moses redivivus. Menschensohn, 1948. (Abhandlungen zur Theologie des Alten und Neuen Test., 17).

Benzinger, I.: Die Bücher der Könige, 1899. (Kurzer Hand-Commentar zum AT, IX).
Biblia Hebraica edidit Rud. Kittel, 1937.
Bič, M.: La folie de David. Quelques remarques en marge de 1 Samuel 21, Revue d'Hist. et Phil. Rel., 37, 1957, S. 156–162.
– Saul sucht die Eselinnen, VT, 7, 1957, S. 92–97.
Birkeland, H.: Zum hebräischen Traditionswesen. Die Komposition der prophetischen Bücher des Alten Testaments, 1938. (Avhandlinger utg. av Det Norske Videnskaps-Akad. i Oslo, II. Hist.-filos. Kl., No. 1).
Boer, P. A. H. de: Research into the Text of I Samuel I–XVI. A Contribution of the Books of Samuel, 1938. (Proefschrift).
– 1 Samuel XVII. Notes on the text and the ancient versions, OTS, 1, 1941, S. 79–103.
– Research into the Text of 1 Samuel xviii-xxxi, OTS, 6, 1949, S. 1–100.
Bright, J.: A History of Israel, 1960.
Bruno, A.: Gibeon, 1923.
Budde, K.: Die Bücher Samuel, 1902. (Kurzer Hand-Commentar zum AT, VIII).
Buhl, F.: Geographie des Alten Palästina, 1896.
– Det israelitiske Folks Historie, 7. udg. ved Johannes Jacobsen, 1936.
Buhl, M.-L. und S. Holm-Nielsen: Shiloh. The Danish Excavations at Tall Sailûn, Palestine, in 1926, 1929, 1932, and 1963, 1969. (Publications of The National Museum. Archeological-Historical Series I Vol. XII).
Böklen, E.: Die Salbung Davids zum König (I Sam 16), ZAW, NF, 16, 1929, S. 326–29.
Carlson, C. A.: Deuteronomisk, SBU, 1, 1962, Sp. 413–418.
– David the Chosen King. A Traditio-historical Approach to the Second Book of Samuel, 1964. (Disp.).
Caspari, W.: Thronbesteigungen und Thronfolge der israelitischen Könige, 1917.
– Die Samuelbücher, 1926. (Kommentar zum Alten Testament, hrsgeg. von E. Selin, VII).
Childs, B. S.: A Study of the Formula »unto this day«, JBL, 82, 1963, S. 279–292.
Cook, S. A.: Notes on the Composition of 2 Samuel, AJSL, 16, 1900, S. 145–177.
– Critical Notes on the Old Testament History. The Traditions of Saul and David, 1907.
Cross, F. M.: A New Qumran Biblical Fragment Related to the Original Hebrew Underlying the Septuagint, BASOR, 132, 1953, S. 15–26.
– The Oldest Manuscripts from Qumran, JBL, 74, 1955, S. 147–172.
– and G. E. Wright: The Boundary and Province-lists of the Kingdom of Judah, JBL, 75, 1956, S. 202–226.
– The Ancient Library of Qumran and Modern Biblical Studies, 1958. (The Haskell Lectures 1956–57).
Dalman, G.: Fluchtweg Abners von 2. Sam. 2, PJB, 8, 1913, S. 14–15.
Danell, G. A.: Studies in the Name Israel in the Old Testament, 1946. (Disp.).
Debus, J.: Die Sünde Jerobeams. Studien zur Darstellung Jerobeams und der Geschichte des Nordreichs in der deuteronomistischen Geschichtsschreibung, 1967. (FRLANT, NF, 93).
Delcor, M.: Two Special Meaning of the Word יד in Biblical Hebrew, Journal of Semitic Studies, 12, 1967, S. 230–40.
Driver, S. R.: Notes on the Hebrew Text and the Topography of the Books of Samuel with an Introduction on Hebrew Palaeography and the Ancient Versions, 2. ed., 1913.
Dus, J.: Gibeon – eine Kultstätte des Šmš und die Stadt des benjaminitischen Schicksals, VT, 10, 1960, S. 353–374.
Ehrlich, A. B.: Randglossen zur hebräischen Bibel. Textkritisches, sprachliches und sachliches, III. Josua, Richter, I. u. II Samuelis, 1910.
Eissfeldt, O.: Die Komposition der Samuelisbücher, 1931.
– Ein gescheiterter Versuch der Wiedervereinigung Israels, La Nouvelle Clio, 3, 1951, S. 110–127. (= Kleine Schriften, III, 1966, S. 133–150).
– Der geschichtliche Hintergrund der Erzählung von Gibeas Schandtat (Richter 19–21), Festschrift Georg Beer, 1935, S. 19–41. (= Kleine Schriften, II, 1963, S. 64–80).

Eissfeldt, O.: Jahwe Zebaoth, Miscellanea Acad. Berolinensia, II, 1950, S. 128–150. (= Kleine Schriften, III, 1966, S. 103–24).
– Einleitung in das Alte Testament, 3. Aufl., 1964.
Elliger, K.: Die 30 Helden Davids, PJB, 31, 1935, S. 29–74.
Engnell, I.: Gamla Testamentet. En traditionshistorisk inledning, I, 1945.
– Israel and the Law, Symbolae Biblicae Upsalienses, 1946; 2nd ed., 1954.
– Svenskt Bibliskt Uppslagswerk, I–II, 2nd uppl., 1962–63.
Ewald, H. G. A.: Geschichte des Volkes Israel, III, 1866.
Finkel, J.: Filial Loyalty as Testimony of Legitimacy. A Study in Folklore, JBL, 55, 1936, S. 133–43.
Fohrer, G.: Der Vertrag zwischen König und Volk in Israel, ZAW, 71, 1959, S. 1–22.
Galling, K.: Biblisches Reallexikon, 1937. (HAT, 1. Reihe, 1).
– Goliath und seine Rüstung, VT, Suppl., 15, 1966, S. 150–69.
Gehman, H. S.: Siehe Montgomery, J. A.
– A Note on I Samuel 21, 13 (14), JBL, 67, 1948, S. 241–43.
Gerleman, G.: Ruth, 1960. (Biblischer Kommentar. Altes Testament, XVIII, 1).
Gesenius, W.: Hebräisches und aramäisches Handwörterbuch über das Alte Testament. Bearb. von F. Buhl, unveränderter Neudruck der 1915 erschienenen 17. Aufl., 1949.
Glück, J. J.: Merab or Michal, ZAW, 77, 1965, S. 72–81.
Gordon, C. H.: Belt-Wrestling in the Bible World, HUCA, 23, 1950–51, S. 131–36.
Gottlieb, H.: Traditionen om David som hyrde. Et forsøg, DTT, 29, 1966, S. 11–21.
Gressmann, H.: Die älteste Geschichtsschreibung und Prophetie Israels (von Samuel bis Amos und Hosea) übersetzt, erklärt und mit Einleitungen versehen, 2., stark umgearbeitete Auflage, 1921. 1. Aufl. 1910. (Die Schriften des Alten Testaments. 2. Abt., 1. Bd.).
Grollenberg, L. H.: Atlas of the Bible, 1957.
Groot, J. de: Zwei Fragen aus der Geschichte des alten Jerusalem, BZAW, 66, 1936, S. 191–97.
Grønbæk, J. H.: Kongens kultiske funktion i det forexilske Israel, DTT, 20, 1957, S. 1–16.
– Juda und Amalek. Überlieferungsgeschichtliche Erwägungen zu Exodus 17, 8–16, ST. 18, 1964, S. 26–45.
– Benjamin und Juda. Erwägungen zu 1. Kön. xii 21–24, VT, 15, 1965, S. 421–36.
– David og Goliat. Et bidrag til forståelsen af legenden i 1. Sam. 17 og dennes placering, DTT, 28, 1965, S. 65–79.
Gunkel, H.: Genesis, 5. unveränderte Aufl., 1922. (Göttinger Handkommentar zum Alten Testament, I. Abt., 1. Bd.).
Gunneweg, A. H. J.: Mündliche und schriftliche Tradition der vorexilischen Prophetenbücher als Problem der neueren Prophetenforschung, 1959. (FRLANT, NF., 55, 1959).
Haldar, A.: The Notion of the Desert in Sumero-Accadian and West-Semitic Religions, 1950. (Uppsala Universitets Årsskrift, 3).
Hammershaimb, E.: Amos, 1946.
– The Immanuel Sign, ST, 3, 1949, S. 124–142. (= Some Aspects of Old Testament Prophecy from Isaiah to Malachi, 1966, S. 9–28).
Hauer, C. E.: Does I Samuel 9, 1–11, 15 Reflect the Extension of Saul's Dominions?, JBL, 86, 1967, S. 306–10.
Hempel, J.: Die althebräische Literatur und ihr hellenistisch-jüdisches Nachleben, 1930–34.
Herrmann, S.: Königsnovelle in Ägypten und Israel, Wissenschaftliche Zeitschrift der Karl Marx-Universität Leipzig, Gesellschafts- und sprachwissenschaftliche Reihe, 3, 1953–54, S. 51–62.
Hertzberg, H. W.: Mizpa, ZAW, 47, 1929, S. 161–196.
– Die kleinen Richter, Theologische Literaturzeitung, 79, 1954, S. 285–90.
– Die Samuelbücher, 2. Aufl., 1960, 4. Aufl. 1968 (ATD, 10).
Holm-Nielsen, S.: Siehe Buhl, M.-L.
Honeyman, A. M.: The Evidence for Regnal Names among the Hebrews, JBL, 67, 1948, S. 13–25.

Hvidberg, F. F.: Weeping and Laughter in the Old Testament, 1962. [Herausgegeben von F. Løkkegaard].
Hylander, I.: Der literarische Samuel-Saul-Komplex (1. Sam. 1–15) traditionsgeschichtlich untersucht, 1932. (Disp.).
Hölscher, G.: Geschichtsschreibung in Israel. Untersuchungen zum Jahvisten und Elohisten, 1952. (Skrifter utg. av Kungl. Humanistiska Vetenskapssamfundet i Lund, 50).
Jacob, E.: La tradition historique en Israël, 1946.
Jenni, E.: Zwei Jahrzehnte Forschung an den Büchern Josua bis Könige, Theologische Rundschau, 27, 1961, S. 1–32, 97–146.
Jirku, A.: Geschichte des Volkes Israel, 1931.
Johnson, A. R.: Hesed and Hasid, Interpretationes ad Vetus Testamentum pertinentes Sigmundo Mowinckel, 1955, S. 100–112.
Johnson, B.: Die hexaplarische Rezension des 1. Samuelbuches der Septuaginta, 1963. (Studia Theologica Lundensia, 22).
Kaiser, O.: Stammesgeschichtliche Hintergründe der Josephgeschichte. Erwägungen zur Vor- und Frühgeschichte Israels, VT, 10, 1960, S. 1–15.
Kallai-Kleinmann, Z.: The Town Lists of Judah, Simeon, Benjamin and Dan, VT, 8, 1958, S. 134–160.
Kapelrud, A. S.: King and Fertility. A Discussion of II Sam 21: 1–14, Interpretationes ad Vetus Testamentum pertinentes Sigmundo Mowinckel, 1955, S. 113–122.
– König David und die Söhne des Sauls, ZAW, 67, 1955, S. 198–205.
Kennedy, A. R. S.: Samuel, 1905. (The Century Bible).
Kenyon, K. M.: Jerusalem. Excavating 3000 Years of History, 1967.
Kirkpatrick, A. F.: The First and Second Books of Samuel in the Revised Version. With Introduction and Notes, 1930.
Kittel, Rud.: Siehe Biblica Hebraica.
Klostermann, A.: Die Bücher Samuelis und der Könige, 1887. (Kurzgefaßter Kommentar zu den heiligen Schriften Alten und Neuen Testaments, A. AT, 3. Abt.).
Koch, K.: Was ist Formgeschichte? Neue Wege der Bibelexegese, 1964.
– Die Hebräer vom Auszug aus Ägypten bis zum Großreich Davids, VT, 19, 1969, S. 37–81.
Koehler, L.: Der hebräische Mensch, 1953.
– und W. Baumgartner: Lexicon in Veteris Testamenti libros, 1958.
Kraus, H.-J.: Gilgal, ein Beitrag zur Kultusgeschichte Israels, VT, 1, 1951, S. 181–199.
Kutsch, E.: Salbung als Rechtsakt im Alten Testament und im alten Orient, 1963. (BZAW, 87).
Lindblom, J.: Profetismen i Israel, 1934.
Lisowsky, G.: Konkordanz zum Hebräischen Alten Testament, 1958.
Maass, F.: Zu den Qumran-Varianten der Bücher Samuel, Theologische Literaturzeitung, 81, 1956, Sp. 337–340.
Mader, E.: Mambre. Die Ergebnisse der Ausgrabungen Râmel el-Halil in Südpalästina 1927–28, 1957.
Marquart, J.: Fundamente israelitischer und jüdischer Geschichte, 1896.
Mauchlin, J.: Gilead and Gilgal: Some Reflections on the Israelite Occupation of Palestine, VT, 6, 1956, S. 19–33.
May, H. G.: The Fertility Cult in Hosea, AJSL, 48, 1932, S. 73–98.
Mazar, B.: The Cities of the Priests and Levites, VT, Suppl., 7. 1960, S. 193–205.
Meyer, E.: Die Israeliten und ihre Nachbarstämme. Alttestamentliche Untersuchungen, 1906.
Mildenberger, F.: Die vordeuteronomistische Saul-Davidüberlieferung, 1962. (Disp.).
Montgomery, J. A.: A Critical and Exegetical Commentary on the Books of Kings. Ed. by H. S. Gehman, 1951. (ICC).
Morgenstern, J.: נכון, JBL, 37, 1918, S. 144–48.
– Beena Marriage (Matriarchat) in Ancient Israel and its historical Implications, ZAW, NF., 6, 1929, S. 91–110; 8, 1931, S. 46–58.
– The Ark, the Ephod, and the »Tent of Meeting«, HUCA, 17, 1942–43, S. 154–265; 18, 1943–44, S. 1–53.

Morgenstern, J.: David and Jonathan, JBL, 78, 1959, S. 322–25.
Mowinckel, S.: Psalmenstudien, II. Das Thronbesteigungsfest Jahwäs und der Ursprung der Eschatologie, 1922.
– Psalmenstudien, III. Kultprophetie und prophetische Psalmen, 1923.
– Loven eller de fem Mosebøger. Overs. av Michelet. Mowinckel. Messel, 1929. (GTMMM, I).
– Der Ursprung der Bil'amsage, ZAW, 48, 1930, S. 233–71.
– De tidligere Profeter. Overs. av Michelet. Mowinckel, 1935. (GTMMM,II).
– Zur Frage nach dokumentarischen Quellen in Josua 13–19, 1946. (Avhandlinger utg. av Det Norske Videnskaps-Akad. i Oslo, II, No. I).
– Natanforjettelsen 2 Sam. kap. 7, SEÅ, 12, 1947, S. 204–213.
– Offersang og sangoffer. Salmediktningen i Bibelen, 1951.
– »Rahelstämme« und »Leastämme«, BZAW, 77, 1958, S. 129–150. (Von Ugarit nach Qumran, Otto Eissfeldt zum 1. Sept. 1957 dargebracht).
Nielsen, E.: Oral Tradition. A Modern Problem in Old Testament Introduction, 1954. (Studies in Biblical Theology, 11).
– Shechem. A Traditio-Historical Investigation, 1955 (Disp.).
– Grundrids af Israels Historie, 2. udg., 1960.
– Some Reflections on the History of the Ark, VT, Suppl., 7, 1960, S. 61–74.
Noth, M.: Die israelitischen Personennamen im Rahmen der gemeinsemitischen Namengebung, 1930. (BWANT, 3, 10).
– Das System der zwölf Stämme Israels, 1930. (BWANT, 4, 1). Unveränderter Nachdruck, 1966.
– Zur historischen Geographie Südjudäas, JPOS, 15, 1935, S. 35–50.
– Amt und Berufung im Alten Testament, 1958. (Bonner Akademische Reden, 19).
– Die Gesetze im Pentateuch, 1940. (Schriften der Königsberger Gelehrten Gesellschaft, Geisteswissenschaftliche Klasse, 17, 2. = Gesammelte Studien zum Alten Testament, 1957, S. 9–141).
– Überlieferungsgeschichtliche Studien. Die sammelnden und bearbeitenden Geschichtwerke im Alten Testament, 1943. (Schriften der Königsberger Gelehrten Gesellschaft, 18, 2) Unveränderter Nachdruck, 1957.
– Überlieferungsgeschichte des Pentateuch, 1948. Unveränderter Nachdruck, 1960.
– Das Buch Josua, 2. Aufl., 1953. (HAT, 1. Reihe, 7).
– Geschichte Israels, 3. Aufl., 1956.
– David und Israel in 2. Samuel 7, Mélanges Bibliques réd. en l'honneur de André Robert. Travaux de l'Inst. Catholique de Paris, 4, 1957, S. 122–30. (= Gesammelte Studien zum AT, 2. Aufl., 1960, S. 334–45).
– Jerusalem und die israelitische Tradition, OTS, 8, 1950, S. 28–46. (= Gesammelte Studien, 1957, S. 172–187).
– Die Welt des Alten Testaments. Einführung in die Grenzgebiete der alttestamentlichen Wissenschaft, 3. Aufl., 1957.
– Samuel und Silo, VT, 13, 1963, s. 390–400.
– Könige, 1964–68. (Biblischer Kommentar, IX, 1–4).
Nowack, W.: Richter, Ruth u. Bücher Samuelis, 1902. (Göttinger Handkomm. zum AT, I, 4).
Nübel, H.-U.: Davids Aufstieg in der Frühe israelitischer Geschichtsschreibung, 1959. (Disp.).
Nyberg, H. S.: Studien zum Religionskampf im Alten Testament, Archiv für Religionswissenschaft, 35, 1938, S. 329–87.
– Hebreisk Grammatik, 1952.
Olrik, A.: Epische gesetze der volksdichtung, Zeitschrift für deutsches Altertum und deutsche Literatur, 51, 1909, S. 1–12.
Orlinsky, H. M.: Qumran and the Present State of Old Testament Text Studies: The Septuagint Text, JBL, 78, 1959, S. 26–33.
Otzen, B.: Studien über Deuterosacharja, 1964. (Acta Theologica Danica, 6).
– Saul og præsteskabet. »Regnum og sacerdotium« i Det gamle Testamente, Festskrift til N. H. Søe, 1965, S. 151–166.

Pákozdy, L. M. von: 'Elhånån – der frühere Name Davids?, ZAW, 68, 1956, S. 257–59.
Pedersen, J.: Israel, its Life and Culture, I–IV, 1926–1940.
Pfeiffer, R. H.: Introduction to the Old Testament, 1941.
Pritchard, J. B.: Ancient Near Eastern Texts Relating to the Old Testament, 2. ed., 1955.
– Gibeon's History in the Light of Excavation, VT, Suppl., 7, 1960, S. 1–12.
Procksch, O.: Der Schauplatz der Geschichte Davids, PJB, 5, 1909, S. 58–80.
Rabin, C.: The Dead Sea Scrolls and the History of OT Text, JThS, 6, 1955, S. 174–182.
Rad, G. von: Der Anfang der Geschichtsschreibung im Alten Israel, Archiv für Kulturgeschichte, 32, 1944, S. 1–42. (= Gesammelte Studium zum Alten Testament, 1958, S. 148–188).
– Das jüdäische Königsritual, Theologische Literaturzeitung, 72, 1947, Sp. 211–16. (= Gesammelte Studien, S. 205–13).
– Der Heilige Krieg im alten Israel, 1952.
– Josephgeschichte und ältere Chokma, VT, Suppl., 1, 1953, S. 120–127. (= Gesammelte Studien, S. 272–280).
– Studies in Deuteronomy, 1953. (Studies in Biblical Theology, 9).
– Das erste Buch Mose. Genesis, 1956. (ATD, 2/4).
– Theologie des Alten Testaments, I–II, 1957–61.
Reicke, B. und L. Rost: Biblisch-historisches Handwörterbuch, I, 1962.
Richter, W.: Die nagid-Formel. Ein Beitrag zur Erhellung des nagid-Problems, Biblische Zeitschrift, 9, 1965, S. 71–84.
Ross, J. P.: Jahweh S^{e}ba'ot in Samuel and Psalms, VT, 17, 1967, S. 76–92.
Rost, L.: Se Reicke, B.
– Die Überlieferung von der Thronnachfolge Davids, 1926. (BWANT, 3, 6. = Das kleine Credo und andere Studien zum Alten Testament, 1965, S. 119–253).
– Die Bezeichnungen für Land und Volk im Alten Testament, Procksch-Festschrift, 1934, S. 125–148. (= Das kleine Credo, S. 76–101).
Roth, W. M. W.: NBL, VT, 10, 1960, S., 394–409.
Rowley, H. H.: From Joseph to Joshua. Biblical Traditions in the Light of Archaeology, 1950. (The Schweich Lectures of the British Academy, 1948).
Rudolph, W.: Chronikbücher, 1955. (HAT, 1. Reihe, 21).
Ruppert, L.: Die Josephserzählung der Genesis, 1965. (Studien zum Alten u. Neuen Testament, 11).
Sæbø, M.: Formgeschichtliche Erwägungen zu Jes. 7 : 3–9, ST, 14, 1960, S. 54–69.
Schildenberger, P. J.: Zur Einleitung in die Samuelbücher, Studia Anselmiana, 27, 1951, S. 130–168.
Schulz, A.: Erzählungskunst in den Samuel Büchern, Biblische Zeitfragen, 11, 6/7, 1923.
Schunck, K.-D.: Benjamin. Untersuchungen zur Entstehung und Geschichte eines israelitischen Stammes, 1963. (BZAW, 86).
Seebass, H.: I Sam. 15 als Schlüssel für das Verständnis der sogenannten königsfreundlichen Reihe I Sam. 9, 1–10, 16. 11, 1–15 und 13,2–14,52, ZAW, 78, 1966, S. 148–79.
– Zur Königserhebung Jerobeams I, VT, 17, 1967, s. 325–333.
Sellin, E.: Geschichte des israelitisch-jüdischen Volkes, I, 1924.
– Einleitung in das Alte Testament, 10. Aufl. Völlig neu bearbeitet von Georg Fohrer, 1965.
Simons, J.: Jerusalem in the Old Testament. Researches and theories, 1952. (Studia Francisci Scholten memoriae dicata, 1).
– The geographical and topographical Texts of the Old Testament. A concise commentary in XXXII Chapters, 1959. (Studia Francisci Scholten memoriae dicata, 2).
Skehan, P. W.: Qumran and the Present State of Old Testament Text Studies: The Masoretic Text, JBL, 78, 1959, S. 21–25.
Smend, R.: Jahwekrieg und Stämmebund. Erwägungen zur ältesten Geschichte Israels, 1963. (FRLANT, 84).
Smith, H. P.: The Books of Samuel, 1899. 4. Impr. 1951 (ICC).
Smith, M.: The so-called »Biography of David« (I Sam 16 – II Sam 5–9. 21–24), Harvard Theological Review, 44, 1951, S. 167–169.

Soggin, J. A.: Das Königtum in Israel. Ursprünge, Spannungen, Entwicklung, 1967. (BZAW, 104).
Stade, B.: Geschichte des Volkes Israel, I, 1887. (Allgemeine Geschichte in Einzeldarstellungen, 1. Hauptabt., 6, 1).
Stapples, W. E.: Cultic Motifs in Hebrew Thought, AJSL, 55, 1938, S. 44–55.
Steuernagel, C.: Lehrbuch der Einleitung in das Alte Testament, 1912.
Stoebe, H. J.: Anmerkungen zu 1 Sam. viii 16 und xvi 20, VT, 4, 1954, S. 177–184.
– Die Goliathperikope I Sam. XVII 1 – XVIII 5 und die Textform der Septuaginta, VT, 6, 1956, S. 397–413.
– Die Einnahme Jerusalems und der Ṣinnôr, ZDPV, 73, 1957, S. 73–99.
– Noch einmal die Eselinnen des Kisch, VT, 7, 1957, S. 362–70.
– David und Mikal. Überlegungen zur Jugendgeschichte Davids, BZAW, 77, 1958, S. 224–243. (Von Ugarit nach Qumran, Otto Eissfeldt zum 1. Sept. 1957 dargebracht.).
– Erwägungen zu Psalm 110 auf dem Hintergrund von 1. Sam. 21, Erlanger Forschungen, Reihe A, Bd. 10, 1959, S. 175–191. (Festschrift Friedrich Baumgärtel).
– Gedanken zur Heldensage in den Samuelbüchern, Das ferne und nahe Wort. Festschrift Leonard Rost, BZAW, 105, 1967, S. 208–218.
Strange, J.: The inheritance of Dan, ST, 20, 1966, S. 120–139.
Sukenik, Y.: Let the Young Men, I Pray Thee, Arise and Play before Us, JPOS, 21, 1948, S. 110–116.
Thenius, O.: Die Bücher Samuelis, 2. Aufl., 1864. (Kurzgefaßtes exegetisches Handbuch zum AT).
Thomas, D. W.: Kalebh »dog«: its origin and some usages of it in the Old Testament, VT, 10, 1960, S. 410–427.
Tiktin, H.: Kritische Untersuchungen zu den Büchern Samuelis, 1922. (FRLANT, NF., 16).
Ward, R. L.: The Story of David's Rise: A Traditio-historical Study of I Samuel xvi 14 – II Samuel v, 1967. (Disp.).
Waterman, L.: Jacob the Forgotten Supplanter, AJSL 55, 1938, S. 25–43.
Vaux, R. de: Les livres de Samuel, 1953. (La Sainte Bible trad. en français sous la direction de l'École Biblique de Jerusalem, 8).
– Les Institutions de l'Ancient Testament, I–II, 1958–60.
Weippert, M.: Die Landnahme der israelitischen Stämme in der neueren wissenschaftlichen Diskussion, 1967. (FRLANT, 92).
Weiser, A.: I Samuel 15, ZAW, 54, 1936, S. 1–28. (= Glaube und Geschichte im Alten Testament und andere ausgewählte Schriften, 1961, S. 201–228).
– Die Psalmen, 4. Aufl., 1955. (ATD, 14/15).
– Einleitung in das Alte Testament, 4. Aufl., 1957.
– Samuel. Seine geschichtliche Aufgabe und religiöse Bedeutung, 1962. (FRLANT, 81).
– Die Tempelbaukrise unter David, ZAW, 77, 1965, S. 153–168.
– Die Legitimation des Königs David. Zur Eigenart und Entstehung der sogen. Geschichte von Davids Aufstieg, VT, 16, 1966, S. 325–354.
Wellhausen, J.: Der Text der Bücher Samuelis untersucht, 1871.
– Die Composition des Hexateuchs und der historischen Bücher des Alten Testaments, 2. Aufl., 1889, 3. Aufl. 1899.
Wildberger, H.: Samuel und die Entstehung des israelitischen Königtums, Theologische Zeitschrift, 13, 1957, S. 442–462.
Willesen, F.: The אפרתי of the Shibboleth incident, VT, 8, 1958, S. 97–98.
Vincent, H.: Jérusalem. Recherches de Topographie, d'Archéologie et d'Histoire. Tome I. Jérusalem antique, 1912.
Vriezen, Th. C.: De compositie van de Samuël-boeken, Orientalia Neerlandica, 1948, S. 167–187.
Wright, G. E. and F. V. Filson: The Westminster Historical Atlas to the Bible, 1957.
– Fresh evidence for the Philistine Story. The Biblical Archaeologist, 29, 1929, S. 70–86.
– Siehe Cross, F. M.
Würthwein, E.: Der Text des Alten Testaments. Eine Einführung in die Biblia Hebraica, 1963.
Zimmerli, W.: Geschichte und Tradition von Beerseba in alten Testament, 1932.

Autorenregister

Stellenregister

Richter

1 Samuel

Psalmen

Hiob

Ruth

1 Chronik

2 Chronik

Nehemia

Sachregister

Dansk Resumé

Det er nærværende afhandlings hensigt at vise, at det relativt omfattende afsnit 1. Samuelsbog 15–2. Sam. 5, som nu er en del af det såkaldte deuteronomistiske Historieværk, oprindelig har udgjort en selvstændig, i sig selv hvilende enhed. Det omhandlede afsnit, der rummer historien om Davids vej til kongemagten over Israel (»Forhistorien«), underkastes en indgående analyse med henblik på dets komposition, sigte og traditionsstof. Forhistorien viser sig at være komponeret udfra et ganske bestemt sigte, nemlig at legitimere David som kong Sauls efterfølger på Israels trone, og traditionsmaterialet, der er benyttet, er underordnet dette sigte.

Der redegøres i *indledningen* ganske kort for forskningens stade. Idet opmærksomheden i særlig grad henledes på synspunkter fremlagt i fire forskeres afhandlinger (*Nübel, Mildenberger, Ward, Weiser*), der hver på deres måde har haft Forhistorien som forskningsobjekt, tages principielle problemer op, som en beskæftigelse med dette traditionskompleks rejser. Der gøres således op med den såk. litterærkritiske betragtningsmåde, der blandt andet i den henseende kommer til kort, at den forsømmer at tage hensyn til, endsige at bestemme Forhistoriens traditionsbestanddele. For ret at forstå dette kompleks, dets afgrænsning, opbygning og sigte, er det nemlig uomgængeligt nødvendigt at underkaste det en traditionskritisk analyse. Traditionselementer må afgrænses i forhold til hinanden, og deres oprindelse, eventuelle lokale forankring, og deres oprindelige sigte (skopus), før de blev bestanddele i den af en bestemt tendens prægede Forhistorie, må i fornødent omfang præciseres.

Imod den traditionelle opfattelse, at Forhistorien sætter ind med 1. Sam. 16,14, plæderes der for kap. 15 som begyndelsen, idet der med dette kapitel sættes ind med noget nyt i forhold til de foregående kapitler. Endelig når Forhistorien sin naturlige afslutning med 2. Sam. 5, hvor David salves til konge over Israel som Sauls efterfølger, og David – efter at have besejret filisterne – erobrer Jerusalem. I denne Davids by er enkelttraditionerne blevet kombineret til en beretning om Davids vej til tronen.

Den iagttagelse, at Forhistorien på forhånd må formodes at være sammensat af blandt andet – og især – judæisk og benjaminitisk traditionsmateriale (cf. hovedpersonerne judæeren David og benjaminiten Saul!) danner udgangspunkt for den antagelse, at Forhistorien er opstået ikke længe efter rigets deling efter Salomos død, da Benjamins område blev en del af kongeriget Juda. Med antagelsen af denne datering, som søges underbygget ved andre forhold, er det forventeligt, at Forhistorien også rummer efraimitisk traditionsmateriale (cf. ikke blot den tredie hovedperson efraimiten Samuel, men også den ved rigets deling aktive efraimit Jeroboam!).

Der argumenteres mod den opfattelse, at Juda historisk skulle have været en del af Sauls kongerige. En sådan opfattelse forudsætter apriorisk eksistensen af et 12-stammeamfiktyoni (altså et Israel inklusiv Juda) før Saul. Men et er imidlertid, hvorledes forholdet var – eller ikke var – før Saul (og David), noget andet hvorledes Forhistorien som sådan anskuede dette forhold. Og her søges det godtgjort, at Sauls rige (Israel) i Forhistorien – ligesom senere Davids rige – også omfattede Juda i syd. Davids rige synes projiceret tilbage til Sauls tid.

Analysen af Forhistoriens komposition og traditionsstof er fordelt på seks kapitler, som behandler de seks hovedafsnit, komplekset naturligt falder i. I *kap. I* analyseres kap. 15,1–16,13, som danner indledning til hele Forhistorien: Saul forkastes af Jahve, og David udvælges til hans efterfølger på Israels trone. Dermed anslås – negativt og positivt – allerede fortællingskompleksets hovedsigte. Kompositionelt viser kap. 15 frem til kap. 30: for Saul blev en amalekiterkrig anledning til fald, for David begyndelsen til realisationen af hans ophøjelse. Analysen viser, at forf. har kombineret en judæisk lokaltradition om Sauls amalekitertogt (cf. 15,12) med en efraimitisk, antisaulinsk forkastelsestradition (cf. kap. 13,7 ff.). Forkastelsestraditionens skopus i dens udformning i kap. 15 markeres ved v. 27–28, der røber påvirkning fra elementer i Ahija-traditionskomplekset (cf. 1. Kong. 11,29 ff.; 14,8) hvilket antyder Forhistoriens omtrentlige datering (efter rigets deling). Beretningen om Davids salving kap. 16,1–13, som forberedes af v. 27 f. i kap. 15, er formuleret af forf. på grundlag af gammel Saul-tradition (cf. kap. 9 ff.) og med den jerusalemitiske kongeideologi som baggrund.

Med *kap. II* følger analysen af 1. Sam. 16,14–19,17 (Davids ophold ved Sauls hof). I kap. 17 foreligger der en sammenkobling af en jerusalemitisk legende om Davids tvekamp med kæmpen Goliat og en filisterkamptradition, en beretning, der – foruden at apoteosere David på kong Sauls bekostning – i den nuværende kontekst danner den direkte baggrund for venskabspagten mellem David og kongesønnen Jonatan (cf. kap. 18,1 ff.). Hele afsnittet kap. 16,14–19,17, hvor kap. 16,14–23 fungerer som ekspositionel indledning (Saul er den gudsforladte, David er den store kriger, den, Jahve er med), spiller en afgørende rolle i Forhistoriens komposition som baggrund for Davids valg til Israels konge som Sauls efterfølger (cf. 2. Sam. 5,2). Analysen af traditionselementerne godtgør, at forf. ved hjælp af et sparsomt materiale har komponeret dette afsnit, der omhandler Davids stadigt voksende popularitet og kongens jalousi, hvis voldelige udslag fik David til at flygte over hals og hoved.

Kap. III analyserer tredje hovedafsnit 1. Sam. 19,18–22,23 (Davids flugt fra hoffet ud i Judas ørken). Kompositionen er klar, idet de enkelte flugtstadier har udgjort oprindeligt selvstændige traditionsenheder, som forf. har kombineret. Hovedafsnittet er tydeligt præget af Forhistoriens sigte: selve begivenhedsforløbet legitimerer David som Sauls naturlige efterfølger. Efter direkte at være blevet hjulpet til flugt af kongens egen datter Mikal, understøttes flygtningen nu yderligere af Samuel, af kongens ældste søn og af præsteskabet i Nob. Kongen er forladt af Gud og hvermand! Forf. opererer suverænt med disponibelt traditionsstof. Således er Samuelstykket kap. 19,18 ff., som danner første flugtstadium, konstrueret af forf. selv ved en negativ omdrejning af Saultraditionen i kap. 10,10 ff. Særlig forviklet er traditionsproblemet i kap. 21–22, beretningen om Nobpræsteskabets skæbne. Denne tradition, hvis historie søges rekonstrueret, er af forf. blevet delt ved indskydelse af beretningen om Davids flugt til Juda via Gath (cf. kap. 21,11–22,5) og har fået en ny skopus: David fik således et medlem af dette præsteskab som orakelpræst (kap. 22,20–23).

Dernæst følger i *kap. IV* analysen af fjerde hovedafsnit kap. 23,1–27,4 (Davids usikre ophold i Juda og endelige flugt til filisterland). Midt i Davids fornedrelse lyder Jahves tilsagn om hans ophøjelse gennem Jonatan (kap. 23,17), og gennem Abigajil (kap. 25,28 ff.), ja, gennem den forkastede konge selv (kap. 24,21). Her mærkes helt håndgribeligt Forhistoriens stempel. Skildringen hviler – det demonstrerer analysen – på disponibelt traditionsstof, som forf. har kombineret og formet efter sin formål. (Kap. 27,1–4 synes dog ganske at være formuleret af forf.) Mens de bag kap. 24 og 26 liggende traditioner som baggrund har Davids fortvivlede situation, røber Abigajiltraditionen i kap. 25 imidlertid anderledes stabile forhold for David; i denne henseende indeholder kap. 25 træk fælles med og visende frem til femte hovedafsnit 1. Sam. 27,5–2. Sam. 2,4 a (David som filistæisk lensmand i Ziklag).

Dette hovedafsnit, der slutter med Davids kroning til konge over Juda i Hebron efter Sauls tragiske endeligt, analyseres i *kap. V*. Kap. 27, som ganske er præget af forf. til Forhistorien, danner overgangspassagen mellem de to hovedafsnit, idet v. 1–4 afslutter fjerde, og v. 5–12 indleder femte. Det fremhæves, at traditionerne om kong Sauls sidste dage før hans tragiske endeligt virkningsfuldt er kædet sammen med en skildring af Davids opgående stjerne. Davidstykkerne – med undtagelse af kap. 30 – godtgøres helt at være præget af forf., der har villet vise, at David – ved sin snildhed – undgik at blive medvirkende til Sauls endeligt. Særlig vægt er der lagt på det vigtige kap. 30, som indeholder en værdifuld tradition af judæisk proveniens om et davidisk amalekitertogt. En analyse af 2. Sam. 1 (sammenholdt med 1. Sam. 31) og af 2. Sam.

2,1 ff. resulterer i den opfattelse, at både kap. 1 (cf. v. 10) og kap. 2,1 ff. ganske er præget af forf.

Endelig behandles i *kap. VI* Forhistoriens sidste hovedafsnit 2. Sam. 2,4 b–kap. 5: David når sit endelige mål, Israels kongetrone. Det påvises, at forf. uden reel baggrund i det benyttede traditionsmateriale har urgeret kampen mellem Sauls to efterfølgere, sønnen Isjbaal og svigersønnen David (cf. kap. 2,4 b–11) om magten i et samlet Israel, kap. 2,12–3,1. Hvad der i kap. 3–4 først berettes om Abners, siden om Isjbaals voldelige død – her bevæger vi os på anderledes historisk grund end tidligere i Forhistorien – skal demonstrere den værdige baggrund for Davids i kap. 5 fortalte tronbestigelse som Israels konge. Med hensyn til kap.5 søges godtgjort, at Dtr. har ændret Forhistoriens oprindelige begivenhedsrækkefølge for at gøre overgangen til det, der umiddelbart følger i det dtr. Historieværk, smidigere. Analysen af traditionsbestanddelene i kap. 5 viser, at dette slutafsnit er komponeret på grundlag af flere traditioner eller traditionsfragmenter. Der argumenteres for, at kap. 5,10 danner Forhistoriens slutsten.

I *afslutningen* samles trådene fra analysen dels i en fortløbende gennemgang af Forhistoriens opbygning, sigte og traditionselementer, dels ved fremdragelse af problemkomplekser, der har været antydet i indledningen og siden søgtes løst i analysen. Det gælder således Israelproblemet, Forhistoriens tidshistoriske baggrund og datering, Jerusalem som den by, hvori Forhistorien er opstået, samt andre relevante spørgsmål.

Acta Theologica Danica

VOL. I: DAS MATTHÄUSEVANGELIUM
EIN JUDENCHRISTLICHES EVANGELIUM?
Von Poul Nepper-Christensen
Prostant apud Munksgaard 1958
D. kr. 25,00

VOL. II: HODAYOT
PSALMS FROM QUMRAN
By Svend Holm-Nielsen
Prostant apud Munksgaard 1960
D. kr. 55,00

VOL. III: ORIGIN AND HISTORY OF CHRISTIAN
SOCIALISM 1848–54
By Torben Christensen
Prostant apud Munksgaard 1962
D. kr. 65,00

VOL. IV: CONTRA GABRIELEM
LUTHERS AUSEINANDERSETZUNG MIT GABRIEL BIEL IN DER
DISPUTATIO CONTRA SCHOLASTICAM THEOLOGIAM 1517
Von Leif Grane
Gyldendal 1962
D. kr. 48,00

VOL. V: APOCRYPHON JOHANNIS
THE COPTIC TEXT OF THE APOCRYPHON JOHANNIS IN THE NAG
HAMMADI CODEX II WITH TRANSLATION, INTRODUCTION
AND COMMENTARY
By Søren Giversen
Prostant apud Munksgaard 1963
D. kr. 85,00

VOL. VI: STUDIEN ÜBER DEUTEROSACHARJA
Von Benedikt Otzen
Prostant apud Munksgaard 1964
D. kr. 60,00

VOL. VII: X^{U}ĀSTVĀNĪFT
STUDIES IN MANICHAEISM
By Jes P. Asmussen
Prostant apud Munksgaard 1965
D. kr. 65,00

VOL. VIII: DIE ZEHN GEBOTE
EINE TRADITIONSGESCHICHTLICHE SKIZZE
Von Eduard Nielsen
Prostant apud Munksgaard 1965
D. kr. 40,00

VOL. IX: PHILOSOPHIE UND CHRISTENTUM
EINE INTERPRETATION DER EINLEITUNG ZUM DIALOG JUSTINS
Von Niels Hyldahl
Prostant apud Munksgaard 1966
D. kr. 70,00

VOL. X: DIE GESCHICHTE VOM AUFSTIEG DAVIDS
(1. SAM. 15–2. SAM. 5) TRADITION UND KOMPOSITION
Von Jakob H. Grønbæk
Prostant apud Munksgaard 1971
D. kr. 76,00